250

S0-BAZ-325

MÉMOIRES

*

RAYMOND ARON

MÉMOIRES

*

JULLIARD

PREMIÈRE PARTIE

L'ÉDUCATION POLITIQUE
(1905-1939)

I

LE TESTAMENT DE MON PÈRE

Je suis né rue Notre-Dame-des-Champs dans un appartement dont je ne garde aucun souvenir. En revanche, l'appartement du boulevard Montparnasse dans lequel mes parents déménagèrent peu de temps après ma naissance ne s'est pas entièrement effacé de ma mémoire : je vois ou j'imagine une vaste entrée-couloir qui servait, à mes frères et à moi, de patinoire et dont un panneau était tapissé par trois grandes bibliothèques, le haut rempli de livres, le bas destiné aux papiers et brochures, fermé par des portes. C'est là que, vers ma dixième année, je découvris la littérature sur l'affaire Dreyfus que mon père avait accumulée en vrac.

Nous étions trois — « les petits marrons » — presque du même âge, avril 1902, décembre 1903, mars 1905. Adrien fut à tous égards l'aîné, le plus vite échappé de la famille ou plutôt révolté contre elle, peut-être à l'origine le plus adoré par ma mère (une année avant son arrivée au monde, un premier fils était mort dans un accouchement difficile ; il aurait pu vivre, disait parfois ma mère, et elle accusait le docteur). Gâté, il ne le fut guère plus que les autres, mais Adrien aurait peut-être suivi un autre chemin si mes parents, ma mère en pleurant, mon père en se justifiant à lui-même sa faiblesse, ne lui avaient donné longtemps les moyens de vivre à sa guise sans travailler, dans le confort.

Avant ma naissance, ma mère avait décrété que je serais la fille qu'elle désirait passionnément. Je fus

donc le petit dernier comme Adrien avait été le premier. Elle souffrait parfois de la dureté des Grands,
ceux qu'elle appelait les Aron. Elle me prenait par la
main et j'aimais partager sa solitude, en une complicité
de tendresse. Mon père, lui, me confia une autre mission qui pesa sur ma vie tout entière, plus encore que
mon intimité à peine consciente avec ma mère au cours
de mes premières années.

A la première page de mes souvenirs, Adrien
s'impose à ma plume que je laisse courir. Pourquoi lui,
qui n'a tenu aucune place dans mon existence ni entre
la fin de mes études et la guerre, ni à mon retour
d'Angleterre, en 1944, jusqu'à sa mort en 1969 ? Un de
mes cousins disait, vers 1950 : « Avant 1940, quand on
me demandait : êtes-vous parent d'Aron ? il s'agissait
du joueur de tennis ou de bridge ; maintenant, c'est de
ma parenté avec toi que mes interlocuteurs se sou-
cient. » En effet, Adrien jouit d'une certaine célébrité
ou, du moins, de notoriété dans le monde du sport, à
Paris surtout. Classé le neuvième joueur de tennis vers
la fin des années 20, à l'époque des quatre mousquetaires, il comptait en même temps parmi les quatre ou
cinq meilleurs joueurs de bridge de France, le meilleur
peut-être avec P. Albarran. Il prit part au match, à
l'époque retentissant, de l'équipe Culbertson contre
l'équipe de France. Sans être professionnel d'aucun de
ces jeux, il en vivait, surtout du bridge. Après 1945, il
avait abandonné la raquette et les cartes, il achetait et
vendait des timbres, en amateur aussi. Jusqu'au dernier
jour, il demeura en marge de la société dont il méprisait
l'hypocrisie, glissant peu à peu vers le cynisme.
    Nous ne nous voyions plus guère, pendant les années
60. Après une opération (hernie étranglée), il exprima le
désir d'habiter dans notre appartement, avenue du Pré-
sident-Kennedy ; nos hésitations l'irritèrent et nos rencontres se firent intermittentes. Je me souviens d'une
brève conversation, en mai 1968 ; il réagissait aux événements avec son ordinaire mélange de mépris des
hommes et de repli sur soi-même. En novembre 1969, il

m'appela au téléphone et me dit sur un ton plus gogue-
nard qu'inquiet ou attristé : « Cette fois, ça y est, je me
sens une boule dure dans le ventre, ce doit être un cancer. » Il ne se trompait pas. En une dizaine de jours, il
fut emporté par un cancer généralisé. Il fumait deux ou
trois paquets de cigarettes par jour ; il toussait, d'une
toux de fumeur dont même le profane devinait l'origine.

Je lui rendis visite chaque jour à l'hôpital américain
— sauf le dernier jour de sa vie consciente. Je faisais
mes visites de candidature aux professeurs du Collège
de France — visites qui me semblaient d'autant plus
dérisoires que la mort d'Adrien contrastait avec la
comédie sociale qu'il n'avait jamais jouée et dont il ne
regrettait pas les pompes. Il ne craignit pas la fin qu'il
attendait à sa manière ordinaire, sans ombre de peur
apparente, plutôt avec impatience ; en revanche, il craignait la souffrance. Il m'avait supplié de la lui épargner. Il avait demandé à son médecin un tube d'aspi-
rine qu'il n'utilisa pas. Il ne rapprocha pas l'échéance,
l'extension du mal fut foudroyante, mais il fit face au
dénouement, fidèle à lui-même, sans examen de
conscience, avec une sorte de bilan, détaché, objectif,
de ses soixante-huit années.

Il se souvenait de la première partie de sa vie, avant
1940, avec satisfaction. Non pas la satisfaction d'un
devoir ou d'une œuvre accomplis, la satisfaction ne
concernait que lui-même ; les femmes, l'argent, les succès sportifs, il avait tout possédé, tout ce qu'il avait
voulu avoir. A l'époque, il roulait dans une Lancia
(qu'il me prêta plusieurs fois) ; élégant, il fréquentait les
milieux riches des clubs de tennis et des clubs de jeu. Il
incarnait parfaitement l'homme de plaisir, un type
d'homme que mon moi philosophique méprisait et que
peut-être une partie de moi-même, à peine consciente,
humiliée par sa légèreté souveraine, admirait ou enviait.

La défaite de la France avait mis un terme à sa jeunesse. D'un coup, il se trouva, lui aussi, un Juif. Non
qu'il se fût heurté, parmi ses familiers, à des antisémites, saisissant l'occasion de donner libre cours à des
sentiments refoulés. Autant que ses propos, sur son lit
d'hôpital, me permettent de reconstituer ses expé-

riences, il fut surpris, heurté par l'indifférence au sort des Juifs (l'indifférence étant le cas le plus favorable) que manifestèrent ses camarades de sport ou de divertissement (les quelques amis vrais que je lui ai connus lui furent fidèles).

Il abandonna le tennis à la suite d'une hernie ; il abandonna le bridge le jour où il s'aperçut que le jeu commençait à le fatiguer. Pendant l'Occupation, il avait séjourné tout d'abord à Cannes ; il gagna ensuite la Suisse où il découvrit les timbres. Ses années d'après-guerre, me disait-il, ne reproduisirent pas la perfection d'avant-guerre. En fait, ce paresseux travailla dur, plusieurs heures par jour, à sa collection de timbres ou, faut-il dire, à son métier qu'il exerçait avec le même talent que le bridge. Sans la guerre, me disait-il, il aurait trouvé une « situation » par l'intermédiaire de l'un ou l'autre de ses « amis ». Ces amis avec lesquels il frayait et qui disparurent par la faute des événements.

A ces moments ultimes, il ne regretta rien ou presque ; il déplorait que les circonstances, indépendantes de sa volonté, l'eussent privé de certains plaisirs durant les dernières années de sa vie (au reste, il jugeait avoir déjà trop longtemps vécu). Tout compte fait, il avait choisi son « caractère intelligible ». Pour lui, tel qu'il avait voulu être, la vieillesse ne signifiait rien. Non qu'il fût éloigné de ses semblables autant qu'il l'affectait. La famille, en un certain sens, lui demeurait attachée à la peau. En 1934, quand mon père mourut, nous avons tous trois pleuré devant son cadavre (le premier, je crois, que j'aie vu) et il nous demandait à tous deux, à Robert et à moi : « Suis-je coupable ? » Mon père avait perdu toute sa fortune, en 1929, à la suite de l'effondrement des cours de la Bourse. Seul de nous trois, Adrien disposait d'assez d'argent pour aider nos parents. Je le lui avais suggéré, il avait répondu que son luxe apparent répondait aux contraintes de son mode d'existence. Au reste, je ne sais quel accueil mon père aurait réservé à une offre de cette sorte. Robert et moi nous fîmes de notre mieux pour apaiser ses remords.

J'omets un détail ou peut-être l'essentiel : il était doué d'une exceptionnelle intelligence ; il la mit au service du bridge et des timbres. Après des études normales, au lycée Hoche, il entra en hypotaupe. Au bout de quelques semaines, il rechigna devant le travail. Mon père souscrivit à un autre choix, une licence de droit et une licence de mathématiques. Il fit, en effet, sa licence de droit. En trois semaines avant l'examen, il apprenait presque par cœur les manuels et passa les examens des trois années de la même manière. Il laissa tomber la licence de mathématiques après un échec au certificat de mathématiques générales. Il préféra les leçons de tennis à celles de mathématiques. Il continua de vivre dans la famille jusque vers le début des années 30, puis s'établit dans un rez-de-chaussée, rue Marignan, qu'avait installé un de ses amis. Lorsqu'il mourut, il habitait encore dans ce même petit appartement dont le style, celui de l'exposition de 1924, se perdait dans le désordre, la saleté, l'usure des tapis et des tentures — négligence et non nécessité.

Bridge et tennis. Dans le jardin de la maison que mes parents firent construire en 1913-1915, à Versailles, se trouvait un terrain de tennis. Nous y jouions plusieurs fois par semaine. Adrien était le plus doué, Robert, intermédiaire par l'âge, l'était le moins. De même, je me mis au bridge vers la dixième année. Nous avons, pendant des années, joué au bridge, mon père et ses trois fils, tous les soirs ou presque. Nos parents avaient décidé que l'on ne devait pas « travailler » après le dîner. Les parties du soir se prolongèrent jusqu'au moment où Adrien chercha au-dehors d'autres divertissements. Quant à moi, je perdis la passion aussi bien du tennis que du bridge à partir du moment où je découvris la philosophie et le monde des idées.

Les souvenirs qui me sont revenus les premiers — Adrien et son « choix existentiel » — risquent de donner une image fausse de ma famille. Elle m'apparaît aujourd'hui banale, classique ; elle appartenait à la bourgeoisie moyenne du judaïsme français. Mon grand-père paternel, que je n'ai pas connu, avait créé un commerce de textile en gros à Rambervillers, village de Lorraine, où ses ancêtres étaient installés depuis la fin du XVIIIe siècle, me dit-on. Le commerce qu'il dirigeait avec son frère Paul (le père de Max Aron, le biologiste de Strasbourg) prospéra et se transféra à Nancy.

Je ne sais rien de lui en dehors de deux propos qui
me furent rapportés, l'un par mes parents, l'autre par
un Lorrain établi au Mexique qui avait servi sous ses
ordres. Mon grand-père Ferdinand m'aurait annoncé
une grande carrière, à moi le bébé qui porte son nom[1].
En 1961, je rencontrai à Mexico un homme de quatre-
vingts et quelques années qui avait travaillé dans la
maison « Aron frères ». Il me raconta la leçon qu'il
avait reçue de son patron : « Un soir, Ferdinand, vers
minuit, donna le signal du départ. Allons nous coucher,
dit-il, il n'est pas tard, nous nous lèverons demain de
meilleure heure. » Mes grands-parents, Juifs de l'Est,
témoignaient d'un patriotisme intransigeant. Je ne crois
pas qu'ils se soient jamais posé la question, aujourd'hui
à la mode : Juifs ou Français d'abord ? Même mon
père, autant que je m'en souvienne, bien qu'il ait été
bouleversé par l'affaire Dreyfus plus que par aucun
événement historique, ne bougea pas de ses positions :
franc-maçon dans sa jeunesse, sans inquiétude religieuse, sans aucune pratique juive ou presque, il ne différait pas, au moins superficiellement, de ses amis universitaires, d'origine catholique ou incroyants, vaguement de gauche.

Mes grands-parents, des deux côtés, « avaient de
l'argent » comme on dit, mais non une grande fortune.
Ma mère, dont le père possédait une petite usine de textile dans le nord du pays, avait apporté une dot. Ma
grand-mère paternelle, avant 1914, disposait d'une
grosse automobile, conduite par un chauffeur à cas-
quette ; ces signes extérieurs ne trompent pas. Mes
parents reçurent donc, de chaque côté, quelques centaines de milliers de francs. C'est après un héritage à la
mort de ma grand-mère paternelle que mes parents
décidèrent de quitter Paris et de s'installer à Versailles,
d'abord rue de la Maye dans une maison louée, puis
dans une maison construite sur les plans d'un architecte
ami, une maison de pierre meulière, à l'époque la dernière sur l'avenue du Parc de Glatigny. De l'autre côté
du mur qui entourait le jardin, un terrain de football.

Mon père, cas banal dans les familles juives, prit

1. On m'appela Raymond Claude Ferdinand.

jeune la décision de ne pas entrer dans l'affaire familiale. Il fit des études brillantes, et fut le premier de sa
classe à Lyon, en rivalité avec un de ses camarades qui
enseigna plus tard la littérature française à la Sorbonne.
Il avait conservé certaines de ses dissertations de philosophie, de ses exercices de discours ou de poésie latine
que je lus beaucoup plus tard. En première année de
droit, il obtint le premier prix au concours disputé par
les meilleurs étudiants de Paris (ou de France). Pour
des motifs que je reconstitue vaille que vaille, il rata sa
carrière. Il s'orienta vers l'agrégation de droit et choisit
l'agrégation de droit romain et d'histoire du droit. Un
concours avait lieu tous les deux ans. Il arriva au
deuxième rang à un concours qui n'offrait qu'un poste.
Il avait été aidé, pour la grande leçon préparée en
vingt-quatre heures, par un historien réputé, Isidor
Lévy (ce qui était à la fois légal et coutumier). Il
accepta d'abord une charge de cours dans les facultés
de droit à Caen, puis il renonça à l'agrégation, revint à
Paris et obtint, à la faculté de droit de Paris, un poste
inférieur à celui des professeurs en titre — poste qui fut
supprimé quelques années plus tard. Il resta dans
l'enseignement, professeur de droit à l'École supérieure
d'enseignement commercial et à l'École normale supérieure d'enseignement technique. Échec par rapport à
ses ambitions, par rapport à ses mérites. Il aurait pu
entrer dans la magistrature. Il s'accrocha à l'enseignement qu'il transfigura à ses propres yeux en vocation ;
le plus beau métier du monde, disait-il.

Était-il sincère ? Jusque 1929 et la grande dépression,
je me souviens de lui comme d'un homme heureux,
expansif, bien dans sa peau. Ensuite, peu à peu, je
m'interrogeai. Il avait publié des travaux juridiques
quand il se destinait à l'agrégation. Une fois marié, père
de trois enfants, il cessa de « travailler ». Il publia un
petit livre *la Guerre et l'Enseignement du droit*, qui ne
tirait pas à conséquence. Il quitta Paris pour échapper à
la « vie mondaine », aux dîners parisiens (ainsi du
moins la décision fut-elle expliquée). Il n'utilisa guère
mieux ses loisirs versaillais ; de temps à autre, le sens
de l'échec, refoulé par le goût de vivre et la résignation
volontaire, revenait à la surface. Plus souvent, il disait à

lui-même et aux autres qu'il se vouait tout entier à ses enfants. Peu à peu, à mesure que l'âge me permit de le comprendre, non plus comme un père tout-puissant mais comme un père humilié, je me sentis porteur des espoirs de sa jeunesse, chargé de lui apporter une sorte de revanche ; j'effacerais ses déceptions par mes succès. Il mourut quelques semaines après la naissance de ma fille Dominique : ce fut sa dernière joie.

Encore une fois, les souvenirs qui me reviennent se rapportent aux années noires, entre 1929 et sa mort, autrement dit après qu'il eut tout perdu, sa fortune et la dot de ma mère. A ce moment, à soixante ans, il dut, pour la première fois depuis son mariage, gagner sa vie, compter exclusivement sur ses traitements : bourgeois du tournant du siècle, il dépensait plus d'argent qu'il n'en gagnait — ce qui ne témoignait pas de légèreté. Pourquoi ne pas dépenser les revenus de son capital ? Mais je crains qu'il n'eût pris l'habitude de dépenser plus que ses traitements et ses revenus joints. Je me souviens d'une conversation entre mon père et ma mère, à Versailles, donc bien avant le malheur. « Je croyais que nous ne dépensions pas plus que nos revenus », disait ma mère. Et mon père répondait : « Non, nous dépensons plus. »

Ma mère n'était pas dépensière ; probablement un train de vie auquel mes parents s'étaient accoutumés — une cuisinière, une femme de chambre — devint-il trop lourd pendant les années 20 alors que les trois fils dépendaient encore de la bourse familiale. C'est après la guerre, durant les années d'inflation, que mon père prit l'habitude de spéculer à la Bourse. Spéculer est un grand mot ; il achetait à terme des actions, il les mettait dans son portefeuille si les cours en étaient tombés. Au début, peut-être fit-il ainsi ; peu à peu, il s'engagea bien au-delà de ses moyens. En 1929, le Krach, sur tous les marchés des valeurs mobilières, le frappa, lui comme tant d'autres. Mais il fut frappé plus que beaucoup d'autres parce qu'il se jugeait coupable et qu'il ne nourrissait plus, depuis trente ans, d'autre ambition que le bonheur familial et l'avenir de ses enfants.

Il demeurait le père et je ne lui posai guère de questions. Une fois, à une demi-question, il me répondit :

« Si je vends, je suis ruiné. » Il l'était, mais il ne voulait pas l'admettre ; il reportait les valeurs achetées à terme — ce qui ajoutait à ses pertes et à ses charges. Robert, déjà entré à la Banque de Paris et des Pays-Bas, aurait dû le conseiller. Il n'en fit rien ; ni l'un ni l'autre n'avons su renverser les rôles.

Je ne puis me remémorer les dernières années de sa vie sans un sentiment de culpabilité et une immense tristesse. Il ne méritait pas le sort qu'appelèrent sur lui ses propres erreurs. Il se laissait persuader par n'importe quel « boursicoteur » (je me souviens d'un de ces agioteurs qui l'entraîna dans une opération dans laquelle il laissa les milliers de francs qu'il y avait mis). Il ne ressemblait pas à son malheur. Courageusement, il courut les leçons particulières, les séances d'examen ou de concours. Il me dit un jour, alors que je risquai une question : « Je gagne ma vie. »

Dans mon enfance déjà, je m'étais senti coupable. Ma mère, pendant la guerre, faisait une collection de soldats de plomb et, si mes souvenirs sont exacts, elle rassemblait surtout des couvre-chefs de toutes les armées alliées : je m'inquiétais de l'argent dépensé. En 1922, mes parents revinrent habiter Paris, en partie à cause de moi ; puis ils regagnèrent Versailles et finalement vendirent la maison (elle valait un demi-million de francs de l'époque) — la dernière folie. Bien sûr, mes parents décidaient et non pas moi. Mais je ne pus pas me tenir moi-même pour innocent puisque nos désirs — les miens — pesaient si lourd sur leurs décisions. Nous aussi, Robert et moi, nous acceptions d'être entretenus par nos parents lorsque nous faisions nos études. Il arriva que mon père me fît remarquer : « Ce sport coûte cher », quand je lui demandai un chèque pour la cotisation au club de tennis couvert.

Le mot bourgeois est revenu sous ma plume aussi souvent que le mot juif. Ma famille était-elle plus typiquement bourgeoise que juive ? Je n'en sais rien et peut-être la question n'a-t-elle guère de sens. Ma mère était étroitement liée avec ses deux sœurs ; avec l'une d'entre elles, la plus âgée, mon père s'entendait mal (pour de bonnes raisons) et des querelles d'argent aboutirent finalement à la rupture (à propos de la petite usine de textile qui appartenait à mon grand-père maternel). Avec la sœur de mon père, les relations étaient interrompues de temps à autre par des « brouilles » qui ne semblaient pas imputables à mon père, de nature généreuse.

Si je jouais au sociologue, je dirais que mes parents avaient encore connu une famille large (dans la génération de mes grands-parents, les six enfants par famille étaient fréquents) et les frères et sœurs ne se séparaient pas les uns des autres sans déchirement, trop unis affectivement pour s'ignorer mutuellement. Ils se « fâchaient », autre manière de vivre ensemble. Il me semble que ma génération franchit un pas de plus. Mis à part les parents, nous choisissons entre nos cousins, même entre nos frères et sœurs, ceux que nous voulons garder.

Quelques mots sur l'argent pour n'en plus parler. Pendant la plus grande partie de ma vie, après mes études, je ne possédai aucun capital, je vécus de mon traitement. Par hasard, dans une conversation avec Alain, je fis allusion au contraste entre une enfance bourgeoise d'ancien style et ma condition actuelle, celle d'un bourgeois sans réserves, comme aurait dit Siegfried ; je lui confessai que j'en tirais satisfaction ou que, pour mieux dire, je me sentais allégé ; je n'aurais pas à m'occuper d'argent, je dépenserais ce que je gagnerais, comme un salarié, mais non sans profiter du capital intellectuel accumulé au cours de mes études. Alain me répondit que j'avais eu de la chance de bénéficier d'abord de la sécurité qu'assure une famille aisée, de ne pas recevoir ensuite d'autre héritage que celui que chacun reçoit de ses père et mère. Héritage d'être et non d'avoir. Peut-être n'aurais-je jamais la « peur de manquer » qui continue de tenailler ceux qui eurent l'expérience de la vraie pauvreté ; simultanément, je ne serais pas obsédé par ce que les Américains appellent *keeping up with the Jones*.

Alain avait raison. Quand je revins d'Angleterre, en 1944, je n'avais pas mis un sou de côté et, sans beaucoup de réflexion, je refusai la chaire de sociologie à l'université de Bordeaux que le doyen m'avait offerte, m'assurant que mes collègues m'accueilleraient unanimement. J'ai regretté, depuis lors, mon refus qui retarda de dix années mon retour à l'université mais j'y vois une expression à la fois de légèreté (je suis donc le fils de mon père) et d'une certaine confiance. Après tout, en dehors de l'université, quel métier s'offrait à moi ? Le journalisme, bien sûr. Mais je n'avais pas écrit un seul article de quotidien avant la guerre et mes livres de philosophie, difficiles, obscurs, n'annonçaient pas le talent tout autre d'éditorialiste.

Peut-être dois-je à mon père mes rapports ambigus avec l'argent. Mais j'ai aussi contracté, à son égard, une dette que je ne finirai jamais d'acquitter. Candidat à l'École Normale, à l'agrégation, je portais les espoirs, la revanche de mon père. Confusément, chaque fois que j'ai eu la conscience ou la crainte de rater mon existence, de ne pas accomplir ce dont j'étais capable, je songeai à mon père comme si la vie lui infligeait une nouvelle défaite ; le fils qui devait réparer les injustices, auquel il avait confié son message, lui aussi, comme lui, et avec moins d'excuses, choisissait la facilité ou l'échec à cause des mêmes défauts de caractère. Avec moins d'excuses, je le répète, parce que lui avait été longtemps heureux en dépit de l'échec, et que, moi, je ne pouvais l'être dans l'échec.

A Jérusalem, il y a quelques années, je reçus un doctorat *honoris causa* de l'université. J'avais oublié que je devais répondre à la *laudatio* du professeur israélien. La veille, je faisais une conférence au Weizmann Institute. Le matin, avant de prendre l'auto pour Jérusalem, j'écrivis à la hâte ma réponse — une des allocutions les moins préparées et les mieux accueillies — et mes derniers mots s'adressaient à mon père qu'auraient comblé l'élection au Collège de France et le doctorat décerné par l'université de Jérusalem. Un de mes amis, que les journalistes de Paris n'ont pas oublié, Dan Avni, m'écrivit que j'avais donné une leçon de judéité : faire hommage au père de l'honneur accordé au fils. Judéité ? Peut-être le psychanalyste risquerait-il une autre interprétation. La dette qui me pesait depuis cinquante années, je l'évoquai peut-être en ce temps, en ce lieu, pour m'assurer moi-même que je l'avais enfin acquittée.

Je fus le bon élève type ; je n'entrai au lycée de Versailles qu'en classe de huitième. Une institutrice, Mlle
Lalande, m'apprit à lire et à écrire ; je ne me souviens
guère d'elle en dehors de la lettre qu'elle m'écrivit au
moment de mon élection à l'Institut. Les leçons personnelles que j'avais reçues ne m'avaient pas amené au
niveau de la huitième. Je rattrapai assez vite le retard et,
surtout à partir de la sixième, j'ambitionnai toujours la
première place comme si elle me revenait de droit. En
bref, j'étais affligé d'un amour-propre dont je ne me
souviens pas sans honte.

J'aimais apprendre et je travaillais avec plaisir. Mais,
avant la classe de philosophie, je ne crois pas que les
études en tant que telles m'aient passionné. Latin, grec,
mathématiques, histoire, géographie, rien de tout cela
ne touchait à ma vie intérieure, à mes intérêts propres, à
mes plaisirs. Ma bicyclette (je me rêvais champion
cycliste), ma raquette (pourquoi pas un champion de
tennis ?) me tenaient plus à cœur que le latin ou l'histoire. Peut-être, parce que nous habitions Versailles,
allions-nous moins souvent au théâtre, au musée, au
concert que nous n'aurions dû le faire. Il y eut les inévitables leçons de piano, mais, en gros, vers la quinzième
année, j'étais un premier de classe (dans un lycée inférieur à ceux de Paris), avec moins de culture extrasco-
laire que les futurs normaliens. Je mesurai mon retard
ou mes ignorances quand j'entrai à la khâgne de
Condorcet.

Ai-je beaucoup lu, en dehors des lectures obligatoires ? Probablement vers la onzième ou la douzième
année. Je me souviens de *Guerre et Paix*, du prince
André couché sur le sol et les yeux fixés sur le ciel. Je
recherchai plusieurs fois l'émotion ressentie à la première lecture et je fus déçu. J'attendais trop de ce passage du livre qui, du coup, perdait de son charme.
Au reste, je fis maintes fois l'expérience de ces atten-
tes anxieuses, toujours insatisfaites. Les dialogues
d'Horace et de Curiace, que je me récitais à moi-même,
m'élevaient à un univers sublime. Plusieurs jours avant

la représentation de la tragédie, au Français, je vécus à
l'avance la joie dont me combleraient les voix des
acteurs, je verrais, j'entendrais les héros dont je me
répétais à moi-même les reparties : « Je ne vous connais
plus... je vous connais encore... ». Le miracle n'eut pas
lieu ; par la faute de la mise en scène, des comédiens (je
crois que Paul Mounet, Escande étaient là) ? Je ne le
pense pas. Plusieurs années plus tard, je lus Proust et je
compris la banalité de ma déception ; on ne vit pas sur
commande des moments parfaits. Proust m'en donna
quelques-uns, mais j'hésite à relire tels ou tels passages
de *A la Recherche du Temps perdu*, par crainte de ne pas
revivre ces moments parfaits ou même d'en gâter le souvenir.

En dehors des romans, — des *Trois Mousquetaires* à
Guerre et Paix — que je dévorai encore enfant, la
bibliothèque de mon père, ou plutôt les armoires fer-
mées au-dessous des rayons de livres, m'offrirent des
livres, des tracts, des journaux sur l'affaire Dreyfus,
J'accuse, une brochure de Jaurès. Je me plongeai dans
l'Affaire sans y percevoir une mise en question des
Juifs et de leur statut en France. C'était pendant la
guerre et mes parents partageaient les passions patrioti-
ques de tous. Passions ? Oui, les parents, les oncles et
les tantes avaient donné à l'État leur or. Mon père, âgé
de quarante-trois ans à la déclaration de guerre, mobi-
lisé dans la territoriale, resta quelques mois dans une
caserne à Toul. Démobilisé pendant l'hiver 1914-1915,
il reprit son activité ordinaire. Je me souviens avec
quelque honte de mon indifférence aux malheurs des
autres, à l'horreur des tranchées. Indifférence ? Oui, en
ce sens que mes études et mes jeux — le patinage sur le
canal du parc de Versailles — me touchaient plus que
les communiqués officiels ou les récits des journaux. Je
m'inscrivis à la *Ligue maritime et coloniale* parce que les
professeurs nous invitaient à le faire. Acte national et
tout naturel. Je ne m'interrogeai pas sur les colonies et
la mission civilisatrice de la France et, dans une rédaction que chaque écolier devait écrire sur le métier de
son choix, je chantai la grandeur du « petit capitaine ».

L'affaire Dreyfus ne troubla pas mes sentiments de
petit Français. Mon père me surprit quand il rapprocha

la guerre de l'affaire Dreyfus : l'Affaire, plus encore
que la guerre, avait servi d'épreuve et permis de juger
les hommes et leur caractère. Bien sûr, je savais que
j'étais juif et j'entendis bien souvent de la bouche des
bourgeois israélites l'expression : « Ce sont ces gens-là
qui créent l'antisémitisme. » Quels gens-là ? Des personnes, dites vulgaires, qui parlaient haut en public,
riaient fort, se faisaient remarquer. Une tante détectait
les « responsables » de l'antisémitisme de préférence
parmi les amis de mes parents ou d'une autre famille
apparentée. Ces propos me gênaient, m'irritaient sourdement. Ils me devinrent insupportables quand j'accé-
dai à l'âge de raison. Les réactions de nombre de Juifs
français — disons des Israélites — à l'arrivée des Juifs
allemands après 1933 m'indignèrent sans me surprendre. Après tout, c'était vrai : ils étaient des « boches » ;
pour la plupart, ils avaient vécu avec leur peuple —
avec le peuple qu'ils tenaient pour le leur —, répété eux
aussi *Gott strafe England*. Les Israélites français, pour
la plupart, n'éprouvaient aucun sentiment de solidarité
avec les Juifs allemands. Ils ignoraient, ils voulaient
ignorer que leur temps viendrait ; ils avaient aliéné,
avec l'assimilation, la liberté de se choisir eux-mêmes.

   Peut-être suis-je enclin à me présenter trop naïf,
avant le contact avec l'Allemagne préhitlérienne, à
peine conscient d'appartenir au judaïsme, citoyen français en toute sérénité. Et pourtant... Un professeur
d'histoire, d'opinion de droite, proche de l'Action française, traitait de la IIIᵉ République en classe de première ou de philosophie. Il nous enseigna que l'on ne
savait pas, même avec le recul du temps, si Dreyfus
avait été coupable ou innocent, qu'au reste cette question importait peu, que l'Affaire avait créé l'occasion
ou le prétexte d'un déchaînement de passions partisanes, celles des ennemis de l'armée ou de la religion.
Le régime « ignoble », celui des radicaux et des
« fiches », était venu après. Je discutai de mon mieux
avec le professeur, blessé de guerre au surplus, et tout y
passa ; le petit bleu, le faux patriotique, le procès de
Rennes, la décision finale de la Cour de Cassation. Le
professeur répondit par des formules classiques :
« C'est plus complexe que vous le dites. » Il usa aussi

de contre-vérités. « La Cour de Cassation n'était pas habilitée à trancher sur le fond ; elle le fit pour mettre fin aux polémiques qui déchiraient la nation. » Dans le dialogue avec le professeur, ni l'un ni l'autre, autant que je m'en souvienne, n'avaient mentionné ou, en tout cas, souligné que Dreyfus était juif et que moi aussi je l'étais. En 1920 ou 1921, il subsistait encore quelque chose de l'union sacrée.

Les élèves de la classe n'ignoraient pas — comme de bien entendu — que j'étais juif. Avec quels sentiments ? Je ne le savais pas à l'époque et probablement je ne tenais pas à le savoir. Il m'est arrivé, quand j'avais onze ou douze ans, d'être poursuivi, à la sortie du lycée, par quelques cris : « sale juif » ou « youpin ». Impressionné ou effrayé, je rapportai l'incident à mes parents. Le jour suivant, un « grand », mon frère Adrien, dispersa les petits.

J'avais quatorze ans au moment du traité de Versailles, et probablement je discutais ferme en famille sur les événements du monde, la Révolution russe, l'occupation de la Rhénanie. Mes parents nous laissaient participer à toutes les conversations, même avec des professeurs réputés. Je les traite en égaux, disaient-ils volontiers ; ils croyaient naïvement qu'ils nous « libéraient » par là même. En fait, ils nous rendirent la libération plus difficile. Certains amis de mes parents m'appelaient « l'avocat », tant j'argumentais avec facilité. Ce que je plaidais dans les années 1918-1921, entre ma treizième et ma seizième année, je suis bien incapable de le dire. Je me suis dès longtemps reconstruit ma biographie intellectuelle : avant la classe de philosophie, la nuit ; à partir de la classe de philosophie, la lumière. J'entrai en classe de philosophie en octobre 1921. L'exaltation patriotique retombait ; la gauche retrouvait ses forces et ses idées. La Chambre bleu horizon supportait le contrecoup des désillusions de la victoire. Mon père revenait à ses opinions antérieures de gauche modérée. Il avait voté, je crois, pour le Front national en 1919, il vota certainement pour le cartel des gauches en 1924. Entre-temps, lecteur et abonné du *Progrès civique*, l'hebdomadaire qui avait mené la campagne du cartel des gauches pour les élections de 1924, il redevint le dreyfusard de sa jeunesse, jamais rallié à Raymond Poincaré qui avait tant tardé à « libérer sa conscience » ; peu à peu dégagé de la propagande de guerre, et, avec prudence, ouvert aux paroles de réconciliation avec l'ennemi.

L'année scolaire 1921-1922, que je regarde comme décisive pour mon existence, fut historiquement marquée par les derniers soubresauts de la grande crise, guerrière et révolutionnaire. Je n'appris rien sur la politique, l'économie, le bolchevisme et Karl Marx, mais j'entrevis, pour la première fois, l'univers enchanté de la spéculation ou tout simplement, de la pensée. J'avais choisi la section A, moins par goût des langues anciennes que par peur des mathématiques. J'avais été presque traumatisé, en 4e, par un incident que je n'ai pas oublié : je n'avais pas trouvé la solution d'un problème. Le professeur avait écrit à l'encre rouge sur la copie : comment n'avez-vous pas trouvé la solution d'un problème aussi facile ? Je reculai devant l'obstacle : en d'autres circonstances, peut-être me suis-je dérobé aussi devant l'obstacle. Ecrire des essais, signer des contrats pour des livres secondaires, ne fut-ce pas une autre forme de dérobade ?

Mes parents me laissèrent choisir sans même discuter avec moi. (Je ne me suis pas mieux conduit avec ma fille.) Les deux frères avaient suivi la filière normale, latin-science (C), qui conduisait indifféremment à la classe de philosophie ou à la classe de mathématiques élémentaires. Les bons élèves obtenaient les deux baccalauréats la même année. La section A (latin-grec) ne conduisait qu'au baccalauréat de philosophie et comportait le minimum de mathématiques. Parmi les littéraires, je l'emportais d'ordinaire. J'appris facilement la géométrie ou l'algèbre, au reste élémentaires, que comprenait le programme. Les exercices me donnaient parfois de la tablature. Je raisonnais plus aisément avec des concepts qu'avec des signes, des chiffres ou des symboles.

Pourquoi ai-je éprouvé le sentiment d'une rupture entre les classes de français — donc de littérature — et celle de philosophie ? Encore aujourd'hui, je m'interroge. Après tout, la psychologie remplissait une bonne partie du cours, étrange psychologie qui empruntait pour une part à la tradition d'une psychologie rationnelle, à demi métaphysique, pour une part aux débuts de la psychologie scientifique, empirique. La table des matières n'avait guère changé depuis le cours de mon père, une trentaine d'années plus tôt. Et pourtant cette psychologie équivoque, ces débris de la philosophie classique enseignés par un professeur sans génie, suffirent à me révéler ma vocation et les austères jouissances de la réflexion.

Le professeur Aillet prépara toute sa vie une thèse de philosophie du droit qu'il n'acheva jamais (une thèse soutenue sur un sujet voisin du sien le découragea). D'après un article paru dans la *Revue de Métaphysique et de Morale*, il s'efforçait d'interpréter la pratique des tribunaux à la lumière d'une philosophie du jugement et non du concept[1] ; disciple donc de Léon Brunschvicg, au sens vague du terme. L'inspiration philosophique importait peu. Aillet réfléchissait devant nous ; il n'était pas cuirassé par un système, il cherchait tout haut, péniblement, la vérité. Sa parole, parfois embarrassée, risquait de décourager ses jeunes auditeurs. Il m'arriva de retraduire pour mes amis — Léonard Rist, Jacques Hepp (qui devint un admirable chirurgien) — les explications du professeur, mais le travail de la pensée, authentique, sans aucune comédie, offert à une vingtaine de garçons de dix-sept ou dix-huit ans, non un spectacle mais une expérience humaine, prit pour quelques-uns d'entre nous une valeur unique, incomparable. Pour la première fois, le professeur ne savait pas, il cherchait ; pas de vérité à transmettre mais un mode de réflexion à suggérer. Bien sûr, les vrais savants enseignent moins la vérité acquise que l'art ou la méthode de l'acquérir. Dans les lycées ou les collèges, les professeurs de sciences, même les meilleurs, ont peu d'occasions d'approcher les zones frontières de la science en devenir ou d'évoquer les péripéties des découvertes.

L'exaltation de la pensée en tant que telle ne va pas sans péril. Les philosophes prennent souvent la mau-

---

1. Juger les cas dans leur singularité plutôt que de déduire du concept le jugement qui convient au cas.

vaise habitude de prêter à la pensée toute seule, sans
information ou preuve, la capacité de saisir la vérité ;
d'autres en excluent l'analyse ou la démonstration
scientifique. Il reste que quelques mois passés avec un
vrai professeur de philosophie, qui initie les jeunes gens
aux Idées de Platon ou au syllogisme d'Aristote, aux
Méditations de Descartes et à la déduction transcendantale de Kant, marquent profondément les esprits et leur
apportent quelque chose d'irremplaçable. J'anticipe
peut-être. Il se peut que je confonde l'année au lycée
avec les quatre années de l'École. La décision de préparer l'ENS sortit d'elle-même de la classe de philosophie. Puis-je dire décision ? Les grandes écoles scientifiques m'étaient interdites par le choix de la section A.
J'ignorais la combinaison de la licence de droit et de
l'École libre des Sciences politiques. Bien que mon
intérêt pour la chose publique fût éveillé, je ne songeai
pas à une carrière politique. Plus tard, à l'École, j'y songeai plus d'une fois mais plutôt comme à une tentation,
à un risque de chute. Le journalisme aussi, autant ou
plus que le métier d'homme politique, me paraissait un
aveu d'échec, un refuge pour les fruits secs.

Mon amour-propre d'enfant s'était déjà sublimé,
épuré après avoir été rappelé à la mesure par l'expérience. A la khâgne de Condorcet, je ne me mis pas au
nombre de ceux qui briguaient une des premières
places de la promotion de l'ENS. Il me suffisait
d'entrer dans cette illustre maison. Quatre ans plus
tard, à l'agrégation, je partageai avec Jean-Paul Sartre
les faveurs des pronostics pour la première place.
Quand je fus effectivement premier de la liste (devant
Emmanuel Mounier et Daniel Lagache), j'attribuai ce
succès, avec une clairvoyance triste, à des mérites scolaires. Dans aucune des dissertations ou des exposés
oraux, je ne manifestai d'originalité quelconque.
L'agrégation était à l'époque ce qu'elle est demeurée ;
les candidats y témoignent de culture philosophique et
de talent rhétorique.

Dois-je dire que la classe de philosophie me conduisit à l'École Normale Supérieure et à l'agrégation parce
que cette voie s'ouvrait d'elle-même ? Je me vouai à
l'exercice intellectuel pour lequel j'étais plus doué

apparemment que pour les autres. Je crois cette sévérité excessive. La classe de philosophie m'avait enseigné que nous pouvons penser notre existence au lieu de la subir, l'enrichir par la réflexion, entretenir un commerce avec les grands esprits. Une année de familiarité avec l'œuvre de Kant me guérit, une fois pour toutes, de la vanité (au moins en profondeur). Sur ce point, je me sens aujourd'hui encore très proche de Léon Brunschvicg. Dans son agenda de 1892, à la date du 22 septembre, il écrivit : « Je rêve un temple pur d'où je m'excommunie. » Cinquante années plus tard, il se répondit à lui-même : « Il se peut que je n'aie pas été trop infidèle au double mot d'ordre : viser le plus haut et s'estimer au plus juste. » Dans une lettre à sa fille Adrienne, il cite ce « bel alexandrin » et il commente : « Cela m'a paru me définir tout entier, sans illusion sur moi-même, mais attaché à la méditation et au commentaire des plus hauts génies de l'humanité. » Je ne revendique pas, pour ma défense, une telle fidélité, mais j'ai donné beaucoup de temps à « la défense et illustration » de plus grands que moi ; je leur attribuai volontiers des idées que je ne leur devais pas mais qui me paraissaient au moins implicites chez eux.

Pourquoi la classe de philosophie entraîna-t-elle aussi la conversion à la gauche ? L'année 1921-1922 coïncidait avec le renouveau de la gauche bourgeoise, académique, étouffée jusque-là par l'ardeur nationale. Je crois cependant que la philosophie donne par elle-même une leçon d'universalisme. Les hommes pensent, ils sont tous capables de penser. Il faut donc les instruire, les convaincre. La guerre nie l'humanité des hommes puisque le vainqueur n'a rien démontré en dehors de sa supériorité en force ou en ruse. Le climat d'une classe de philosophie, quelle que soit l'opinion du professeur, nourrit d'ordinaire l'affectivité de gauche.

Cette classe m'ouvrit l'univers de la pensée ; en dépit de Descartes, elle ne me donna pas des leçons de méthode, dont les « philosophes » de Normale ont tant besoin. Penser mais aussi, d'abord, apprendre, étudier. Seuls, écrivit Bachelard quelque part, les philosophes pensent avant d'avoir étudié. Pendant dix ans, j'affirmai des opinions politiques, en fait je préférais certains hommes à d'autres ; ma sympathie allait aux humbles et aux opprimés, je détestais les puissants, trop assurés de leurs droits, mais entre la philosophie et mes émotions se creusa un vide — l'ignorance de la société telle qu'elle est, telle qu'elle peut être et telle qu'elle ne peut pas être. La plupart de mes camarades de génération n'ont pas comblé, ils n'ont même pas tenté de combler ce vide.

Je croyais me souvenir d'avoir écrit un premier article « machiavé-lien [1] », signé *Landhaus*, le nom de la rue dans laquelle se trouvait le *Französisches Akademiker Haus* [2]. La réaction de J.-P. Sartre fut simple, un de nos amis communs me la rapporta : « Mon petit camarade est-il devenu un salaud ? » C'était le temps où je découvris l'autonomie du politique, pour user du langage philosophique. La politique, en tant que telle, diffère essentiellement de la morale. Belle découverte, me dira le lecteur. Oui, bien sûr, tout le monde le sait mais l'enseignement, scolaire et universitaire, tel que je l'ai reçu et absorbé, ne me préparait pas à comprendre la politique, l'Europe et le monde. L'idéalisme académique m'inclinait vers la condamnation du traité de Versailles, de l'occupation de la Ruhr, vers le soutien aux revendications allemandes, vers les partis de gauche dont le langage et les aspirations s'accordaient avec la sensibilité entretenue, peut-être créée par le goût de la philosophie. Ma sensibilité a-t-elle changé depuis lors ? Je n'en suis pas sûr bien que ma raison — ou ce que je juge telle — ait commandé peu à peu mes sentiments.

Quelle part cette reconstruction emprunte-t-elle aux souvenirs, quelle part à l'idée que je me fais de mon passé ou que je plaque sur lui ? Conversion à la philosophie et à la gauche vers ma dix-septième année ; des opinions arrêtées, des emportements politiques (la joie de la victoire du cartel des gauches en 1924), une parti-

---

1. Un ami m'assure que l'adjectif « machiavélien » est incompréhensible au profane. Chacun sait le sens vulgaire du mot « machiavélique ». Le machiavélien est un machiavélique mais au sens non péjoratif. Il fait ce qu'il faut faire dans le monde tel qu'il est.

2. Je ne l'ai pas retrouvé. Peut-être s'agit-il d'un article intitulé « Propos de politique réaliste » dans les *Libres Propos*.

cipation affective à tous les événements, ceux du parlement français aussi bien que de l'histoire universelle. A cet égard, je ne pense pas que la mémoire intellectuelle déforme ou défigure les expériences authentiques. Mais j'anticipe ; je n'en suis qu'à la classe de philosophie, au lycée Hoche, au choix de la carrière que me dictèrent la facilité, mes goûts, mes succès scolaires, la révélation de la philosophie. Est-ce que je m'imaginais professeur de lycée toute ma vie ? Est-ce que je rêvais déjà d'une « œuvre » ? Ou bien d'une thèse, étape normale après l'agrégation ? Je ne sais et peut-être, à dix-sept ans, ne le savais-je pas moi-même. A Versailles, je ressemblais plus aux provinciaux, aux meilleurs élèves qui montent vers Paris sans regarder au-delà de leurs concours, l'ENS et l'agrégation. Seule la compétition avec les autres, en khâgne et après, m'apprendrait mes chances d'avenir. En tout cas, au rebours de la représentation que se faisaient de moi beaucoup de mes camarades, les concours me firent peur et les réussites ne m'inspirèrent pas une véritable confiance ; je veux dire la confiance de créer. J'enviais la confiance de J.-P. Sartre et, au fond de moi-même, je donnais raison à sa certitude et à mes doutes dont il avait peine à admettre l'authenticité.

J'ai presque omis, dans ces pages, les souvenirs de ma mère et de mon frère Robert. Comment parler de ma mère à moins de raconter les vagues souvenirs de mes premières années — ce que je ne saurais ni ne voudrais faire ?

Mes parents m'offrirent jusqu'au bout l'image d'un couple uni, bien que le mariage eût été « arrangé » par les familles. Ma mère n'avait pas fait d'études (elle citait volontiers une jeune fille qui avait passé le baccalauréat et que l'on appelait la « bachelière des Vosges »). Elle se détacha difficilement de sa mère, de ses sœurs, elle se dévoua à son époux et à ses enfants. Mais elle ne pouvait aider mon père dans sa carrière ou ses affaires. J'entendis dire qu'elle avait mal supporté l'éloignement à Caen et qu'impatiente de revenir à

Paris, elle poussa mon père à s'accommoder d'un enseignement marginal (plus marginal à l'époque qu'aujourd'hui).

Victime du sort que lui assignaient les coutumes de l'époque, enfant jusqu'à son mariage, en larmes le jour du mariage avec un homme qu'elle connaissait peu, elle fut heureuse tant que ses enfants restèrent dans le cocon familial ; elle souffrit de la révolte, de la dureté d'Adrien ; elle souffrit de la ruine financière. Elle ne fit jamais de reproche à mon père, elle lui donna tout ce qu'elle possédait, ses quelques bijoux, ses bagues. Après la mort de mon père, en 1934, sans aucune ressource, elle dépendit de ses fils, qu'elle aurait voulu « gâter » jusqu'au bout. Elle ne tira pas de sa seule petite-fille autant de joie qu'elle en espérait. Elle aurait voulu jouer pleinement le rôle de la grand-mère auquel la destinait sa conception de la vie, venue d'un monde révolu. Elle ne pouvait offrir une famille de complément puisque, seule, elle n'en avait plus. En juin 1940, repliée à Vannes, elle mourut, seule.

Je réfléchis bien souvent sur le destin des trois « marrons ». Autant que j'en puisse juger, mes deux frères avaient reçu de leurs gènes des dons comparables aux miens. Adrien aurait probablement pu entrer à l'École polytechnique. Robert écrivait bien et vite. Le premier consacra au bridge et aux timbres toute son intelligence, qui me frappa toujours par son acuité. J'ai déploré ce qui m'apparaissait gaspillage d'un bien rare. Je ne pouvais pas m'empêcher de porter un jugement moral sur son mode de vie avant la guerre ; il ne violait aucune loi ; ceux qui jouaient régulièrement avec lui n'ignoraient pas sa supériorité ; donc, sur la longueur, ils devaient perdre de l'argent. Tout cela dit, Adrien qui, par son amoralité, me choquait et m'attristait resta mon frère, souvent affectueux et serviable. Durant ses derniers jours, c'est avec moi qu'il attendit la mort sans angoisse.

Robert, coincé entre les deux extrêmes, l'un qui brillait dans le sport, l'autre dans ses études, ne surmonta jamais pleinement son handicap de départ. Il obtint simultanément une licence de droit et une licence de philosophie. A ce moment, il aurait dû prendre une décision : ou bien préparer l'agrégation de philosophie ou bien quitter l'Université et, après son service militaire, chercher un emploi. Il n'eut pas le courage de choisir et il se consacra, une année encore, à un diplôme d'études de philosophie. Diplôme d'ailleurs excellent ; une comparaison, classique, entre Descartes et Pascal qui se terminait sur une interprétation originale du pari qui fut publiée par la *Revue de Métaphysique et de Morale* (signée Robert Aron, elle fut attribuée tantôt à l'auteur de l'*Histoire de Vichy*, tantôt à moi : le troisième était ignoré).

Après son service militaire, il entra à la Banque de Paris et des Pays-Bas par l'intermédiaire du directeur de la Banque avec lequel je jouais au tennis, au club, dit Paribas, de la Banque. Il y passa toute sa vie avec l'intermède de l'Occupation pendant laquelle il en fut exclu. Il y revint dès le premier jour de la Libération, il y monta les degrés de la hiérarchie jusqu'au poste de directeur du service des études. En ce sens, il réussit sa carrière. Il ne se maria pas et je ne lui connus pas de compagne durable ; j'ignore comment il ressentit son sort, choisi, puis subi. Estimé, admiré par ses collaborateurs (certains d'entre eux me dirent la reconnaissance qu'ils lui gardaient), il fut un des premiers analystes financiers, pour ainsi dire professionnels, en France.

Je doute qu'il ait possédé pour autant tous les atouts nécessaires au succès dans les rivalités bureaucratiques, à l'intérieur d'une grande entreprise. Emmanuel Monick, qui appréciait sa compétence, lui confia plusieurs fois la tâche de rédiger le rapport annuel pour l'Assemblée générale. Mais Robert avait le sentiment d'être utilisé, exploité par la direction, sans obtenir les contreparties auxquelles il aspirait, contreparties moins d'argent que de statut. Il racontait à Adrien plus qu'à moi ses démêlés avec les uns et les autres. En un sens, homme de cabinet, il était le *right man at the right place*, mais confiné dans l'ombre. Les présidences de sociétés filiales auxquelles il croyait avoir droit allaient à d'autres. Il n'avait pas le profil d'un président de conseil d'administration. Robert aurait été un enseignant hors du commun, et, à l'égard de ses collaborateurs du service, il se conduisit en professeur.

Après le départ d'Emmanuel Monick et les premières
atteintes du mal qui peu à peu paralysa son corps, puis
son cerveau, sa position à la Banque se détériora, son
caractère s'aigrit ; nous le vîmes de moins en moins.
Peut-être avait-il renoncé à l'agrégation de philosophie
parce qu'il aurait été candidat en même temps que moi.
Reçu du premier coup, il l'aurait été un an avant moi,
mais l'oral de l'agrégation comportait la traduction et le
commentaire d'un texte grec : or il n'avait pas appris
du tout le grec. Je lui rendis probablement la vie difficile, dès mes premières années. Il ne témoigna pas de
moins de mérites dans l'analyse financière que moi
dans mes métiers. La différence ne tenait pas à l'obscurité de l'un, à la notoriété de l'autre. Il se débattait dans
une jungle pour laquelle il n'était pas équipé ; il y perdait plus souvent qu'il n'y gagnait.

Les dernières années de Robert noircissent peut-être
le portrait. Longtemps, même pendant les dix ou quinze
années après la guerre, il semblait avoir gardé ses amis
de jeunesse ; il aimait Dominique, la seule enfant des
trois Aron ; peu à peu il s'éloigna et, comme Adrien et à
sa manière, il s'enfonça dans la solitude. Il écrivit des
romans policiers que je n'ai pas trouvés après sa mort,
il avait entrepris une histoire du débarquement de 1944
pour corriger les erreurs des versions officielles. Son
caractère et son esprit furent peu à peu blessés par les
déceptions éprouvées dans son existence professionnelle, confondue avec son existence tout entière. Vinrent les années du déclin, la perte du mouvement, puis
de la mémoire, puis de la conscience.

Mon père mourut en janvier 1934 d'une crise cardiaque quelques mois après une première crise ; il avait été
frappé à mort par la mauvaise conscience et par l'excès
de travail. Je me répétais, dans la chambre funéraire,
pleurant sans larmes : il est mort de misère — ce qui
était presque vrai. Robert, lui, entra dans la nuit longtemps avant de mourir ; il avait géré ses affaires de
manière apparemment normale. L'envers du décor ressemblait peut-être à l'endroit de celui de notre père.

Adrien trouva la mort qu'il souhaitait. Les plaisirs
finis, seul, résolu à la solitude de l'égoïsme, il attendit,
non avec stoïcisme mais avec impatience, la fin — sans

autre compagnie que son petit frère pour lequel le cyni-
que, tenté par le pire, éprouvait malgré tout une véritable affection, nuancée de respect ; je l'aimais bien, moi
aussi.

II

ÉTUDES ET AMITIÉS

J'entrai à la khâgne de Condorcet en octobre 1922 avec la timidité et les ambitions d'un provincial qui monte à la capitale. Pourquoi Condorcet et non Louis-le-Grand ou Henri-IV qui fournissaient la majorité des normaliens chaque année ? Mon père avait fait un choix sur les conseils de quelques amis de l'université. Peut-être la proximité de la gare Saint-Lazare fut-elle l'argument décisif : la famille vivait encore à Versailles et l'internat ne plaisait ni à mes parents ni à moi-même.

Les premiers mois m'infligèrent une épreuve de vérité qui me fut pénible et salutaire. La khâgne rassemblait à la fois les élèves qui sortaient de la classe de philosophie et ceux qui y faisaient une deuxième année ; dans les grands lycées de la rive gauche, hypo-khâgne et khâgne étaient déjà séparées ; à Condorcet, la classe unique ne comptait que vingt-cinq élèves environ. Les nouveaux devaient normalement laisser les premières places aux « carrés », à ceux qui se présenteraient à l'École à la fin de l'année. Je n'en mesurai pas moins les lacunes de ma culture, mes ignorances en latin et en grec. En philosophie, je me trouvai immédiatement à un niveau honorable.

Parmi les professeurs, je garde à Hippolyte Parigot une gratitude sincère. Il tenait la rubrique universitaire dans *le Temps* et défendait passionnément la réforme Léon Bérard qui renforçait la part des humanités dans l'enseignement secondaire. Souvent il ferraillait avec

des journalistes de gauche. Les humanités glissaient
vers la droite, voire la réaction, bien qu'Édouard Herriot n'eût d'autre formation que littéraire.

A l'époque, mes sympathies n'allaient certes pas à un
maître de rhétorique, comme on disait une génération
plus tôt, dont les opinions politiques s'accordaient avec
les décisions du ministre sur l'organisation et les programmes du baccalauréat. Mais à l'époque, les lycées
ne s'ouvraient guère aux bruits du dehors. Les passions
des années 1922-1924 m'apparaissent rétrospectivement
légères, presque à fleur de peau, quand je me rappelle
les passions de 1936, de 1940, de 1944, de 1968 et
d'autres encore.

H. Parigot me donna une leçon que j'ai trop souvent
oubliée ou méconnue et qui me revient de temps à
autre, avertissement ou sanction : apprenez à écrire, res-
pectez la langue, cherchez l'expression juste, gardez-
vous des négligences, lisez chaque jour une page d'un
écrivain, la plume à la main. Avant lui, j'écrivais les
rédactions (ou dissertations) sans trop me soucier du
style et je ne possédais guère de facilité d'écriture. Je
refoulais trop mes sentiments pour que l'expression
s'épanouît d'elle-même. Par la suite, je continuai de
refouler mes sentiments et de justifier la froideur de
mes écrits par le souci de faire appel exclusivement à la
raison de mes lecteurs.

Deux épisodes de ma relation avec H. Parigot ne se
sont pas effacés de ma mémoire : le premier, au cours
du premier trimestre de la première année, la lecture en
classe d'un passage d'une de mes dissertations, ponc-
tuée de remarques ironiques sur les mots, les répétitions, les maladresses, les coq-à-l'âne, et je ne sais pas
trop quoi encore. La victime supportait en silence
l'humiliation. Le deuxième épisode se situe au troisième trimestre de la deuxième année : je fus invité à
lire devant la classe, à la chaire, un passage d'une dis-
sertation (sur La Bruyère) qui avait reçu, en tête, l'éloge
rituel « germes de talent ». J'ajoute que Parigot ne lisait
pas les dissertations au-delà de la deuxième faute
d'orthographe qu'il avait relevée. Superstition de
l'orthographe qui me semble passablement absurde
aujourd'hui. Pierre Gaxotte me répondrait que, soumis

à cette discipline, les khâgneux de l'époque ne commettaient pas de fautes d'orthographe.

Un autre professeur m'impressionna davantage, à juste titre, Charles Salomon, qui nous apprenait le latin. Sa femme dirigeait l'École Sévigné où Alain donnait des cours ; lui-même avait été un ami de Jean Jaurès. Il appartenait à cette espèce, de plus en plus rare aujourd'hui, de normaliens, d'agrégés, qui acceptent sans amertume d'enseigner toute leur vie dans les lycées et qui trouvent dans ce métier, jugé ingrat, une satisfaction austère. Sa haute culture enrichissait les exercices scolaires. Doté d'une finesse d'esprit rare, Charles Salomon transformait une version latine en une fête de l'intelligence. Lui aussi, et plus encore que Parigot, savait distinguer entre la traduction et la paraphrase ; patient, il cherchait le mot exact ou, faute de celui-ci, l'équivalent de l'expression latine. J'eus avec lui une seule conversation dans l'été qui suivit mon succès à l'École. Il n'avait jamais laissé paraître la confiance qu'il mettait en moi (je l'appris par certains de ses collègues). Nous parlâmes de littérature, en particulier de Paul Valéry. Marcel Mauss, qui m'avait interrogé sur mes professeurs, fit un commentaire sur un seul d'entre eux, Charles Salomon : « Lui, me dit-il, vous fera sentir le talent. » Il mourut quelques mois après sa mise à la retraite.

Parmi mes camarades de Condorcet, que je n'ai pas oubliés, peut-être en raison de leur carrière, figuraient Jacques Heurgon, Daniel Lagache, Jean Maugüé, Olivier Lacombe, Jacques Weulersse, Edmond Lanier. Ce dernier obtint une licence de lettres à la Sorbonne, entra très jeune à la *Compagnie transatlantique* et en devint le président-directeur général quelque trente-cinq ans plus tard. Avec deux des camarades que je viens de citer, je nouai des liens d'amitié que ni le temps, ni les hasards des carrières, ni la distance ne déchirèrent entièrement. Daniel Lagache avait une année d'avance sur moi ; sa distinction, sa facilité dans les relations mondaines m'impressionnaient et je redoutais de le décevoir ou de provoquer son ironie par quelque maladresse ou ignorance. Il ne fut pas reçu à Normale en 1923, fit une deuxième khâgne à Louis-le-

Grand et entra la même année que moi à l'École, en
1924. Nous passâmes aussi l'agrégation ensemble en
1928. Durant la première année de l'École, nous allâ-
mes régulièrement tous les quatre, Sartre, Nizan,
Lagache et moi, à Sainte-Anne suivre les cours du professeur Dumas. Lagache y découvrit sa vocation, il
entreprit des études de médecine en même temps que
de philosophie. Je le retrouvai, bien plus tard, à la Sorbonne, après de longues années de séparation. Je n'ai
jamais oublié la première année de mon amitié admira-
tive pour lui — amitié réciproque, je pense ; mais, à
l'origine au moins, l'initiative, la chaleur venaient de
moi.

Jean Maugüé, quelques-uns seulement le connaissent
aujourd'hui. F. Braudel se souvient de lui, grand, élégant, « fils de roi », égal aux plus brillants des universitaires qui peuplaient l'université de Sao Paulo au Brésil. Il avait eu besoin de quelques années de plus que
ses pairs pour réussir à l'agrégation de philosophie en
passant par l'École Normale. Personne n'attribua ses
échecs à d'autres causes que son originalité d'esprit, sa
rébellion contre le conformisme scolaire. Il termina sa
carrière de professeur au lycée Carnot. Entre-temps,
détaché au Brésil au moment de la guerre, il participa
au combat en 1944-1945 et, après la guerre, il entra
dans le service diplomatique et occupa divers postes de
consul. Il revint, pour des raisons que j'ignore, en
France et à une classe de philosophie au lycée Carnot.
Si ces lignes tombent sous ses yeux, qu'il y trouve
l'écho de l'amitié qui se noua dans la khâgne de
Condorcet et qui perdura, à travers les années et l'éloignement[1].

De mes années d'étude, les deux années de la khâgne
me laissent le meilleur souvenir ; non pas les plus agréa-
bles mais les plus enrichissantes. Encore l'adjectif
n'est-il pas exact. Il s'agit moins de s'enrichir que
d'apprendre. Apprendre du latin, du grec, de l'histoire ;
entraînement aux exercices par lesquels s'opère en

---

1. Depuis que j'ai écrit ces lignes, j'ai retrouvé Maugüé qui a raconté
dans un beau livre, *les Dents agacées*, son existence, ses déceptions, ses
échecs. Autobiographie qui, par instants, ressemble à une auto-analyse par
laquelle il s'est libéré.

France la sélection, du baccalauréat jusqu'à l'agrégation. Indirectement, j'accable les classes antérieures,
celles du lycée Hoche. Suis-je injuste ? Les professeurs
étaient, autant que je le sache, des agrégés. Si j'ai
l'impression d'avoir relativement peu appris avant la
khâgne, la faute en incombe peut-être à moi plus
qu'aux enseignants. Je mesurais peut-être mes efforts
aux exigences de la compétition. Celle-ci prit un tout
autre caractère à partir de la khâgne. D'autres intérêts,
sportifs et autres, me détournaient des études quand la
crainte de l'échec ne me stimulait pas.

La plupart des professeurs de Versailles m'apparaissent, rétrospectivement, supérieurs à leur métier. Ils trouvaient en face d'eux, exclusivement ou presque, des fils
de bourgeois. Le style gardait des traces de l'époque
napoléonienne. Les élèves sortaient en ordre vers la cour
de récréation ; en classe, ils devaient demeurer immobiles
et attentifs plusieurs heures de suite. Je me souviens d'un
professeur d'allemand qui, un jour, donna une bonne
note globalement à toute la classe parce que tous les
élèves s'étaient comportés de manière impeccable au
moment de son entrée — bras croisés sur le pupitre. On
sortait du lycée à dix-sept ans ; rares étaient les candidats
au baccalauréat âgés de dix-neuf ans.

J'essaie de juger avec le recul l'enseignement que j'ai
reçu et qui, pour les générations actuelles, pour mes
petits-enfants, appartient au passé. La réduction des
mathématiques dans la section A (latin-grec) avait été
poussée jusqu'à l'absurde. Or cette section attirait nombre de « bons sujets » qui ne se déclaraient pas tous incapables de comprendre une démonstration ou de trouver
la solution d'un problème. Aujourd'hui le pendule a pen-
ché trop loin, dans l'autre sens. Ce qui reste de la section
A est devenu une impasse. La section C règne sans partage, section reine par laquelle passent presque tous les
jeunes de la future élite. Les mathématiques servent de
pierre de touche, d'instrument de sélection par excellence. La formation traditionnelle par les humanités survit dans les marges, et peut-être se meurt.

Mis à part l'histoire — et encore — et l'enseignement
civique — insignifiant —, nous n'apprenions rien ou
presque sur le monde dans lequel nous vivions. Pour

l'essentiel, les matières, les programmes sortaient tout droit de la tradition des collèges de jésuites. La fameuse réforme Léon Bérard tendait à remettre l'horloge non à l'heure mais en arrière ; à restaurer, pour les meilleurs, les lycées du siècle dernier. Faut-il condamner sans réserve le lycée classique de ma jeunesse — et aussi de la jeunesse de ma fille ? C'est au cours des vingt dernières années que se produisit la « révolution culturelle » et que les mathématiques, anciennes ou modernes, remplacèrent sur le trône le latin et la rhétorique. Révolution pour une part légitime : les mathématiques constituent un langage dont il importe d'apprendre tôt les rudiments. La langue, les langues demeurent l'instrument d'expression ou de communication pour tous les hommes, même pour les mathématiciens. Entre les deux langues, celle des symboles et celle des mots, il ne faut pas choisir, toutes deux contribuent à la formation de la pensée. Je me demande même, parfois, si la fermeture des lycées aux bruits du dehors ne comportait pas autant d'avantages que d'inconvénients. Le professeur doit donner l'exemple du détachement, il figure l'arbitre, le témoin, il juge selon la vérité. Dès lors qu'il discute de la politique, il s'élève malaisément, même quand il s'efforce d'y parvenir, à cette sérénité dont il témoigne sans peine quand il traduit ou interprète les commentaires de César sur la guerre des Gaules.

Deux doctrines extrêmes s'opposent encore sur ce sujet. Faut-il entretenir les élèves des questions auxquelles ils s'intéressent d'eux-mêmes ou, tout au contraire, les amener à lire les textes qu'ils ne liraient pas spontanément, les inviter à l'ascèse culturelle, si je puis dire ? Chacun de nous détient nombre d'arguments en faveur de l'une aussi bien que de l'autre doctrine. Il se peut que la deuxième doctrine soit inapplicable dans les CES, au moins dans la plupart d'entre eux. Comme me le disait un jour Emmanuel Berl, on introduit Mallarmé à Billancourt. En sens contraire, si le professeur consacre la plus grande partie du temps, pendant l'année de philosophie, à la sexualité ou au marxisme, il doit faire preuve de qualités exceptionnelles : faute de quoi, la classe dégénère en bavardage sans aucune contribution ni au savoir, ni à l'exercice de la réflexion ou du jugement.

Comment m'apparut l'École, au milieu des années 20 (1924-1928) ? Mal logée dans un vieux couvent, elle jouissait encore d'un prestige unique. L'ENA n'existait pas. Quelques-uns, Guillaume Guindey, Dominique Leca, regardaient déjà vers l'inspection des Finances, Armand Bérard, en marge de l'agrégation d'histoire, vers la carrière diplomatique. Mais la plupart d'entre nous éprouvaient un patriotisme normalien (ou une vanité de corps). Nous n'envisagions pas les années d'enseignement secondaire avant l'université comme une épreuve ou un échec. Ensuite la Sorbonne me suffirait pour accomplir la tâche léguée par mon père. Il y a trente ans encore, je n'aurais pas imaginé l'effondrement de l'École.

Ma première impression, rue d'Ulm, je l'avoue au risque du ridicule, ce fut l'émerveillement. Aujourd'hui encore, si l'on me posait la question : pourquoi ? je répondrais en toute sincérité et naïveté : Je n'ai jamais rencontré autant d'hommes intelligents réunis en aussi peu de mètres carrés. Soit ! Ces bons élèves, ces prix d'excellence ne me semblaient pas tous voués aux exploits de la pensée. Même ceux d'entre eux que quelques-uns d'entre nous jugions parfois avec sévérité animaient leur culture d'une jeunesse d'intelligence. Peut-être celle-ci ne résista-t-elle pas toujours à la routine de la classe, à la correction des copies. Je fuis les rencontres d'anciens élèves pour garder le souvenir de ce qu'ils furent. Ils ne le cédaient pas toujours à ceux qui firent carrière.

Laissons les camarades dont je ne retrouve pas les noms quand je consulte les photographies de l'École. Venons aux deux normaliens de la promotion dont tous nous attendions beaucoup, qui n'ont pas déçu leurs admirateurs, dont l'un n'a pas eu le temps d'achever son œuvre et dont l'autre poursuivait, plongé dans la nuit, son itinéraire, plus moral que politique, quand j'écrivis ces lignes. Je ne me dissimule pas les pièges dans lesquels je puis tomber. Des images de Sartre risquent de se superposer, l'étudiant, le professeur après les années d'études et avant le succès, le prophète de l'existentialisme et le compagnon de route du communisme, le protecteur des gauchistes, enfin le vieillard à l'Élysée, soutenu par Glucksmann, à côté de moi.

Sartre et Nizan venaient tous deux d'Henri-IV, liés l'un à l'autre par une amitié rare même parmi les jeunes gens. Tous deux voués à la fois à la littérature et à la philosophie ; tous deux reconnus par leurs camarades comme hors du commun ; eux-mêmes conscients de leurs dons, déjà engagés sur leur route (Sartre échappait au doute, peut-être pas Nizan). Cela dit, ils participaient gaiement à la vie normalienne, sans le moins du monde se séparer des autres. Sartre prenait volontiers la tête dans les « bizutages » des nouveaux, parfois même avec une dureté qui me choquait ; auteur et acteur dans les revues annuelles de l'École, il joua une fois le rôle de Meuvret, agrégé préparateur, qui servait de tête de turc. Ni l'un ni l'autre ne se détachaient du lot par leurs succès scolaires. Nous devinions que tous deux portaient en eux une œuvre ou un destin.

Je garde le souvenir de ma satisfaction d'amour-propre quand j'appris par un tiers que les deux m'avaient placé du bon côté de la barricade[1], parmi ceux qu'ils ne rejetaient pas dans les ténèbres extérieures. Ils soumettaient à un nouvel examen, de temps à autre, leurs camarades et mettaient au point leurs jugements. Leur intimité conservait, me semble-t-il, un caractère singulier, comparé aux relations de Sartre avec Guille ou moi ou à mes propres relations avec Nizan. Mais, après deux années à l'École, Nizan partit pour Aden (dont il rapporta un livre) en tant que précepteur dans la famille d'un riche Anglais. Il épousa Henriette Halphen alors même qu'il n'avait pas encore terminé ses études. Aussi, en quatrième année, celle de l'agrégation, je me trouvai en « thurne » avec Sartre et Guille. C'est pendant cette dernière année que nous devînmes les plus proches, Sartre et moi ; la période d'amitié la plus intime avec Nizan fut antérieure, en troisième année d'école.

Il existe déjà plusieurs biographies de Paul-Yves Nizan. Je ne pense pas que je puisse apporter sur lui rien de neuf, mises à part des indiscrétions qui ne méritent

---

1. Peut-être ai-je été plus touché par la « reconnaissance » de Sartre et Nizan que par les louanges que L. Brunschvicg me prodigua à l'occasion d'un exposé sur l'argument ontologique chez saint Anselme et Kant.

pas d'être rapportées. Quelques souvenirs seulement.

J'ai assisté, comme plusieurs autres, à sa « délibération » : dois-je accepter l'offre de l'homme d'affaires
anglais, un séjour prolongé à Aden en tant que précepteur
de son fils ? Nizan hésitait peut-être ; suspendre ses
études, différer d'une année le concours de l'agrégation,
une telle décision pouvait passer, aux yeux de ses parents,
à ses propres yeux peut-être, pour peu raisonnable. Nizan
écrivit à quelques hommes de lettres plus ou moins célèbres, et leur rendit visite pour recevoir leurs conseils. Il ne
prenait pas au sérieux les propos de ses anciens. Il nous
répéta, en se gaussant, les paroles de Georges Duhamel :
« Si vous demandez au père de famille ce que vous devez
faire, je vous dirai : terminez d'abord vos études. Mais si
vous vous adressez à l'homme, il vous répond : partez,
jeune homme, découvrez le grand monde. Vous y appren-
drez davantage que dans tous les livres. » Nizan, en profondeur, avait pris sa décision tout seul et tout de suite.

La tournée des écrivains caractérisait encore le normalien et annonçait l'homme de lettres. Il y avait une
trace de canular dans ces entretiens au cours desquels
un jeune homme soumettait à un homme d'âge mûr
moins un cas de conscience qu'un choix personnel.
Mais le normalien prenait un plaisir d'homme de lettres
à ce canular. A l'époque, je ne doutais pas que Nizan
devînt un écrivain. Je le croyais inférieur à Sartre en
force intellectuelle, en puissance philosophique ; en
revanche, je lui prêtais un talent d'écriture qui ne me
paraissait pas évident chez Sartre.

A sa demande, je passai quelques semaines à Quiberon dans l'été de 1927, afin de faciliter la rencontre
entre les deux familles Nizan et Halphen. Nous y allâ-
mes ensemble, dans une automobile (la sienne si je ne
me trompe). Il m'énerva plusieurs fois par son refus de
prendre de l'essence avant que l'aiguille fût au zéro ou
presque. J'attendis plusieurs fois la panne sèche qui ne
vint jamais. A Quiberon, je me trouvai inutile et seul ;
Paul et Rirette[1], les Nizan et les Halphen n'avaient que
faire de moi.

---

1. Henriette.

Les deux familles venaient de milieux sociaux très éloignés. Le père de Rirette était banquier (ou occupait une position honorable dans la banque) mais, de goût, de passion, il était musicien, il aimait Mozart par-dessus tout ; une blessure de guerre lui avait enlevé quelques-uns de ses doigts et l'avait rejeté vers un métier d'argent qu'il exerçait probablement bien, sans autre instrument de calcul que la règle de trois (il s'en vantait volontiers). La mère éclatait de la même vitalité, de la même confiance dans la vie et les hommes que Rirette elle-même. Les Halphen n'avaient probablement pas grand-chose à dire aux Nizan, mais ils les adoptèrent ou, si l'on veut, sympathisèrent avec eux parce qu'ils avaient adopté leur fils.

Le père de Paul-Yves ressemblait-il à Antoine Bloyé [1] ? Il m'est difficile de répondre avec certitude. Je ne prétends pas avoir saisi en quelques conversations le secret d'un homme sans révolte apparente, sans nostalgie. Technicien de niveau moyen dans les chemins de fer, il appartenait à une petite bourgeoise, besogneuse peut-être, proche à certains égards de la classe ouvrière, mais parfaitement capable de fréquenter une famille de la bourgeoisie juive dans un hôtel de vacances.

Un an ou deux plus tard, Paul eut le sentiment que son père était persécuté à cause des opinions extrémistes de son fils. Mes parents connaissaient un haut fonctionnaire de la compagnie ; ils intervinrent auprès de lui. Ce dernier répondit que le technicien avait commis une faute dans son service et avait été sanctionné pour cette raison. Je ne sais, bien entendu, laquelle des deux versions reflétait la vérité.

Ce qui nous attirait chez Paul-Yves, c'était le mystère de sa personnalité. Il avait été tenté par l'Action française, par les chemises bleues de Georges Valois avant de s'ancrer dans le communisme. Mais les opinions politiques, en 1926 ou 1927, ne tenaient guère de place dans nos relations. Le mystère se situait au-delà de son élégance naturelle, de son humour, de sa rapidité d'esprit exceptionnelle. On le devinait angoissé, résolu

---

1. Le personnage principal et le titre d'un roman de Nizan. On admettait qu'il avait pris son père pour modèle.

à surmonter ses angoisses dans une action ou une pensée sérieuse, en dépit de la gaieté intermittente sous
laquelle il se dissimulait.

Une appendicite foudroyante, le jour même de son
mariage, faillit l'emporter. Il n'existait pas d'antibioti-
ques à l'époque. Une péritonite se déclara, je partageai
avec Rirette ces jours d'inquiétude mortelle. Ensuite
nos chemins divergèrent. Il s'engagea, sans réserve,
dans le communisme. Je le rencontrai rarement pendant les années 30, j'aimai et admirai *Aden Arabie* ; *les
Chiens de garde* (je ne suis pas sûr de l'avoir lu jusqu'au
bout) me déplut ou plutôt me choqua. Nos professeurs
ne méritaient pas ces injures pour le seul crime de
n'être pas révolutionnaires. Pourquoi auraient-ils dû
l'être ?

Je me demande souvent, aujourd'hui, pourquoi nous
mettions à part Sartre et Nizan, alors que ni l'un ni
l'autre n'avaient encore rien écrit ou plutôt rien publié.
La réponse que je donne, faute de mieux, ne diffère pas
de celle que je me donnais à moi-même plus tard quand
je m'interrogeais sur les chances d'un étudiant. À tort
ou à raison, nous estimons au « pifomètre » la capacité
d'un jeune homme, nous le croyons capable d'obtenir
son agrégation facilement ou, tout au contraire, à la
force du poignet. Au-delà, nous le croyons capable ou
non d'avoir un jour quelque chose à dire. En ce sens,
quelle que soit notre théorie sur l'influence respective
de l'inné et de l'acquis, nous attribuons au patrimoine
génétique une causalité au moins négative ; en dépit de
tous ses efforts, personne ne peut aller au-delà de ses
moyens programmés par ses gènes. Les mathématiciens, m'a-t-on dit, discernent d'eux-mêmes leurs
limites.

Avais-je la conviction que Sartre deviendrait ce qu'il
devint, philosophe, romancier, auteur de pièces de théâtre, prophète de l'existentialisme, prix Nobel de littérature ? Sous cette forme, je répondrais sans hésiter non.
Même sous une autre forme : sera-t-il un grand philosophe, un grand écrivain ? la réponse n'aurait été ni

toujours la même ni jamais catégorique. D'un côté, j'admirais (et admire encore) l'extraordinaire fécondité de son esprit et de sa plume. Nous le plaisantions sur sa facilité d'écriture (moi-même, à l'époque, j'écrivais péniblement et j'étais hanté par le papier blanc et le stylo immobile). Pas plus de trois cent cinquante pages du manuscrit commencé trois semaines auparavant : que se passe-t-il ? disions-nous à notre petit camarade. En dehors de la facilité d'écriture, sa richesse d'imagination, de construction dans le monde des idées m'éblouissait (et m'éblouit encore). Non que des doutes n'aient traversé mon esprit. Parfois il développait longuement une idée, en paroles ou par écrit, faute simplement de la saisir pleinement et d'en trouver l'expression pertinente. Il échafaudait des théories dont il était facile de saisir les failles.

Je lui enviais la confiance qu'il avait en lui-même. Il me revient le souvenir d'une conversation, sur le boulevard Saint-Germain, non loin du ministère de la Guerre. Il avouait, sans vanité, sans hypocrisie, son idée de lui-même, son génie. S'élever au niveau de Hegel ? Bien sûr, l'ascension ne serait ni trop ardue ni trop longue. Au-delà, peut-être faudrait-il besogner. L'ambition, me disait-il, s'exprime en moi par deux images : l'une, c'est un jeune homme, en pantalon de flanelle blanche, le col de la chemise ouvert, qui se glisse, félin, d'un groupe à un autre sur une plage, au milieu des jeunes filles en fleur. L'autre image, c'est un écrivain qui lève son verre, pour répondre à un toast d'hommes en smoking, debout autour de la table.

Sartre voulait devenir un grand écrivain et il le devint. Mais, entre-temps, il s'est désintéressé du smoking, des banquets, des signes extérieurs de la gloire. Aussi bien, à l'époque, s'il discutait rarement de politique, il méprisait déjà les privilégiés et détestait de tout cœur ceux qui se prévalaient de leurs droits, forts de leur compétence ou de leur position de chef, les « salauds ». Il crut les rencontrer dans la bourgeoisie du Havre que je connus moi aussi, quand je l'y remplaçai pendant une année (1933-1934) ; au club de tennis, deux courts étaient réservés à ces « messieurs de la Bourse ».

L'image de l'éphèbe touchait à l'un de nos sujets d'entretien ; comment s'arranger de sa propre laideur ? Sartre parlait volontiers de sa laideur (et moi de la mienne), mais, en fait, sa laideur disparaissait dès qu'il parlait, dès que son intelligence effaçait les boutons et les boursouflures du visage. Au reste, petit, râblé, vigoureux, il montait en haut de la corde, les jambes en équerre, avec une rapidité et une aisance qui soulevaient la stupeur de tous.

Sartre déclara, dans une interview récente, qu'il n'avait été influencé par personne, à la rigueur quelque peu par Nizan, certainement pas par Aron. Pour l'essentiel, il a raison. Pendant deux ou trois ans, il prit plaisir à soumettre ses idées à ma critique. Il tirait peut-être profit de nos dialogues, mais cela n'a rien à voir avec une influence. Prenons un exemple : la psychanalyse constitua longtemps un thème de nos débats. Lui la rejetait, une fois pour toutes, parce que la psychanalyse se confondait avec l'inconscient et que ce dernier concept équivalait, à ses yeux, à un cercle carré ; psychisme et conscience ne se séparent pas. J'abandonnai finalement le débat sans espoir sur le problème conceptuel, mais je lui suggérai de retenir les matériaux de la psychanalyse, quitte à jeter par-dessus bord l'inconscient. La notion de « mauvaise foi » lui fournit la solution. C'est lui qui la découvrit et probablement aurait-il reconnu de toute manière le besoin d'intégrer une part de la psychanalyse à son univers, au lieu de l'excommunier globalement et une fois pour toutes.

Une autre conception sartrienne se rattache aussi de quelque manière à nos conversations. Mon diplôme d'études supérieures portait sur *l'intemporel dans la philosophie de Kant*. Sujet qui contenait à la fois le choix du caractère intelligible et la conversion, à chaque instant possible, qui laisse à la personne la liberté de se racheter ou mieux de transfigurer d'un coup l'existence antérieurement vécue. La mort élimine la liberté et fige l'existence en destin, désormais achevé. Il y a quelque chose de ces thèmes dans *l'Être et le Néant*, dans ses pièces de théâtre. A vrai dire, il combina les deux idées — le choix du caractère intelligible et la liberté de la conversion — à sa manière. En dépit du choix existen-

tiel de soi-même, Sartre se vante de recommencer à
neuf, à chaque instant, comme s'il refusait d'être prisonnier même de son passé, comme s'il récusait la responsabilité de ses actes ou de ses écrits une fois accomplis.

Je soutiendrais volontiers par un autre souvenir, tout
en la nuançant, sa thèse qu'il ne doit rien à personne.
C'est dans un exposé, au séminaire de Léon Brunschvicg, qu'il ébaucha la vision du monde *(Weltan-
schauung)* qui devint la sienne. La question qui lui était
posée concernait Nietzsche. Léon Brunschvicg travail-
lait au *Progrès de la conscience dans la pensée occidentale* et s'inquiétait de son chapitre sur Nietzsche. Fallait-il le considérer comme un philosophe au sens
rigoureux, presque technique, ou comme un littéra-
teur ? Sartre choisit le premier terme de l'alternative et,
par je ne sais quel détour, il esquissa l'opposition de
l'en-soi et du pour-soi ; les choses, ces arbres, ces tables
ne signifient rien, ils sont ici, là, sans raison, sans but et,
en contrepartie, la conscience, à chaque instant, signifie
et donne signification à ces réalités aveugles, massives,
qui la nient et qui, pourtant, ne sont que par elle.

La vision du monde de Sartre n'appartient qu'à lui-
même. Mais, de toute évidence, il doit beaucoup à Husserl, à Heidegger. Le premier lui fournit bien plus
qu'un vocabulaire ; grâce à la phénoménologie, il ana-
lysa l'expérience vécue, l'ouverture de la conscience à
l'objet, la transcendance de l'ego ; ainsi le pour-soi
devient le sujet instantané, non le moi. Il emprunta
aussi à l'interprétation heideggerienne du temps, de
l'angoisse, du monde des objets. Peut-être connut-il,
par l'intermédiaire de Merleau-Ponty, certaines idées
hégéliennes que commentait Alexandre Kojève, par
exemple celle de l'amour qui rêve vainement de s'emparer d'une liberté, celle du maître qui veut obtenir la
reconnaissance de l'esclave — reconnaissance qui ne
peut être authentique puisque l'esclave est dépouillé de
sa liberté. A n'en pas douter, il saisissait au vol les idées
qui passaient à sa portée. Merleau-Ponty me confia vers
1945 qu'il se gardait de lui communiquer les siennes.

Dans *les Mots*, il se présente lui-même dépourvu de
père (un de mes amis d'école ajouta, en souriant : pas

de père, issu d'une vierge et lui-même Logos), mais, en affirmant qu'il n'avait subi aucune influence, il ne voulait pas nier sa dette à l'égard de Husserl et Heidegger ; il emprunta, absorba, intégra nombre de concepts, de thèmes, d'approches des philosophies du passé et de son temps. S'il rejette la notion même d'influence, c'est que celle-ci suggère la passivité, fût-elle partielle ou temporaire, de celui qui la subit.

Son échec à l'agrégation, en 1928, ne l'affecta en aucune manière, pas plus que mon succès ne m'incita à une révision de mes jugements sur lui ou sur moi. J'avais été reçu premier, avec une avance importante sur le deuxième, Emmanuel Mounier (une dizaine de points sur un total de 110 pour les sept exercices, écrits et oraux). Bien entendu, je n'étais pas indifférent à ce succès, je mentirais si je l'affirmais aujourd'hui ; je gardais quelque chose du bon élève. Je n'ignorais pas que mon succès était dû à des qualités strictement scolaires (ou universitaires pour être plus indulgent). La meilleure des trois dissertations était la troisième, celle d'histoire de la philosophie (Aristote et Auguste Comte). Aucune des deux premières ne témoignait de la moindre originalité. Je tirai, à l'oral, un texte de la physique d'Aristote que j'avais expliqué au séminaire de Léon Robin. Je commentai un texte de Spinoza en latin et je commis un contresens dont je pris conscience au fur et à mesure que je le justifiais. Je mis tant de conviction à plaider mon erreur que le jury s'y laissa prendre sur le moment. Le jour suivant, il retrouva ses sens et le bon sens, et m'enleva un point (mon professeur de khâgne, André Cresson, qui figurait au jury, me raconta l'épisode).

Que l'on m'entende bien : en tant que mode de sélection, l'agrégation de philosophie ne valait, au bout du compte, ni plus ni moins qu'un autre. La plupart des candidats qui méritaient ce parchemin l'obtenaient. L'échec de Sartre fut réparé, l'année suivante, par une première place, avec un total de points supérieur au mien. En 1928, il n'avait pas joué le jeu ; il avait exposé sa philosophie du moment. Il se laissa convaincre[1] l'année suivante qu'il fallait d'abord donner à l'examinateur ce que

_____

1. Il estimait ma technique de l'agrégation ; il me demanda conseil.

celui-ci attendait. Ensuite, chacun pouvait gambader.

Le succès à l'agrégation n'éveilla en moi aucune vanité. Au bout de quelques semaines, plus encore dix-huit mois plus tard, après le service militaire, le bilan de mes années d'École m'apparut décevant ; à vingt-trois ans en 1928, au printemps de 1930 à vingt-cinq ans, qu'est-ce que j'avais appris ? De quoi étais-je capable ? Pendant les deux premières années de l'École, j'avais peu travaillé. Ne m'étant pas inscrit à la Sorbonne avant l'entrée à l'École, je dus consacrer deux ans à la licence — ce qui me laissa des loisirs. Je jouai au tennis, lus des romans, les grands ou les romans à la mode, je fréquentai le Louvre. Je commençai de suivre les cours d'analyse d'E. Le Roy au Collège de France et je ne persistai pas. Je pris des gros livres de droit civil et je les abandonnai au bout de quelques semaines. Je commençai d'étudier des livres de mathématiques sans davantage m'obstiner. Rétrospectivement, les deux dernières années m'apparaissent plus fécondes bien que peut-être, en 1928 ou 1930, j'en eusse jugé autrement. Le sujet de mon diplôme d'études supérieures m'obligea à étudier l'œuvre de Kant depuis les écrits antérieurs à la *Critique de la Raison pure* jusqu'à *la Religion dans les limites de la simple raison*. Chaque jour, je lisais les *Critiques* — jusqu'à huit ou dix heures par jour. Je ne sais ce que j'ai appris, je ne sais ce que valait ma compréhension du kantisme. L'exemplaire du diplôme que j'avais donné à Sartre et à Nizan (Kant était au programme de l'agrégation, l'année suivante) fut perdu. Je ne le regrette que par curiosité. Sans doute le diplôme méritait-il d'être livré à la critique rageuse des souris [1].

Je garde un souvenir d'exaltation austère de mon année vécue en commun avec un philosophe. Je continue de croire en avoir tiré beaucoup plus de profit que du livre de Delbos (classique à l'époque) ou des cours professés par tel ou tel. Certes, s'il ne s'agit que de passer les examens ou les concours, les médiateurs épargnent beaucoup de temps et d'effort, fournissent aux

---

1. Depuis lors, Mme Lautmann retrouva dans ses vieux papiers un deuxième exemplaire du diplôme, non corrigé. Je n'ai pas encore réussi à le lire.

étudiants le résumé disponible à toute fin, le prêt-à-por-
ter philosophique. Mais rien ne remplace, même pour
ceux qui ne se destinent pas au labeur philosophique, le
déchiffrement d'un texte difficile. Des années durant,
après mon année kantienne, les livres me semblaient
tous faciles. J'évaluais le niveau des livres à la tension
d'esprit que chacun d'eux exigeait.

L'année de l'agrégation m'obligea à étudier sérieusement Aristote, J.-J. Rousseau et Auguste Comte. Je relus
une deuxième fois la quasi-totalité de l'œuvre d'Auguste
Comte, une trentaine d'années plus tard, pour aider les
candidats à l'agrégation au programme de laquelle
Comte figurait de nouveau. L'histoire de la philosophie
tenait une place majeure dans nos études et il ne pouvait
guère en aller autrement, au moins à cette époque.

Sur les quatre certificats de philosophie, un seul —
logique et philosophie générale — évoquait les débats
actuels. Les deux autres — *psychologie, morale et sociologie* — relevaient déjà des sciences humaines ou
sociales ; de ce fait, l'histoire de la philosophie, plus
encore que la logique et la philosophie générale, nous
mettait en contact avec la *philosophia perennis*. Faut-il
ajouter qu'il n'existait pas l'équivalent de « nouveaux
philosophes » ; que les meilleurs professeurs accédaient
rarement aux honneurs de la grande presse (Bergson
mis à part), qu'ils furent l'objet d'une série d'articles
satiriques de René Benjamin ? Pour nous inspirer d'un
maître, pour le mettre à mort ou pour prolonger son
œuvre, nous n'avions le choix qu'entre Léon Brunschvicg, Alain et Bergson (ce dernier déjà retiré de l'enseignement). A la Sorbonne, Léon Brunschvicg était le
mandarin des mandarins. Non qu'il fût marqué des
défauts couramment attribués aux mandarins ; il « phi-
losophait » plus que les autres et son œuvre — *les
Étapes de la pensée mathématique, l'Expérience humaine
et la causalité physique, le Progrès de la conscience dans
la pensée occidentale* — ne pouvait pas ne pas nous
imposer quelque respect. Nous ne pouvions pas juger
de sa compétence en mathématiques et en physique
mais il nous — disons plutôt il me — donnait le sentiment
qu'il embrassait la culture scientifique et la culture philosophique. Il éclairait les moments de la philosophie occi-

dentale par les moments des mathématiques et de la physique. Il ne rompait pas avec la tradition, il ne tombait pas dans les platitudes de l'idéalisme ou du spiritualisme académique. Il ne se mettait pas au niveau des plus grands, il peuplait sa vie par le commerce avec eux.

Cela dit, qu'enseignait-il ? Aujourd'hui, pour réduire au minimum le jargon, je dirais que son interprétation du kantisme tendait à ramener la philosophie à une théorie de la connaissance. La *Critique de la Raison pure* a démontré, d'une manière définitive, que nous connaissons le réel à travers les formes de la sensibilité et les catégories de l'entendement. Nous ne connaissons que le monde construit par notre esprit et il n'existe pas de mode d'appréhension qui permettrait d'aller au-delà de la physique. En ce sens, il n'y a pas de métaphysique ; la science ne laisse pas à la philosophie d'objet propre en dehors de la science elle-même. Les philosophes analytiques exposent dans un langage différent une thèse proche : la philosophie réfléchit sur la science ou le langage, elle réfléchit sur toutes les activités humaines. Elle n'apporte pas sur le réel un savoir qui échapperait à la science ou la dépasserait.

La pensée de Brunschvicg, présentée de cette manière, pourrait passer pour positiviste d'inspiration. Mais j'ai omis l'autre aspect de ce néo-kantisme : l'idéalisme dont il se réclame, l'attitude morale à laquelle il aboutit. Il ne retient pas de la *Critique* kantienne le tableau des catégories, il n'accepte pas non plus la solution de la troisième antinomie (déterminisme immanent, liberté dans le transcendant). Platonicien et anti-aristotélicien, il veut supprimer toutes·les entraves au progrès de la science, la fiction de concepts immuables. Le renouvellement par Einstein des notions d'espace et de temps, bien loin de contredire la conception kantienne des formes de la sensibilité, en confirme l'inspiration : l'esprit construit la réalité par la science et celle-ci consiste essentiellement non à élaborer des concepts ou à en déduire les conséquences mais à juger.

Ce résumé grossier n'a d'autre fin que de suggérer la quasi-impasse vers laquelle les apprentis philosophes avaient le sentiment d'être entraînés. Mon professeur de philosophie, à Versailles, s'inspirait de Brunschvicg pour dévaloriser les concepts juridiques au profit du jugement. Les disciples de Brunschvicg devaient, presque inévitablement, dans d'autres domaines, réfléchir sur les progrès de la science en relation avec les philosophies ou s'élever aux problèmes les plus fondamentaux de la théorie de la connaissance.

Léon Brunschvicg, en dépit de son rejet de la métaphysique traditionnelle, usait souvent d'un vocabulaire religieux, par exemple dans un de ses derniers livres : *De la vraie et de la fausse conversion.* D'où la question, maintes fois posée : était-il athée ? Était-il religieux ? A la première question, la réponse ne me paraît pas douteuse : au Dieu d'Abraham, d'Isaac et de Jacob, au Dieu du chrétien ou à la Trinité, il ne croyait pas. Du salut des âmes, après la mort, il ne se souciait pas. Les dogmes du catholicisme lui étaient étrangers, de même que l'Alliance du peuple juif avec son Dieu.

Pourquoi user de l'expression « la vraie conversion » ? Au risque de simplifier ou de vulgariser sa pensée, je dirais qu'il ne voulait pas laisser aux Églises le monopole de la religion ou de la conversion. La vraie conversion se définit par l'arrachement de l'esprit, en chacun, à l'égoïsme, à l'égocentrisme. La religion aussi prêche cette conversion et c'est pourquoi Brunschvicg fut un lecteur infatigable de Pascal et de Spinoza ; mais la conversion vraie n'est pas suspendue à une décision de Dieu, elle s'accomplit par l'effort de la personne pour s'élever au-dessus d'elle-même, pour se dépersonnaliser en quelque mesure. La conscience de l'éternité, chez Spinoza, n'est-ce pas en dernière analyse la conscience de saisir la vérité ? La vraie conversion n'espère pas le salut, elle *est* le salut.

L'humanité a fini par savoir que la terre ne se trouve pas au centre du système solaire ; elle a renoncé à l'observateur absolu, irréel qui mesurerait les durées et les distances en faisant abstraction de sa propre position. De même, le progrès moral s'exprime par le détachement de soi, par le dialogue vrai : chacun se met à la place de l'autre. La conversion spirituelle s'inspire de la vertu du savant. L'attitude du savant pur conduirait à la justice.

Philosophie dure, presque stoïque, me disait un jour Alexandre Koyré, qui prendrait même de la grandeur, si elle s'exprimait en un autre langage. Quand Léon Brunschvicg, à la Société française de Philosophie, répondait à Gabriel Marcel : « Je m'intéresse moins au destin de ma personne que M. Marcel au destin de la sienne », il annonçait, si je puis dire, les *Antimémoires*. Religieux en un sens, mais étranger à toutes les religions établies, négateur de la métaphysique, il incarnait une manière de philosopher en dépit d'un refus de système poussé à l'extrême. La pensée est jugement, les concepts ne sont que les étapes provisoires de la conquête de la vérité ou de la construction de la réalité. La même pensée tisse les relations entre les personnes qui se rendent justice mutuellement. Ajoutons, pour ceux qui taxeraient de simplisme cet immense travail, que toute la philosophie du passé demeurait latente, vivante à travers ses livres et ses propos.

Quand Léon Brunschvicg dominait la Sorbonne, entre les deux guerres, la phénoménologie de Husserl, la pensée de Heidegger avaient « dépassé » ou déplacé les néo-kantismes allemands. Si surprenante que cette proposition puisse sembler aujourd'hui, les philosophes français et allemands ne se connaissaient guère. Le livre de Georges Gurvitch, *les Tendances de la philosophie allemande contemporaine*, préfacé par L. Brunschvicg, précéda les fameuses conférences données par Husserl, en France, sous le titre de *Méditations cartésiennes*. Au reste, Jean Wahl mis à part, les Français ne connaissaient guère mieux la philosophie contemporaine anglo-américaine ; la connaissent-ils davantage aujourd'hui ? Pourquoi cette corporation des professeurs de philosophie fermée sur elle-même, ignorante de l'étranger ?

Régis Debray, dans son livre *le Pouvoir intellectuel*, fit l'éloge des mandarins d'hier, tout en louant Paul Nizan qui les avait grossièrement injuriés, puis s'était réconcilié avec eux au temps de la résistance antifasciste. Les universitaires, à l'époque de l'affaire Dreyfus, de l'antifascisme, de l'Occupation, avaient tenu bon, écrit-il, défendu les valeurs universelles ; ils avaient négligé le marxisme, il est vrai, mais du moins ils n'étaient pas tombés dans l'irrationalisme, les pamphlets hystériques, les écrits ésotériques. L'enseignement de la philosophie, dans les lycées et les universités, tel que l'a reçu ma

génération, appelait maintes réserves. Les post-kan-
tiens, Fichte, Hegel n'étaient pas ignorés, mais ils ne
figuraient jamais au programme de l'agrégation sous
prétexte que leurs œuvres principales n'étaient pas tra-
duites en français. Les demi-dieux de l'après-guerre,
Marx, Nietzsche, Freud n'appartenaient pas au panthéon, dans lequel reposaient les auteurs de la classe de
philosophie ou de l'agrégation. Du moins le professeur
ordinaire de philosophie, en ce temps, gardait le respect
des textes, une exigence de rigueur. Les trois demi-
dieux, tous trois géniaux, ont dit et autorisé à dire presque n'importe quoi. Il est facile d'intéresser les élèves
en commentant l'idéologie, l'éternel retour, l'instinct de
mort. Mais ces concepts, équivoques par excellence,
échappent à une définition précise ; ils suggèrent des
idées qui échappent à la réfutation, à la *falsification*
comme disent les philosophes analytiques en anglais
d'aujourd'hui (ils ne sont pas susceptibles d'être
démontrés faux). Le commentaire de l'analytique de la
Critique de la Raison pure conserve une valeur éduca-
tive, il contribue à former l'esprit. Le commentaire des
aphorismes de *la Volonté de puissance* stimule l'esprit, il
n'aide pas les jeunes gens à bien user de leur raison.

En dehors de Léon Brunschvicg, je fréquentai un
autre philosophe, Alain, pendant les années d'école. Je
vins plusieurs fois le prendre à la sortie du lycée Henri-IV et l'accompagnai jusqu'à son appartement rue de
Rennes. Comment ai-je noué des relations personnelles
avec lui ? Sans doute des élèves d'Alain me servirent-ils
d'intermédiaire.

Autant que je m'en souvienne, c'était la personnalité
d'Alain, plus que sa philosophie, qui m'en imposait.
Engagé volontaire du premier jour, il détestait la guerre
et ne pouvait la supporter qu'en la vivant avec les combattants. Lui n'avait pas trahi, participé au déchaînement de la propagande et de l'antigermanisme (Bergson
lui-même n'avait pas échappé à la déraison). Or, à
l'époque, nous étions pour la plupart en révolte contre
la guerre et nos aînés. On comptait peu de communistes
parmi les élèves de l'École ; ceux qui se voulaient de
gauche adhéraient au parti socialiste, au moins de
cœur. Les catholiques, les « talas », figuraient la droite.

Alain et ses élèves faisaient bande à part, ni communistes ni socialistes, mais gauche éternelle, celle qui n'exerce jamais le pouvoir, puisqu'elle se définit par la résistance au pouvoir — le pouvoir qui, par essence, incline à l'abus et corrompt ceux qui l'exercent.

Je ne crois pas avoir jamais été entièrement convaincu par sa pensée ou, plutôt, par son attitude politique, en particulier par son refus des galons d'officier. Peut-être aurais-je été reçu à l'examen de la fin de préparation militaire si je n'avais pas été, sur ce sujet, partagé. J'admirais, à l'époque, *Mars ou la guerre jugée*, livre souvent beau, mais, en dernière analyse, profondément injuste, ou, pour le moins, partial : que certains chefs trouvent dans le commandement une compensation aux périls et aux duretés du combat, il se peut, mais les sous-lieutenants, les lieutenants, les capitaines de l'infanterie vivaient avec leurs hommes, dans les mêmes tranchées ; ils sortaient avec eux des abris. Juger la guerre à partir de l'ivresse du commandement paraît aujourd'hui déraisonnable ou même, pour dire toute ma pensée, bas. De simples soldats aiment parfois la guerre. Certains officiers, sans l'aimer, exercent leur métier avec conscience. La distance, spatiale et morale, entre le front et les états-majors ne fut jamais aussi grande qu'à partir du gel des fronts, de septembre 1914 jusque 1918. Cette particularité des opérations ne devait pas servir de fondement à une philosophie de la guerre qui se ramenait, en fait, à une psychologie de l'ordre militaire.

Pourquoi avons-nous été à ce point subjugués par l'autorité du soldat qui, à la différence de tous nos professeurs, avait refusé tout à la fois l'union sacrée et la révolte ? A l'École, au cours des années 20, nous remettions en question le récent passé. Des hérétiques contestaient la responsabilité exclusive ou prédominante de l'Allemagne aux origines de la guerre[1]. L'opinion de

---

1. Léon Brunschvicg, sur ce point, ne se laissa pas ébranler : à un ultimatum exorbitant, la Serbie avait donné une réponse modérée. L'Autriche avait rejeté cette réponse et bombardé Belgrade. A partir de là, à moins d'un miracle, le jeu des alliances provoquait la conflagration générale. Je lus à l'époque le premier livre d'Alfred Fabre-Luce, *la Victoire*, hérétique au point de faire scandale. Il s'efforçait de répartir les responsabilités de la guerre entre les deux camps.

gauche condamnait l'occupation de la Ruhr et appelait de ses vœux la réconciliation. Les jeunes ne parvenaient plus à comprendre les propos qu'avaient tenus certains des plus prestigieux de nos anciens sur l'Allemagne et les Allemands quelques années plus tôt. Alain, du moins, avait gardé le silence au milieu de la folie collective.

L'homme contre les pouvoirs, la politique d'Alain, que je critiquai âprement plus tard, je ne l'ai jamais au fond de moi-même adoptée ; elle ne répondait pas à mon tempérament intellectuel ; je l'ai utilisée à un moment où je ne savais rien des sociétés et de l'économie, où je justifiais plus ou moins mal par des raisons mes sentiments : pacifisme, horreur de la guerre, adhésion aux idées de gauche, universalisme par réaction au nationalisme de nos aînés, hostilité aux possédants et aux puissants, vague socialisme (le parti radical devenait de moins en moins présentable) ; et un intellectuel, de surcroît juif, se doit de sympathiser avec le malheur ou la dignité des humbles. Si la politique d'Alain me tentait, c'est qu'elle m'épargnait la peine de connaître la réalité, d'imaginer à la place des dirigeants une solution aux problèmes posés. Le citoyen contre les pouvoirs s'arroge immédiatement l'irresponsabilité. Une fois que j'eus surmonté les incertitudes de ma jeunesse et les limites de ma formation académique, je pris une position extrême, de l'autre côté : je me voulus responsable presque à chaque instant ; toujours enclin à me demander : qu'est-ce que je pourrais faire à la place de celui qui gouverne ?

Après la guerre, par indignation plus contre mon passé que contre Alain, j'écrivis deux articles sur sa politique, l'un dans la NRF, l'autre dans la *Revue de Métaphysique et de Morale.* J'eus le tort de ne pas rappeler l'expérience vécue d'Alain au front. Ce qui l'empêchait de vivre, ce qui soulevait en lui une fureur impuissante, c'était le destin de ces jeunes hommes qui voulaient vivre et qui se sentaient condamnés à mort. J'ai inscrit sur la lame de mon épée d'académicien une phrase grecque d'Hérodote : *Nul homme sensé ne peut préférer la guerre à la paix puisque, à la guerre, ce sont les pères qui enterrent leurs fils alors que, en temps de paix,*

ce sont les fils qui enterrent leurs pères. Jamais la tragédie
des générations n'a été illustrée au même degré que par
les événements de 1914-1918 : peu de témoins ont ressenti cette tragédie avec autant de noblesse et de compassion que lui. Encore aujourd'hui, quand je relis les
derniers propos d'Alain avant son engagement, ou son
appel aux ennemis, en 1917, je tremble de respect
devant la grandeur.

En dehors de la politique, qu'est-ce que nous apportait Alain ? Sartre, qui réfléchissait déjà sur la perception, l'image, l'imaginaire, reprenait la thèse d'Alain
d'une différence essentielle entre le perçu et l'imaginé.
Il reprenait volontiers la question que posait Alain à
ceux qui prétendaient *voir* le Panthéon sans être en face
de lui : « Combien voyez-vous de colonnes sur le
devant du Panthéon ? » L'hétérogénéité radicale de la
perception et de l'imagination se retrouve dans le livre
sur *l'Image*[1], et dans *l'Imaginaire*.

Que me reste-t-il d'Alain ? Il m'aida à lire les grands
auteurs, bien que je ne souscrivisse ni à sa méthode ni
aux résultats de celle-ci. A entendre ses disciples, sinon
lui-même, les philosophes authentiques, Platon ou Descartes, ne se seraient jamais trompés ; ils auraient tous
dit plus ou moins la même chose. Entre Kant, qui
saluait de son chapeau l'autorité temporelle sans s'incli-
ner moralement devant elle, et Auguste Comte, qui
acceptait le règne de la force et le modérait par le pouvoir spirituel (l'opinion, les femmes), il tissait un lien, il
découvrait une parenté en profondeur. Ce qu'ils
avaient l'un et l'autre pensé, prêché ou enseigné, c'était,
en dernière analyse, la philosophie d'Alain lui-même.

Léon Brunschvicg me rapporta un jour, avec plus
d'irritation que d'ironie, le discours que tenaient les disciples d'Alain à l'examen devant un texte de Descartes
à commenter : « Écartons, disent-ils, l'épaisse couche
des commentaires et des exégèses qui nous séparent du
texte lui-même. Reprenons le texte lui-même tel qu'il
fut écrit, dans sa pureté, sa vérité. Et puis, continua
Brunschvicg, ils nous récitent ce qu'Alain leur a

---

1. Le petit livre de Sartre parut dans la même collection « Petite encyclo-
pédie » que *la Sociologie allemande contemporaine*.

appris. » Le mépris de l'histoire qu'affectait Alain, communiqué à des disciples sans génie, nourrissait une sorte d'obscurantisme.

Lui-même n'était pas dupe de ses boutades, de ses excès, de ses excommunications. Quand je lui confiai, vers 1931 ou 1932, mon intention de réfléchir sur la politique, il me répondit : « Ne prenez pas trop au sérieux mes propos sur la politique. Il y a des hommes que je n'aime pas. J'ai passé mon temps à le leur faire savoir. » Il n'ignorait pas qu'il « manquait » à la dimension historique en se référant toujours à la nature humaine, constante, immuable en ses traits essentiels. Il refusa Einstein et la relativité, il refusa la psychanalyse. Par ignorance ? Par incompréhension ? Je ne le pense pas. En ce qui concerne la relativité, le refus tenait surtout à l'incompétence, mais pour une part aussi à son hygiène intellectuelle : il ne faut pas ébranler les fondements du temple de la raison. Il appelait la psychanalyse « psychologie du singe », expression peu heureuse pour le moins. Il ne voulait pas interpréter les hommes par en bas. Il aurait sympathisé avec l'idée des *Antimémoires* d'André Malraux (mais il ne partageait certes pas avec celui-ci le culte des héros). Il aurait méprisé lui aussi le misérable « petit tas » de secrets que chacun porte au fond de soi. Moraliste, il s'adressait au même homme pour lequel ont écrit les moralistes français à travers les siècles. Mais le moraliste enseignait aussi la philosophie en khâgne, professionnel de la philosophie, et maître à penser de la IIIe République.

« Sophiste », ainsi l'a qualifié Marcel Mauss, au cours d'une conversation privée. Sans hostilité, sans passion, sans mépris : sophiste par opposition aux savants ou peut-être même aux philosophes. Il traite de tout, selon la probabilité ; il nie la sociologie pour disserter à sa manière de la chose publique. Il enseigne la jeunesse et lui donne des lumières sur le monde. D. Brogan, avec plus de sévérité, écrivit vers l'année 40 une phrase que je mis en épigraphe d'un article sur Alain dans *la France libre* : « Le prestige d'un sophiste tel Alain annonce la ruine d'un État. » Pourtant des camarades tels qu'Élie Halévy, des élèves tels qu'André Maurois discernaient en lui l'éclair du génie. Élie

Halévy, je crois, disait : « Il a un peu de génie, je ne suis pas sûr qu'il en fasse le meilleur usage. » Bien d'autres, qui le connurent, soit directement soit par l'intermédiaire de ses disciples, n'en démordent pas, ils ne doutent pas de son génie. « Professeur de khâgne, élevé presque au niveau du génie », ai-je improvisé à l'émission de télévision qui lui a été consacrée. Les alinistes de stricte observance m'en tinrent rigueur, de même qu'ils me reprochèrent d'avoir souligné qu'Alain a été relativement peu traduit et lu à l'étranger. Encore aujourd'hui, j'hésite à conclure.

A coup sûr, il ne voulut pas connaître certaines des conquêtes intellectuelles de son siècle ; il resta à l'intérieur de la « philosophie éternelle » telle que la concevait la corporation des enseignants de philosophie, dans les lycées et les universités de France. Mais le *Système des Beaux-Arts, les Idées et les âges,* les *Propos* (sur l'éducation, sur le bonheur), les livres sur les romanciers qu'il aimait, cette littérature philosophique ne témoigne-t-elle pas d'un écrivain, même si son style irrite à la longue ? Trop proche du syncrétisme pour être reconnu comme un philosophe original, ne reste-t-il pas un moraliste et un écrivain d'idées ?

Peut-être Georges Canguilhem fut-il l'intercesseur entre Alain et moi. Une solide amitié nous unissait, différente de celle qui me liait au groupe Nizan-Sartre, mais non moins solide. Lui avait reçu à Henri-IV l'enseignement d'Alain et il en partageait à l'époque les convictions, en particulier le pacifisme. Par lui, je me rapprochai des élèves d'Alain, marqués par leur maître plus que les autres élèves de l'École par les leurs. Nous nous retrouvâmes à Toulouse, en 1939, et il entoura ma femme, seule en mon absence, d'une gentillesse, d'une affection typiques de sa nature profonde que dissimula souvent la rudesse de l'inspecteur général. Nous nous retrouvâmes de nouveau à la Sorbonne en 1955 ; parfois il terrifia les étudiants, mais il fut toujours respecté par eux. Docteur en médecine, historien de la pensée médicale et biologique, il a travaillé, enseigné, écrit (tous ses cours étaient rédigés) beaucoup plus que ses publications ne le suggèrent. Aussi bien les vrais lecteurs ne se laissent pas abuser par sa modestie : ils le placent à son rang, au niveau qu'il mérite. Je n'en dis pas davantage : il se fâcherait si je me risquais à un portrait littéraire, peu en accord avec un demi-siècle d'amitié.

J'ai mentionné le nom de Pierre Guille et je n'en ai rien dit. Non pas parce qu'il mena une existence de fonctionnaire, secrétaire à la Chambre des Députés et à l'Assemblée nationale ; Simone de Beauvoir en a parlé quelque peu puisque c'est lui qui introduisit Sartre dans l'intimité de Mme Morel [1]. Ni philosophe ni politique, Guille nous charmait tous parce qu'il était charmant, nous l'aimions tous parce qu'il était aimable. Il aurait été, en d'autres temps, un grand professeur de khâgne, littéraire jusqu'au bout des ongles. Notre amitié dépérit d'elle-même, par le fait du temps ; la rencontre à quatre, après nos mariages, se révéla difficile. Nous nous revîmes quelquefois après la guerre, au Quartier latin, une fois dans le Midi. Nous ne retrouvions pas le climat. Dans une lettre, en réponse à une invitation, il m'écrivit : « Déjeunons ensemble si tu le souhaites, mais nous n'avons plus grand-chose à nous dire. » Sa lettre ne voulait pas être agressive : elle constatait la distance entre nous. Je ne l'avais pas vu depuis des années quand il mourut.

Politiquement, l'École comptait deux groupes cohérents : d'un côté les socialistes ou socialisants, de l'autre les « talas », les catholiques. Lucien Herr (qui régnait à la Bibliothèque pendant mes deux premières années à l'École) inspirait le premier où militaient Georges Lefranc [2] qui joua un rôle important à la CGT non communiste, à l'Institut de formation des militants, et qui écrivit nombre de livres sur les mouvements ouvriers et le Front populaire ; Le Bail aussi qui fut député sous la IVe République. Pierre-Henri Simon appartenait à l'autre groupe, à celui des « talas », catholiques qui, à l'époque, inclinaient vers la droite, peut-être en ce sens limité qu'ils ne se révoltaient pas contre les vertus, les

1. « Cette dame. » P. Guille, puis J.-P. Sartre donnèrent des leçons personnelles au fils de celle que nous appelions « cette dame ». Mme Morel était charmante au sens que ce mot a perdu. Elle charmait par son intelligence, sa spontanéité, sa gentillesse.
2. Il organisa les dîners de la promotion.

manières de penser qui avaient animé la France de la guerre.

J'étais plus politisé à l'époque que Sartre ou Guille. Je me passionnais, de temps à autre, pour les événements de la vie parlementaire. Je pris part aux discussions familiales sur Herriot et la crise du franc ; un oncle, fondé de pouvoir d'un agent de change, m'imposa un jour le silence : « Je t'écouterai quand tu parleras de philosophie ; sur les finances, tu ne sais rien, tais-toi. » Ce souvenir d'humiliation, quelques autres du même type, évoquent en moi la madeleine de Proust ; je ressens une deuxième fois l'humiliation ou, peut-être, je sympathise avec mon moi évanoui. Je n'ai jamais revécu avec autant d'intensité les expériences plaisantes.

De mes intérêts pour la politique, je retrouve quelques témoignages dispersés. En 1925 ou 1926, par l'intermédiaire d'une association pour la Société des Nations à laquelle je m'étais inscrit, je passai deux semaines à Genève, pendant la réunion annuelle de l'Assemblée générale. J'entendis un discours de Paul-Boncour qui passait pour un grand orateur et que j'admirais. Il plaida la cause de la paix indivisible. C'est à Genève que je rencontrai pour la première fois Bertrand de Jouvenel, de quelques années seulement plus âgé que moi mais déjà journaliste de renom.

J'assistai à une grande séance de la Chambre des Députés : en 1926, le jour où Edouard Herriot, qui était descendu du perchoir de président de l'Assemblée pour provoquer la chute du Cabinet Briand dans lequel Joseph Caillaux avait reçu le portefeuille des Finances, présentait son gouvernement qui devait être immédiatement renversé. Séance passionnée, tumultueuse, alors que le cours de la livre dépassait 200 francs et que la foule hurlait des slogans antiparlementaires dans la rue.

Briand avait parlé quelques instants pour rappeler une vérité de bon sens : la dévaluation du franc sur le marché des changes est imputable aussi à la crise ministérielle, pas seulement à une manipulation sinistre des forces d'argent. Sa réplique à A. de Monzie, ministre des Finances, me frappa. Non pas tant la fameuse voix de violoncelle que l'enveloppement verbal du fait ou de l'idée — style peut-être indispensable à l'homme politique, mais si contraire à mon tempérament. Edgar Faure, dont la voix ne rappelle certainement pas celle d'Aristide Briand, possède aussi l'art d'enrober sa pensée, quand il le faut, d'une brume verbale.

Des hommes politiques et des écrivains venaient à l'École faire des conférences. Je me souviens de celle de Léon Blum. Il développa un de ses thèmes favoris, la distinction entre l'*exercice* et la *prise* du pouvoir, thème caractéristique de la IIe Internationale. Ni politique du pire à l'intérieur du régime capitaliste ni renoncement à la Révolution. Un jour, dans l'avenir, l'arbre du capitalisme, vieilli, usé, taraudé, s'écroulerait ; alors sonnerait l'heure de la Révolution, de la prise du pouvoir. Léon Blum parla avec un charme que nous appréciâmes tous. Je me demandai, déjà, pourquoi l'exercice du pouvoir accélérerait le mouvement vers la fin du capitalisme. Encore après la guerre, dans la préface qu'il écrivit pour *l'Ère des organisateurs* (*The managerial Revolution*) de Burnham, il s'avoue bouleversé par l'hypothèse que le socialisme humaniste tel qu'il l'a conçu ne recueille pas la succession du capitalisme à bout de course.

En 1925, Édouard Herriot passa une soirée avec nous ; c'était pendant les semaines des troubles estudiantins provoqués par la nomination de G. Scelle, qui appartenait au cabinet de François Albert, ministre de l'Instruction publique, à la place de Le Fur, mis au premier rang par le vote de la faculté de Droit. Herriot plaisanta, chanta avec nous, simple et bon camarade. (Georges Lefranc m'assure que la présence de Herriot, à l'École, n'avait aucun rapport avec l'affaire François Albert. Il vint le jour de la Revue.)

Je me souviens aussi d'un exposé d'Alfred Fabre-Luce qui nous parla de la Société des Nations et en plaida la cause face à un auditoire en majorité sceptique, mais nullement hostile. Julien Benda fut invité à la suite de *la Trahison des Clercs*. J'écrivis contre lui un article dans les *Libres Propos* — le premier texte que j'aurais publié, à en croire un jeune agrégé qui étudie le devenir d'une génération de khâgneux. Ma critique de Benda, me semble-t-il, se ramenait à l'objection suivante : toutes les causes historiques ne se présentent pas sous une forme aussi schématique que l'affaire Dreyfus : d'un côté un innocent, de l'autre la réputation du grand état-major de l'armée. Les intellectuels ont le droit de s'engager dans des combats douteux. Je n'employais pas, à cette époque, ce vocabulaire, mais l'idée y perçait[1].

Parmi nos invités, je ne garde pas le souvenir des grands écrivains de l'époque. Non que nous fussions plus sollicités par la politique que par la littérature, mais les responsables de ces séances l'étaient probablement.

Quelle place tenait la politique dans mes pensées d'avenir ? Ai-je rêvé, le jour où j'assistai, dans les tribunes, à la mise à mort d'Herriot, de monter quelque jour, moi aussi, à la tribune ? Je ne le crois pas. En revanche, l'émotion qu'éveillaient en moi les joutes des orateurs m'aide à comprendre les militants, les foules, les hommes de parti. Sensible à l'éloquence d'un Paul-Boncour ou d'un Édouard Herriot, plus tard à celle d'un Déat, je frissonnais en les écoutant, j'éprouvais avec eux l'hostilité qu'ils clamaient contre leurs adversaires ; E. Herriot m'apparaissait comme une victime innocente, dans la fosse aux lions. Quelques années plus tard, je compris assez les mécanismes financiers pour juger tout autrement Édouard Herriot, les événements et mes opinions de l'époque.

C'est en 1925 ou en 1926 que je m'inscrivis à la SFIO, section du Ve arrondissement[2]. Pourquoi cette adhésion ? Je dois une réponse que mes lecteurs n'accueilleront pas sans sourire : il fallait faire quelque chose pour le peuple ou pour les ouvriers. L'adhésion, je me l'imposai à moi-même, au titre d'une contribution à la cause — la cause de l'amélioration des classes malheureuses. Un souvenir me revient, précis, à la mémoire :

---

1. Je ne relis pas sans honte la flèche que je lui lançai à la fin de l'article, une allusion à sa promotion récente dans la Légion d'honneur. Honte est trop dire : plutôt je rirais de moi.
2. Georges Lefranc m'assure que je n'ai jamais été inscrit à la SFIO, seulement aux Étudiants Socialistes. Mais comme je revois dans une réunion des hommes d'âge, je conclus que je fréquentai cette section sans jamais avoir pris la carte du parti.

une lettre à un camarade, du nom de Blanchet, que j'avais rencontré à Genève et avec lequel j'avais sympathisé. Je lui décrivis mes hésitations, ma conscience d'une sorte d'obligation — nous dirions aujourd'hui l'obligation de s'engager —, avec en conclusion l'annonce de mon adhésion à la SFIO.

Dans le premier numéro des *Temps modernes,* je dissertai encore sur les chances du socialisme (en un article bien pauvre). Un intellectuel juif, de bonne volonté, qui choisit la carrière des lettres, étranger à ceux des siens qui restent dans le commerce du textile ou de l'argent, ne peut guère ne pas se vouloir, se sentir de gauche. Pour un peu, en paraphrasant mon collègue Escarpit, je dirais que je suis né à gauche, conditionné par les déterminants psycho-sociaux. J'y suis resté, au moins tant que je n'ai pas conquis une pensée propre, autonome. Y suis-je resté jusqu'au bout ?

Je fréquente peu les grands de notre société, les hommes au pouvoir, les dirigeants des grandes sociétés nationales ou multinationales ; quelquefois, je rends visite à l'un d'entre eux ou l'un d'entre eux vient me voir (selon que l'initiative vient de l'un ou de l'autre). Ils ne diffèrent pas des simples mortels, ils ne me paraissent ni plus humains, ni plus inhumains que leurs semblables. Les grands capitalistes n'acceptent pas volontiers que l'on plaide la cause du capitalisme, tout en critiquant certaines de leurs pratiques. Certes, il ne manque pas d'hommes du patronat ou des gouvernements qui se sont félicités ou m'ont félicité de l'influence que mes écrits ou mes articles exercent. Mais il subsiste entre eux et moi la distance, inévitable, infranchissable, entre les hommes du pouvoir (étatique ou économique) et un libre intellectuel.

Sur un point — et un point important — ma sensibilité s'accorde avec celle de la « vraie » gauche. Je déteste par-dessus tout ceux qui se croient d'une autre essence. Je me souviens de deux querelles qui furent sur le point de dégénérer en une bagarre de rue : une fois, avec un dirigeant de banque, une autre fois avec un diplomate de style Norpois. Les deux fois, au cours de la guerre d'Algérie : « les Algériens, je prendrai moi-même mon fusil de chasse pour les ramener à l'obéissance », disait l'un ; « les Algériens, vous n'allez pas les considérer comme des gens comme nous », disait l'ambassadeur en présence de P. H. Spaak, pendant un déjeuner d'amis ; je ne suis pas sûr d'avoir gardé le ton des dialogues parisiens ni dans la banque ni dans le salon.

Le goût du sport ne m'avait pas quitté. L'équipe de football me tenta, mais j'appris bientôt que j'avais tout à apprendre et aucune chance d'y parvenir. En revanche, ma passion du tennis se réveilla et pendant les quatre années de la rue d'Ulm, je jouai régulièrement et je m'élevai jusqu'au 2/6 (deux sixièmes) dans la première moitié de la deuxième série. Tous les joueurs de France — ceux qui s'inscrivaient dans les tournois — ambitionnaient l'inscription sur cette liste nationale, avec l'espoir d'y progresser. Les performances de mon frère Adrien m'écrasaient et m'interdisaient les châteaux en Espagne. Lui, au départ plus doué que moi, avait travaillé ses coups, il s'était entraîné régulièrement — ce que je ne fis jamais. On disait le « bon » et le « mauvais » Aron dans le petit monde du tennis parisien. Expressions justes ; mon jeu était de quelque manière la réplique du sien, mais à un niveau très inférieur.

Aujourd'hui, regardant en arrière, je me juge sans indulgence ; le tennis occupa trop de place dans mon existence. Au lieu de profiter des vacances pour découvrir la France ou l'étranger, je venais sur les plages de Normandie, pour prendre part aux tournois de l'été. Georges Glasser, polytechnicien, ex-p.-d.g. d'Alsthom, fit équipe quelques années avec moi — ce qui témoigne de son bon caractère puisque mon service et ma volée étaient mes points faibles et me disqualifiaient pour le double. Mais ces regrets ne signifient rien. Je pris au tennis un plaisir extrême et le classement ne me laissait pas indifférent. Chaban-Delmas, me dit-on, se souciait encore de son classement, alors qu'il était déjà maire de Bordeaux.

III

DÉCOUVERTE DE L'ALLEMAGNE

Je glisserai sur les dix-huit mois de service militaire (entre octobre 1928 et mars 1930) que je passai, pour la plus grande part, au fort de Saint-Cyr, utilisé par le service météorologique de l'armée de l'air. Après quelques semaines à Metz dans un régiment du génie, je fus muté à Saint-Cyr, j'y appris les rudiments de météorologie que des instructeurs enseignaient à des appelés, pour la plupart fils de bonne famille. C'est grâce à mes interventions que Sartre y fit, lui aussi, son service. Rebuté par le métier de téléphoniste, à l'office national, rue de l'Université, je revins au fort où je transmis à deux promotions le peu que je savais sur les systèmes nuageux ; je m'efforçai de communiquer l'art de distinguer les cumulus, les cirrus et autres variétés de nuages.

Cette parenthèse entre les études et l'entrée dans la vie demeure dans ma mémoire un temps vide au sens fort du terme. J'avais été recalé à l'examen auquel conduisait la préparation militaire et qui, en cas de succès, ouvrait aux normaliens la porte d'une école d'officiers et réduisait de six mois la durée du service. Influencé sans être vraiment convaincu par Alain, je ne m'étais résolu ni à réussir ni à échouer à cet examen. Mes erreurs dans la lecture des cartes d'état-major, ma maladresse au commandement d'un peloton firent le reste.

Est-ce immédiatement après l'agrégation ou après cette parenthèse que je ressentis — pour la première et non pour la dernière fois — le sentiment de gaspiller ma vie : allais-je manquer au devoir que je m'assignais dans mes dialogues intérieurs, se faire soi-même en faisant (l'expression vient, je crois, d'un philosophe) ? Certes, pendant les années d'études, je me laissais vivre l'été, d'un tournoi de tennis à l'autre, mais à chaque fin de vacances, un sentiment de culpabilité refoulait le souvenir des divertissements. Quoi qu'il en soit, à l'automne de 1928, au printemps de 1930, riche de parchemins et pauvre de vrai savoir, je m'interrogeai.

Si j'avais limité mon ambition à enseigner la philosophie toute ma vie dans un lycée, il ne me restait plus d'obstacle à surmonter. Au cours des premières années, j'aurais été un bon, probablement un très bon professeur ; la philosophie me passionnait, je m'exprimais facilement, en parole plus que par écrit ; à l'époque, je parvenais à faire comprendre les controverses les plus abstruses des philosophes à des auditeurs d'ordinaire indifférents ou ennuyés. Mes maîtres, mes camarades, mes parents décrétaient que j'étais destiné à une autre carrière, celle d'un professeur de faculté, voire celle d'un philosophe. Or, à vingt-trois ou vingt-cinq ans, que m'avaient donné mes six ans d'étude au-delà du baccalauréat ? Peut-être la capacité d'apprendre ; à cet égard, le temps consacré à la lecture des grands philosophes n'avait pas été stérile. Mais sur quoi orienter ma réflexion personnelle ? Quel sujet de thèse choisir, puisque ce choix risquait de commander l'existence entière ?

Pourquoi ai-je d'abord choisi la biologie, ensuite la notion d'individu ? Je ne voulais pas suivre l'exemple de beaucoup de mes camarades, même parmi les plus brillants, Vladimir Jankélévitch par exemple : écrire avec le minimum de péril une thèse d'histoire de la philosophie. Peut-être aurais-je écrit un bon livre sur Kant ou Fichte. Mon seul maître à la Sorbonne, Léon Brunschvicg, ne laissait guère de place à la métaphysique, à la philosophie éternelle. Si la philosophie aspire à une vérité propre, celle-ci ne coïncidera pas avec la vérité telle que la science exacte en a révélé les conditions, les méthodes et les limites. Par quelle miraculeuse faculté la philosophie peut-elle atteindre une vérité métaphysique, essentiellement autre que la connaissance scientifique et supérieure à elle ?

La psychologie tenait une place majeure dans les cours de lycées, par survivance. Étant admis que la psychologie n'a pas encore accédé et n'accédera peut-être jamais au niveau de rigueur de la physique, la philosophie doit-elle épuiser sa tâche à combler les lacunes provisoires du savoir scientifique ?

Bergson n'ouvrait pas davantage une voie aux apprentis philosophes. Lui aussi se référait à la vérité scientifique et dégageait une sorte de métaphysique à partir de la critique de certains résultats de la science. Nous ne connaissions guère, à l'époque, ni la phénoménologie ni la philosophie analytique. Probablement aurais-je été séduit par la manière des analystes. Elle n'existait pour ainsi dire pas dans notre horizon.

Puisque la réflexion philosophique devait s'appliquer à une discipline scientifique, je fis choix de la biologie dont je savais peu de chose et qui n'exigeait pas une formation mathématique (je souffris toute ma vie de cette ignorance). Ai-je commencé avant ou après le service militaire ? Avant, je crois, mais je n'en suis pas sûr. Tous mes papiers d'avant-guerre furent perdus pendant les hostilités et aujourd'hui je compte moins sur ma mémoire des faits que sur celle des idées ou même des personnes.

Je me rendis quelquefois au laboratoire de l'ENS ; je lus nombre de livres et je tombai sur la génétique. Étienne Rabaud occupait encore la chaire de biologie générale à la Sorbonne et il avait déclaré, une fois pour toutes, la guerre au mendélisme, à la génétique, aux expériences sur la mouche drosophile qui avaient permis d'établir la carte des gènes sur les quatre chromosomes. Pourquoi ce refus obstiné, bien français, alors que, dans le monde entier, le mendélisme était intégré à la connaissance acquise, alors que des savants français, Lucien Cuénot par exemple, avaient contribué à la redécouverte des lois de l'hérédité ? La réponse, pour ne pas chercher une explication par en bas, s'éclaire à la lumière de la théorie fameuse de T. S. Kuhn : la structure des chromosomes, de la matière héréditaire, les atomes d'hérédité que constituent les gènes ne s'accordaient pas avec le paradigme d'E. Rabaud, celui de la totalité vivante, de l'ensemble organisme-milieu.

Marcel Mauss, qui se piquait de scientificité, me dit un jour, sur une plate-forme d'autobus, entre les guichets du Louvre et la Seine : « Le mendélisme, je n'y crois pas. » C. Blondel et C. Bouglé, quant à eux, ne « croyaient » pas à la psychanalyse ; ils ne la discutaient pas, ils la refusaient.

Il n'était pas besoin d'une prescience hors du commun pour voir, en 1930, que la génétique ouvrait la voie royale vers l'analyse de la matière vivante et aussi vers la manipulation, pour le bien ou pour le mal, des patrimoines héréditaires des végétaux, des animaux, des hommes. Mais, au fur et à mesure que je m'émerveillais des perspectives de la biologie, je perdis toute confiance dans mon entreprise. Que pourrais-je dire sur les démarches du généticien que celui-ci ne pût dire mieux que moi le jour où il serait tenté de réfléchir sur son travail ? Que dire de plus sur l'individu biologique que ce que la biologie nous apprend ou apprendra ? J'aurais pu suivre le chemin que suivit Georges Canguilhem avec éclat : l'histoire de la pensée biologique, l'élaboration des concepts, la transformation des paradigmes. Je renonçai avant d'avoir sérieusement essayé, pour deux raisons, très différentes mais convergentes.

Au printemps de 1930, par l'intermédiaire du service des œuvres françaises à l'étranger que dirigeait Jean Marx au Quai d'Orsay, j'obtins un poste d'assistant de français à l'université de Cologne auprès d'un professeur réputé, Léo Spitzer. Les obligations, cours et séminaires, relativement lourdes, ne me laissaient qu'une partie de mon temps, insuffisante pour absorber le savoir qu'exigeait mon projet. L'autre raison, elle seule décisive, tenait à mon choix existentiel, pour employer une expression qui devint à la mode après 1945. Depuis la classe de philosophie, mes études ne se réduisaient pas à des exercices scolaires, la déduction transcendantale ne ressemble pas à une version latine et exige un tout autre effort intellectuel. Malgré tout, la lecture des grandes œuvres, les dialogues sur l'idéalisme ou le réalisme n'intéressaient que l'esprit, non le cœur. La révolte contre Léon Brunschvicg fut pour quelque chose dans mon deuxième choix, définitif celui-là. La morale de Brunschvicg, celle de Socrate telle que lui et

Élie Halévy l'interprétaient — avec les exigences d'universalité, de réciprocité —, je l'acceptai sans peine, je l'accepte aujourd'hui encore. Mais prendre pour modèle et pour fondement de l'existence l'attitude du savant dans son laboratoire me laissait insatisfait. Le savant ne pratique la morale du savant que dans son laboratoire (et encore : les sociologues ont démystifié cette représentation, trop flatteuse, du savant). *A fortiori*, l'homme, en chacun de nous, n'est pas un savant ; la « vraie conversion » appartient aux images d'Épinal. Je cherchai donc un objet de réflexion qui intéressât à la fois le cœur et l'esprit, qui requît la volonté de rigueur scientifique et, en même temps, m'engageât tout entier dans ma recherche. Un jour, sur les bords du Rhin, je décidai de moi-même.

Je me suis si souvent remémoré cette méditation que je crains finalement d'avoir confondu avec mon authentique expérience la reconstruction que j'en ai faite. Il me souvient pourtant que j'écrivis à mon frère Robert, soulevé par la joie de la découverte, une lettre enthousiaste et peu intelligible. En gros, ce que j'avais l'illusion ou la naïveté de découvrir, c'était la condition historique du citoyen ou de l'homme lui-même. Comment, français, juif, situé à un moment du devenir, puis-je connaître l'ensemble dont je suis un atome, entre des centaines de millions ? Comment puis-je saisir l'ensemble autrement que d'*un point de vue*, un entre d'autres innombrables ? D'où suivait une problématique, quasi kantienne : jusqu'à quel point suis-je capable de connaître objectivement l'Histoire — les nations, les partis, les idées dont les conflits remplissent la chronique des siècles — et *mon* temps ? Une critique de la connaissance historique ou politique devrait répondre à cette interrogation. Cette problématique comportait une autre dimension : le sujet, en quête de la vérité objective, est immergé dans la matière qu'il veut explorer et qui le pénètre, dans la réalité dont, en tant qu'historien ou économiste, il extrait l'objet scientifique. Je devinais peu à peu mes deux tâches : comprendre ou connaître mon époque aussi honnêtement que possible, sans jamais perdre conscience des limites de mon savoir ; me détacher de l'actuel sans pourtant me

contenter du rôle de spectateur. Quand, plus tard, je
devins un commentateur dans la presse quotidienne,
ma tendance à regarder de loin les événements, à montrer le monde tel qu'il est, non les moyens de le changer, ne laissa pas d'irriter nombre de mes lecteurs. Je
reviendrai plus tard sur mon métier de journaliste. J'en
étais bien loin, au printemps de 1931, alors que j'expli-
quais aux étudiantes et étudiants allemands *le Désert de
l'amour, le Baiser au lépreux* ou *le Journal de Salavin*.

Le département de langues romanes, à l'université de
Cologne, en l'année 1930-1931, dirigé par Léo Spitzer
(qu'entourait un bouquet de jeunes filles en fleur), ne
manquait ni de chaleur ni d'éclat. Le lecteur d'italien,
qui resta, à travers les années et les séparations, un ami
cher, Enrico de Negri, lui aussi de formation philosophique, se levait tôt tous les matins pour traduire *la
Phénoménologie* de Hegel. Par ma faute (colérique dans
la prime enfance, je me laisse emporter, à l'occasion),
j'eus avec Léo Spitzer quelques querelles dont la responsabilité m'incombait, mais, dans l'ensemble, j'aimai
le climat de l'université ; les auditeurs, dans les cours et
surtout dans les séminaires, me semblaient plus chaleu-
reux, plus ouverts, moins sur la réserve que les étudiants français. Je n'ai pas gardé le souvenir d'un incident quelconque, imputable à mon judaïsme. Au reste,
Léo Spitzer était lui aussi juif, assimilé comme on dit.
Après l'arrivée au pouvoir de Hitler, il me complimenta
pour un article modéré sur le national-socialisme paru
dans *Europe* ; il me reprocha de n'avoir pas insisté assez
sur la « nouvelle civilisation » qu'apportait avec lui le
national-socialisme.
Dans l'année universitaire 1930-1931, je fis un cours
sur les contre-révolutionnaires français Joseph de Mais-
tre et Louis de Bonald ; je lus Claudel et Mauriac avec
les étudiants, ils partagèrent, pour la plupart, les émotions que soulevaient en moi ces textes. De mes
contacts avec cette jeunesse — en dépit des passions
nationalistes de l'époque —, je retins une impression
durable, une sorte d'amitié pour les Allemands, senti-

ment que le nazisme refoula et qui me revint après
1945. A Tübingen, en 1953, *Gastprofessor* pendant quelques semaines, je retrouvai les étudiants allemands,
tout différents et si semblables. Aussi peu hitlériens et
nationalistes que possible, ils manifestèrent bruyamment leur accord quand j'improvisai cette définition de
l'histoire universelle : *die Weltgeschichte, diese Mischung
von Heldentum und Blödsinn* (l'histoire universelle, ce
mélange d'héroïsme et de bêtise).

C'est durant cette année à Cologne que je lus pour la
première fois *le Capital.* A la Sorbonne, j'avais fait un
exposé sur le *matérialisme historique.* C. Bouglé me
reprocha probablement avec raison d'avoir édulcoré la
pensée de Marx ; j'utilisai Engels et sa notion « en dernière instance ». J'avais étudié aussi les Italiens, Mon-
dolfo, les deux Labriola ; je répugnais à attribuer à
Marx une explication déterministe de l'histoire
humaine *totale* ; je ne connaissais pas assez, à l'époque,
ni les textes de jeunesse ni les *Grundrisse* pour reconstituer le marxisme de Marx, comme je tentai de le faire
au Collège de France en 1976-1977, presque un demi-
siècle plus tard.

En 1931, je ne possédais pas une culture économique
suffisante pour bien comprendre et juger *le Capital.*
Mais deux questions commandaient ma lecture ; l'une
plutôt économique : la pensée marxiste nous aide-t-elle
à expliquer la grande crise ? l'autre plus philosophique
: le marxisme de Marx, en tant que philosophie de l'Histoire, nous libère-t-il de la charge, lourde mais constitu-
tive de notre humanité, de *choisir* entre les différents
partis ? Si l'avenir est déjà écrit, inévitable et salvateur,
seuls refuseront son avènement des hommes aveugles
ou prisonniers de leur intérêt particulier. Dans l'interprétation courante du marxisme, c'était la philosophie
de l'Histoire qui me tentait et me rebutait tout à la fois.
Les contradictions du capitalisme conduisaient-elles
nécessairement au socialisme par l'intermédiaire d'une
révolution ou de réformes progressives ? La grande
dépression qui sévissait dans le monde et qui affectait
tragiquement l'Allemagne confirmait-elle les prévisions
de Marx ? Et, du même coup, justifiait-elle le mouvement communiste, voire l'Union soviétique ? Que l'on

ne s'abuse pas : je ne cherchai pas dans *le Capital* la confirmation de mon refus du soviétisme ; tout au contraire, j'espérai y trouver la confirmation du socialisme, phase prochaine et fatale de l'Histoire.

Le lecteur d'aujourd'hui jugera primitives ces interrogations, à bon droit. Mais je commençais à peine d'étudier les sciences sociales. Les économistes professionnels, tels que nous les entendions, ne s'accordaient ni sur le diagnostic, ni sur la thérapeutique de la crise. La réplique à la déflation, à la dépression par le rétablissement de l'équilibre budgétaire, tous les historiens d'aujourd'hui l'estiment insensée ; les observateurs de l'époque ne la condamnaient pas tous. F. D. Roosevelt fut élu en 1933 avec un programme qui comportait l'équilibre budgétaire. La littérature sur la crise que je lus en Allemagne — littérature d'essayistes plutôt que de spécialistes — mettait en cause la « structure » de l'économie allemande, la « surindustrialisation », l'agriculture de l'Est allemand. Mon ignorance de l'économie se manifestait en 1931 et 1932 dans mes articles sur l'Allemagne, publiés par les *Libres Propos* et par *Europe*. Je les relus, pour rédiger ce chapitre, sans plaisir mais sans humiliation. Pour devenir un commentateur de l'histoire-se-faisant, il me restait alors beaucoup à apprendre.

Je ne sais dans quelle mesure ces articles reflètent fidèlement mes pensées ou mon humeur de l'époque. J'inclinai, en écrivant pour les *Libres Propos,* à me conformer à l'idéologie des « alinistes », en particulier de Michel et Jeanne Alexandre dont j'admirais la foi, le désintéressement, la fidélité inconditionnelle à leur maître et à leurs idées. Quoi qu'il en soit, ces articles politiques ne témoignent pas d'une particulière clairvoyance ; les jugements moraux s'y mêlent à chaque instant aux analyses.

Au travers de tous ces textes perce une obsession qui n'était pas injustifiée : la crainte du nationalisme dont je pressens à Cologne aussi bien qu'à Berlin la montée irrésistible, la hantise de la guerre qui résulterait de la victoire du parti nationaliste englobant la droite traditionnelle et le national-socialisme. Comme je l'ai écrit déjà ailleurs, en arrivant à Cologne au printemps de

1930, j'éprouvai le choc que traduit le mot de Toynbee, *History is again on the move*. En 1930 ou 1931, intuitivement, j'étais plus conscient que la plupart des Français de la tempête qui allait souffler sur le monde. Mais cette intuition juste ne me conduisit pas immédiatement à la recherche d'une diplomatie qui répondît aux prodromes de la catastrophe ; elle m'inspira plusieurs articles sur la guerre et le pacifisme qui témoignent du progrès de ma pensée ; au refus affectif se substitue peu à peu la réflexion politique.

Un de mes premiers articles, écrit en Allemagne, paru dans les *Libres Propos* (N° de février 1931), rassemble à la perfection tous les traits, toutes les erreurs que je déteste aujourd'hui et que j'ai détestés depuis l'arrivée au pouvoir de Hitler. L'article s'intitule « Simples propositions du pacifisme ». Prenons la proposition n° 8 : « Un pacifiste allemand a le droit, peut-être parfois le devoir, de prêcher aux vaincus la patience et la résignation ; un pacifiste français n'a jamais ce droit. » Bon sentiment mais que tirer de tels commandements ? Je tâchais, avec raison, de rejeter les slogans de la propagande. Là France et l'Allemagne s'opposaient l'une à l'autre, non comme la civilisation à la barbarie mais comme le vainqueur au vaincu. Le vainqueur veut conserver les avantages de la victoire ; le vaincu effacer les stigmates de la défaite. Jusque-là, mon pacifisme de principe ne m'induisait pas en sottise. Mais quand j'en vins aux réparations et au désarmement, j'aurais dû argumenter, peser le souhaitable et le possible sur chacun de ces sujets, non postuler que les revendications allemandes, celles de l'opprimé face au nanti, se justifiaient par elles-mêmes parce qu'elles venaient du plus faible (provisoirement).

De même, à propos du traité de Versailles, je m'en tenais à des formules générales, peut-être vraies, mais peu pertinentes. « Le maintien des traités ne peut pas davantage être, pour la politique française, un moyen censé indispensable. Dire « la révision, c'est la guerre », dire « on n'a jamais révisé de traités sans guerre », c'est admettre la fatalité de la guerre. Il n'y a pas de vie sans changement mais nous voulons désormais le changement sans guerre. » Quelle révision, en

1931, deux années avant l'arrivée de Hitler au pouvoir, pouvait être accomplie sans guerre ? Aucune révision territoriale n'était possible. Faisaient objet de débat les réparations et la non-discrimination, qui entraînait le droit de réarmer pour l'Allemagne ; peut-être eût-il mieux valu renoncer spontanément aux réparations, ou bien consentir à une suspension provisoire des paiements, au lieu de souscrire bon gré mal gré aux propositions américaines. En prenant l'initiative, nous aurions pu obtenir une contrepartie morale à nos concessions. Rétrospectivement, les historiens doutent qu'une autre politique française eût sauvé la République de Weimar et empêché la victoire du national-socialisme. Il reste que les gouvernants de la IIIe République, au cours des années décisives 1930-1933, ne tentèrent rien et subirent les événements. En tout état de cause, la tribune de *Libres Propos* ne portait pas assez loin pour que ma voix eût un écho quelconque. J'évoque mes premiers papiers de journaliste pour marquer les étapes de mon éducation politique.

En février 1933, je publiai, dans la même revue, des « Réflexions sur le pacifisme intégral », à propos d'une brochure, *la Paix sans aucune réserve*, thèse de Félicien Challaye, suivie d'une discussion entre Th. Ruyssen, F. Challaye, G. Canguilhem, Jean le Mataf et de textes de Bertrand Russell et d'Alain. J'y distinguai le *pacifisme du croyant*, le *pacifisme du philosophe,* le *pacifisme du révolutionnaire*. Le premier coïncide avec l'objection de conscience. Le chrétien, le kantien obéit à un impératif catégorique : ne pas tuer ; il ne se soustrait pas au péril, il se refuse à violer le commandement suprême de son éthique. Le deuxième, *le pacifisme du philosophe : la vraie et la fausse résistance,* je le résumai par la formule de Bertrand Russell : « Pas un des maux qu'on prétend éviter par la guerre n'est un mal aussi grand que la guerre elle-même. » Ce qui me semble curieux aujourd'hui, c'est que je ne réfutai pas cette formule par une vérité de bon sens que l'expérience de la Seconde Guerre mondiale nous a rappelée : les maux qui accablent le vaincu l'emportent parfois sur les maux de la guerre elle-même. A l'époque, je répliquai par un argument abstrait : « Doit-on rappeler une vérité trop banale qu'un bien comme l'honneur ou la liberté ne se prise ni se mesure ? Il faudrait donc démontrer aux hommes qu'aucune valeur authentique n'est engagée dans les conflits entre nations. » Et j'ajoutai : « ... on se représente aussi peu les calamités de la guerre que les maux de l'invasion subie... » Je m'efforçai de ne pas m'opposer directement à Alain, mais je laissais penser que sa sagesse flotte entre ciel et terre. J'y voyais une sorte d' « objection de raison ». Je lui reconnaissais une parfaite logique (j'avais tort) et une totale inefficacité (j'avais raison).

Quant au *pacifisme des révolutionnaires* (défendu par Félicien Challaye et Georges Canguilhem), je lui objectai d'abord que l'argumentation métaphysique — la guerre est le mal absolu — condamne la guerre civile tout autant que la guerre étrangère. Le « pacifiste-révolutionnaire » se contredit lui-même s'il refuse la violence en tant que telle. Pour être cohérent, il doit descendre à l'analyse historico-politique, et dire que la guerre civile peut être acceptable, à la différence de la guerre étrangère, si elle tend à la justice. Toute guerre étrangère défend un ordre social, une hiérarchie, de telle sorte que la légitime défense collective ne se confond jamais avec la légitime défense individuelle. Au reste, dans la jungle des conflits entre États, qui peut décider sans risque d'erreur que l'un a tort et l'autre raison, que la guerre, d'un côté, est strictement défensive ? A la limite, toute guerre peut être interprétée comme défensive (s'assurer un glacis aux dépens d'un pays contigu, n'est-ce pas une mesure de précaution ?).

« Il fut peut-être des époques où la collectivité politique était assez proche de l'individu pour que la défense du groupe se confondît avec la défense personnelle ; aujourd'hui, en tout cas, il n'en va pas ainsi. Lorsqu'on demande pour quelles valeurs collectives on serait prêt encore à risquer le sacrifice suprême, on hésite. Et on hésite doublement : patrie ou classe, justice pour tous ou indépendance nationale. De quel côté apparaissent pour les hommes les perspectives de justice ? Quelle collectivité a aujourd'hui une mission historique ? Le problème politique n'est pas un problème moral. Ainsi

Ruyssen et Canguilhem commettent tous deux, en face des difficultés qu'ils rencontrent, une erreur initiale : l'un finit par accepter les guerres injustes, car toutes les guerres seront défensives ; l'autre, après avoir parlé de la tuerie comme du mal absolu, accepte la guerre civile. » G. Canguilhem fut un héros de la Résistance. Seul Challaye ne se départit pas de son pacifisme — non sans une dangereuse dérive.

Cet article de février 1933 — écrit avant le 30 janvier — esquisse certaines idées que j'ai exprimées plus clairement, peu de temps après, dans l'article « Réflexions sur l'objection de conscience », paru dans la *Revue de Métaphysique et de Morale* et reproduit en 1972 dans le recueil intitulé *Études politiques*. Ce souci de mettre en ordre mes idées sur la guerre apparaîtra peut-être naïf aux lecteurs d'aujourd'hui. Il naissait de l'esprit du temps, du *Zeitgeist,* de la réflexion sur la morale d'Alain, qui conjuguait obéissance au pouvoir et refus intérieur du respect.

Quelle guerre fut aussi prolongée, cruelle, stérile que celle de 1914-1918 ? Les passions qui l'avaient légitimée, les jeunes qui avaient vingt ans en 1925 ne les partageaient plus, ils avaient parfois peine à les imaginer. Nous avions pour la plupart vécu cette guerre de loin, sans en souffrir. Ceux mêmes qui l'avaient faite ou les orphelins la détestaient d'autant plus qu'ils n'estimaient pas les récompenses de la victoire à la mesure des sacrifices. La révolte glissait vers un antimilitarisme que la philosophie d'Alain transfigurait. Cet antimilitarisme contribua de quelque manière à la démoralisation de l'armée.

Ces sentiments conduisaient ou bien au communisme, à la volonté révolutionnaire, ou bien à la politique de réconciliation avec l'Allemagne (hostilité à l'occupation de la Ruhr, allégement des réparations, puis au début des années 30 évacuation anticipée de la Rhénanie), ou bien enfin au refus du service militaire tantôt sous la forme de l'objection de conscience, tantôt sous celle d'Alain (refus des galons), tantôt sous celle de l'anarchisme. Mon tempérament m'entraînait vers la deuxième attitude, celle d'Aristide Briand ; celle d'Alain m'en imposait sans me convaincre. Mes textes témoignaient d'une confusion d'idées et de sentiments qui, dans l'article de février 1933 sur les pacifismes, commença à se dissiper. Une phrase de cet article me frappe : « Le problème politique n'est pas un problème moral. » Cette phrase, je la signerais encore.

Bien entendu, cette phrase aussi est simpliste, dans le sens contraire. En termes philosophiques, la politique — problème, jugement, action — constitue un domaine spécifique. Peut-être, en dernière analyse, l'action politique ne prend-elle un sens que par rapport à la morale, au sens large de ce mot. Si je déteste les totalitarismes, c'est qu'ils favorisent l'épanouissement des vices, dont les germes se dissimulent dans les profondeurs de la nature humaine. Le but de toute politique, *a fortiori* de toute guerre, doit être moral ou encore, si l'on préfère, déterminé par les valeurs. Mais ni les moyens ni le but ne se déduisent de considérations morales ou exclusivement morales. L'égalité des droits signifiait le réarmement de l'Allemagne. La non-discrimination entre les États répond normalement à la justice, mais si l'Allemagne revendicative, qui n'accepte pas le statut territorial de Versailles, retrouve sa puissance militaire, la paix sera-t-elle confortée ou compromise ?

Une anecdote de 1932, après le retour d'Édouard Herriot au Quai d'Orsay, me revient à l'esprit en chaque occasion, elle me demeure aussi présente qu'il y a cinquante ans. Emmanuel Arago, qui fréquentait les milieux politiques et dont le frère était le meilleur ami de mon frère Adrien, me conduisit à un sous-secrétaire aux Affaires étrangères, Joseph Paganon. J'avais entretenu Arago de mon angoisse face à l'évolution de la politique allemande, de la fureur nationale qui s'emparait du peuple entier, de la menace de guerre que ferait peser sur l'Europe l'arrivée au pouvoir d'Adolf Hitler. Le ministre m'invita à parler et je lui tins un laïus, brillant je suppose, dans le pur style normalien. Il m'écouta avec attention, apparemment avec intérêt. Lorsque mon discours fut terminé, il me répondit, tour à tour ridicule et pertinent : « La méditation est essentielle. Dès que je trouve quelques instants de loisir, je médite. Aussi je vous suis obligé de m'avoir donné tant d'objets de méditation. Le président du Conseil, ministre des

Affaires étrangères, dispose d'une autorité exceptionnelle, c'est un homme hors du commun. Moment propice à toutes les initiatives. Mais vous qui m'avez si
bien parlé de l'Allemagne et des périls qui se lèvent à
l'horizon, que feriez-vous si vous étiez à sa place ? » Je
ne me souviens pas de ma réponse, je suis sûr qu'elle
fut embarrassée, à moins que je ne sois resté coi. Que
fallait-il dire ?

Cette leçon du ministre à un futur commentateur
donna ses fruits. Quinze ans plus tard, à *Combat,* je
demandai un jour à Albert Ollivier qui avait, dans un
éditorial, critiqué le gouvernement : « Que feriez-vous à
sa place ? » Il me répondit à peu près : « Ce n'est pas
mon affaire ; à lui de trouver ce qu'il doit faire, à moi
de critiquer. » Je me suis efforcé, le plus souvent,
d'exercer mon métier de commentateur dans un esprit
tout autre, de suggérer aux gouvernants ce qu'ils
devraient ou pourraient faire. Parfois, je savais mes suggestions inapplicables à court terme. Du moins, en
influant sur l'opinion, je contribuais à faciliter l'action
à mes yeux souhaitable (ce que je fis, par exemple, pendant la guerre d'Algérie).

Si les articles de 1931 portaient encore la marque de
mes incertitudes intérieures, de l'oscillation entre les
idéaux et l'analyse de la conjoncture, je relis sans
embarras mes articles de 1932, pendant la dernière
année du régime de Weimar. Sur plusieurs points essentiels, j'ai vu juste et mes articles éclairaient le présent et
l'avenir proche.

L'Allemagne, traumatisée par la crise économique,
vivait dans une « atmosphère nationale » : le chancelier Brüning gouvernait avec le soutien du parti social-
démocrate mais il cherchait des appuis à droite, il
esquissa une négociation avec Hitler avec l'espoir que
ce dernier se contenterait de l'entrée de quelques-uns
de ses compagnons dans le gouvernement. Une conversation suffit à enlever au chancelier ses illusions : Hitler
voulait le pouvoir, et tout le reste ne l'intéressait pas.
J'écrivis dans le numéro de février 1932 d'*Europe,* après
avoir commenté les entretiens secrets entre le chancelier et le Führer : « Une chose est sûre : Hitler se souvient encore de son échec de 1923, il ne rééditera pas

une tentative de putsch (sauf accord préalable avec l'armée). Il sait trop bien que la Reichswehr et la police viendraient facilement à bout de ses bandes. La social-démocratie attendra vainement la tentative de coup d'État qui la sauverait et la justifierait. Jusqu'à nouvel ordre, Hitler respectera sa promesse de légalité. » Un peu plus loin, en conclusion sur les rapports entre le centre et les nazis, je jugeais Hitler « assez bon tacticien pour ne pas sacrifier l'unité du parti à un partage immédiat du pouvoir. S'il entre au gouvernement, ce ne sera pas pour renoncer à sa liberté d'action, j'entends le droit d'intolérance et de brutalité ».

Dans le même article du début de l'année 1932, je ne mésestimais pas le déclin des partis de gauche, social-démocrate et communiste, et la montée des partis dits nationaux, celui de Hitler étant à la fois le plus nombreux, le plus virulent, le plus redoutable : « D'abord la place est à moitié conquise, les gouvernants du jour supportent impatiemment un accord, au moins apparent, avec les social-démocrates suspects d'internationalisme (bien modéré, pourtant)... » Je multipliais les exemples du nationalisme dominant : « Les étudiants qui chahutent un professeur accusé de pacifisme sont, à en croire les maîtres de l'université de Halle, pénétrés de sens national... Les révolutionnaires, les pacifistes sont poursuivis par les tribunaux. Les nationaux-socialistes sont juges. » Formules peut-être excessives à cette date, qui n'en illustraient pas moins un fait peu contestable : la République de Weimar manquait de républicains dans les classes dirigeantes ; elle glissait irrésistiblement vers la « coalition nationale » qui ouvrit finalement la porte du pouvoir au parti de masses, qui entendait faire pièce aux partis des masses prolétariennes.

Au moment du renvoi du chancelier Brüning par le président Hindenburg, je ne me trompai guère sur la portée de l'événement. « Élu par les social-démocrates, les catholiques et les bourgeois modérés contre le fascisme, le maréchal von Hindenburg vient de renvoyer brutalement Brüning et d'appeler von Papen, assurant ainsi aux nazis un succès quasi certain... » (*Libres Propos*, juin 1932). Pour une fois, je me laissais aller à la colère : « Une clique de nobles hors d'usage, menacés dans leurs biens par une entreprise d'intérêt national, une bande de généraux qui se croient appelés au rôle de Napoléon, ont usé de leur influence pour supprimer l'ultime barrière qui arrêtait provisoirement la poussée national-socialiste. Au nom de la conscience nationale, ces privilégiés anachroniques, inutiles, égoïstes, aveugles survivants d'une époque et d'une société mortes, se saisissent du pouvoir dans la République allemande. Ils risquent fort d'être les victimes des forces qu'ils déchaînent. Les nazis, demain, se retourneront-ils contre ces réactionnaires bornés ? Ce n'est pas impossible, quoiqu'on ait le droit d'en douter. En revanche, une chose est sûre : si les nazis ne font pas justice, l'avenir s'en chargera... »

Dans un style moins passionné, je constatai, dans *Europe* (juillet 1932), que « l'Allemagne est devenue à peu près impossible à gouverner de manière démocratique » et j'annonçai, inévitable, un « régime autoritaire », pas encore nécessairement national-socialiste. Il subsistait l'alternative : Schleicher ou Hitler, les nationaux ou les nationaux-socialistes.

La défaite des nationaux-socialistes aux élections de novembre 1932 (son parti perdit deux millions de voix) qui, selon Léon Blum, enlevait à Hitler tout espoir d'arriver au pouvoir m'inspira des commentaires autrement réservés. « "Papen et Hitler vaincus ", écrivait en grosses lettres le *Berliner Tagblatt*. Bien sûr, Papen cherche en vain une majorité et Hitler a perdu deux millions de suffrages. Mais nous voici contraints d'ajouter : vaincus, ils continuent de dominer l'Allemagne. Et le communisme, théoriquement vainqueur, est toujours aussi éloigné du pouvoir, j'entends de la révolution. » Les élections de novembre 1932 ne modifiaient pas, pour l'essentiel, les données de la conjoncture. Puisque l'Allemagne devait être gouvernée à droite, la seule et vraie question se posait en termes simples : nationaux ou nationaux-socialistes, Papen (ou Schleicher) ou Hitler, lesquels des deux l'emporteraient ? L'issue national-socialiste n'était-elle pas prévisible ?

Mes articles souffraient cependant de plusieurs

défauts. J'aurais dû analyser la Constitution de Weimar. Jusqu'à l'année 30 et la crise, cette Constitution,
parente de celle de la Vᵉ République à certains égards,
avait été interprétée dans le sens parlementaire. Le
chancelier, appuyé sur une majorité parlementaire, gouvernait. Quand il ne disposa plus d'une majorité, il
dépendit exclusivement du président qui, selon certaines clauses de la Constitution, pouvait, en cas de
besoin, promulguer des ordonnances *(Notverordnun-
gen)*, équivalentes de décrets-lois. Le président devenait
du même coup le véritable chef de l'exécutif, l'arbitre
du combat. Le vieux maréchal résista longtemps aux
exigences de Hitler dans lequel il voyait un caporal de
la dernière guerre et un dangereux révolutionnaire. Il
ne voulait pas violer son serment de défenseur de la
Constitution. Son entourage, son fils, F. von Papen le
convainquirent de renvoyer d'abord Brüning au printemps, von Schleicher à l'automne. A ce moment, la
« coalition nationale » avec des nationaux-socialistes
devenait la seule issue, même dans le cadre constitutionnel.

À la présidence, un vieux maréchal, monarchiste de
conviction ; à droite, les « nationaux » auxquels
allaient les sympathies de la plus grande partie de la
classe dirigeante (de l'administration, de l'économie) ;
au-delà les nationaux-socialistes, mouvement populaire
d'un type inédit, qui organise des milices pour la plupart non armées et recueille des millions de suffrages.
Si le parti communiste ne se joint pas aux défenseurs de
la Constitution, à savoir le centre et la social-démocratie, il n'existe plus de majorité weimarienne. Le gouvernement Papen avait éliminé le dernier bastion de la
social-démocratie, le gouvernement Braun en Prusse
(juillet 1932). Quelle issue pouvaient envisager les
acteurs et les observateurs ? Ou bien la droite traditionnelle, avec l'aide de la Reichswehr : l'armée prenait le
pouvoir et liquidait tout à la fois les partis weimariens
et le national-socialisme (à supposer que cette liquidation générale fût possible) ; ou bien une coalition dite
« nationale » incluant les nationaux-socialistes, aux
conséquences imprévisibles. Qui l'emporterait dans
cette coalition ? Personne n'aurait dû hésiter sur la

réponse. Et pourtant, en 1933 encore, après que Hitler eut accédé à la chancellerie, les Français et les Allemands, à Berlin, s'interrogeaient sur la signification du compromis de janvier. Je me souviens d'une conversation, à l'ambassade de France, avec des journalistes : l'un d'entre eux, un ancien du métier, affirmait sérieusement : « Jamais Mussolini n'aurait accepté une pareille limitation de ses pouvoirs. » Je ne crois pas, à partir du 31 janvier 1933, avoir péché par aveuglement ou optimisme.

Ce que nous tous, les pensionnaires de l'Akademiker Haus, nous ne comprenions pas, ou pas assez, c'était l'aberration de la politique économique de Brüning[1], la déflation, l'équilibre du budget. Dépourvu de culture économique, comment aurais-je saisi ce qui échappait à la plupart des ministres et des dirigeants de l'industrie ? Plus tard, revenu en France, j'en savais assez pour déplorer la déflation Laval sans dévaluation, qui assura la victoire du Front populaire.

Probablement faisions-nous presque tous une autre erreur : sous-estimer Hitler. Bien entendu, je détestais l'homme de tout mon être. Parce qu'il était antisémite et que je suis juif ? Ma judéité y était pour quelque chose mais moins que l'on pourrait croire. L'orateur me hérissait ; sa voix, hypnotique pour certains, m'était presque intolérable ; sa vulgarité, sa grossièreté me répugnaient et me laissaient stupide face à l'enthousiasme de millions d'Allemands ; Hitler respirait la haine, il incarnait le mal, il signifiait pour moi la guerre.

Et pourtant, qui aurait imaginé qu'en moins de trois ans il aurait remis au travail les six millions de chômeurs ? En juin 1934 encore, la crise qui culmina dans la Nuit des longs couteaux amena des hommes, parmi les plus intelligents, à mettre en doute la durée du règne de Hitler. La différence entre Mussolini et Hitler, me dit un jour par hasard, au lendemain du bain de sang du 30 juin, mon ami Éric Weil, c'est que Hitler est un

---

1. Nous ne comprenions pas non plus que Brüning voulait aussi, peut-être, par-dessus tout, démontrer l'impossibilité de payer les réparations et en obtenir la suppression — ce qu'il obtint en effet.

Dummkopf (un imbécile). Nous n'étions pas encore
accoutumés à cette alternance d'inaction et de dynamisme frénétique qui caractérisait le Führer. En ce
printemps de 1934, nombre de ses alliés de la droite
s'inquiétaient ; ils comptaient sur Hitler pour instaurer
un régime conservateur, nationaliste, qui arracherait
aux Anglo-Français l'égalité des droits, donc le réarmement de l'Allemagne. Ils ne croyaient pas au Reich de
mille ans ou ils le redoutaient.

L'article que je publiai à l'automne de 1933 dans
Europe me laisse une sorte de malaise bien qu'il
contraste moins que les précédents avec la manière qui
fut, à partir de 1945, la mienne. J'analysai correctement
l'issue provisoire de la crise allemande : « Depuis la
chute de Brüning, la révolution nationale était inévitable. Restait à savoir qui, des hitlériens ou des nationalistes allemands, en prendrait la direction et en tirerait
des bénéfices. » Et encore : « Le Sportpalast et la Wilhelmstrasse abritaient deux mondes hostiles, d'une part
les masses déchaînées, de l'autre les représentants de
l'ordre ancien. L'événement décisif surgit lorsque l'orateur du Sportpalast fut appelé à la Wilhelmstrasse ; le
soir du 31 janvier, les hitlériens, transportés de joie,
défilaient devant leur chef et devant un fantôme immobile qui venait, lui, représentant de la vieille Allemagne,
de livrer le passage à l'Allemagne de demain. »
Les considérations sur le rôle de F. von Papen, sur
les illusions des « nationaux » ne gardent plus guère
d'intérêt aujourd'hui. Je semblais croire que la coalition
nationale aurait pu ne pas aboutir à la toute-puissance
de Hitler. Les historiens en doutent aujourd'hui ; du
moins, je ne méconnaissais pas la différence entre les
nationalistes (ou la « révolution conservatrice ») et le
national-socialisme, révolution contre toutes les valeurs
modernes. Je faisais allusion au bûcher dans lequel
Goebbels jeta ou fit jeter par des étudiants les livres
coupables, sans décrire la scène à laquelle j'avais moi-
même assisté (le 10 mai 1933), avec mon ami Golo
Mann (un des fils de Thomas Mann et aujourd'hui un

brillant historien). La scène elle-même, telle que je la regardai, non au milieu des SA mais à quelques mètres de distance, près de l'université, était dépourvue de toute grandeur. Ni foule ni enthousiasme, peut-être une centaine d'hitlériens en uniforme, la déclamation de Goebbels : « *Ich übergebe dem Feuer* (je livre au feu)... » les œuvres de Freud « *die Übertreibung der Sexualität* » (l'exagération de la sexualité), celles de Thomas Mann, de Musil, de beaucoup d'autres auteurs, juifs ou non. Golo Mann et moi ne parlions pas, unis en silence par nos réflexions solitaires. En un pays de culture, et de haute culture, la vieille classe dirigeante avait confié à ces ruffians la mission de rendre à l'Allemagne son indépendance et sa puissance. Les livres se consumaient *Unter den Linden* comme jadis ceux de la Bibliothèque d'Alexandrie ; les flammes symbolisaient la barbarie au pouvoir.

J'ai laissé le récit de l'autodafé tel que je l'avais écrit avant de lire, dans le supplément du *Monde* du 10 mai 1982, l'article consacré par Alexandre Szombati à l'événement. Les condamnations des œuvres décadentes ou « non allemandes », rédigées par Goebbels, furent déclamées par des étudiants : le souvenir exact me revient. J'avais confondu les déclamations des étudiants avec le discours prononcé par Goebbels lui-même. Heinrich Mann et non Thomas figura au nombre des auteurs dont les œuvres furent jetées dans la nuit. Sur tous ces détails, A. Szombati a évidemment raison. Sur l'ensemble, sur la cérémonie tout entière, je n'en démords pas : elle ne revêtit pas l'ampleur, la grandeur qu'il lui prête.

Peut-être cinquante mille livres, des manuscrits d'auteurs maudits furent-ils brûlés, mais si le feu détruisit des exemplaires de ces livres, il ne les fit pas disparaître des bibliothèques publiques et privées. Peut-être la marche des étudiants à la lueur des flambeaux, spectacle en noir et rouge, que Golo Mann et moi nous ne vîmes pas, atteignait-elle à quelque beauté. Le bûcher lui-même, les déclamations des étudiants, la grandiloquence de Goebbels, tout cela se déroulait sans public. Les Berlinois ne se pressèrent pas devant l'Opéra. Nous n'étions pas loin du feu et nous nous éloignâmes, parmi des passants peu nombreux. J'entendis assez souvent, avant et après l'arrivée de Hitler au pouvoir, les hurlements d'une foule fanatisée. Cette fois, la foule n'était pas venue ou n'avait pas été convoquée. Sans public, cet incendie nous faisait frissonner par sa signification symbolique et rire par sa dérisoire mise en scène.

L'établissement du totalitarisme, la *Gleichschaltung*, j'en énumérai les principales mesures, avec une objectivité par instants excessive. Et j'en vins à l'antisémitisme ; j'en traitai en cinq pages. Texte étrange que je suis tenté aujourd'hui de psychanalyser. Juif, j'exposai l'antisémitisme hitlérien à des lecteurs français, les uns juifs, les autres non juifs. Presque d'un bout à l'autre, j'adoptai le ton de l'observateur et, quand l'observateur s'engageait, il demeurait presque aussi froid : « Il n'est pas question de ne pas condamner les cruautés inutiles. Mais il n'est pas question davantage de se laisser embaucher dans une croisade « morale » (et patriotique) contre la barbarie allemande. » Même Hitler et l'antisémitisme n'avaient pas étouffé entièrement ma germanophilie et, inconsciemment, je voulais écrire non en Juif mais en Français. Sur les atrocités, les camps de concentration, je me contentai d'allusions. A un autre moment, je me trompai. Les hitlériens, disais-je, veulent « prolétariser » les Juifs, les exclure de la communauté ; je ne leur prêtais pas encore la volonté résolue de les chasser du pays. Je m'interrogeai sur les chances d'arrêter l'élimination de la communauté juive. Publié en septembre 1933, l'article avait été écrit probablement à la fin de mon séjour à Berlin, six mois après l'arrivée de Hitler au pouvoir. Je dénonçai la « violence légale », la « cruauté froide aussi révoltante que les pogroms ».

Plusieurs passages sur l'antisémitisme ne me plaisent guère. Je cherchai des explications, sinon des excuses, à la passivité des Allemands : « habitués aux calamités sociales, beaucoup ont perdu le sens de la protestation morale... ». La suite de l'histoire a montré que la perte du sens de la protestation n'est pas réservée aux seuls Allemands. Ce qui me gêne aussi, c'est une propension à un rationalisme hors de saison. « Les hitlériens seraient sensibles aux pertes qu'infligerait à la science

allemande le départ des Juifs. » Je mésestimai la nature
de l'antisémitisme hitlérien, insensible à des arguments
de cette sorte. Du moins, je me trompai moins que
beaucoup d'autres. A tous mes amis juifs je recomman-
dai l'exil immédiat : il n'y avait plus pour eux d'existence honorable dans l'Allemagne national-socialiste.
Je ne prévoyais pas à l'époque l'*Endlösung* (la solution
finale) : qui pouvait l'imaginer en 1933 ?

Ce qui me gêne aussi, c'est l'antithèse entre l'Allemagne et la France au sujet de la question juive : « Le
problème de la composition raciale du peuple existe
normalement pour un Allemand, il n'existe pas pour un
Français. Qu'on puisse devenir français en assimilant la
culture française va de soi. Diagne[1] parle de la défense
de « notre civilisation ». Pour beaucoup d'Allemands,
peut-être pour la majorité d'entre eux, on naît Allemand, on ne le devient pas. » Peut-être y a-t-il un grain
de vérité dans ces généralités, mais je me laissais abuser
par les idéologies à la mode. Ce qui me gêne enfin, c'est
l'effort pour ne pas vitupérer une réalité que je détestais, l'oscillation entre celui qui veut « tout comprendre » et celui qui ne veut pas « tout excuser ».

Dans un livre paru en 1981, écrit par Serge Quadruppani et intitulé *les Infortunes de la vérité*, l'auteur s'en
prend à cet article. Il me reproche la manière dont je
commente l'antisémitisme hitlérien *au printemps de
1933*, bien avant les lois de Nuremberg. Or, si, à l'époque, je n'annonçais pas la solution finale, j'affirmais du
moins que le IIIe Reich ne laisserait aucune place aux
Juifs : « La volonté du national-socialisme est claire :
on prétend non seulement supprimer la puissance économique et politique des Juifs, non seulement les écarter des fonctions officielles, des professions libérales,
de la presse, on s'efforce de les prolétariser. » Avec le
recul, cette interprétation du projet hitlérien, « la prolétarisation du Juif », apparaît naïvement optimiste mais
à ce moment-là cette perspective donnait à la plupart
des Juifs le frisson ! ils m'auraient taxé de pessimisme.

S. Quadruppani me reproche une « piètre défense »
des Juifs et me blâme d'avoir écrit : « A coup sûr, les

1. Député français, noir, sénégalais.

Juifs ont manqué de prudence. » Aujourd'hui, les historiens de la communauté juive allemande, y compris les
historiens juifs, S. Friedländer par exemple, vont beaucoup plus loin que je n'allai alors quand ils cherchent
les raisons pour lesquelles les Juifs sont devenus les
boucs émissaires, les cibles du ressentiment germanique. Peut-être les circonstances auraient-elles dû
m'interdire « l'objectivité », l'interrogation sur les
causes du déchaînement de l'antisémitisme. A ce
compte, toute analyse des événements contemporains
exige le manichéisme, les invectives et non point l'effort
de compréhension. Or moi-même je marquai les limites
de la compréhension : « Ne cherchons pas à prévoir :
j'aurais voulu aider à comprendre. Et pourtant le lecteur se refusera peut-être à comprendre certaines
mesures... L'effort d'objectivité doit laisser place à
l'indignation nécessaire. »

Les autres lignes que me reproche cet auteur, je ne
les écrirais évidemment pas aujourd'hui. Je constatais
que Hitler avait trouvé « la solution du problème politique ». A l'époque, avant 1933, tous les commentateurs
ou presque, allemands et français, observaient les
déchirements de la société allemande ; ils mettaient
donc au crédit de Hitler le « rassemblement national ».
Or, si on lit l'ensemble, et non pas une seule phrase,
mes sentiments ne laissent guère de doute. « Par un
usage combiné de la force et de l'idéologie, il leur a
réappris à obéir : enthousiasme et abrutissement,
conscience du devoir et impression d'impuissance se
mêlent dans cette soumission à l'ordre. » Et, un peu
plus loin : « Le " sujet " a retrouvé la vie. » *Wiederge-
burt des deutschen Untertanen* (renaissance du sujet).
« Il s'épanouit sous les tilleuls. Sa boutonnière s'orne
de la croix gammée. Sa chambre est tapissée des images
du nouveau prophète. Les moustaches à la Charlot ont
remplacé le croc impérial. »

Le seul passage qui me semble vulnérable relevait
d'une concession à l'esprit du temps : « La protestation
de la vitalité saine contre le raffinement et le scepticisme ne mérite ni le mépris ni l'ironie. Les fois collectives sont toujours grossières et, s'il est facile d'en montrer l'absurdité, l'Histoire ne donne pas raison à l'intel-

ligence raisonneuse. » Malheureusement, en effet, l'Histoire ne donne pas toujours raison à « l'intelligence raisonneuse » et les fois collectives, au XXe siècle du moins, sont pour la plupart grossières. J'observais, je n'approuvais pas. Dans un article postérieur, en 1935, je jugeai, et avec sévérité, l'unification apparente du peuple germanique au cri de *Heil Hitler*.

Enfin, je ne me laissai pas tromper, dès 1933, par les déclarations pacifistes de Hitler : « En dépit d'un pacifisme bruyamment proclamé depuis des mois, les chefs n'ont pas renoncé à leurs ambitions. Je crois juste l'interprétation que propose Trotsky de la politique nazie, avec une réserve : je ne pense pas que les plans du dictateur soient aussi précis et aussi nets. De toute façon, notre tâche est claire : quels que soient nos sentiments personnels, il faut bien que nous aidions (et obligions) le national-socialisme (et le fascisme) à préférer une solution pacifique. » L'article de Trotsky analysait le discours de Hitler au Reichstag le 17 mai 1933. Il discernait, au-delà des protestations pacifiques, la volonté du nouveau régime de reconstituer la force militaire de l'Allemagne. La volonté de réarmement provoquerait un conflit avec la France. Une fois la force acquise, Hitler révélerait ses ambitions : s'étendre vers l'est. « Les nazis sont contre l'assimilation, mais non contre l'annexion, ils préfèrent exterminer les peuples inférieurs, vaincus par le germanisme. »

Je souscrivis donc à la thèse de Trotsky : impérialisme à la fois contre l'Est et contre l'Ouest. Hitler, disait le créateur de l'Armée rouge, compte obtenir l'assentiment de la Grande-Bretagne à la reconstruction des forces armées du Reich. Je ne doutai pas des ambitions hitlériennes, je doutai que le Führer eût déjà déterminé en détail les étapes du « master plan ».

Après cet article d'*Europe*, je n'ai plus rien écrit sur Hitler, l'Allemagne et la politique internationale jusqu'à la guerre, à trois exceptions près : un texte dans *Inventaire*, recueil d'articles reproduisant les conférences tenues au Centre de documentation sociale de l'ENS sous la direction de C. Bouglé, un article dans la *Revue de Métaphysique et de Morale* sur le livre d'Élie Halévy : *l'Ère des tyrannies* et une communication à la

Société française de Philosophie sur « Régimes démocratiques et régimes totalitaires ».

J'avais intitulé d'abord ce chapitre *Découverte de l'Allemagne et de la politique.* Ces deux découvertes allèrent ensemble. Mon obsession pacifiste, moraliste, issue d'Alain, se nourrissait aussi d'une conviction historique : « L'intérêt que prend notre pays à la crise allemande dérive... d'une intuition profonde : bon gré mal gré, le destin de l'Allemagne est aussi le destin de l'Europe. » J'ai repris ce thème, dès le lendemain de la défaite du IIIe Reich, en 1945 : le destin de l'Allemagne se confond avec celui de l'Europe. Ce n'est pas à tort que Ralf Dahrendorf, en prononçant la *laudatio* à l'occasion du prix Goethe [1], déclara que l'Allemagne fut mon destin.

J'essaye aujourd'hui de reconstituer mes sentiments au cours de ces premiers temps de ma rencontre avec la culture allemande. En arrivant à Cologne, au printemps de 1930, je déchiffrais les journaux, je comprenais imparfaitement l'allemand de Spitzer, de l'assistant ou des étudiants, je lisais, mais non sans peine, les livres de philosophie. Pendant l'année scolaire 1930-1931 passée à Cologne, je fis assez de progrès dans le maniement de la langue pour qu'elle cessât d'élever une barrière entre mes interlocuteurs et moi. Je fus sensible à la détresse de la jeunesse allemande, à la chaleur qui imprégnait les relations entre les personnes ; même les étudiants qui se rapprochaient plus ou moins du national-socialisme ne refusaient pas le dialogue. Ceux que j'approchai, à Cologne et à Berlin, ne ressemblaient pas aux monstres que l'on dépeint aujourd'hui. Nous buvions ensemble sur les bords du Rhin ou de la Spree, et soudain monte une bouffée d'amour ou d'amitié qui transfigure la soirée. Mais c'est la culture allemande plutôt que la jeunesse allemande qui me séduisit pour toujours.

---

1. Je reçus le prix Goethe, décerné tous les trois ans par la ville de Francfort, en 1979. E. Jünger a reçu ce prix en 1982.

Choc au premier abord surprenant. J'avais vécu une année entière avec Kant. Bien qu'une connaissance insuffisante de Hume ait limité mon intelligence des trois *Critiques,* j'avais absorbé un élément précieux de la philosophie allemande, peut-être le plus précieux. Je n'oubliai jamais l'impératif catégorique, essence de la morale, pas plus que la religion dans les limites de la raison. Mais j'avais traduit le kantisme dans le néo-kantisme de Léon Brunschvicg. Kant s'intégrait aisément dans l'universalisme ahistorique de la pensée française, telle du moins qu'elle s'exprimait à la Sorbonne.

Mes lectures, peu délibérées, oscillèrent autour de deux pôles, Husserl et Heidegger d'une part, les sociologues, l'école néo-kantienne de l'Allemagne du Sud-Ouest, H. Rickert, Max Weber d'autre part. Les uns et les autres me donnaient le sentiment d'une extraordinaire richesse auprès de laquelle les auteurs français m'apparurent d'un coup médiocres, presque pauvres. Un demi-siècle plus tard, je suis enclin, pour le moins, à plus de réserve. La richesse conceptuelle de la langue et de la tradition philosophique allemande créent aisément une illusion. Les *Sinnhafte Zusammenhänge* perdent quelque peu de leur charme en devenant des « ensembles significatifs », des « réseaux de sens » ; j'ai éprouvé à l'époque, pour Karl Mannheim, une admiration qui m'étonne moi-même. Il y a quelques années, je consacrai à *Idéologie et Utopie* une séance de séminaire et je relus le livre à cette occasion : je me demandai pourquoi il avait joui d'une telle renommée. Mais revenons en arrière.

Simone de Beauvoir a raconté comment j'avais parlé de Husserl à Sartre et éveillé en lui une fiévreuse curiosité. Moi aussi, en étudiant la phénoménologie, j'éprouvai une sorte de libération par rapport à ma formation néo-kantienne. A l'époque, j'avais déjà, pour ainsi dire, refoulé mes pulsions métaphysiques ; je fus moins impressionné par la phénoménologie transcendantale ou l'*épochè* que par la méthode, je dirais presque par le regard du phénoménologue. Je méditais sur l'Histoire et l'immanence des significations à la réalité humaine — réalité qui se prête au déchiffrement. Il me parut qu'il avait manqué à Dilthey une philosophie comme

celle de Husserl pour mettre au clair ses intuitions. La saisie des significations dans l'histoire-se-faisant m'amena
ou me ramena à Max Weber dont j'estimai peu à peu la
grandeur en même temps que je me découvris lié avec lui
par une *Wahlverwandschaft,* une affinité élective.

Pourquoi ai-je été, au contact des Allemands et de
Max Weber en particulier, attiré par la sociologie alors
qu'Émile Durkheim m'avait rebuté ? Pour répondre à
cette question, il me faut, pour reprendre une expression que j'ai déjà employée, partir en quête d'un passé
qui, pour être le mien, m'est à peine moins étranger,
objectivé, que celui d'un autre.

A la Sorbonne, entre 1924 et 1928, Paul Fauconnet et
Célestin Bouglé enseignaient la sociologie, l'un disciple
orthodoxe de Durkheim, l'autre disciple aussi mais plus
libre d'esprit, moins « sociologiste » ; ni l'un ni l'autre
n'éveillaient de vocations. Ces professeurs n'étaient pas
doublés d'assistants. Les normaliens, imbus de leur
supériorité, ne fréquentaient pas les cours de la Sorbonne. Je devais aller de temps en temps au cours de
C. Bouglé puisque j'y fis — je l'ai déjà raconté — un
exposé sur le matérialisme historique.

Je lus, bien entendu, les grands livres de Durkheim et
de ses disciples, mais l'étincelle ne jaillit pas. A l'École,
j'étais transporté tantôt par Kant (à la rigueur par Descartes), tantôt par Proust (ou, mais je n'en suis pas sûr,
par Dostoïevski). Là j'échappais à moi-même, à mes
doutes, au jugement des autres, je me confondais avec
l'entendement ou la raison en moi. Ici, dans *A la
recherche du temps perdu,* je retrouvais la difficulté de
vivre, l'esclavage auquel réduit l'obsession du jugement
des autres, la fatalité des déceptions. J'ai gardé le culte
de Proust bien que je n'aie pas relu *A la recherche du
temps perdu* depuis de longues années. Kant ou Proust,
la déduction transcendantale ou le salon de Mme Verdurin, l'impératif catégorique ou Charlus, le caractère
intelligible ou Albertine. Entre les deux, ni *la Division
du Travail*, ni *le Suicide,* ni *les Formes élémentaires de la
vie religieuse* ne touchaient mon cœur. Simples objets
d'étude sur lesquels je dissertais en cas de besoin. Un
bon agrégé de philosophie de mon temps dissertait sur
n'importe quoi.

Je crains, encore une fois, de styliser. En dehors de Kant et de Proust, il y avait aussi la politique. Je n'en causais presque jamais avec Sartre, Nizan, Lagache ou même Canguilhem, un peu davantage avec des amis moins intimes, amis de Robert plutôt que de moi, que je voyais de temps en temps. La politique éveillait en moi des passions ; longtemps encore après mon éducation en Allemagne, je participai à l'émotion des foules dans les réunions publiques. Je me souviens d'une réunion au début du cartel des gauches, en 1924 : d'abord Paul-Boncour, acclamations. Herriot commence à son tour : « Il s'est tu et l'on écoute encore » ; nouvelles acclamations. J'avoue, à ma honte, que, bien plus tard, je fus ébloui par l'éloquence de Marcel Déat, toute différente de celle des Paul-Boncour ou des Edouard Herriot, plus argumentée, moins affective, servie par une prodigieuse facilité d'élocution[1]. Mais le goût de la politique représentait pour moi l'équivalent de la faiblesse, du penchant à la facilité « des Aron ».

La sociologie de Durkheim ne touchait en moi ni le métaphysicien que je souhaitais être, ni le lecteur de Proust, désireux de prendre conscience de la comédie et de la tragédie des hommes en société. La formule de Durkheim, « Dieu ou la société », me heurtait ou m'indignait. L'explication des suicides par des corrélations statistiques me laissait insatisfait. L'enseignement moral à partir et au nom de la société me paraissait une réplique à l'enseignement catholique, et une réplique fragile du simple fait que la société ne constitue pas aujourd'hui un ensemble cohérent.

A l'heure présente, un néo-durkheimisme se mêle à une sorte de marxisme : l'idéologie dominante se substitue à la société en tant qu'instance suprême. Cette sociologie suggère une interprétation de la vie collective à certains égards proche de celle de Durkheim. Ce dernier supposait une unité de la société telle que les mêmes valeurs pussent s'imposer à toutes les classes. Ceux qui emploient la notion d'idéologie dominante décrivent une société de classes ; ils accentuent la toute-puissance de l'idéologie dominante et en réduisent

---

1. Déat éblouit aussi à l'époque Jean-Richard Bloch.

l'autorité morale en l'attribuant aux privilégiés ou aux
dominants. Durkheim, tout au contraire, espérait rendre à la morale l'ascendant sur les esprits qu'elle avait
perdu. La dénonciation de l'idéologie dominante me
laisse aussi rêveur que la divinisation de la société. La
même théorie ne vaut pas pour les régimes totalitaires
et pour les régimes libéraux.

Pourquoi Max Weber éveilla-t-il en moi un intérêt
parfois passionné, à la différence d'Émile Durkheim ?
J'étais plus disponible en 1931 ou 1932 que je ne l'étais
entre 1924 et 1928. A l'École, j'étais encore étudiant, je
n'avais pas encore rompu les amarres avec la famille,
l'hexagone et les banalités universitaires. Max Weber
objectivait, lui aussi, la réalité vécue des hommes en
société, il les objectivait sans les « chosifier », sans
ignorer, par règle de méthode, les rationalisations que
les hommes donnent de leurs pratiques ou de leurs institutions. (En fait, Durkheim ignore moins les motifs ou
les mobiles des acteurs que ne le suggère sa méthodolo-
gie.) Ce qui m'éblouissait chez Max Weber, c'était une
vision de l'histoire universelle, la mise en lumière de
l'originalité de la science moderne et une réflexion sur
la condition historique ou politique de l'homme.

Ses études des grandes religions me fascinaient ; la
sociologie, ainsi comprise, retenait le meilleur de ses
origines philosophiques. Elle se donne pour tâche de
reconstituer les sens que les hommes ont donnés à leur
existence, les institutions qui ont entretenu les messages
religieux, les ont transmis ou ritualisés, et que les prophètes ont ébranlées, rafraîchies, renouvelées. Peut-être
la sociologie des religions de Max Weber ne s'oppose-t-
elle pas autant que j'en avais le sentiment il y a un
demi-siècle à celle de Durkheim. Mais, en lisant Max
Weber, j'entendais les rumeurs, les craquements de
notre civilisation, la voix des prophètes juifs et, en écho
dérisoire, les hurlements du Führer. La bureaucratie
d'un côté, l'autorité charismatique du démagogue de
l'autre, l'alternative se retrouve de siècle en siècle. En
1932 et 1933, je perçus pour la première fois, élaborés
par un sociologue qui était aussi un philosophe, mes
débats de conscience et mes espérances.

Durkheim ne m'avait pas aidé à philosopher à la

lumière de la sociologie. Une morale laïque pour faire pièce à la morale en déclin des catholiques — ce fut la mission civique que s'assigna Durkheim — me laissait indifférent, pour ne pas dire davantage. Homme de discipline, de stricte moralité, kantien dans sa vie et ses écrits, il force le respect. Il avait peut-être raison de penser que les révolutions ne transforment pas en profondeur les sociétés et font plus de bruit que de bien. Pendant les années 30, le marxisme et l'Union soviétique me troublaient, le national-socialisme menaçait la France et le judaïsme du monde entier. La sociologie qui ne prenait pas au tragique les révolutions planait au-dessus de notre condition. Max Weber n'avait méconnu ni les systèmes sociaux ni les décisions irréversibles et fatales prises par les hommes du destin. Grâce à sa conscience philosophique, il avait uni le sens de la durée et celui de l'instant, le sociologue et l'homme d'action. Grâce à lui, mon projet, pressenti sur les bords du Rhin, prenait corps.

A ces deux raisons de m'attacher à lui — immanence du sens à la réalité sociale, proximité de la politique — s'en ajoutait une autre : le souci de l'épistémologie propre aux sciences sociales ou humaines. Lui aussi, il venait du néo-kantisme. Il cherchait une vérité universelle, autrement dit une connaissance valable pour tous les hommes qui cherchent une telle vérité. Simultanément, il avait une conscience aiguë de l'équivoque de la réalité humaine, de la multiplicité des questions que l'historien est en droit de poser aux autres hommes, ceux d'aujourd'hui ou d'hier. Pluralité des questions qui explique le renouvellement des interprétations historiques et que Max Weber s'efforce de limiter. D'où la dualité de la *Sinnadäquation* et de la *Causaladäquation* (adéquation significative et adéquation causale) : il ne suffit pas qu'un rapport soit satisfaisant pour l'esprit, il faut encore en démontrer la vérité. De tous les motifs qui déterminèrent les Allemands (quels Allemands ?) à voter pour le national-socialisme, lesquels furent déterminants ? Quelles causes provoquèrent ces motifs ? De cette oscillation entre la pluralité des interprétations plausibles et le souci d'une explication vraie — oscillation que je croyais deviner au centre de la pensée de

Weber — sortit mon propre travail, dans mes deux
thèses.

C'est ainsi que je rends compte à moi-même de mon
allergie à la sociologie de Durkheim et de mon émerveillement à la découverte de la sociologie allemande,
avec, en arrière-plan, les déchirements du peuple allemand et la montée du nazisme. Combien me paraissait
hors du temps une sociologie destinée à fonder l'enseignement civique dans les écoles normales d'instituteurs,
face à la catastrophe qui mûrissait dans les Bierkellern
ou au Sportpalast ! Quelle tragique ironie — ainsi que
le reconnut Marcel Mauss lui-même — que l'idée durkheimienne de la naissance de la foi religieuse dans les
transes de la collectivité, à la flamme des torches, ait dû
s'incarner à Nuremberg[1], des milliers et des milliers de
jeunes Allemands adorant leur propre communauté et
leur Führer !

Max Weber a créé le concept du chef charismatique
et, au nom de la neutralité axiologique, il l'appliquait
tout aussi bien aux prophètes juifs qu'aux démagogues
américains, tel Huey Long. Aurait-il refusé de mettre
Hitler dans la même catégorie que Bouddha ? Aurais-je
protesté à l'époque contre le refus de différenciation
des valeurs ou des personnes ? Je n'en suis pas sûr.
Mon admiration temporaire pour Mannheim
m'entraîna vers une sorte de sociologisme. Après avoir,
à la suite de Léon Brunschvicg, confondu le penseur

---

1. Dans une lettre datée du 6 novembre 1936 à un collègue danois,
S. Ranulf, Marcel Mauss écrivit les lignes suivantes : « Durkheim, et après
lui, nous autres, nous sommes, je le crois, les fondateurs de la théorie de
l'autorité de la représentation collective. Que de grandes sociétés modernes,
plus ou moins sorties du Moyen Age d'ailleurs, puissent être suggestionnées
comme des Australiens le sont par leurs danses, et mises en branle comme
une ronde d'enfants, c'est une chose qu'au fond nous n'avions pas prévue.
Ce retour au primitif n'avait pas été l'objet de nos réflexions. Nous nous
contentions de quelques allusions aux états de foules, alors qu'il s'agit de
bien autre chose.
   Nous nous contentions aussi de prouver que c'était dans l'esprit collectif
que l'individu pouvait trouver base et aliment à sa liberté, à son indépendance, à sa personnalité et à sa critique. Au fond, nous avions compté sans
les extraordinaires moyens nouveaux. »
   Dans une autre lettre, du 8 mai 1939, il autorisait la publication de la lettre précédente. Il ajoutait : « Je crois que tout ceci est une tragédie pour
nous, une vérification trop forte de choses que nous avions indiquées et la
preuve que nous aurions dû attendre cette vérification par le mal plutôt
qu'une vérification par le bien. »

avec un moi transcendantal, je fus impatient d'interpréter les pensées de tel ou tel par les conditions sociales de l'homme. Pour me délivrer définitivement de Léon Brunschvicg, j'écrivis un long article d'une centaine de pages que je lui soumis et dans lequel je faisais intervenir les origines juives, le milieu français, la vie bourgeoise. Il me laissa la décision de publier ou non l'étude, composée d'un exposé de sa pensée, qu'il approuva, et d'une critique, qu'il estima pour une part faible, pour une part déplaisante. Je ne publiai pas le texte qui disparut pendant la guerre. Je lui rendis hommage à Londres, à l'Institut français, au lendemain de sa mort. La *Revue de Métaphysique et de Morale* reproduisit le texte de mon discours.

Je ne suivis guère de cours ou de séminaires à l'université de Berlin. Par l'intermédiaire d'un camarade, Herbert Rosinski, qui le premier m'entretint de Clausewitz, je connus un économiste d'esprit philosophique, Gottl-Ottlilienfeld dont j'eus le courage de lire un énorme ouvrage en deux tomes, *Wirtschaft und Wissenschaft,* dont je ne tirai pas grand-chose.

Souvent, au cours des années 1931 et 1932, je me demandai si je ne me perdais pas dans toutes les directions ; après coup, une fois revenu en France, j'eus le sentiment d'avoir beaucoup appris.

J'ai assisté aux dernières années, à l'agonie de la République de Weimar. A Cologne, je vivais dans une famille allemande de moyenne bourgeoisie qui me louait une chambre. Je me souviens vaguement du chef de famille qui évoquait volontiers l'Allemagne vaincue finalement par la coalition du monde entier ; sa femme connaissait des familles juives *so anständig* (si convenables). Lors de mon deuxième séjour, après un choix malheureux (l'homme risquait de revenir la nuit, quelque peu éméché, la femme m'en avait prévenu à l'avance), je trouvai deux pièces confortables, mais sans partager mes repas avec la propriétaire. Ce ne fut pas avec mes propriétaires que je nouai des liens mais avec des étudiants, avec d'autres assistants.

A Cologne, je rencontrai un jeune étudiant dont le charme me ravit, Rudy Schröder. Son père vendait des imperméables et des parapluies. Une amitié tendre nous unit pendant mon séjour. Il détestait le national-socialisme. Deux ans plus tard, il vint à Paris où il vécut difficilement jusqu'à la déclaration de guerre. Il s'engagea dans la Légion étrangère ; après la guerre, j'appris de sa femme, dont il s'était depuis longtemps séparé, qu'il avait passé en Indochine dans le camp de Hô Chi Minh. Je lus un jour dans *le Figaro* un article signé de Dominique Auclères sous le titre *le Colonel SS Rudy Schröder* (j'ai oublié le reste du titre). Rudy était devenu un familier, un favori de Hô Chi Minh. J'essayai de l'atteindre par une lettre qu'il ne reçut probablement jamais. En 1946, ses parents m'avaient demandé de ses nouvelles ; vers 1960, j'entendis dire par des Allemands qu'il était professeur à l'université de Leipzig. S'il vit encore dans l'Allemagne de l'Est, j'aimerais le revoir. Je doute que la vie l'ait transformé en bon communiste. Qu'il ait déserté la Légion étrangère et l'ordre français à Saigon ou à Hanoi, je ne m'en étonne pas ; et au nom de quoi pourrais-je l'en blâmer ? J'ai la naïveté de croire que nous pourrions nous retrouver.

A Cologne, entre les cours et leur préparation, la lecture du *Capital,* les conversations avec les étudiants, la fréquentation du club de tennis (j'y étais classé le deuxième ou troisième), le riche musée de peinture de l'école rhénane, il me restait peu de loisir pour observer les chômeurs ou la misère. A Berlin, je passais une bonne partie de mon temps à la *Staatsbibliothek.* Je n'en ai pas moins eu l'expérience vécue de la culture de Weimar, durant les deux dernières années avant la catastrophe. En ce qui concerne la pensée, j'ai connu l'essentiel. Husserl et Heidegger d'un côté, les survivants de la IIe Internationale, l'École de Francfort, K. Mannheim de l'autre, constituaient les deux pôles de la réflexion philosophico-politique. Après 1945, la pensée française prolongea la phénoménologie, l'*Existenzphilosophie* et le marxisme hégélianisé qui dominaient la pensée allemande des années 30. Le livre de G. Lukacs, *Geschichte und Klassenbewusstsein* (Histoire et Conscience de classe), de 1923, œuvre germinale pour les marxistes en quête de Hegel, fut redécouvert pendant les années 50 par M. Merleau-Ponty, qui lui attribua curieusement la désignation de « marxisme occidental ».

Nous assistâmes aussi aux derniers feux du cinéma et du théâtre de cette époque. Je donnai des leçons de français au fameux metteur en scène Reinhardt. Nous fûmes ravis par le *Dreigroschen Oper,* émus par *die Mädchen in Uniform.* Le *Kultur Bolchevismus* fleurissait encore et, outre les châteaux et les musées de peinture classique, les œuvres de Klee ou de Kokoschka nous étaient offertes. Atmosphère de fin de siècle ? La menace de mort planait sur cette République sans républicains, sur une intelligentsia de gauche, marxisante, qui détestait trop le capitalisme et ne craignait pas assez le nazisme pour prendre la défense du régime de Weimar. Quelques années plus tard, c'est sur la France que s'inscrivit le signe de la mort.

Nous nous retrouvions très souvent le soir à la *Französisches Akademiker Haus;* j'y ai connu Pascal Copeau, Jean Arnaud qui fit carrière en tant qu'attaché ou conseiller culturel dans diverses ambassades, Pierre Bertrand que je retrouvai à Londres en 1943 et qui y resta jusqu'à sa retraite, correspondant permanent du *Figaro,* André Martinet dont j'admirais la capacité exceptionnelle d'apprendre une langue étrangère, Jean Leray, le grand mathématicien, Roger Ayrault, un des meilleurs germanistes de sa génération, C. Salomon, lié à la famille Langevin.

Bien entendu, nous communiions dans l'antinazisme et le soir des élections, nous écoutions, silencieux, les chiffres. Nous fréquentions les grandes réunions publiques : j'ai entendu plusieurs fois Goebbels, Hitler. Pour mes élèves, pour beaucoup de mes amis, mes souvenirs appartiennent déjà au passé historique. Puis-je leur apporter davantage que des images d'une vieille actualité ? Qui étaient ces Allemands qui se réunissaient au Sportpalast et qui acclamaient le Führer ? Ils appartenaient apparemment à toutes les classes. Nombre d'entre eux, d'après leur vêtement, d'après leur visage, appartenaient à la bourgeoisie aisée, parfois même au milieu des intellectuels. Ils hochaient la tête d'approba-

tion aux diatribes de Hitler contre les Juifs, contre les
Français ou contre les capitalistes. Je me trouvai une
fois, dans une de ces réunions, avec un étudiant exceptionnellement doué, du nom de Schüle, très hostile à
Hitler. Il refusa de se lever quand les porte-drapeaux
traversèrent la salle pour se grouper au pied de la tribune. Autour de lui, jaillirent les injures, les injonc-
tions ; Schüle ne bougea pas, personne ne le frappa. En
1941, il se trouvait à Moscou en tant qu'attaché à
l'ambassade du Reich en Union soviétique. Il fut tué
sur le front oriental. Un diplomate me rapporta qu'il
avait conservé son franc parler. Vers 1958 ou 1959, un
étudiant allemand vint me parler à la fin de mon cours
à la Sorbonne : c'était le fils de Schüle. Sa mère avait
gardé des lettres de moi. J'ai retrouvé aussi par hasard
des lettres de lui, postérieures à 1933. Il a donc servi le
IIIe Reich, comme des millions d'autres, condamnés à
un destin qu'ils ne méritaient pas.

Je fréquentais régulièrement le Humboldt Haus, lieu
de rencontre d'étudiants. C'est là que, pour la première
et dernière fois, je jouai la comédie. Nous donnâmes un
acte de *Knock* ; j'y jouai le rôle de Knock lui-même ; j'y
pris un plaisir extrême. Le théâtre appartient à un de
mes rêves que je ne pris jamais au sérieux. C'est au
Humboldt Institut que je rencontrai Herbert Rosinski ;
là aussi je discutais avec des étudiants de toutes natio-
nalités.

Janvier 1933 ne modifia pas notre existence, à nous
pensionnaires du *Französisches Akademiker Haus*. Les
manifestations d'antisémitisme ne m'atteignirent jamais
personnellement. Avec des cheveux blonds et des yeux
bleus, je n'offrais pas aux nazis l'image conforme à leur
représentation du Juif. Mon ami Susini, Corse, brun,
méditerranéen, fut parfois injurié dans la rue, je ne le
fus jamais. Une fois pourtant, une femme dans un train
me confia que nous étions dans le même camp : elle
n'aimait pas le mot d'ordre hitlérien *Kirche, Küche, Kin-
der* (église, cuisine, enfants) et moi j'étais juif. Ce qui
me frappa le plus, pendant les premières semaines du
régime, c'est le caractère presque invisible des grands
événements de l'histoire. Des millions de Berlinois ne
virent rien de nouveau. Un seul signe ou symbole : en

trois jours, les uniformes bruns pullulèrent dans les rues de la capitale. A la maison des étudiants, j'observai sans étonnement les uniformes rapidement revêtus par des camarades auparavant réservés. Beaucoup de ces étudiants s'étaient ralliés dès la première semaine. L'un d'entre eux, qui n'avait jamais adhéré au national-socialisme et qui, avant la prise du pouvoir, lui manifestait plutôt de l'hostilité, avait déjà décidé de *mitmachen* (marcher avec). Vous, me disait-il, vous serez toujours un spectateur et un spectateur critique, vous n'aurez pas le courage de vous engager dans l'action qui emporte le flux des foules et de l'histoire. Il avait raison mais, face à Hitler et, de même, face à Staline, il fallait dire *non*. Mon tempérament m'a protégé des écrits ou des engagements peu honorables dont se rendirent coupables quelques hommes de ma génération, fascinés par l'histoire ou piégés par elle.

Ce qui me frappa aussi, ce fut la diffusion de la peur, sans que fussent jetés en prison ou dans des camps de concentration des centaines de milliers d'adversaires ou de suspects. Pendant les six premiers mois du régime, les nouveaux maîtres commirent, certes, des cruautés. Les camps de concentration inaugurèrent l'avènement de l'Empire de mille ans ; ils ne contenaient pas plus de soixante ou soixante-dix mille communistes, libéraux, Juifs ou truands : assez pour créer un climat de terreur. Pourtant, dans les milieux politiques de l'ancienne République, parmi les Juifs évidemment, dans la masse populaire aussi, se répandit le sentiment d'un péril omniprésent et mortel, la menace de l'arrestation. Nous ne respirions plus le même air. Au printemps de 1933, mes amis, juifs ou libéraux, disaient, alors que le soleil illuminait les terrasses des cafés du Kurfürstendamm : « *Den Frühling werden Sie uns nicht nehmen* » (le printemps, ils ne nous l'enlèveront pas).

Mon ami Manès Sperber, qui, à l'époque, appartenait encore au parti communiste, s'attendait, malgré tout, d'après ses Mémoires, à une résistance des partis ouvriers, du prolétariat allemand, naguère orgueil de la IIe Internationale. Parmi nous, dans la petite communauté française, dans les milieux de l'ambassade, personne n'imaginait une révolte populaire. Le 1er mai, trois mois après l'arrivée de Hitler à la chancellerie, les ouvriers, les fonctionnaires défilèrent sous les drapeaux à croix gammée, les mêmes qui défilaient quelques mois plus tôt sous les drapeaux rouges, avec ou sans la faucille et le marteau, avec ou sans les trois flèches du Front d'acier dont Tchakotine raconte, dans *le Viol des foules,* les quelques succès. Pourquoi cet effondrement du prolétariat allemand ? Pourquoi la disparition des millions d'électeurs qui, jusqu'au bout, avaient voté pour les sociaux-démocrates ou pour les communistes ?

Après coup, les réponses viennent d'elles-mêmes : les communistes, sur l'ordre de Staline, combattirent les « social-traîtres » plus encore que les nazis ; comment ces deux fractions du mouvement marxiste auraient-elles pu se rejoindre dans la clandestinité, dans l'action armée, alors qu'elles n'avaient pas su le faire pour prévenir la victoire de l'homme qui les destinait toutes deux aux mêmes camps de concentration ? Démobilisation des masses, conscientes de leur impuissance, sentiment du destin, d'une vague irrésistible : le temps de la résistance était passé. Au-delà de ces arguments classiques, valables en eux-mêmes, il apparaissait une évidence : ni les dirigeants ni les troupes des partis socialiste et communiste ne songeaient à une révolte armée contre la police et contre la Reichswehr. Ils n'y songeaient pas parce qu'ils n'en possédaient pas les moyens, à savoir les armes, mais aussi parce que les électeurs socialistes, peut-être même communistes, bons citoyens, respectueux du pouvoir, se soumirent à l'ordre nouveau. Probablement certains d'entre eux attendaient-ils l'échec de l'expérience nazie pour agir. Le fait demeure et il nous frappait à l'époque : la victoire des nazis fut acceptée par le peuple allemand bien que la majorité des électeurs ne se fût jamais prononcée pour Hitler avant l'incendie du Reichstag et l'interdiction du parti communiste.

Aujourd'hui, cette capitulation collective, nombre d'Allemands, les jeunes surtout, ne la comprennent pas et l'excusent moins encore. A l'époque, après le 31 janvier et plus encore après l'incendie du Reichstag, j'éprouvai le sentiment d'une fatalité, d'un mouvement historique, à court terme irrésistible. Certes, le pullulement des uniformes bruns, le terrorisme larvé, la haine déchaînée contre la communauté juive, l'arrogance des vainqueurs, tout cela me répugnait ; vue de près la révolution est rarement édifiante ; en ce cas, il y avait Hitler dont je pressentais le satanisme. Beaucoup d'Allemands se faisaient des illusions. Pour les classes dirigeantes, pour les junkers aussi bien que pour les dirigeants de l'économie, le caporal de la dernière guerre ne représentait qu'un instrument ou un expédient provisoire. Mais l'état d'esprit des Allemands, de la grande masse, s'exprimait dans une formule : *besser ein schreckliches Ende als Schrecken ohne Ende* (plutôt une fin terrible qu'une terreur sans fin).

Faut-il dire que le peuple allemand ratifia pour ainsi dire en 1933 l'antisémitisme ? Je doute qu'il ait été gagné par les invectives contre les Juifs et qu'il ait pris au pied de la lettre les injures, les déclamations des orateurs nazis. J'ai entendu, dans la bouche de personnes intelligentes, des arguments qui, à l'époque, ne semblaient pas absurdes. « Il ne défiera pas le judaïsme mondial... Il attirerait sur le IIIe Reich la colère des États-Unis... Il ne chassera pas les chimistes et les physiciens juifs sans lesquels le Reich wilhelmien n'aurait pas tenu quatre années, face au blocus des Alliés. » Arguments qui, rétrospectivement, nous apparaissent puérils, que personne ne pouvait réfuter décisivement. Que l'antisémitisme fût plus qu'une arme de propagande, plus qu'une idéologie à usage électoral, tous les observateurs auraient dû s'en convaincre. Mais la radicalité de l'antisémitisme qui s'exprima à partir de 1942 dans la « solution finale », personne, me semble-t-il, ne la soupçonna immédiatement. Comment croire à l'incroyable !

Au cours de ces années d'Allemagne, je fis la connaissance d'écrivains, je me rapprochai de la NRF, de la Rive gauche. Les articles publiés par *Europe* me mirent en contact avec Jean Guéhenno, intime de mes amis Duval. A Cologne, Léo Spitzer invitait des conférenciers, Georges Duhamel, André Chamson, André

Malraux. Le premier séduisit le public et même le grand journal de la ville ; il affirma, avec plus de sérieux que d'ironie, qu'il était plus grave pour une langue de perdre un mode de verbe que pour un pays de perdre une province. La conférence d'André Malraux, dont j'ai oublié le sujet exact (qui tenait aux cultures et à leur destin), impressionna le public. Quand je lui suggérai que peut-être ses paroles étaient passées par-dessus la tête de ses auditeurs, il me répondit — et il avait raison — que le public l'avait suivi jusqu'au bout. Malraux l'avait, en effet, saisi, subjugué, fasciné. Dans la dernière phrase de la conférence, le vent soufflait sur les déserts dans lesquels subsistaient, couvertes par le sable, les pierres sacrées des dieux morts.

Clara accompagnait André, volontiers provocante. Elle dit à Léo Spitzer au début de la conversation : « Er hat sich eine kleine Jüdin geheiratet. » Élaguée du possessif *sich,* la phrase signifiait tout simplement : il a épousé une petite Juive. Avec *sich,* elle devenait vulgaire, elle suggérait : il s'est donné, il s'est payé pour femme une petite Juive. Léo Spitzer me répéta la phrase, plus étonné que choqué. Cette phrase suggérait que Clara en ce temps, non sans ironie, s'effaçait devant André ; son charme et son intelligence en apparaissaient d'autant plus.

C'est aux décades de Pontigny bien plus qu'aux conférences de Cologne que j'eus l'occasion de découvrir la haute intelligentsia de l'époque. Paul Desjardins m'avait invité à une décade en 1928, immédiatement après l'agrégation. J'y donnai une communication sur Proust qui eut l'heur de plaire à Anne Heurgon. J'aimai les décades ; les entretiens en eux-mêmes ne manquaient pas d'intérêt et, du reste, ils ne prenaient que quelques heures par jour. Autour d'eux s'épanouissait une vie sociale faite de conversations indéfinies dont les commérages n'étaient pas absents : une cinquantaine d'intellectuels, plus ou moins grands, se trouvaient pour ainsi dire enfermés ; comment ne se seraient-ils pas observés, loués, critiqués les uns les autres, semblables à la cour d'un souverain — avec cette différence qu'il n'y avait pas de souverain. Paul Desjardins, même dans ses dernières années, occupait le centre, le foyer de la compagnie. Tous les autres ne se lassaient pas d'admirer (à tous les sens du mot) l'art, mêlé de sincérité et de comédie, qu'il mettait dans ses relations avec les autres et avec lui-même.

S'il n'y avait pas eu Pontigny, comment aurais-je pu passer dix jours avec André Malraux et nouer avec lui une longue et profonde amitié ? Roger Martin du Gard fréquentait fidèlement les décades sans jamais participer aux discussions (« comme " ils " sont intelligents, tous... »). En revanche, par sa générosité, sa simplicité, il gagnait également les sévriennes, plus tellement jeunes, et les jeunes agrégés, inquiets et ambitieux. Je garde aussi un vif souvenir d'Arthur Fontaine, grand fonctionnaire, ami d'Albert Thomas et de Paul Desjardins, des hommes d'État et des poètes. La condition ouvrière ne l'intéressait pas moins que le compte d'exploitation. Un dialogue entre André Philip et lui, en 1928 je crois, reste gravé dans mon esprit, non dans ses détails mais dans sa substance, Arthur Fontaine compara l'usine de sa jeunesse à celle du présent.

C'est au cours d'une décade brillante de 1932 que je rencontrai Suzanne Gauchon qui devint la compagne de ma vie. Rien ne la destinait à fréquenter cette retraite d'intellectuels, en dehors de ses études au lycée Victor-Duruy. Son père, fils d'un paysan qui tenait en même temps l'hôtel du village, avait fait des études, un peu par hasard. Entré dans la marine en tant qu'officier mécanicien, il l'avait quittée à la fin de la guerre et pris un emploi assez important dans une société industrielle (qui appartenait au groupe Air Liquide). Suzanne, au lycée, eut pour camarades Christiane Martin du Gard, Édie Copeau qu'elle aimait tendrement et qui vit, religieuse, à Madagascar. Roger Martin du Gard témoignait à la camarade de sa fille une affection qui ne se démentit jamais. Il accepta d'être témoin à notre mariage en septembre 1933.

Suzanne était aussi très liée à Simone Weil, dans la même classe qu'elle pendant les trois dernières années du lycée. J'hésite à rien écrire sur Simone Weil, tant cette femme d'exception est devenue un objet de culte ; toute remarque que n'inspire pas l'admiration, qu'elle mérite à coup sûr, risque de passer pour indécente, ico-

noclaste. Je rencontrai Simone pour la première fois
rue d'Ulm, vers 1928, alors que je passais l'agrégation
et qu'elle-même passait le concours d'entrée à l'École.
Nous eûmes tout au plus des conversations d'étudiants.
Je ne me souviens pas de relations personnelles avec
elle au cours des années suivantes, jusqu'au moment où
Suzanne lui annonça notre mariage. Elle ne reçut pas
cette nouvelle avec plaisir ; sans me connaître, elle
m'avait placé dans une catégorie qu'elle rejetait, premier d'agrégation bien entendu, enclin à la pensée
mondaine ou facile. Elle avait plaqué sur moi une
image qu'elle avait forgée à partir d'impressions. Elle
promit à Suzanne de se déprendre de ses préjugés puisque son amie m'avait choisi.

Elle accueillit avec joie la naissance de notre fille
Dominique, comme si elle avait été la sienne. Nous
nous revîmes plusieurs fois ; Simone et Suzanne restèrent fidèles à leur amitié de jeunesse. J'ai beaucoup
admiré, à l'époque, le grand article qu'elle publia sur la
condition ouvrière ; et aussi celui sur l'impérialisme
romain, même si ce dernier prête à la critique des historiens. Malgré tout, le commerce intellectuel avec
Simone me parut presque impossible. Elle ignorait
apparemment le doute et, si ses opinions pouvaient
changer, elles étaient toujours aussi catégoriques. Elle
approuva l'accord de Munich, non en fonction du rapport des forces, mais parce que la résistance à l'hégémonie allemande en Europe ne lui paraissait pas valoir le
sacrifice d'une génération. Après l'entrée des troupes
allemandes à Prague, elle prit une autre position, aussi
ferme : puisque les nazis ne se contentaient pas d'une
hégémonie en Europe de type traditionnel, puisqu'ils
tendaient à une colonisation comparable à celle que les
Européens pratiquaient en Afrique, la résistance
s'imposait, quel qu'en fût le prix. Elle avait peut-être
raison et en 1938 et en 1939, mais il y avait matière à
discuter. Tels que les hitlériens lui apparurent en 1939,
n'était-il pas possible de les prévoir dès 1938 ?

Elle gardait secrète à l'époque sa vie religieuse, sa
foi. Personnellement, je pressentis sa vocation un jour,
au jardin du Luxembourg. Nous nous promenions, ou
nous promenions Dominique, sous un soleil glorieux.

Le jardin était si beau que l'on respirait pour ainsi dire le bonheur. Simone vint vers nous, le visage bouleversé, proche des larmes. A notre question, elle répondit : « Il y a une grève à Shanghai[1] et la troupe a tiré sur des ouvriers. » Je dis à Suzanne que Simone devait aspirer à la sainteté ; prendre sur soi toutes les souffrances du monde n'a de sens que pour un croyant ou même, plus précisément, pour un chrétien.

Je la revis à Londres, en 1943, à son arrivée. Pour la première fois, notre conversation, vraie, se prolongea deux heures. Elle me parut semblable à elle-même ; il fut question de la guerre, de l'Occupation, de Londres, de la condition privilégiée des Français du dehors. Certaines des idées de *l'Enracinement* affleuraient dans ses propos.

Revenons à 1933. Suzanne vint me retrouver à Berlin, en juillet 1932, et nous rentrâmes en France par petites étapes ; nous visitâmes Bamberg, Würzburg sur le chemin. Les guides nous expliquaient les beautés ou le passé des monuments, tournant souvent leurs yeux vers Suzanne qui les regardait et ne comprenait rien à l'allemand. Un guide auquel je fis la remarque me répondit : *Schöne Mädchen gibt es überall* (il y a de jolies jeunes filles partout).

Vue d'Allemagne, la France semblait, jusqu'en juillet 1932, capable d'influer sur les événements. A partir de février 1934, la situation s'inversa. L'Allemagne avait un gouvernement, détestable à coup sûr, mais stable et fort. La France, avec retard, entrait à son tour dans le cycle infernal : crise économique, exaspération des conflits sociaux, renforcement des partis révolutionnaires, de droite et de gauche, érosion des partis modérés, paralysie du pouvoir. La journée du 6 février ramena de l'exil un ancien président de la République, le sauveur dont la république des députés avait besoin, de temps à autre, pour surmonter les obstacles élevés par ses propres dissensions.

Quant à moi, j'avais franchi une étape dans mon éducation politique — une éducation qui durera aussi longtemps que mon existence elle-même. J'avais compris et

1. Je ne suis pas sûr de la ville, peut-être s'agit-il d'une autre.

accepté la politique en tant que telle, irréductible à la morale ; je ne chercherais plus, dans des propos ou par des signatures, à donner la preuve de mes bons sentiments. Penser la politique, c'est penser les acteurs, donc analyser leurs décisions, leurs fins, leurs moyens, leur univers mental. Le national-socialisme m'avait enseigné la puissance des forces irrationnelles, Max Weber la responsabilité de chacun, non pas tant la responsabilité de ses intentions que celle des conséquences de ses choix.

J'avais rêvé de prendre ma part de la réconciliation franco-allemande. Le temps en était passé, il reviendrait plus tard. Pour l'instant, la France devait tenir sa poudre sèche et dissuader le possible agresseur. Un Juif français qui mettait en garde ses compatriotes contre le péril hitlérien n'échappait pas au soupçon. Servait-il ses coreligionnaires ou sa patrie ? De 1933 à 1939, le IIIe Reich, tout proche, pesait sur le climat de notre pays. Des réfugiés affluaient. En même temps, je sortis enfin de mes doutes, je secouai ma peur de la page blanche. Les six années, entre août 1933 et août 1939, à l'ombre de la guerre redoutée et prévue, furent peut-être les plus fécondes de mon existence. Bonheur de l'homme, désespoir du citoyen.

IV

AU CŒUR DU QUARTIER LATIN

J'avais vécu dans l'après-guerre jusqu'à mon premier voyage en Allemagne. Entre le 14 septembre 1930, le premier succès du parti national-socialiste aux élections législatives, et le 30 janvier 1933, je passai lentement de la révolte contre le passé au pressentiment de l'avenir. Je sortis de l'après-guerre pour entrer dans l'avant-guerre. Les mêmes valeurs, en profondeur, m'animaient, mais, au-delà de la gauche ou de l'antifascisme, il s'agissait désormais de la France et de son salut.

En octobre 1933, quand nous nous installâmes au Havre, ma reconversion s'était presque accomplie. Le patriotisme de mon enfance, de ma famille, de tous mes ascendants l'emportait sur le pacifisme et le socialisme mal défini auxquels m'inclinaient la philosophie et le climat d'après-guerre. Je me voulais toujours « de gauche », je craignais la compromission avec la droite, afin de n'être pas exploité par l'opposition. Cette timidité tenait encore à une résistance, plutôt sociale qu'intellectuelle, à la logique de la politique. Plus tard, beaucoup plus tard, je répondis souvent à ceux qui me reprochaient mes compagnons douteux : on choisit ses adversaires, on ne choisit pas ses alliés. Au reste, je me débarrassai assez vite de la superstition que Sartre défendit jusqu'à son dernier jour : « la droite, ce sont les salauds » ou, en un langage plus académique, de la superstition que les partis diffèrent par la qualité, morale ou humaine, de leurs militants ou de leurs chefs. Probablement les partis de la gauche recrutent-ils davantage parmi les idéalistes (au sens banal du mot). Quand les révolutionnaires passent de l'autre côté de la barrière, conservent-ils longtemps leur supériorité morale ? Il se trouve des vertueux dans chaque camp ; sont-ils nombreux dans aucun ?

Le Havre que Jean-Paul Sartre a décrit dans *la Nausée* et que je découvris à mon tour souffrait durement de la crise. Une bourgeoisie protestante, qui dominait les bourses du coton et du café, tenait le haut du pavé ; on l'appelait la « côte » parce qu'elle avait construit ses villas sur la hauteur. La hiérarchie sociale de la ville s'insinuait jusque dans le lycée, dans le bureau du proviseur. La famille des élèves n'était pas inconnue des maîtres et de l'administration. Je fus accepté au club de tennis comme un égal de ces « messieurs de la bourse », non parce que j'enseignais la philosophie au lycée, mais parce que j'appartenais à l'élite des joueurs. Un classement en deuxième série de France, dans ce milieu, valait mieux que les parchemins de l'Université.

Je fus frappé aussi, à cette occasion, par l'inhumanité de la hiérarchie proprement universitaire. Les professeurs du lycée n'étaient pas tous agrégés et certains d'entre eux souffraient de leur statut, inférieur à tout jamais, par rapport à celui des quelques-uns qui avaient surmonté le dernier obstacle, le plus élevé, l'agrégation. Un collègue, professeur d'histoire, que nous fréquentions, bi-admissible[1], vivait tous les ans la même humiliation : il ne participait pas aux jurys du baccalauréat. Nous allions à Caen et lui n'était pas du voyage. Avant mon passage au Havre, je n'éprouvais aucun sentiment fort à l'égard de l'agrégation, je gardais un souvenir agréable de l'année de préparation, de la lecture attentive, presque complète, des œuvres de Jean-Jacques Rousseau et d'Auguste Comte. Au Havre, je sympathisai avec les « exclus », ceux qui, pour une raison quelconque, ne seraient jamais agrégés et qui n'en méritaient pas moins le titre et les avantages que d'autres. Près de trente années plus tard, ces souvenirs du Havre inspirèrent, pour une part, des articles du *Figaro* qui firent de moi, pour un temps, l'ennemi nº 1

---

1. Ceux qui avaient été deux fois admissibles à l'agrégation.

de la *Société des agrégés*. Aujourd'hui la roue a tourné ;
les humanités ont presque disparu de l'enseignement
secondaire ; les agrégés de philosophie risquent
l' « exil » dans un lointain CES. L'inégalité des enseignants, déterminée par les examens et les concours de
jeunesse, subsiste, mais, à maints égards, atténuée. Le
verdict des concours n'est plus définitif. Des enseignants peuvent devenir agrégés, au mérite ou à l'ancien-
neté.

Je travaillai durant cette année 1933-1934 plus que je
ne l'ai jamais fait avant ou après, puisque je rédigeai la
plus grande partie de *la Sociologie allemande contemporaine* et de la thèse secondaire consacrée à des philosophes allemands que je regroupai sous le thème de la
Critique de la Raison historique. Comme, simultanément, je professais, pour la première fois, un cours de
philosophie traitant de problèmes traditionnels sur lesquels je n'avais pas réfléchi depuis des années, je dus
préparer mes cours, de qualité, à coup sûr, pour le
moins variable. Je ne distinguai pas les dons de Bernard Guillemin, aujourd'hui professeur de philosophie,
auteur de manuels estimables et surtout d'un intéres-
sant *Machiavel* (thèse de doctorat d'État au jury de
laquelle j'appartins) ; en revanche, trois camarades, Jac-
ques-Laurent Bost, Albert Palle et Jean Pouillon, fréquentèrent le ménage du professeur. Le premier devint,
l'année suivante, un ami de Sartre et m'écrivit, il y a
quelques années, une lettre injurieuse à propos d'un
article sur le coup d'État chilien. Le deuxième, avec
lequel j'ai maintenu des relations amicales jusqu'à ce
jour, écrivit des romans dont l'un fut couronné par le
jury Renaudot. Le troisième, fonctionnaire à l'Assemblée nationale, vint à l'ethnologie sous l'influence de
Lévi-Strauss mais resta un fidèle de Jean-Paul Sartre.

Je n'ai enseigné qu'une seule année dans un lycée.
Sans ennui, avec plaisir même grâce aux dialogues avec
les élèves. Il fallait traiter de l'ensemble du programme ; la contradiction entre la recherche sur des
sujets limités et le savoir encyclopédique qu'exige ou
suppose le cours me gênait déjà et m'aurait rendu presque insupportable le métier. Sartre s'en accommoda
pendant une dizaine d'années, comme nos grands

anciens, Henri Bergson ou Léon Brunschvicg ; Alain ne
quitta jamais sa khâgne et regarda de haut l'enseignement dit supérieur. Que ferais-je aujourd'hui ?

Revenus à Paris en octobre 1934, nous vécûmes des
années intenses, illuminées par la naissance et les premières années de notre fille Dominique, enrichies par
la familiarité avec des hommes hors du commun,
assombries par la décadence de l'économie et de la
politique françaises, par l'obsession de la guerre que
nous sentions inévitable et à laquelle, malgré tout, nous
ne voulions pas nous résigner.

Mon travail, au Centre de documentation sociale de
l'École Normale Supérieure, me laissait des loisirs.
Célestin Bouglé, directeur de l'ENS, Breton d'origine et
radical-socialiste du Sud-Ouest dans ses opinions, méritait l'affection de ses collaborateurs et la fidélité que
nous, les quelques-uns qui survivent, lui gardons.
D'une grande intelligence, spontanée et vive, il a trop
prodigué et dispersé son temps et ses dons pour laisser
une œuvre. Son livre sur les castes dans l'Inde, que les
spécialistes apprécient encore aujourd'hui, témoigne
d'une capacité d'analyse dont il ne tira pas toujours le
meilleur parti. Plus encore que la plupart des durkheimiens, il manquait de formation économique. Et s'il ne
séparait pas toujours les querelles des partis et les
enjeux nationaux, sa bonne foi, sa gaieté, sa bonté et
aussi son courage désarmaient les animosités ; ses
camarades d'école, Elie Halévy, Léon Brunschvicg,
demeurèrent jusqu'au bout proches de lui. La correspondance entre Elie, spectateur passionné mais non
engagé, et Célestin, plusieurs fois candidat aux élections législatives, témoigne des qualités humaines de
l'un et de l'autre. Dans cette génération, les amitiés
résistèrent le plus souvent aux désaccords politiques.
Le cas d'Hubert Bourgin fut presque unique. Ce dernier, issu de la gauche, fut entraîné par l'expérience de
la guerre vers le conservatisme et le nationalisme, mais
aussi vers une âpre polémique contre ses anciens amis.
Ma génération a vécu un autre destin : les désaccords

politiques y brisèrent les relations personnelles. Les générations étaient-elles différentes dès l'origine ou les défis de l'Histoire furent-ils tout autres ? Peut-être par préjugé sociologique, j'incline vers la deuxième hypothèse.

Je connaissais peu C. Bouglé quand, grâce à lui, je fus nommé secrétaire du Centre de documentation. Le Centre existait depuis plusieurs années ; il avait recueilli la bibliothèque personnelle de Victor Considérant, qui contenait un fonds important de livres sur les socialistes français du début du XIXe siècle. Des acquisitions, les livres reçus par Bouglé lui-même enrichirent la bibliothèque du Centre, qui offrait aux normaliens une littérature convenable sur les problèmes économiques et sociaux de notre temps. Le Centre organisait aussi des conférences (trois séries furent recueillies en trois petits volumes intitulés *Inventaires*). Une année, nous donnâmes, Robert Marjolin et moi, un cours d'initiation à l'économie politique qui ne fut suivi jusqu'au bout que par une minorité des auditeurs du premier jour.

En revanche, les conférences du soir obtenaient presque toutes un succès de public au moins honorable. Je me souviens, en particulier, de ma conférence sur l'Allemagne national-socialiste qui figure dans *Inventaires* sous le titre : « Une révolution antiprolétarienne : idéologie et réalité du national-socialisme. » Je commençai mon exposé par des remarques personnelles sur l'antisémitisme hitlérien et mon judaïsme. Mme Poré — l'indispensable, l'inoubliable secrétaire de l'École — me raconta que les étudiants avaient beaucoup apprécié ma profession de foi. C. Bouglé jugea ce préambule trop long et presque inutile, sinon choquant. L'antisémitisme n'entrait pas dans son univers et l'interrogation d'un Juif français sur sa condition le gênait et l'irritait : à la limite, le sujet lui semblait presque indécent. Pour moi, ce fut la première fois que, en France, à l'École Normale, je fis allusion à mes origines juives. Depuis 1933, peut-être même depuis ma rencontre avec le national-socialisme, j'avais compris que l'antisémitisme allemand mettrait en question l'existence des Juifs français ; j'adoptai une fois pour toutes une attitude qui me semble la seule convenable : ne jamais dissimuler mon appartenance, sans ostentation, sans humilité, sans sur-compensation de fierté.

Le texte sur la révolution antiprolétarienne, publié en 1936, un an après la conférence, était enfin dépouillé des survivances aliniennes et des élans du cœur, écrit dans un style d'analyse politique ou sociologique, sans adjectifs, sans indignation, avec quelques lignes d'aver-tissement au début : « Moi-même, comment pourrais-je honnêtement vous affirmer mon impartialité, alors que l'hitlérisme est depuis toujours antisémite, alors qu'actuellement il multiplie les dangers de guerre. Si je vous dis : j'essaierai avant tout de comprendre plutôt que de juger, n'oubliez pas que celui qui vous parle juge sévèrement le national-socialisme. »

A la fin du texte, je revins sur l'essentiel : « Des Fran-çais, spécialistes des choses d'Allemagne, ont parfois affirmé, en 1933, que le national-socialisme contribuait à un redressement allemand et que c'était là, dans notre Europe solidaire, un événement heureux. A mes yeux, le national-socialisme est une catastrophe pour l'Europe parce qu'il a ravivé une hostilité presque reli-gieuse entre les peuples, parce qu'il a rejeté l'Alle-magne vers son rêve ancien et son péché de toujours : sous couleur de se définir orgueilleusement dans sa sin-gularité, l'Allemagne se perd dans ses mythes, mythe sur soi-même et mythe sur le monde hostile... Certes, nous devons comprendre et chercher un accord de bon voisinage mais l'entente exige une langue commune et la confiance : pouvons-nous honnêtement trouver l'une, accorder l'autre ? Autrement, il ne resterait plus que la paix fragile, fondée sur la force et la crainte. » Par crainte, j'entendais la peur de la guerre en tant que telle.

Entre ces remarques initiales et cette conclusion, l'analyse de la clientèle national-socialiste, des masses non ou antiprolétariennes demeure en gros valable (sans aucune originalité) ; valable aussi l'analyse des raisons pour lesquelles, en 1935, le peuple allemand, bien loin d'être déçu par le nouveau régime, tendait à se rallier à ses nouveaux maîtres ; insuffisante surtout l'analyse de la gestion Schacht et de la réduction du chômage (de 50 % déjà à ce moment). Je ne voyais dans les autoroutes qu'une mesure de préparation militaire, j'exagérais la part du réarmement dans la reprise de l'économie, je n'avais pas encore pleinement compris le mécanisme de « l'allumage », du « multiplicateur[1] » à l'intérieur d'une économie séparée de l'extérieur par un système de taux de change multiples.

C. Bouglé avait accueilli le bureau français de l'*Institut für Sozialforschung* et de sa revue *Zeitschrift für Sozialforschung*. La revue paraissait en France, chez Alcan, mais les principaux membres de l'École de Francfort vivaient aux États-Unis. Je fis la connaissance de Max Horkheimer, de T. Wiesengrund Adorno, de Friedrich Pollock à l'occasion d'un voyage de l'un ou de l'autre. Ils souhaitaient élargir la rubrique des critiques de livres français. Ils me demandèrent de prendre la responsabilité de cette rubrique (après avoir demandé à plusieurs autres collaborateurs possibles des « essais »). J'acceptai d'autant plus volontiers que le traitement d'agrégé débutant que je recevais du Centre ne me permettait aucune fantaisie.

Ma collaboration à la *Zeitschrift für Sozialforschung* n'impliquait de ralliement ni au marxisme ni à l'École. Mes critiques de livres manquaient souvent d'indulgence et ne se conformaient pas aux coutumes universitaires. Je maltraitai, à l'occasion, des mandarins, qui me firent voir comment un jeune doit se conduire. L'historien Henri Hauser, que j'avais discuté sans retenue, écrivit un compte rendu dévastateur de l'*Introduction* sans avancer d'ailleurs d'argument. Quelques semaines plus tard, dans une réunion du conseil d'administration du Centre de documentation, C. Bouglé lui reprocha de ne pas présenter le livre avant de le réfuter. Un peu confus, H. Hauser se répandit en bonnes paroles à mon égard. Ni Kojève, ni Koyré, ni Weil ne mettaient très haut, philosophiquement, Horkheimer ou Adorno. Je

---

1. Les grands travaux utilisent directement les travailleurs et augmentent de ce fait le pouvoir d'achat. Mais l'effet direct sur l'emploi et le pouvoir d'achat est « multiplié » par les emplois supplémentaires que provoquent les commandes des entreprises engagées dans les grands travaux. On appelle multiplicateur le rapport entre l'effet *direct* des grands travaux ou du déficit budgétaire et l'effet *global* sur l'ensemble de l'économie.

m'inclinais devant le jugement de mes amis que j'admirais. J'avoue d'ailleurs que, trente années plus tard, je ne fus pas convaincu du génie de Marcuse. J'ajouterai que ce dernier me parut toujours un « honnête homme », courtois, sans agressivité. En voici un exemple.

Au début du mois de mai 1968, l'UNESCO organisa un colloque sur Marx à l'occasion du cent cinquantième anniversaire de sa naissance. Grâce à la ruse de Jean d'Ormesson, je fus invité à prendre la parole au cours de la première séance solennelle. Je mis en titre de mon discours les deux adjectifs que j'avais utilisés dans ma thèse, *Équivoque et Inépuisable.* Je déclarai, presque en exorde, que Marx aurait détesté une institution comme l'UNESCO. Les Soviétiques, présents à la tribune, m'écoutèrent avec une irritation mal déguisée. René Maheu ne me pardonna jamais des propos peu compatibles avec l'œcuménisme hypocrite de l'institution à laquelle il voua sa vie. Marcuse me dit ou plutôt dit à la cantonade que mon discours impertinent s'élevait, seul de tous, au niveau digne de son objet.

Mes relations avec Horkheimer, Adorno et Pollock furent plus mondaines qu'intellectuelles. En 1950, je retrouvai Horkheimer, recteur magnificus de l'université de Francfort. Visiblement heureux de la revanche du destin, il eut l'honneur d'accueillir le chancelier Adenauer qui visitait la ville. Invité par l'Université, je tins le même jour un discours *an die deutschen Studenten.*

L'École de Francfort jouit d'une certaine notoriété, voire de prestige dans le monde anglo-américain. Juste retour de la mode intellectuelle ? Celle-ci méritait-elle mieux que sa relative obscurité avant 1933 ? Il se peut. Témoin, par bonne ou mauvaise fortune, des dernières années de Weimar et aussi de l'audience que trouve aujourd'hui l'École de Francfort, je m'interroge sur les causes du succès actuel en même temps que sur la place de l'École dans l'Allemagne préhitlérienne.

M. Horkheimer appartenait à une famille riche de la bourgeoisie de Francfort. Pollock, qui gérait les fonds de l'Institut, et Adorno, le plus impressionnant de tous par sa culture, par sa connaissance de la musique et par la difficulté de son style, venaient du même milieu social. Tous, y compris Marcuse qui, à l'époque, ne se situait pas au premier rang de l'École, se réclamaient, d'une manière ou d'une autre, de Marx. Politiquement, ils ne soutenaient ni la social-démocratie ni le parti communiste. Ils ne firent rien pour sauver la République. Quand ils furent contraints à l'exil, ils n'hésitèrent pas sur la direction. Ils reconstruisirent l'*Institut für Sozialforschung* aux États-Unis où ils menèrent des enquêtes sociologiques dont les deux plus célèbres furent consacrées à la famille et à la « personnalité autoritaire ». H. Horkheimer, W. Adorno, plus philosophes que sociologues, mêlaient critique économique et critique culturelle de la société capitaliste comme le fit ensuite H. Marcuse, que les étudiants, dans les années 60, choisirent pour maître et dont ils assurèrent la gloire.

Aucun des livres écrits par M. Horkheimer ou ses amis n'eut autant de retentissement que *Geschichte und Klassenbewusstsein* de Lukacs ou *Ideologie und Utopie* de K. Mannheim. Ce dernier et M. Horkheimer enseignaient à la même université de Francfort mais ils s'ignoraient ou, en tout cas, ils ne s'estimaient pas mutuellement. Peut-être à cause de leur relative proximité, de leur commune ascendance. A partir d'une même intention, utiliser les concepts marxistes pour interpréter la société de leur temps, ils aboutissaient à des théories très différentes. Le relationnisme de Mannheim — une théorie de la connaissance qui se fonderait sur l'enracinement inévitable de la connaissance sociale dans une classe — est aujourd'hui oublié, bien que l'idée de la *Wissenssoziologie,* la sociologie du savoir (des œuvres de culture), demeure tout aussi actuelle qu'il y a cinquante ans. L'École de Francfort aboutit à la *théorie critique,* que l'on ne peut guère résumer en quelques phrases. La critique sortirait pour ainsi dire de la réalité elle-même dans la mesure où celle-ci est déchirée par des contradictions. A la limite, dans sa polémique contre le positivisme, Adorno accepte les contradictions à l'intérieur de la connaissance qui émane d'un monde contradictoire. Le positivisme, la sociologie qui se veut empirique et objective, méconnaît les contradictions qui condamnent à l'échec son projet scientifique.

De manière générale, la théorie critique, à l'instar du sous-titre du *Capital,* prend pour objet à la fois la société capitaliste et la conscience nécessairement fausse qu'elle prend d'elle-même. Il s'agit d'un marxisme, pourrait-on dire, repensé à l'aide d'une théorie renouvelée de la connaissance. H. Marcuse restera jusqu'à la fin fidèle à l'idée marxiste de la socialisation des forces de production. Mais il constatait qu'à l'Est cette révolution économique n'entraînait pas la révolution culturelle ou humaine qui aurait dû l'accompagner.

Pendant les années 60, Horkheimer prit une attitude hostile aux mouvements d'étudiants qu'exaltait Marcuse, réduit, faute d'un prolétariat révolutionnaire, au Grand Refus. Adorno, professeur à Francfort, fut profondément affecté par des manifestations hostiles à son égard.

Aujourd'hui, J. Habermas représente une autre génération, bien qu'il se rattache à l'École de Francfort. Lui aussi encourut la colère des révoltés en prononçant à leur propos l'expression de « fascisme rouge ». Dans l'Allemagne d'aujourd'hui, la théorie critique n'exerce, me semble-t-il, qu'une influence limitée. Dans le monde anglo-américain, l'intérêt accru pour le marxisme s'étend aux descendants illégitimes. La combinaison d'analyse économique et de dénonciation morale convient mieux aux radicaux américains qu'aux purs marxistes.

C'est encore sur la recommandation de C. Bouglé que je fus chargé du cours de philosophie à l'École Normale Supérieure d'enseignement primaire, plus connue sous le nom d'École de Saint-Cloud. Je remplaçai Drouin, le beau-frère de Gide, qui figure plus d'une fois dans le *Journal* ou la correspondance de ce dernier. Excellent germaniste, il donna sa vie à l'enseignement et usa ses forces dans son métier. Je ne l'ai rencontré que deux ou trois fois : je ne sais s'il portait en lui une œuvre, s'il l'a sacrifiée aux contraintes de l'enseignement et des soucis d'argent.

Le directeur de l'École, Octave Auriac, me toucha, du premier abord, par les vertus, proprement chrétiennes, qui rayonnaient de ce libre penseur, de cet athée : bonté, modestie, humanité, honnêteté. Il succédait à Pécaut, célèbre de quelque manière en son temps, avec lequel j'eus une seule conversation ; il me dit franchement que ma personne ne lui inspirait pas l'antipathie qu'avaient éveillée en lui mes écrits (il s'agissait, je crois, de *la Sociologie allemande contemporaine*). Auriac m'accueillit avec générosité ; après une première année d'enseignement, j'eus le sentiment que je n'avais pas intéressé les élèves autant que j'aurais dû le faire et je lui offris ma démission. Il la refusa et m'assura que les élèves ne se plaignaient nullement de moi. Au reste, si certains ne profitaient pas de mon enseignement, la faute en incombait à eux plus qu'à moi.

Je reçus des lettres de lui après la guerre. Un de ses fils avait trouvé la mort dans la Résistance ; lui-même était devenu aveugle. Frappé par les malheurs mais non abattu, égal à lui-même, serein dans le courage, il mourut, sans espoir, je crois, d'une juste rétribution dans un autre monde. Un monument simple et digne a été élevé à ce saint laïc et à son fils, dans le petit village de Saint-Girons (dans l'Ariège). Ceux qui n'ont pas connu les Pécaut, les Auriac, les Lévy-Bruhl ignorent à quel point ce genre d'hommes firent honneur à l'Université dont ils furent les bâtisseurs.

Après les années d'études, la dispersion ne déchire pas les liens, elle les relâche ; les occasions de rencontre deviennent plus rares ; la disponibilité de l'étudiant fait place aux contraintes du métier ; la famille absorbe une partie du temps. Les amitiés pendant les années 30 ne tenaient peut-être pas une moindre place dans ma vie que dans les années 20, elles en tenaient une autre.

Paul-Yves Nizan s'était engagé pleinement, romancier et journaliste, dans le communisme. Il ne subsistait rien de l'intimité de l'École bien que ni l'un ni l'autre, je crois, n'aient oublié ou renié les semaines de Quiberon ou les journées qui suivirent son mariage. Nous ne discutions jamais du communisme, peut-être quelquefois du fascisme sur lequel nous étions d'accord. Je me souviens d'un exposé de Paul-Yves à l'*Union pour la vérité* de Paul Desjardins, à la suite d'un séjour en Union soviétique. Exposé plus philosophique qu'historique qui tournait autour d'un concept marxiste ou paramarxiste, à la mode en ce temps, celui de l'homme total ou de la totalité. Julien Benda, présent dans l'auditoire, admira beaucoup l'exposé. J.-P. Sartre multiplia les variations sur ce thème, une trentaine d'années plus tard, dans sa *Critique de la Raison dialectique*.

Avec ce dernier, mes relations changèrent du jour où Simone de Beauvoir entra dans sa vie. Elle a raconté, mieux que je ne pourrais le faire, nos dialogues philosophiques ; sa mémoire l'emporte aisément sur la mienne. Bien des épisodes me revinrent à l'esprit en la lisant, par exemple l'entretien, à la terrasse d'un café, sur la phénoménologie et E. Husserl. Cela dit, elle ne nous connut, Sartre et moi, qu'après les années d'École ; elle eut l'impression et répandit l'idée que nous nous jetions toujours, à chaque occasion, dans des joutes interminables que terminait d'ordinaire ma formule : « Mon petit camarade, de deux choses l'une, ou bien... » Elle a probablement raison ; les débats entre nous, en sa présence, prenaient souvent ce tour. Sartre lui-même, dans le film tourné à la veille de sa maladie et de sa cécité, avoua qu'il n'avait jamais discuté de philosophie qu'avec Aron « qui me coinçait ». Mais la camaraderie de l'École, que nous partagions avec Pierre Guille, ressemblait davantage à celle des autres étudiants, moins à l'anticipation de nos querelles de l'âge mûr. Longtemps Sartre se chercha lui-même et prit plaisir à me soumettre ses idées du jour ou de la semaine ; si je les taillais en pièces ou, plus souvent, si j'en dévoilais les ambiguïtés ou les contradictions, il acceptait souvent la critique parce qu'il venait tout juste de les concevoir et ne les avait pas encore adoptées pour de bon. Dans la période que Simone de Beauvoir raconte, Sartre avait peut-être déjà mis ses idées à l'épreuve dans un dialogue avec elle ; en tout cas, il les défendait parce qu'il les tenait pour siennes, au sens profond du terme, et non plus pour des hypothèses formulées au hasard d'une lecture ou d'une soudaine intuition.

Pendant l'année qui suivit la rencontre avec Simone de Beauvoir, Sartre prépara l'agrégation à la Cité universitaire et je fis mon service militaire. Dans nos rencontres peu fréquentes, nous nous plaisions, en effet, à ces débats philosophiques que raconte Simone de Beauvoir. Nous nous retrouvâmes ensuite au fort de Saint-Cyr où je servais comme instructeur. Ces mois, pour des raisons insaisissables, ne me laissent pas un souvenir plaisant. Il ne s'y passa rien mais le rapport entre nous, comparé à celui de l'École, se dégrada.

Pendant les années 30, nous nous rencontrâmes plus d'une fois à quatre. Réussite ou échec ? Tout dépendait d'un je-ne-sais-quoi ou d'un presque-rien. Nous avions renoncé aux joutes philosophiques et nous parlions de choses et d'autres, sans exclure Simone ni Suzanne de nos dialogues. Je me souviens de réussites, par exemple un déjeuner avec Sartre et Simone après Munich. Nous n'étions pas d'accord, mais dans un climat d'amitié et de tragédie historique. Je me souviens aussi d'un dîner, au début de juillet 1939, dans un restaurant sur les quais, proche de Notre-Dame dont la beauté nous semblait de plus en plus miraculeuse à mesure que le jour tombait. Nous attendions les Nizan qui ne vinrent pas. Oui, dans ma mémoire, cette soirée reste un de ces moments parfaits, que la chance nous accorde et qui nous inflige d'ailleurs sans plus de raison des heures perdues ou des rencontres ratées. Après l'École, nos relations étaient suspendues à ces aléas de la fortune.

Mon amitié avec Malraux ne ressembla jamais à mes camaraderies normaliennes, même intimes. J'ai évoqué notre première rencontre à Cologne en 1930 (ou 1931). Je le reconduisis à son hôtel par une pluie battante et nous discutions ferme, en sautant par-dessus des flaques d'eau, glissant sur le pavé mouillé. A Pontigny, quand je le retrouvai un an ou deux plus tard, il raconta avec humour notre marche cahotante et notre conversation interrompue.

En 1932, il avait déjà publié *la Tentation de l'Occident, les Conquérants, la Voie royale,* alors que je me battais encore avec la page blanche. Il n'avait que quatre ans de plus que moi, il me semblait appartenir à une autre génération et surtout à une « classe » supérieure (au sens sportif du mot « classe »). Je ressentis sa supériorité et je me l'avouai à moi-même sans amertume. Il ne parlait guère de lui-même, de son petit « paquet de secrets ». La morale des *Antimémoires,* il la mettait déjà en pratique dans sa vie.

A la différence de Sartre qui ne connut jamais Suzanne ou, en tout cas, ne s'intéressa pas à elle, Malraux lui témoigna de la sympathie, immédiatement, à Pontigny même. Jusqu'aux années de la guerre d'Espagne, le climat des dîners ou des soirées à quatre ne laissait percevoir aucune tension en profondeur entre André et Clara. Elle avait *misé* sur moi — comme elle me le dit plus tard —, elle croyait à mon « succès » (social autant qu'intellectuel). Elle aimait bien Suzanne. Il s'agissait aussi entre elles, entre nous quatre, de nos filles, Florence et Dominique, du même âge. A partir de 1936, André supporta de plus en plus mal Clara. Elle en a trop écrit, lui pas assez, pour que les tiers s'en mêlent. Cependant, pour ne pas manquer à la franchise, code non écrit de ce récit, je dois dire que notre sympathie allait à André. Non pour donner raison à l'un contre l'autre (« donner raison » n'a pas de sens quand deux personnes se séparent), mais, en notre présence, c'était Clara qui, le plus souvent, se rendait insupportable. Volontairement ? Par pressentiment, désir ou refus de la rupture ? Par déchirement ? A quoi bon formuler noir sur blanc ma réponse ?

J. L. Missika et D. Wolton, dans les entretiens du *Spectateur engagé,* me demandèrent comment j'avais pu nouer une véritable amitié avec un être aussi différent de moi. Ils ne connaissent — et encore — que le Malraux d'après 1945, propagandiste du RPF, puis ministre du Général, grandement installé dans le petit hôtel de Boulogne. Quand il habitait dans son appartement de la rue du Bac, sa gentillesse, son humour refoulaient le goût des grandeurs d'établissement, à supposer que ce goût fût déjà aussi marqué qu'après 1945. A deux ou quatre, nous parlions de politique, de littérature, des uns et des autres. Il ne réduisait pas ses interlocuteurs au silence, même si je l'écoutais plus que je ne parlais, souvent ébloui, pas toujours convaincu. Sa manière décourageait la discussion, excluait les controverses, propres à mes échanges avec Sartre. Je ne pense pas qu'il possédât une formation philosophique, au sens universitaire du terme. A-t-il jamais ouvert la *Critique de la Raison pure* ou la *Phénoménologie de l'Esprit,* jamais lu *Sein und Zeit,* bien qu'il parlât parfois de Heidegger (avant ou après la guerre) ? En 1945 ou 1946, il s'exprimait sans retenue sur *l'Être et le Néant* (l'avait-il vraiment lu ?). Il avait pratiqué Nietzsche et Spengler beaucoup plus que Kant ou Hegel. Je ne pouvais vérifier sa connaissance du sanscrit et des langues de l'Asie. Mais, sur un point fréquemment contesté, à savoir l'authenticité de sa culture, je me porte en avocat et non en procureur. Quand je disposais des moyens de vérifier, j'étais frappé presque toujours par la précision, la pertinence de son savoir en matière de littérature et d'histoire. A l'époque, il se plaisait beaucoup moins que dans *les Voix du silence* ou dans ses propos à la télévision *(la Légende du siècle)* aux jongleries intellectuelles. (Est-ce l'art négro-africain qui interpelle Picasso ou inversement Picasso qui l'interpelle ?)

Il n'appartenait pas au parti communiste, mais il parla et agit jusqu'à la guerre en compagnon de route. J'ai rencontré plus tard des Français ayant vécu à Moscou (certains d'entre eux à l'ambassade), qui ne lui pardonnaient pas son conformisme quasi stalinien quand il visitait la capitale de l'Union soviétique. Cependant Clara me raconta, devant lui, qu'en présence d'officiers soviétiques, à la fin d'un grand dîner (ou débat), André défendit passionnément Trotsky et le rôle joué par l'exilé dans la Révolution de 1917.

Pourquoi notre amitié pendant les années 30 résistat-elle aux divergences politiques ? Les raisons ne manquent pas. L'arrivée de Hitler au pouvoir avait créé une sorte d'union sacrée de la gauche, fondée sur l'antifascisme. En dépit de Staline, à cause de Hitler, nous inclinions à mettre le communisme du bon côté de la barricade. En privé, Malraux ne parlait ni en communiste ni en compagnon de route. Il ne dissimulait ni à lui-même ni aux autres les duretés, les crimes du régime mais il en vantait aussi les accomplissements sociaux. Il ne croyait pas aux affabulations des procès de Moscou, il ne jetait pas Trotsky par-dessus bord. Quand je fis la

connaissance, chez Malraux, de Manès Sperber, en
1935 ou 1936, cet ex-communiste, qui avait travaillé
dans l' « appareil » du parti, se refusait à dénoncer en
public le stalinisme : Hitler représentait la menace
immédiate, donc prioritaire. Je ne pense pas que nous
ayons eu raison de nous décider ou résigner à un
silence sélectif : celui de 1936 préparait celui de 1945.

Que pensait André Malraux du communisme pen-
dant les années 30 ? Qu'en disait-il ? Il ne me reste de ce
temps que des souvenirs décousus, se rapportant à des
dates différentes. Il lui arriva de redouter une alliance
de tous les pays capitalistes, démocraties et fascismes
confondus, contre l'Union soviétique. Les Soviétiques
montrent leurs crèches et leurs écoles à leurs visiteurs,
me dit-il une autre fois, ils se trompent. Il y a chez nous
des crèches mieux équipées, et plus luxueuses que chez
eux, mais eux, ils en ont des milliers. Je ne crois pas que
le *Retour d'URSS* de Gide l'ait choqué. Peut-être cependant jugeait-il inopportune cette polémique contre
l'URSS aux beaux temps de l'antifascisme.

Si nous voulons comprendre et non juger, reprenons
les pages des *Conquérants,* dans lesquelles il dresse un
parallèle entre deux types d'hommes ; les uns, hommes
de foi, adhèrent au contenu du message, aux dogmes de
l'Église ; les autres, hommes d'action, les *Conquérants,*
ne souscrivent pas à la doctrine mais se joignent aux
vrais croyants pour combattre avec eux. Il ne prit
jamais la carte du parti, il n'aliéna pas sa liberté de
jugement mais il convertit au parti nombre de jeunes
gens en quête d'une cause à laquelle ils pourraient se
dévouer.

André Malraux, jusqu'en 1939, ne séparait pas son
aventure personnelle du mouvement révolutionnaire
qui se répandait à travers les continents — mouvement
révolutionnaire le plus souvent marxiste ou paramarxiste. Aux vrais croyants qu'il appelait les Romains,
il laissait le marxisme. Il lui suffit de se détacher du
mouvement révolutionnaire pour devenir disponible,
sans crise de conscience. Il ne vécut jamais la conversion des ex-communistes ou ex-maoïstes ; le marxisme
ne l'avait jamais subjugué. Il n'eut même pas besoin
d'un Cronstadt ou d'un Budapest.

Je suis même tenté de croire que son nationalisme, son gaullisme, furent autrement profonds, authentiques, que son paramarxisme. Certes, il adhéra au Général — le héros — bien plus qu'au RPF ou même au gaullisme. Le communisme continua de l'obséder, au cours des premières années d'après-guerre. Quand il prononça à l'Assemblée nationale, à la fin de 1945, la phrase tant de fois citée, surtout par les anticommunistes, contre lui : « La liberté appartient d'abord[1] à ceux qui l'ont conquise », il se tourna vers le parti communiste. Pendant tout son discours, il s'adressait à lui, comme si les autres partis n'existaient pas. En 1947, 1948, 1949, il imagina plus d'une fois des tentatives communistes de prise du pouvoir par la violence ; il rêvait de combattre non avec le PC ou à côté de lui, mais contre lui.

Le communisme, après 1945, se confondait avec l'Union soviétique et plus encore avec l'armée soviétique. Or cette armée imposait aux pays qu'elle libérait un régime aussi despotique que celui des nazis. Les mêmes camps de concentration recevaient d'autres « criminels », parfois les mêmes, puisque les démocrates, les libéraux subissaient un sort semblable sous Staline et sous Hitler. Malraux, avec son intuition de l'Histoire, comprit plus vite et mieux que Sartre que l'esprit révolutionnaire ne s'incarnait plus dans la lointaine Tartarie ; la mise au pas des Polonais, des Hongrois, des Roumains relevait de la *Realpolitik*. Staline déplaçait vers l'ouest sa frontière et fortifiait son glacis, indifférent aux désirs de cent millions d'Européens. Pour adhérer à l'Union soviétique stalinienne en 1945-1946, il fallait une étrange cécité morale ou l'attirance de la force. André Malraux, lui, méditait sur le rôle des États-Unis, héritiers et protecteurs de l'Europe. Une civilisation fleurirait autour de l'Atlantique comme jadis la civilisation hellénique autour de la Méditerranée. Ces méditations, quoi qu'on en pense, valaient mieux que les analyses de Merleau-Ponty, qui s'en alla

---

1. Quand on citait, on oubliait le plus souvent le mot « d'abord ». L'a-t-il prononcé ? Il me l'affirma plusieurs fois. Personnellement, je ne m'en souviens pas mais je le crois sur parole.

chercher l'intersubjectivité authentique et la raison historique dans les profondeurs de l'empire stalinien.

Le retour à la France répondait en lui à une impulsion vraie, spontanée. La démocratie parlementaire
l'ennuyait : le général de Gaulle faisait le pont entre le
prosaïsme de la démocratie et la poésie de l'histoire.
Avant sa première entrevue avec le Général, il m'avait,
contre ses habitudes, demandé ce que je pensais d'un
éventuel engagement gaulliste : devait-il devenir un féal
du Général sans la médiation d'un parti entre le héros
et lui ? Il songeait déjà, je pense, à la rencontre de
Goethe et de Napoléon alors qu'il se préparait à sa première conversation avec le Libérateur. Vingt-cinq ans
plus tard, quand il rendit visite au général de Gaulle
revenu à Colombey-les-Deux-Églises, il se rappela — et
il rappela — la visite de Chateaubriand à Charles X,
l'exilé de Prague, le dernier souverain légitime, le dernier des rois qui, en mille ans, avaient fait la France.

A ses yeux, le Général transfigurait la France et sa
politique. Il répéta inlassablement que la Ve République n'était pas la IVe plus le Général. En un sens, il ne
se trompait pas. La Constitution avait changé le style et
même la nature de la République. Le président élu au
suffrage universel direct choisit le Premier ministre et
exerce le pouvoir, soutenu par une majorité contrainte
à la cohérence par le jeu des institutions ; la Ve République ressemble davantage à une monarchie élective, libérale et démocratique, qu'à la République des députés
de la IIIe et de la IVe. Mais, après la fin de la guerre
d'Algérie, entre 1962 et 1969, la Ve avec le Général ne
différait pas substantiellement de la Ve sans lui. Peut-
être le Général donnait-il à ses ministres le sentiment
qu'ils vivaient dans l'Histoire et non dans la quotidien-
neté, mais l'impression était trompeuse. La communauté franco-africaine ne résista pas à l'usure ; les pays
africains devinrent tous indépendants ; les uns restèrent
dans la mouvance française, d'autres se rallièrent en
paroles au marxisme-léninisme. La France épousa son
siècle. Elle cessa d'apparaître l'homme malade de
l'Europe ; sous un régime enfin respectable, elle dévoila
à l'étranger ses réussites que dissimulaient jusque-là les
guerres coloniales et la valse des ministères. Une phase

honorable de l'histoire de France, par la magie du verbe et des conférences de presse, devenait un moment de l'histoire universelle.

Revenons à l'André Malraux des années 30 qui ne cessa de nous manifester, à Suzanne et à moi, une extraordinaire sympathie. Camarade affectueux et charmant, il racontait des anecdotes drôles, apparemment dénué de toute « importance » au sens que Alain donnait à ce mot. Nous étions, Suzanne et moi, amis d'André et de Clara. Nous n'avions jamais été d'accord avec Roger Martin du Gard qui disait : « Faut-il être désespéré pour épouser Clara ! » (André ne s'abstenait pas non plus de remarques ironiques sur le mariage de Roger.) Clara, tant que dura l'entente avec André, valait mieux que l'image qu'elle donna ensuite d'elle-même dans ses Mémoires ou règlements de comptes. Et jusqu'en 1940 et même longtemps après, André resta le même homme que Suzanne et moi avions rencontré à Pontigny et qui nous avait adoptés comme amis.

En dehors de l'École Normale, en dehors de Gallimard, je fréquentai l'École pratique des Hautes Études, Alexandre Koyré, Alexandre Kojève, Eric Weil, tous trois des esprits supérieurs que j'admirais et auxquels je n'osais me mesurer. Des trois, seul Kojève atteignit peut-être à la notoriété au-delà d'un cercle étroit de spécialistes ou d'universitaires ; il me parut aussi le plus génial des trois, bien que sa personnalité, sa pensée ultime me soient restées mystérieuses.

Je n'ai pas suivi régulièrement les cours de Kojève, aujourd'hui fameux, sur la *Phénoménologie* de Hegel ; mais durant la dernière année, j'étais devenu un fidèle ou presque, dans ce groupe d'une vingtaine d'auditeurs parmi lesquels R. Queneau, J. Lacan, M. Merleau-Ponty, E. Weil, G. Fessard. Kojève traduisait d'abord quelques lignes de la *Phénoménologie,* martelant certains mots, puis il parlait, sans une note, sans buter jamais sur un mot, en un français impeccable auquel un accent slave ajoutait une originalité et aussi un charme prenant. Il fascinait un auditoire de super-intellectuels

enclins au doute ou à la critique. Pourquoi ? Le talent,
la virtuosité dialectique y étaient pour quelque chose.
Je ne sais pas si l'art de l'orateur demeure intact dans le
livre qui consigne la dernière année du cours mais cet
art, qui n'avait rien à voir avec l'éloquence, tenait à son
sujet et à sa personne. Le sujet, c'était à la fois l'histoire
universelle et la *Phénoménologie*. Par celle-ci, celle-là
s'éclairait. Tout prenait sens. Même ceux qui se
méfiaient de la providence historique, qui soupçon-
naient l'artifice derrière l'art, ne résistaient pas au magi-
cien ; sur le moment, l'intelligibilité qu'il conférait aux
temps et aux événements se servait à elle-même de
preuve.

Il n'est pas possible de présenter ici la pensée de
Kojève pour convaincre de sa valeur les lecteurs qui
l'ignorent. Les spécialistes de Hegel citent et utilisent
son livre *Introduction à la lecture de Hegel*. Ils lui attri-
buent le mérite d'avoir souligné l'importance du
concept de *reconnaissance* dans l'anthropologie hégé-
lienne. Mais ils ne discutent guère l'interprétation globale que Kojève donne de la *Phénoménologie,* interprétation qui exprime la philosophie propre du prétendu
interprète.

Que le lecteur allergique à un certain discours philosophique passe ces quelques pages du livre, à la fois
typiques et riches de l'essentiel :

« L'Histoire s'arrête quand l'Homme n'agit plus au
sens fort du terme, c'est-à-dire ne nie plus, ne transforme plus le donné naturel et social par une Lutte sanglante et un Travail créateur. Et l'Homme ne le fait plus
quand le Réel donné lui donne pleinement satisfaction
(Befriedigung), en réalisant pleinement son Désir
(Begierde, qui est chez l'Homme un Désir de reconnaissance universelle de sa personnalité unique au monde
— Anerkennen ou Anerkennung). Si l'Homme est vraiment et pleinement satisfait par ce qui *est,* il ne désire
plus rien de réel et ne change donc plus la réalité, en
cessant ainsi de changer réellement lui-même. Le seul
« désir » qu'il peut encore avoir — s'il est un *philosophe*
—, c'est celui de *comprendre* ce qui est et ce qu'il est, et
de le révéler par le discours. La description adéquate
du réel dans sa totalité que donne la Science du Sage

satisfait donc définitivement l'Homme, même en tant que philosophe : il ne s'opposera donc plus jamais à ce qui a été dit par le Sage, de même que le Sage déjà ne s'opposait plus au réel qu'il décrivait. Ainsi la description non dialectique (c'est-à-dire non négatrice) du Sage sera la vérité absolue qui n'engendrera aucune " dialectique " philosophique, qui ne sera jamais une " thèse " à laquelle viendra s'opposer une anti-thèse.

« Mais comment savoir si l'Homme est vraiment et pleinement *satisfait* par ce qui est ?

« D'après Hegel, l'Homme n'est rien d'autre que Désir de reconnaissance (" der Mensch *ist* Anerkennen », vol. XX, p. 206, Í. 26) et l'Histoire n'est que le processus de la satisfaction progressive de ce Désir, qui est pleinement satisfait dans et par l'État universel et homogène (qui était pour Hegel l'Empire de Napoléon). Mais d'abord Hegel a dû anticiper sur l'*avenir* historique (par définition imprévisible, puisque libre, c'est-à-dire naissant d'une *négation* du donné présent), car l'État qu'il avait en vue n'était qu'en voie de formation ; et nous savons qu'aujourd'hui encore il est loin d'avoir une " existence empirique " (Dasein) ou d'être une " réalité objective " (Wirklichkeit), voire un " présent réel " (Gegenwart). Ensuite, et c'est beaucoup plus important, comment savoir que la satisfaction donnée dans et par cet État est vraiment une satisfaction définitive de l'Homme en tant que tel, et non pas seulement de l'un de ses Désirs possibles ? Comment savoir que la stabilisation du " mouvement " historique dans l'Empire n'est pas un simple temps d'arrêt, le résultat d'une lassitude passagère ? De quel droit affirmer que cet État n'engendrera pas dans l'Homme un nouveau Désir, autre que celui de la Reconnaissance, et qu'il ne sera par conséquent pas nié un jour par une Action négatrice ou créatrice (Tat) autre que celle de la Lutte et du Travail ?

« On ne peut l'affirmer qu'en supposant que le Désir de reconnaissance épuise *toutes* les *possibilités* humaines. Mais on n'a le droit de faire cette supposition que si l'on a de l'Homme une connaissance complète et parfaite, c'est-à-dire universellement et définitivement (" nécessairement ") valable, c'est-à-dire *absolu-*

ment vraie. Or, par définition, la vérité absolue ne peut être atteinte qu'à la fin de l'Histoire. Mais c'est précisément cette fin de l'Histoire qu'il s'agissait de déterminer.

« On est donc impliqué dans un *cercle vicieux.* Et Hegel s'en est parfaitement rendu compte. Mais il a cru avoir trouvé un critère à la fois de la vérité absolue de sa description du réel, c'est-à-dire de son caractère correct et complet, et de la fin du " mouvement " de ce réel, c'est-à-dire de l'arrêt définitif de l'Histoire. Et, chose curieuse, ce critère est précisément la *circularité* de sa description, c'est-à-dire du " système de la science ". »

Un peu plus loin : « C'est dire que le discours de Hegel épuise *toutes les possibilités* de la pensée. On ne peut lui opposer aucun discours qui ne ferait pas déjà partie du sien, qui ne serait pas reproduit dans un paragraphe du Système en tant qu'élément constitutif *(Moment)* de l'ensemble. »

Laissons la thèse de la circularité du système, thèse la plus difficile, et prenons l'autre thèse, celle de la fin de l'Histoire. Ces deux thèses se confortent l'une l'autre et ne peuvent se passer l'une de l'autre. La deuxième, celle de l'empire universel et homogène, est immédiatement intelligible à tous. Intelligible mais surprenante ! Hegel voyait-il dans l'empire de Napoléon en 1806 l'ébauche de l'empire universel et homogène, la preuve de la possibilité de cet empire ? Puisque cet empire n'était pas encore empiriquement réalisé, le philosophe devait anticiper sur l'avenir. Ce n'est donc pas l'empire de Napoléon qui, par lui-même, annonce ou constitue la fin de l'Histoire, c'est par son achèvement, sa circularité que le système démontre sa totalité.

La distance était immense entre ce que j'essayais de penser et d'écrire dans l'*Introduction à la philosophie de l'Histoire,* et ce qu'enseignait Kojève (ou Hegel). Mais Wilhelm Dilthey, Max Weber même appartenaient à la descendance de Hegel, tributaires des problèmes qu'il avait posés et qu'il croyait avoir résolus. Épigone, j'écoutai, interdit et sceptique, la voix du maître, du fondateur.

Il subsiste une question que je ne puis éluder. Quand

il se déclarait « stalinien de stricte observance », en 1938 ou en 1939, était-il sincère ou, plus précisément, en quel sens était-il sincère ? L'Histoire conduit à l'empire universel et homogène ; à défaut de Napoléon, Staline ; empire ni russe ni marxiste mais englobant l'humanité réconciliée par la reconnaissance réciproque des personnes. Que la Russie peinte en rouge fût gouvernée par des brutes, la langue même vulgarisée, la culture dégradée, il ne le niait pas, en privé. Bien plutôt, il le disait à l'occasion comme une chose à ce point évidente que seuls les imbéciles pouvaient l'ignorer. Ceux qui s'adressaient aux imbéciles jugeaient nécessaire de le répéter. Restait-il en lui un patriotisme russe, caché et rationalisé ? Je n'en doute pas, bien qu'il ait, sans aucun doute, servi la patrie française, librement choisie, avec un loyalisme sans faille. Il n'aimait pas les Américains parce que lui, le Sage, tenait les États-Unis pour le pays le plus radicalement non philosophique du monde. La philosophie, bien entendu, se confondait pour lui avec les Grecs (les présocratiques, Platon, Aristote) et les Allemands (Kant, Hegel) et, entre les deux, les cartésiens. Quand il défendit, contre la pression américaine, les articles du GATT[1] qui permirent la formation du Marché commun, il préserva l'autonomie de la France et de l'Europe. Il passait pour un négociateur redoutable dans les conférences internationales. Le ministre des Finances de Hong Kong, fonctionnaire britannique formé à Oxford ou Cambridge, helléniste d'origine, avec qui je discutai en 1971, n'avait pas encore pardonné à Kojève l'hostilité que ce sophiste ou dialecticien manifestait à l'égard d'une des dernières possessions britanniques. Il n'en comprenait toujours pas les raisons.

Dans un de nos déjeuners, en 1946 ou 1947, il esquissa une interprétation, compatible avec sa philosophie de l'Histoire, de son itinéraire personnel : le passage de son stalinisme proclamé au service de la France et de l'Europe. L'Histoire est finie en ce sens qu'il ne se

---

1. Cette institution internationale, créée au lendemain de la guerre, *General Agreement on Tariffs and Trade,* fixe les règles des échanges commerciaux, les conditions auxquelles un marché commun ou une zone de libre-échange peuvent être créés.

passe rien d'important depuis Hegel ; le cercle du discours philosophique est bouclé. Mais il se passe encore des événements ; une phase d'empires régionaux (ou de marchés communs) précédera l'empire universel. A cette phase appartient l'organisation de l'Europe occidentale.

Pourquoi a-t-il décidé, après 1945, d'entrer dans l'Administration, de devenir un fonctionnaire au ministère de l'Économie et des Finances, dans les services responsables des relations internationales ? Il me dit un jour : « Je voulais savoir comment cela [l'histoire] se passe. » A dire vrai, je l'imagine mal professeur dans l'une ou l'autre des universités françaises. Il aurait dû, d'abord, soutenir une thèse d'État. La réaction du jury à un de ses livres, par exemple à son *Essai d'une histoire raisonnée de la philosophie païenne,* n'aurait pas manqué de piquant. Au fond de lui-même, il croyait probablement avoir dit tout ce qu'il avait à dire, et ce tout coïncidait avec la fin, la totalité de la philosophie telle qu'il l'entendait. Il voulut, tel Platon conseiller d'un tyran, exercer dans l'ombre une influence sur les acteurs visibles, Olivier Wormser ou Valéry Giscard d'Estaing. Le premier, dans un article de *Commentaire*[1], fit l'éloge de son ami Kojève ; pour le deuxième, un épisode me revient à l'esprit. Kojève me raconta que Giscard d'Estaing respectait les intellectuels et que, en particulier, il lui aurait dit, après avoir prononcé un discours inspiré par lui : « Alors, Kojève, vous êtes content ? » J'ajoute qu'il prenait très au sérieux son métier, parfois furieux quand telle ou telle de ses suggestions n'avait pas été retenue. Il se passionna d'autant plus pour ces controverses d'économie internationale que cette diplomatie du commerce comptait davantage pour lui, bon hégéliano-marxiste, que les affaires politiques ou militaires (au moins en notre époque).

Au printemps de 1982, dans une conversation avec Valéry Giscard d'Estaing, je prononçai le nom de Kojève et je dis mon admiration pour lui, le rang auquel je le plaçais. Le Président fut surpris mais il gardait un souvenir précis du négociateur dont il com-

---

1. *Commentaire,* n° 9, printemps 1980.

menta en quelques mots les démarches sinueuses. Il prenait des voies détournées, me dit-il, mais il arrivait finalement à son but. Kojève n'avait pas abandonné la dialectique en passant des Hautes Études à la diplomatie.

Ai-je justifié le jugement que je porte sur la génialité de Kojève ? Ai-je persuadé le lecteur ? J'en doute. Son livre, *Introduction à la lecture de Hegel*, n'apporte pas de preuve. Les livres posthumes, inspirés par les mêmes thèmes, non plus. Au reste, ils n'ont été ni commentés ni même lus. Il me reste à recommander ces livres, expression partielle de l'homme, et à évoquer encore des impressions.

Si je risque une comparaison que d'aucuns jugeront sacrilège, il me parut, en un sens, plus intelligent que Sartre. Ce dernier m'en imposait par son invention, par la richesse de son imagination intellectuelle, mais ses passions et son moralisme, souvent inverti, limitaient son angle de vision.

La répression de la révolte hongroise révéla la nature de la domination soviétique mais, la politique internationale étant ce qu'elle est, pourquoi s'étonner ? Le régime du Goulag appelait la détestation ; le rétablissement de l'ordre en Hongrie répondait à l'exigence du maintien de l'*imperium* soviétique. Kojève commentait en quelques mots l'intervention soviétique en Hongrie, Sartre en quelques dizaines de pages comme si l'événement bouleversait sa vision du monde, alors que celui-ci faisait apparaître une réalité qu'il aurait pu et dû connaître depuis longtemps. Exemple mal choisi, me diront les admirateurs de Kojève. Vous le présentez réaliste à la limite du cynisme, indifférent à la souffrance et à l'indignation des simples mortels qui n'accèdent pas à la *Phénoménologie de l'esprit*. Kojève adoptait volontiers, il est vrai, une attitude de Russe blanc à l'égard du grand nombre, à moins que cette attitude lui fût dictée par la morale du Sage, conscient de sa supériorité, indulgent aux foules aveugles. Il ne disait jamais de sottise ; j'avais rarement l'impression de lui apprendre quelque chose bien que, à la différence de la plupart des intellectuels, il prît grand soin de reconnaître la priorité de l'interlocuteur qui avait exprimé le

premier l'idée sur laquelle il s'était accordé avec lui.
Parce qu'il pensait avoir assimilé la totalité philosophique et historique embrassée par le système de Hegel, il
suivit les idées et les événements de notre temps avec le
détachement du Sage et aussi avec l'attention du grand
fonctionnaire. Quand il s'agissait de politique et d'économie — nos principaux sujets de conversation — il se
montrait souverain. Il me demanda mon opinion en
diverses circonstances, par exemple en mai 1958 et en
mai 1968. Il s'agissait de politique française ; peut-être
lui manquait-il l'intuition, la compréhension immédiate, réservée à ceux qui sont nés dans le pays (du
moins en jugeait-il ainsi).

Il m'est difficile de préciser l'influence que Kojève a
exercée effectivement sur la politique française. Il rédigeait de temps en temps des notes, à l'usage des ministres ou des directeurs. Il m'envoya un grand nombre
d'entre elles, toujours suggestives, parfois paradoxales.
Je me souviens d'une note où il expliquait que la théorie marxiste de la paupérisation avait été réfutée non
par les économistes mais par Ford. En revanche, écrivait-il, ce sont les économistes qui cette fois vont
convaincre les hommes d'affaires qu'ils doivent aider
au développement du tiers monde dans leur propre
intérêt.

Pendant ces vingt-trois ans, entre 1945 et 1968, le philosophe qui avait enseigné la lecture de Hegel à une
génération d'intellectuels français demeura, camouflé
en Père Joseph des ministres et des directeurs de ministère, un philosophe du dimanche, il écrivit de gros
volumes qui ne sont pas encore tous publiés mais qui
témoignent de sa constance. Dans un texte reproduit
dans *Commentaire,* il exprime sa reconnaissance à ceux
auxquels il doit quelque chose, Alexandre Koyré, Martin Heidegger, Jacob Klein, Eric Weil, mais il tance,
avec dédain, ceux d'entre eux qui ont dévié de la voie
royale, la seule, celle de la *Phénoménologie de l'Esprit.*
Lui, Kojève, avait dit le dernier mot en repensant Hegel
qui avait avant lui pensé la fin.

Je me demande encore quelle était chez lui la part du
jeu, intellectuel ou existentiel. En rejetant une fois pour
toutes la dialectique de la nature, Kojève conservait-il

en vérité tout le système hégélien ? A la suite d'un voyage et d'une aventure amoureuse au Japon, il ajouta deux pages sur la cérémonie du thé dans une réédition de l'*Introduction à la lecture de Hegel*. Peut-être pensait-il, de deux choses l'une : ou bien la philosophie dont je suis le porte-parole plutôt que le créateur est vraie ; ou bien l'humanité vit une dérisoire comédie interrompue par des tragédies également dérisoires. Il y a bien long-temps Raymond Barre me rappela un mot de lui : « La vie humaine est une comédie, il faut la jouer sérieuse-ment. » Je me souviens aussi d'un propos qui lui échappa un jour : « Les hommes ne vont tout de même pas continuer indéfiniment à s'entre-tuer. »

Eric Weil[1], que j'avais rencontré à Berlin en 1932, quitta l'Allemagne peu de temps après l'arrivée de Hit-ler au pouvoir. Il comprit immédiatement le sort qui attendait les Juifs. Notre amitié, d'homme à homme et de famille à famille, fut intime dans les années d'avant-guerre, non sans tempêtes imputables tantôt au choc des amours-propres hypertrophiés d'un côté et de l'autre, tantôt aussi à des différends politiques. Eric Weil, par instants, pour des motifs mêlés de philo-sophie et d'actualité, pencha vers le communisme. Par exemple, après le pacte germano-soviétique, je m'indi-gnai que le génie philosophique, au lieu de le protéger de l'aberration, l'y précipitât. Au retour des années de guerre, qu'il passa dans un camp de prisonniers, il se déclara de nouveau, pour peu de temps d'ailleurs, com-muniste (Kojève, à ce moment, jugea cette opinion peu convenable pour un Français de fraîche date).

Son procommunisme ne dura pas. Il vécut à Lille parce qu'il n'aimait pas Paris et que sa femme travail-lait à Bruxelles dans l'administration de la Commu-nauté européenne. Il venait rarement à Paris ; il atten-dait les visites à Lille, puis à Nice. Séparés par la dis-tance et par des chocs en retour de drames familiaux, nous cessâmes de nous voir. Lors de notre dernière conversation au téléphone, il me remercia d'avoir

1. En 1938 ou 1939, nous avons lu à quatre, Kojève, Weil, Polin et moi, des textes de Kant. Kojève et Weil prolongeaient parfois des controverses indéfinies ; l'un ou l'autre, qui avait manifestement tort, argumentait infati-gablement.

contribué à son élection de membre correspondant de
l'Académie des Sciences morales et politiques.

Je préfère me souvenir de celui auquel j'avais dédié
ma thèse principale. Il fréquenta, lui aussi, le cours de
Kojève bien qu'il maîtrisât la *Phénoménologie* aussi
bien ou presque que l'orateur. Il ne parlait pas avec le
même charme que ce dernier ; les conversations avec
lui ne se déroulaient pas toujours aisément. C'est lui
qui, dans une large mesure, me ramena vers la spéculation philosophique ou, du moins, me rendit du goût
pour elle. Sa connaissance des grands philosophes
m'impressionnait à juste titre, elle ne me semblait pas
inférieure à celle qu'en avaient Kojève ou Koyré. Les
articles qu'il publia sur les sujets les plus différents
dans *Critique* témoignent d'une culture stupéfiante. Il
en savait chaque fois autant ou plus que les spécialistes.
Ses principaux livres, *Logique de la Philosophie, Philosophie politique, Problèmes kantiens,* jouissent, dans des
cercles étroits, d'une juste réputation ; il garde, ici ou là,
des admirateurs passionnés. Une certaine notoriété alla
à Kojève plutôt qu'à lui. Injustice du sort ? Lui aussi
écrivit une introduction à la lecture de Hegel mais peut-
être pour revenir à Kant.

A. Koyré, le patriarche du groupe, avait combattu
dans la Première Guerre (il n'en parlait jamais). Historien admirable de la philosophie et de la science, il couvrait un terrain immense, de la mystique allemande à la
pensée russe du xixe siècle et aux études galiléennes,
justement classiques dans tous les pays. Il parlait peu,
lentement, doucement, mais il portait sur les événements et les personnes des jugements justes, définitifs.
Il me mit en garde contre l'antimilitarisme d'Alain, il ne
se laissa jamais tenter par le communisme alors même
que la grande dépression semblait confirmer les prédic-
tions de Marx. Parmi ces esprits exceptionnels, il brillait non par le talent, mais par la modestie, par la
recherche scrupuleuse et patiente de la vérité, par la
rigueur morale. Il prenait au sérieux l'Université ; il
souhaita une chaire au Collège de France ; Martial
Guéroult lui fut préféré. L'un et l'autre méritaient
d'entrer dans cette illustre maison.

Marjolin appartenait aussi au groupe ; il est un des

rares Français qui se soit élevé très haut dans la société
sans avoir suivi des études secondaires ni passé son
baccalauréat. Obligé de gagner sa vie encore jeune,
commis dans une firme de bourse, il utilisa les épargnes
qu'il avait pu faire pour reprendre des études. Le
diplôme de l'École pratique des Hautes Études lui
donna l'équivalence du baccalauréat. Remarqué par
C. Bouglé et Charles Rist, il bénéficia d'une bourse qui
lui permit un séjour prolongé dans une université américaine. Secrétaire de l'Institut des recherches économiques, dirigé par Charles Rist, il franchit sans peine les
étapes : licence, doctorat. Sa thèse, une discussion des
travaux de Simiand sur les phases à long terme, tran-
chait avec la littérature économique française de l'époque. Il ne lui restait qu'à passer l'agrégation d'économie politique — ce qu'il fit au retour de la guerre.

A ce moment, déjà grand fonctionnaire, il fut perdu
pour la science, gagné par les organisations internationales... Ses premiers travaux annonçaient un économiste de classe, il préféra l'action, et, à mon sens, il eut
raison. Les universités ne manquent pas de professeurs
d'économie politique. La tâche des économistes, à
l'OCDE ou à la Commission européenne, ne me paraît
pas moins noble ou moins utile que celle des enseignants ; elle est, de plus, moins frustrante.

En lisant le livre de Zeev Sternhell[1], je me suis
demandé si je n'ai pas méconnu les prémices de la
Révolution nationale qui surgit en 1940 à la faveur de
la défaite. Ai-je mésestimé la force de l'antisémitisme,
la menace du fascisme ? La France était-elle, comme
l'écrit Z. Sternhell, « imprégnée de fascisme » ?

Je n'ai pas ignoré la presse d'extrême droite, *Je suis
partout, Gringoire, Candide*. Je n'ai pas lu régulièrement
ces hebdomadaires qui me retournaient les ongles :
pour conserver son sang-froid et épargner ses nerfs, il
faut s'imposer une discipline de lecture (ainsi disait

---

1. Zeev Sternhell, *Ni Droite ni Gauche, l'idéologie fasciste en France*, Le
Seuil, janvier 1983.

Auguste Comte). Ces feuilles, non sans talent, nourries
de haine, exprimaient une certaine bourgeoisie, y compris celle que symbolisait la formule célèbre « plutôt
Hitler que Blum ». Avec cette droite, je n'avais rien en
commun, quelles que fussent les péripéties des luttes
intestines. Entre elle et moi, la communication demeure
impossible, même si nous nous accordons sur un sujet
précis.

Charles Maurras continuait, pendant les années 30, à
donner tous les matins sa leçon et ses directives de politique à ses fidèles, hobereaux de provinces, officiers de
marine, une fraction de l'intelligentsia parisienne. J'ai
tenté plusieurs fois de m'intéresser au doctrinaire de la
monarchie, je n'y suis jamais parvenu. Il a tenu, à coup
sûr, une place importante dans l'histoire intellectuelle
de la France au cours de la première moitié du XXe siècle. Son succès tient plus à la pauvreté de la pensée
rivale qu'à la richesse de la sienne. Ses analyses des
conjonctures furent plus d'une fois pénétrantes. A mes
yeux, il ne servit ni l'idée monarchique ni sa patrie.

Favorable à Salazar et à Mussolini (non sans
réserves), il ne manifesta jamais la moindre sympathie
au national-socialisme qu'il détestait en tant que germanique et romantique, aux antipodes de l'ordre antique
qui demeurait à ses yeux le modèle éternel de la sagesse
et de la beauté.

Les conversions ou « déconversions » des hommes
de lettres, tantôt au fascisme, tantôt au communisme,
sollicitaient ma curiosité ou mon dédain plus que mon
attention. Le ralliement d'André Gide à la cause communiste, puis la publication de *Retour d'URSS,* relevaient, à mes yeux, de la biographie d'un écrivain soucieux de son personnage plus que de l'histoire universelle.

Je connaissais Emmanuel Mounier, je lus *Esprit* de
temps à autre sans en tirer beaucoup de profit. Je n'y
publiai, d'après mes souvenirs, qu'un seul article intitulé « Lettre ouverte d'un jeune Français à l'Allemagne ». Daté de janvier 1933, écrit avant l'arrivée au
pouvoir de Hitler, il dévoile mes sentiments à la fin de
mon séjour en Allemagne. « Excuse-moi, je ne me
reconnais aucun titre pour parler au nom des jeunes

Français. Je ne suis ni de droite ni de gauche, ni communiste ni nationaliste, pas plus radical que socialiste.
J'ignore si je trouverai mes compagnons... Peut-être par
réaction au nationalisme allemand suis-je devenu nationaliste français... » Je développais la thèse que l'Allemagne allait être gouvernée par les partis de droite, que
les dialogues sur les cultures contraires des deux peuples (l'ordre contre le dynamisme, la raison contre la
ferveur) n'avaient plus de sens, que l'invocation aux
idéaux, aux principes moraux, était devenue hypocrisie
d'un côté et de l'autre. Il ne restait plus d'autre chance
que des accords d'intérêt entre des grandes puissances.

Esprit m'irritait moins par ses valeurs que par sa
manière. J'y trouvai une littérature à mes yeux typiquement idéologique : en ce sens qu'elle n'abordait pas les
problèmes politiques dans un style tel que le lecteur y
pût discerner les solutions ou les choix recommandés.
Les idées directrices, les variations sur les thèmes communautaires me rappelaient une littérature allemande,
parfois exploitée par les nationaux-socialistes. Quand
le temps de l'épreuve vint, quand les événements exigè-
rent des décisions, le groupe *Esprit* fut déchiré en 1938
— ce qui se comprenait — et même en juillet 1940 — ce
qui donne davantage à penser.

Je ne prenais pas très au sérieux les livres d'Arnaud
Dandieu et de Robert Aron qui, eux aussi critiques
impitoyables de la démocratie parlementaire et capitaliste, se défendaient d'une quelconque parenté avec les
fascismes. Quant aux écrits de ceux qui se réclamaient
explicitement des expériences italienne ou allemande,
M. Bucard, G. Valois, J. Doriot, ils relevaient de la propagande et je les regardais comme on regarde les journaux des partis.

Sternhell a-t-il raison malgré tout de dire que la
France était « imprégnée de fascisme » à la veille de la
guerre ? Si je me reporte à la conjoncture électorale ou
parlementaire, je ne renie pas mon diagnostic de l'époque. Les différentes ligues qui furent dissoutes par le
gouvernement du Front populaire ne constituaient pas
une menace sérieuse pour la République. Les émeutes
de février 1934 furent provoquées par des accidents
divers, non par un complot. Aussi bien la police, sous

les ordres d'un gouvernement faible mais légal, n'hésita pas à tirer contre des manifestants de droite aussi bien que de gauche. Les ligues défiaient, elles ne mettaient pas en danger la République.

On m'objectera que les classes dirigeantes étaient peut-être « imprégnées » d'idées fascistes, même si la IIIᵉ République ne se trouvait pas dans une conjoncture comparable à celle de la République de Weimar au début des années 30. Je prendrai à coup sûr un tel argument au sérieux. Cependant les partis de droite qui peuplaient les travées de l'Assemblée nationale n'étaient pas imprégnés de fascisme, tout au plus quelques-uns des députés de l'extrême droite ; de ce fait, il n'était pas nécessaire de mobiliser le parti communiste, les masses ouvrières et l'unité d'une gauche divisée pour sauver la République. Mais la démocratie parlementaire, liée au capitalisme, souffrait d'un discrédit qui gagnait des milieux de plus en plus étendus, et non pas fascistes pour autant.

Certes, on retrouve un peu partout des tentatives, plus ou moins heureuses, de combiner des thèmes empruntés au socialisme avec des thèmes empruntés au nationalisme. Ces combinaisons n'aboutissaient pas pour autant au national-socialisme de Hitler. Certains des socialistes de droite, qui se détachèrent de la SFIO et qui arrachèrent à Léon Blum le mot « Je suis terrifié », devinrent des collaborateurs plus ou moins résolus (Marcel Déat, Adrien Marquet). Les socialistes, dans les années 30, constataient le néant de l'Internationale socialiste ; à moins d'être aveugles, ils devaient se résoudre ou se résigner à l'action dans le cadre national. Les groupes qui s'appelèrent « planistes », inspirés par Henri de Man, ne se jugeaient, ni ne se voulaient fascistes ou nationaux-socialistes ; ils cherchaient une issue à la crise mondiale et à l'impuissance des parlements.

A n'en pas douter, à la fin des années 30, les idées venues de l'autre côté du Rhin se répandaient en France ; l'antisémitisme, aussi virulent en France qu'en Allemagne au siècle précédent, tirait de l'exemple hitlérien un renfort moral et une sorte de légitimité. Enfin et surtout, la querelle sur la diplomatie à mener face au

IIIe Reich divisait profondément la nation ; les partisans de la résistance étaient qualifiés par leurs adversaires de bellicistes, les autres, favorables à un accord avec Hitler, soupçonnés de sympathies fascistes. Or il y avait une part de vérité dans ces accusations réciproques : les sympathisants des régimes de parti unique se refusaient à une guerre qui se serait réclamée de la « défense de la démocratie ». Les adversaires les plus résolus des régimes de Mussolini et de Hitler risquaient de négliger la donnée capitale, en temps de guerre : le rapport des forces. Nombre d'hommes de droite mesuraient exactement l'infériorité militaire de la France ; nombre d'hommes de gauche se faisaient une idée juste des ambitions de Hitler.

Le discrédit dans lequel était tombée la IIIe République n'explique pas seulement la Révolution nationale, il explique aussi l'acceptation passive par le peuple, frappé de stupeur, et par la classe dirigeante, les corps constitués, des mesures prises par Vichy de sa propre initiative pour liquider la République et pour imiter en certains points la législation hitlérienne. Je ne fus pas surpris par les réformes vichystes : en juin 1940, à Toulouse, à la veille de quitter la France, je disais à ma femme : « Ils — ceux qui avaient voulu l'armistice après avoir refusé la guerre — vont faire plus en douceur ce qu'exigerait l'occupation allemande. » Je péchais par optimisme : je ne croyais pas qu'ils iraient au-devant des désirs des nazis.

La défaite plus que les controverses idéologiques des années 30 rendit possible le vichysme et la Révolution nationale. Mais les vieux ennemis de la République, l'Action française, ont fourni une fraction du personnel et des idées du régime initial de Vichy. D'autres hommes, d'autres écoles de pensée se joignirent aux fondateurs. On ne saurait dire que Pierre Laval ait été à l'avance un fasciste ou qu'il ait été influencé par les débats de l'intelligentsia française. Celle-ci avait popularisé une philosophie autoritaire, empruntée tout à la fois à des traditions françaises et à des expériences étrangères.

Je n'appartenais pleinement à aucun des groupes que je fréquentais et qui ne communiquaient guère entre eux. Malraux était déjà glorieux alors que Sartre, avant la publication de *la Nausée*, cherchait encore un éditeur pour ses manuscrits. Les universitaires et les écrivains se rencontraient rarement en dehors des réunions de l'*Union pour la vérité* et des décades de Pontigny. Je tirai profit et des uns et des autres. Il m'arrive de regretter l'absence aujourd'hui d'un cercle comparable à celui qu'avait créé Paul Desjardins.

Seul d'entre nous, responsable de la politique étrangère à *Ce Soir*, Paul-Yves Nizan participait à la bataille idéologique qui fit rage sur la Rive Gauche à partir de 1933 et surtout de 1934. Les hommes qui devaient dominer le Paris philosophique d'après-guerre travaillaient à leurs livres, les premiers de ceux-ci parurent à la fin des années 30. Les gros volumes des *Recherches philosophiques* rompaient avec le climat des années 20, avec l'enseignement que notre génération avait reçu. Peut-être la philosophie d'après-guerre approche-t-elle aujourd'hui de sa fin ; elle mûrissait pendant les années 30, en marge des querelles du temps, menées par des hommes de lettres.

V

DÉSESPÉRÉ OU SATANIQUE...

Les deux adjectifs que j'ai mis en titre de ce chapitre viennent de Paul Fauconnet qui me les jeta à la figure durant ma soutenance de thèse, à la Salle Liard, le 26 mars 1938. Quelques jours auparavant, au cours de la visite que je lui fis conformément à la coutume, il me demanda avec indiscrétion et bienveillance si des affaires domestiques influaient sur le ton de mes écrits. Tenté de rire, j'évoquai les menaces qui pesaient sur notre pays, la guerre prochaine, la décadence de la France. Je l'avais rassuré sur ma famille, il me rassura sur la France. Oui, bien sûr, la France avait dépassé son acmé, le point suprême de sa grandeur. Cet abaissement, tout relatif, conforme au destin des nations, ne justifiait ni même n'expliquait mon pessimisme agressif. Ce sociologue, disciple inconditionnel d'Émile Durkheim, regardait de loin, presque indifférent à force de sérénité scientifique, la montée d'une catastrophe dont je ne mesurais pas les dimensions — moi à qui les mandarins de l'époque reprochaient une humeur toujours sombre.

Lors de la soutenance de thèse, à la fin de mon intervention, Paul Fauconnet, selon le résumé publié par la *Revue de Métaphysique et de Morale*, s'exprima dans ces termes, salués par des mouvements divers du public : « Je termine par un acte de charité, de foi et d'espérance ; charité en vous redisant mon admiration et ma sympathie ; foi dans les idées que vous condamnez ; espérance que les étudiants ne vous suivront pas. »

Pur produit de la Sorbonne et du rationalisme positif
ou néo-kantien, j'apparaissais à Fauconnet, et pas à lui
seul, comme un négateur, moins un révolutionnaire
qu'un nihiliste. Quelques années plus tard, *l'Être et le
Néant* ne se heurta pas à la même surprise indignée des
maîtres endormis.

Au reste, la réaction de Fauconnet, caricaturale dans
son expression, ne différait pas fondamentalement de
celle des autres membres du jury et, plus généralement,
de celles des maîtres des années 30. Mes trois livres, *la
Sociologie allemande contemporaine, Essai sur une théorie allemande de l'Histoire ; la Philosophie critique de
l'Histoire, Introduction à la philosophie de l'Histoire,* ont
paru le premier en 1935, les deux autres en 1938 alors
que plusieurs philosophes allemands, chassés du
IIIe Reich ou le fuyant, vivaient à Paris. Les *Recherches
philosophiques* publiaient les articles de ces exilés. Cette
invasion pacifique suscita des réactions de rejet. Je pro-
fitai et souffris tout à la fois de la conjoncture. Mes
livres introduisaient une ou des problématiques, venues
de l'autre rive du Rhin. Fauconnet se sentit contesté par
ma critique de l'objectivité historique ; tous s'étonnèrent de ne pas retrouver en moi un de leurs étudiants,
qu'ils accueillaient à l'avance comme un membre de la
famille. Faut-il ajouter que C. Bouglé par amitié, tous
les autres, par fidélité à leur morale, ne songèrent pas
un instant à me fermer l'accès de l'*Alma mater* ?

Pourquoi mes livres respiraient-ils désespérance ou
« satanisme » ?

Entre le diplôme d'études supérieures sur Kant
(1926-1927) et mon année havraise, j'avais beaucoup lu,
un peu dans toutes les directions. En dehors des articles
de *Libres Propos* et d'*Europe*, je n'avais rien écrit. Entre
octobre 1933 et avril 1937, je parvins à écrire les trois
livres que j'ai mentionnés plus haut.

Je n'emploie pas le mot *parvins* pour suggérer mes
mérites, l'accomplissement d'un exploit, mais pour rappeler ma peur de la page blanche, ma difficulté d'écrire.
Il me fallut des années pour marier écriture et lecture,

pour préparer l'écriture en lisant, pour relire alors
même que j'avais commencé d'écrire. La plupart du
temps, je rédigeais le chapitre consacré à un auteur sans
me reporter aux textes, en reconstruisant sa pensée à
partir des idées que j'avais tirées de ses livres. J'ajoutais
les références ensuite.

Que valait, que vaut *la Sociologie allemande contemporaine ?* Je puis dire, sans vanité, que ce petit livre était
utile même s'il ne l'est plus guère aujourd'hui. Certains
des sociologues qui y figurent n'intéressent plus, et
d'autres, en particulier Max Weber, qui occupait plus
d'un tiers du livre, n'ont plus besoin d'une introduction. Plusieurs générations d'étudiants en ont tiré une
connaissance, peut-être superficielle mais dans l'ensemble exacte, de quelques tendances de la sociologie allemande au moment où le national-socialisme en inter-
rompit le développement. R. Merton, en un séminaire
du Congrès international de sociologie, raconta que ce
petit livre, venant d'un inconnu, l'avait frappé. Il a été
depuis lors traduit en espagnol, en japonais, en anglais,
en allemand — ces deux dernières traductions après la
guerre. Récemment il fut traduit en italien pour des raisons que j'ignore[1] et réédité aux États-Unis et au
Japon.

En 1935, la plupart des sociologues allemands dont
je traitais étaient ou inconnus ou mal connus. *L'Année
sociologique* avait rendu compte de certains travaux de
Max Weber, en particulier de l'essai sur le puritanisme
et l'esprit du capitalisme. Max Weber, de son côté,
n'avait jamais cité Durkheim mais, selon un propos de
Marcel Mauss, possédait toute la collection de *l'Année
sociologique* dans sa bibliothèque personnelle. Il n'existait pas, en 1935, une étude d'ensemble sur la personnalité du politique et du sociologue. Les problématiques
post-marxistes, par exemple celle de Karl Mannheim,
affleuraient à peine à la conscience de quelques sociologues français. Mon livre succéda au *Bilan de la sociologie française* de Célestin Bouglé et bénéficia de conditions plus favorables que celui-ci. Il ouvrait, en quelque

---

1. *Les Étapes de la pensée sociologique* ont été publiées en Italie. Ce gros
volume réduit l'intérêt de *la Sociologie allemande.*

sorte, un champ inexploré. Grâce à lui, je rencontrai
A. Brodersen et E. Shils avec lesquels je suis resté lié
jusqu'à aujourd'hui. Ce qui me toucha le plus, vingt-
cinq ans plus tard, c'est l'aveu d'un sociologue d'origine polonaise, Slatislav Andrevski : ma brochure
éveilla en lui sa vocation.

J'avais écrit ce petit livre sur la demande de C. Bouglé
qui me promettait, pour l'année suivante, un poste au
Centre de documentation sociale de l'ENS. Travail non
alimentaire (les droits d'auteur devaient être modestes)
mais apparemment scolaire ; il me détourna de ma thèse
secondaire à laquelle je travaillais en même temps. Ai-je
été, après coup, satisfait d'avoir été contraint d'exécuter
ce pensum ? Je le pense. Aujourd'hui encore, je me félicite d'avoir terminé mon pèlerinage allemand par ce livre.

Je prolongeais une courte tradition : E. Durkheim,
C. Bouglé avaient l'un et l'autre visité les universités
allemandes, ils en avaient rapporté des articles, réunis
en livres. Je n'avais pas visité les universités, j'avais à
peine observé le cercle de L. von Wiese à Cologne,
aperçu W. Sombart à Berlin. A la différence de mes prédécesseurs, je me concentrai sur la sociologie au sens
étroit du terme. Je présentai non des rapports de lectures ou des impressions vécues mais une esquisse systématique à l'aide de l'antithèse de *sociologie systématique* et de *sociologie historique*. Cette antithèse a-t-elle
une autre valeur que pragmatique, de commodité pour
ainsi dire ? Fr. Oppenheimer, A. Weber et K. Mannheim appartenaient sans aucun doute à une même
lignée ; les deux premiers suggèrent une vision globale
de l'histoire, le troisième réfléchit sur les implications
de l'enracinement social du sociologue, tous trois à
l'ombre de Karl Marx. Chacun d'eux avait choisi son
thème propre. Fr. Oppenheimer : l'origine de la hiérarchie sociale, de l'exploitation de l'homme par l'homme,
imputable à la victoire des pasteurs sur les agriculteurs ;
Alfred Weber : la dualité de la civilisation et de la
culture, du technique et du spirituel ; Karl Mannheim :
la conception d'une science nouvelle, la *Wissenssozio-
gie,* prolongement de l'idée marxiste que chaque classe
voit la réalité sociale à partir d'un point de vue, d'une
position qui lui est propre.

De ces trois auteurs, c'était en 1932 Karl Mannheim qui, de beaucoup, jouissait de la plus grande notoriété. J'écrivis sur lui, à Berlin, un article que je lui envoyai ; j'allai le voir à Francfort où je fis la connaissance de N. Elias dont les livres[1] sur le procès de civilisation ont été récemment publiés en France et acclamés. K. Mannheim avait égaré mon article qui ne méritait probablement pas un meilleur sort. Quand j'écrivis *la Sociologie allemande contemporaine*, je m'étais libéré du charme qu'avait jeté sur moi *Ideologie und Utopie* et le chapitre que je lui consacrai manquait d'indulgence. Je le revis à Paris, en 1935, et avec beaucoup d'élégance et un peu d'ironie, il me félicita de mon livre qu'il « appréciait grandement » — « à l'exception du chapitre qui me concerne directement », ajouta-t-il avec un sourire. Un homme jeune écrit son premier livre et taille en pièces le mandarin, presque célèbre en Europe et en Amérique, et celui-ci, loin de s'indigner, complimente l'audacieux : Mannheim était, comme disent les Anglais, *a decent man*. Je le revis plusieurs fois à Londres pendant la guerre.

Le premier chapitre regroupe quatre personnalités ou quatre écoles, effectivement typiques : l'une, de Simmel et de L. von Wiese, se fonde sur l'opposition forme-contenu ; une autre, celle de F. Tönnies, accentue les types majeurs de « socialité », en particulier l'alternative fameuse société-communauté ; une troisième (A. Vierkandt) use de la phénoménologie pour saisir le sens des rapports et des groupes sociaux ; une dernière enfin, celle d'Othmar Spann, se développe à partir d'une décision, philosophique et scientifique à la fois, en faveur de l'universalisme et contre l'individualisme. La totalité préexiste aux parties, *a fortiori* aux individus qui n'accèdent à l'humanité que par la participation à la totalité.

Ces quatre auteurs ou écoles ne s'en tiennent pas à la microsociologie, selon l'expression courante, mais, ensemble, ils illustrent deux thèmes toujours significatifs : d'une part, les types fondamentaux de « socia-

---

1. *La Civilisation des mœurs* et *la Dynamique de l'Occident*, Calmann-Lévy.

lité » (*Gesellschaft und Gemeinschaft*) ; d'autre part, la méthode ou le mode philosophique d'approche de la réalité sociale. Aujourd'hui encore, je ne pense pas que j'aurais pu faire beaucoup mieux, dire davantage en un nombre de pages strictement limité. En revanche, le regroupement des quatre écoles sous le titre de *sociologie systématique* me paraît aujourd'hui plus astucieux que convaincant. Trois d'entre elles s'organisent logiquement : sociologies formelle, phénoménologique ou universaliste, elles représentent trois inspirations philosophiques, trois styles d'appréhension du nœud social. Mais l'antithèse société-communauté de Tönnies ne révèle pas une approche spécifique et les trois autres auteurs la retrouvent à leur manière. Le qualificatif *systématique* désigne une mise en forme rigoureuse et, si possible, exhaustive des diverses variétés de « socialité » ou des divers secteurs de la totalité sociale. Or, effectivement, ces quatre auteurs ont élaboré cette classification mais celle-ci sert en quelque manière de répertoire, d'appareil conceptuel pour comprendre les phénomènes observés. Je ne suis pas sûr que l'opposition systématique-historique, commode il y a un demi-siècle, conserve une valeur aujourd'hui. Microsociologie et macrosociologie, analyse synchronique et analyse diachronique recouvrent ou refoulent cette opposition.

Les remarques sur la spécificité de la sociologie allemande, sur les différences entre la sociologie française et la sociologie allemande me paraissent aujourd'hui encore intéressantes, mais elles ne sont plus exactes. Il était légitime, au début des années 30, d'opposer l'inspiration « spiritualiste » de la sociologie allemande (du moins la plus typique) à l'inspiration positive ou scientiste de la sociologie française, même si les pratiques des deux sociologies différaient moins que leurs programmes. Il était vrai que les Allemands usaient de l'antithèse civilisation-culture autrement que les Français. Enfin, l' « autosociologie » du sociologue, issue de la réflexion marxiste, inquiétait les sociologues allemands plus que leurs collègues français.

Il ne reste plus grand-chose de ce contraste. La France d'avant-guerre n'avait pas connu d'auteurs paramarxistes, tels G. Lukacs ou K. Mannheim. Elle a rattrapé son retard. Bien qu'il n'existe pas une école comparable à l'École de Francfort, L. Althusser et N. Poulantzas ont réinterprété le marxisme et aussi le présent à la lumière de leur marxisme. Enfin, la sociologie d'après 1945 est devenue de plus en plus transnationale, même si les pratiques sociologiques conservent peut-être quelques traits nationaux. La communauté des méthodes, des thèmes de recherche, des modes d'interprétation me semble un fait accompli. Non que les sociologues s'inspirent de la même philosophie ou présentent la réalité sous le même jour. Mais la plupart des écoles se manifestent à l'intérieur de chaque pays. Les adversaires de la théorie critique de Francfort sont aussi nombreux (peut-être plus nombreux) en Allemagne que dans les autres pays. Même la dénonciation de la société rationaliste que j'observai dans l'Allemagne préhitlérienne a été reprise par la gauche et l'extrême gauche, en France et ailleurs.

Pour l'édition du livre en allemand, en 1953, j'écrivis une courte note, *Bemerkungen zur jetztigen Lage der soziologischen Problematik* (Remarques sur la situation actuelle de la problématique sociologique) et j'annonçai le réveil de la sociologie allemande, inséparable désormais de la sociologie transnationale mais capable d'apporter à la discipline une contribution propre, enrichie par sa tradition.

Ce petit livre devait-il irriter un fidèle de Durkheim ? J'ai peine à le croire. Le sociologue allemand qui aurait probablement indigné Durkheim, à savoir Karl Mannheim, je le présentai pour le réfuter. Fauconnet croyait à la sociologie qu'Émile Durkheim voulut édifier : science en devenir, encore neuve, il en avouait volontiers l'imperfection, les défauts de jeunesse, mais, pour employer une expression aujourd'hui à la mode, il ne songeait pas à objectiver lui-même la démarche par laquelle l'individu social appelé Durkheim devint sociologue. L'analyse sociologique du sociologue, implicite dans le marxisme, était pour ainsi dire absente de la sociologie durkheimienne. De même, Durkheim avait en apparence éliminé le caractère humain de l'objet par la règle de méthode : « traiter les faits sociaux comme des choses ». En fait, la règle tendait surtout à mettre entre parenthèses les préjugés, à distinguer l'interprétation spontanée des institutions par l'homme social de l'explication que les sociologues sont amenés à en donner. Les sociologies, je le répète, différaient en leur substance moins que les philosophies dont les sociologues eux-mêmes se réclamaient. Un sociologue aujourd'hui utilise sans trop de peine à la fois Marx et Durkheim. Malgré ces réserves, je ne puis pas ne pas me remémorer le choc ressenti par un durkheimien de stricte observance et d'horizon limité. Il y avait loin de la sociologie qui progresserait, comme toute science (telle que les positivistes la pensaient à l'époque), pierre par pierre, accumulant les faits et les relations, corrigeant les erreurs mais intégrant le savoir acquis dans un ensemble plus vaste, à la sociologie telle que Max Weber la pensait, se renouvelant par les questions qu'elle posait à une matière inépuisable, à un monde humain en devenir, qui crée sans cesse des œuvres inédites et suscite par là même des interrogations inédites de l'historien ou du sociologue. En dernière analyse, ce que j'ébranlai d'un seul coup, c'était la philosophie vulgaire du progrès de la science.

La notion de critique de la Raison historique vient de Wilhelm Dilthey et aboutit, me semble-t-il, à la *Critique de la Raison dialectique* de Sartre. J'en réserve provisoirement l'analyse plus précise et j'en retiens pour l'instant un des sens : élaborer, pour les « sciences de l'esprit » ou « sciences humaines », une théorie comparable à ce que fut la *Critique de la Raison pure* pour les sciences physiques. Cette théorie aurait, comme la critique kantienne, une double fonction : confirmer la vérité de la science et en limiter la portée. Le retour à Kant, pour les philosophes critiques de l'histoire, signifiait non pas tant une autre analyse transcendantale qu'un refus du système hégélien. Aucun d'entre eux ne se définissait par le refus du marxisme, sauf, à la rigueur, Max Weber qui, en certaines circonstances, s'opposait explicitement à lui tout en l'admirant. W. Dilthey interprétait historiquement les philosophies qu'il ne distinguait pas des *Weltanschauungen*[1]. Il cher-

---

1. On traduit couramment ce mot : *conception* ou *vision du monde* ; je garde le mot allemand, plus courant, plus suggestif que l'équivalent français.

chait donc dans la « critique » non un substitut au système mais le fondement d'un savoir objectif en dépit de
l'enracinement de l'historien (ou du sociologue), dans
une société particulière, une entre d'autres.

Le regroupement de ces quatre auteurs, Wilhelm Dilthey, Georg Simmel, Heinrich Rickert et Max Weber,
était-il artificiel, arbitraire, ou justifié par la similitude
de leurs problématiques, la parenté de leurs interrogations ? Wilhelm Dilthey, né deux ans après la mort de
Hegel, appartenait à une autre génération que les trois
autres, nés aux alentours de 1860 (respectivement en
1858, 1863, 1865) ; aucun des quatre ne consacra sa vie
ou son œuvre entière à la question que je lui posai. Wilhelm Dilthey fut un historien avant de « critiquer » son
propre métier. Le livre de *Geschichtsphilosophie*[1] de
G. Simmel tient une place modeste dans son œuvre. Le
grand livre de H. Rickert, *Die Grenzen der naturwissenschaftlichen Begriffsbildung*[2], bien qu'il soit probablement le plus connu de ses livres, s'insère dans une
œuvre néo-kantienne, englobante, dont l'antithèse des
deux types de sciences ne constitue qu'une partie.
Enfin, Max Weber, bien qu'il fût toujours soucieux de
la modalité de son savoir autant que de son savoir lui-
même, doit sa gloire à son œuvre de sociologue.

Il me paraît, aujourd'hui encore, que le rapprochement de ces auteurs se justifie, à condition de préciser
l'objectif limité du travail. Il s'agissait non d'exposer
l'ensemble de la pensée de Dilthey ou de Weber mais
d'expliciter et de comparer les réponses qu'ils avaient
données à une même interrogation. L'interrogation
était-elle exactement la même ? Probablement non,
parce qu'elle était exprimée par chacun dans le langage
et le cadre d'une certaine philosophie. Mais, en relisant
après tant d'années ce livre difficile, je comprends à la
fois les mérites que je lui attribuai, à tort ou à raison, et
les mouvements divers qu'il suscita.

Je pensai d'abord que la *Philosophie critique de l'Histoire* me servirait de thèse principale. Léon Brunschvicg
lut le manuscrit (avant les corrections que j'y apportai

1. *Philosophie de l'Histoire.*
2. *Les Limites de la conceptualisation des sciences de la nature.*

ensuite) et le jugea sévèrement. A juste titre il m'annonça que je « manquerais mon affaire » si je misais sur une interprétation, souvent obscure, de philosophes au bout du compte secondaires. Quelques mois plus tard, après avoir lu *la Sociologie allemande contemporaine*, il m'écrivit une lettre amicale dans laquelle il se rétractait partiellement et s'accusait d'une sévérité excessive à l'égard du manuscrit que je lui avais soumis. (Au rebours, M. Halbwachs fut plus sévère à l'égard de la *Sociologie allemande contemporaine*.) Pendant les vacances de 1935, je révisai l'ensemble de la *Philosophie critique de l'Histoire*, et je pris la décision d'écrire un livre qui servirait de thèse principale, ma version personnelle de la critique de la Raison historique.

Léon Brunschvicg m'avait rendu un service dont j'aurais dû lui savoir gré. Ma réaction, sur le moment, fut vive. De manière quelque peu ridicule, je fis lire le manuscrit à André Malraux, qui ne pouvait pas être un bon juge pour un ouvrage académique, à Jean Duval aussi qui releva quelques expressions qui lui plurent (l'intelligence, œil du désir). Une fois ou deux, à *l'Union pour la Vérité*, je m'étais opposé à Léon Brunschvicg, je lui reprochais de se désintéresser de la condition humaine, de ne connaître d'autre morale que celle du savant. Je m'étais libéré définitivement d'une certaine forme de néo-kantisme. Sociologues et historiens appartiennent à une société, à un moment de son devenir : ils gardent la marque de leur historicité lors même qu'ils se veulent — et ils doivent se vouloir — savants.

La *Philosophie critique de l'Histoire* devait être suivie par un deuxième tome qui aurait eu pour objet l'historisme ou l'historicisme, les deux concepts étant encore moins différenciés à l'époque qu'aujourd'hui. Le livre de Sir Karl Popper, *The poverty of Historicism*, a répandu dans le monde anglo-américain l'idée que le marxisme offre l'exemple achevé de l'historicisme, la prétention à prévoir ou plutôt à prophétiser l'avenir de l'histoire humaine dans son ensemble. Écrit pendant la guerre, ce livre, aussi bien que *The open society and its enemies*, visait les philosophies de l'Histoire qui servent de fondement et de justification à des politiques révolutionnaires. A la page 3 de ce dernier livre, Sir Karl Popper résumait dans les termes suivants son objectif prioritaire : « This book tries to show that this prophetic wisdom is harmful, that the metaphysics of history impede the application of the piecemeal methods of science to the problems of social reforms. And it further tries to show how we may become the makers of our fate when we have ceased to pose as its prophets [1]. » L'historisme est défini, dans *The poverty of historicism*, comme la thèse de la relativité des croyances, de la diversité des idées, des manières de vivre ou de penser en fonction des sociétés et des époques. La définition Popper de l'historicisme n'a été acceptée ni en Italie, ni en Allemagne, ni en France. Le livre de P. Rossi sur l'historicisme allemand, qui cite mon livre avec éloge, traite à la fois des quatre auteurs que j'analyse dans la *Philosophie critique de l'Histoire* et de ceux aussi que j'avais l'intention d'étudier dans le tome II.

Auraient figuré dans le deuxième tome : Ernst Troeltsch, Max Scheler, Karl Mannheim et peut-être Oswald Spengler. Ces quatre auteurs, très différents l'un de l'autre, ne répondaient pas à une même question, comme les philosophes critiques, mais ils se trouvaient ou se sentaient dans une situation historique semblable, ils en exprimaient, en un langage différent, la même crise, ils cherchaient dans des directions tout autres une issue. Troeltsch entendait par *Historismus* l'historicité des valeurs, d'où résultent, éventuellement, la rupture de l'unité spirituelle de l'humanité et l'anarchie des esprits. Le désarroi des intellectuels allemands d'après-guerre plus que l'inquiétude critique inspirait la recherche de Troeltsch. Karl Mannheim, avec sa *Wissenssoziologie*, marquait l'aboutissement d'un mode de penser que désigne un des sens du terme historisme, à savoir la détermination, des hommes et de leurs idées, par le contexte social.

1. « Ce livre s'efforce de montrer que la sagesse prophétique est nuisible, que la métaphysique de l'Histoire fait obstacle à l'application de la méthode scientifique, élément par élément *(piecemeal)*, aux problèmes des réformes sociales. Et il s'efforce aussi de montrer comment nous pouvons devenir les artisans de notre destin quand nous cessons de nous poser comme ses prophètes. »

Max Scheler m'intéressait par une esquisse d'une théorie générale des rapports entre la pensée et la société *(Die Wissensformen und die Gesellschaft)*. Deux de ses thèses, qui appellent l'examen et pour le moins des réserves, méritent d'être mentionnées. L'une concerne les trois types de société, dont la succession ordonnerait l'histoire humaine ; le premier dominé par les relations de sang, la parenté, le deuxième (les sociétés dites historiques) par le pouvoir politique, enfin le troisième (les sociétés modernes) par les rapports économiques. D'autre part, selon Scheler, les facteurs matériels ne déterminent pas, ils canalisent les idées. L'organisation économico-sociale ouvre ou ferme les canaux par lesquels passent les idées adaptées aux besoins ou aux rêves des hommes.

Oswald Spengler aurait représenté une étape ultime dans l'interprétation des œuvres, non, à la manière de Mannheim, par la classe mais, à la manière de Dilthey, par la culture ou l'ensemble de la société. L'opposition entre les mathématiques de l'Antiquité et celles des temps modernes offre un exemple privilégié de la subordination de la science elle-même à l'esprit d'une culture.

Dans le premier tome, le seul écrit, j'adoptai une méthode qui me fut reprochée à la soutenance de thèse. Méthode moins historique que philosophique. Je m'efforçai de tirer des écrits de ces quatre auteurs la réponse à quelques questions qu'ils s'étaient posées et qui me paraissaient essentielles. Le choix de ces questions allait-il de soi ? Était-il imposé par les auteurs eux-mêmes, par leur problématique ? J'étais tenté de répondre oui et je le ferais peut-être encore aujourd'hui ; mais ces questions ou les réponses ne constituaient pas l'essentiel de ce que certains d'entre eux au moins avaient produit. Je songe à Dilthey et à Simmel.

Dilthey, à coup sûr, avait toute sa vie songé à une critique de la Raison historique ; il avait conçu cette critique de deux manières tout autres. D'abord il songea à une psychologie originale, opposée à la psychologie positiviste, voire matérialiste, dominante à l'époque, à une psychologie qui servirait d'instrument privilégié aux historiens, aux philologues, aux biographes. Cette tentative se solda par un échec. Dilthey et Simmel aussi, après avoir hésité, découvrirent que la compréhension des œuvres, des événements, des personnages ne peut et ne doit pas être « psychologisée ».

La deuxième tentative de Dilthey, que Bernard Groethuysen (si j'en crois ses propos) influença, s'exprime dans des fragments, rassemblés dans le tome VII des Œuvres complètes.

A quoi aboutissait Dilthey en quête d'une critique de la Raison historique ? Il reprenait l'idée kantienne : l'esprit humain forme, structure son univers. Mais, transposée à l'univers historique, cette idée ne gardait pas la même portée. Les formes de la sensibilité et les catégories de l'entendement rendent possibles la connaissance scientifique, l'explication causale. Dilthey suggère une tout autre vision de l'univers parce que son attention se fixe non sur la nature mais sur le monde humain. A travers le temps, les hommes édifient des œuvres sociales, spirituelles. Ces œuvres — une société, une vie, une époque — constituent des ensembles. La compréhension déchiffre ces ensembles par un va-et-vient de l'élément au tout, l'élément ne prend son sens que dans le tout et le tout ne se découvre qu'à l'analyse de ses éléments. Mais, dès lors que l'on admet *die Kontinuität der schaffenden Kraft als die kernhafte historische Tatsache* (la continuité de la force créatrice en tant que le fait historique fondamental), comment surmonter la particularité de notre condition historique ?

H. Rickert, que l'on ne lit guère (bien que son petit livre *Nature et Histoire* ait été traduit, il y a une vingtaine d'années, en anglais et préfacé avec éloge par Fr. Hayek[1]), a voulu non pas créer une autre critique mais, selon une analyse d'inspiration kantienne, élaborer de manière rigoureuse une théorie des deux types de sciences ; l'un s'accomplirait dans un système de lois, l'autre dans l'histoire universelle. Toute science résultant de la construction ou de la sélection d'un objet tiré d'une matière informe, il existe deux principes de sélec-

1. *Science and History, A critique of positivist epistemology*, D. Van Nostrand Company, Princeton, 1962.

tion ou de construction, l'un la généralité, l'autre la valeur. D'où, au niveau le plus élevé de l'abstraction, la dualité des finalités scientifiques[1].

Léon Brunschvicg ne connaissait pratiquement rien de Dilthey et de l'École de l'Allemagne du Sud-Ouest. L'histoire — et la Science — étaient pour lui le laboratoire de la philosophie, mais il ne s'est guère interrogé sur les modalités de la reconstruction historique. Mon livre ne présentait pas les avantages d'une introduction à une école étrangère ; il combinait l'analyse et la discussion — discussion organisée par mes questions. Dans les deux chapitres sur Dilthey et sur Simmel, j'entrais dans le détail des diverses périodes des auteurs, de leurs incertitudes et de leur autocritique. Qui ne s'intéressait ni à ces penseurs ni à leurs problèmes ne pouvait découvrir les mérites — limités mais peut-être réels — de ce travail.

Le livre de P. Rossi[2] ne profite pas seulement du temps écoulé, il se donne plus que moi un objectif authentiquement historique. Un des membres de mon jury m'avait reproché de ne pas respecter les canons de la méthode historique. Il en prit pour preuve que, dans la bibliographie, je citais les *Gesammelte Aufsätze* de Weber et non les différents articles aux lieux et dates où ils avaient été publiés pour la première fois. Il avait raison mais il aurait pu trouver d'autres arguments et meilleurs. Je n'avais pas, dans le style de P. Rossi, tenté une histoire d'un mouvement d'idées, j'avais analysé le thème philosophique de ces quatre auteurs et mis en lumière les apories dans lesquelles ils se débattaient.

---

1. Les thèmes de Rickert, ou plutôt certains d'entre eux, n'ont été diffusés et popularisés que par l'usage qu'en a fait Max Weber. Celui-ci s'est-il présenté comme un disciple de Rickert, désireux de mettre à l'épreuve les idées du philosophe, ou prenait-il les *Grenzen (Die Grenzen der naturwissenschaftlichen Begriffsbildung)* pour point de départ ? Je n'en trancherai pas ici. Je pense que M. Weber, qui ne se considérait pas lui-même comme un professionnel de la philosophie, se réclamait volontiers d'un philosophe qui, lui aussi, appartenait à la descendance de Kant. Qu'il ait profondément transformé les idées rickertiennes, à n'en pas douter. Qu'il eût professé les mêmes théories en l'absence de H. Rickert, c'est possible et difficilement démontrable.

2. *Lo Storicismo tedesco contemporaneo*, 1956 et 1971. (W. Dilthey, W. Windelband-H. Rickert, G. Simmel, M. Weber, O. Spengler, E. Troeltsch-S. Meunecke.)

Par instants, une sorte d'arrogance m'incitait à croire que je reconstruisais leur pensée mieux qu'ils ne l'avaient exprimée eux-mêmes. Malgré tout, je ne méconnus pas le centre de leur méditation : la relativité des valeurs et l'objectivité de la connaissance historique.

L'accueil réservé par Léon Brunschvicg à la *Philosophie critique de l'Histoire,* le pressentiment de la guerre prochaine m'incitèrent à entreprendre immédiatement le livre auquel je songeais depuis plusieurs années, depuis ma méditation sur le bord du Rhin. Puisque je me vouais au rôle de spectateur engagé, je me devais de mettre au clair les rapports entre l'historien et l'homme d'action, entre la connaissance de l'histoire-se-faisant et les décisions que l'être historique est condamné à prendre. J'abandonnai l'idée du deuxième tome de la *Théorie de l'Histoire* et, après avoir amélioré le texte du manuscrit du premier tome, je me mis au travail en octobre ou novembre 1935 et commençai d'écrire l'*Introduction à la philosophie de l'Histoire* ; le livre fut achevé après les vacances de Pâques 1937.

Je ne crois pas avoir conçu le plan à l'avance. Au fur et à mesure que j'écrivais, l'*Introduction* prit une forme qui m'irrite aujourd'hui : quatre sections dont trois comprenaient trois parties, chacune de ces dernières divisée en quatre paragraphes. Présentation scolastique, me fit remarquer Émile Bréhier à la soutenance de thèse, me reprochant de briser le développement, de découper le thème en une succession de problèmes et de laisser au lecteur le soin de rassembler les morceaux. Je répondis, avec quelque superbe, que la notion de développement ne relevait pas de la philosophie ; il me suffisait d'analyser les problèmes avec le maximum de clarté. Je serais tenté aujourd'hui de donner raison à Bréhier. Le livre souffre aussi de l'obsession des symétries ; certains paragraphes, certaines conclusions de parties, de sections ne me semblent pas indispensables. Peut-être la manière d'Alain, dans certains de ses livres, pesait-elle encore sur mon esprit.

Je ne me propose ni de renier ni de défendre ce livre, écrit il y a près d'un demi-siècle, dont la carrière, en France du moins, n'est peut-être pas entièrement épuisée, témoignage du professionnel de la philosophie, au sens universitaire du terme, que j'aurais pu être.

Au seuil de cette tâche ingrate — présenter l'essentiel d'un livre qui se dérobe au résumé — je mets pour ainsi dire en épigraphe cette remarque sur l'*autobiographie* que je relève dans l'*Introduction* (p. 60) : « ... Je ne saurais penser à nouveau comme je pensais à vingt ans ou, du moins, il me faut partir à la découverte, presque comme s'il s'agissait d'un autre. Souvent, pour retrouver le moi ancien, je dois interpréter des expressions, des œuvres. Nous sommes peu sensibles à ce devenir de notre esprit parce que nous avons accumulé le meilleur de nos expériences ; le passé de notre intelligence ne nous intéresse — sauf curiosité introspective — que dans la mesure où il est ou serait digne d'être présent. »

Je remplacerais « curiosité introspective » par curiosité autobiographique. Pour le reste, mon expérience tend à confirmer cette analyse. J'ai repris, plusieurs fois, certains des problèmes traités dans l'*Introduction,* par exemple dans *Dimensions de la conscience historique,* sans jamais me référer à mes écrits d'avant-guerre. Je supposais donc que j'avais gardé en moi l'essentiel des résultats atteints au cours des recherches antérieures. C'est par curiosité autobiographique que j'ai relu l'*Introduction*, en quête d'un texte dont j'aurais aujourd'hui grand-peine à reconstituer la formation et que j'aurais plus encore de peine à écrire.

Je cherchai d'abord les quelques passages qui pouvaient avoir échauffé la bile de Paul Fauconnet et je trouvai quelques jugements qui ne choqueraient personne aujourd'hui : « ... Une philosophie du progrès... consiste à admettre que l'ensemble des sociétés et de l'existence humaine tend à s'améliorer, parfois que cette amélioration, régulière et continue, doit se poursuivre indéfiniment. Essentiellement intellectualiste, elle passe de la science à l'homme et à l'organisation collective, optimiste, puisque la moralité, en droit et en fait, irait de pair avec l'intelligence. La réaction contre cette doctrine a pris aujourd'hui les formes les plus diverses. On met en doute la réalité ou, en tout cas, la régularité du progrès. Trop d'événements ont révélé la précarité de ce que l'on appelle civilisation ; les acquisitions les plus assurées en apparence ont été sacrifiées à des mythologies collectives ; la politique, dépouillée de ses masques, a révélé aux plus naïfs son essence. Du même coup, on a critiqué, aussi bien en droit qu'en fait, le raisonnement qui concluait de la science à l'homme et à la société. Activité parcellaire, la science positive se développe selon un rythme propre, sans que ni l'esprit ni moins encore la conduite en suivent le mouvement accéléré... Au reste, que signifie ce prétendu progrès ? Entre une société communautaire, qui se donne elle-même pour valeur absolue, et une société libérale qui vise à élargir la sphère de l'autonomie individuelle, il n'y a pas de commune mesure. La succession de l'une à l'autre ne saurait être appréciée, sinon par référence à une norme qui devrait être supérieure aux diversités historiques. Mais une telle norme est toujours la projection hypostasiée de ce qu'une collectivité particulière est ou voudrait être. Or notre époque connaît trop la diversité qu'elle retrouve, évidente, en elle-même, pour tomber dans la naïveté des groupes fermés, ou s'élever à la confiance de ceux qui se mesurent au passé et à autrui avec la certitude de la supériorité... » Une telle mise en question de la philosophie du progrès à la veille de la Seconde Guerre mondiale n'aurait dû scandaliser personne, pas même un durkheimien assoupi dans la croyance en la sociologie. Ce texte ne constituait d'ailleurs pas le dernier mot de l'*Introduction* ; il rejetait la modalité vulgaire de croyance au progrès, fondée sur une erreur de fait — l'ensemble de la société ne se transforme pas selon la même allure, selon le même style que la connaissance scientifique — sur une naïveté — le progrès ne s'apprécie qu'en fonction d'un critère transhistorique. Le *plus* du savoir s'observe, le *mieux* des cultures se juge et quel juge est impartial ?

Le pluralisme des cultures (ou des civilisations) appartenait déjà, en 1938, à l'esprit du temps. Les salons répétaient la phrase de Valéry : « Nous autres civilisations, nous savons maintenant que nous sommes mortelles. » Le refus du progressisme rationaliste choquait malgré tout la philosophie optimiste, idéaliste qui dominait encore la gauche de la Sorbonne. Une remarque, faite en passant, sur l'histoire universelle, toute banale qu'elle apparaît aujourd'hui, s'inscrivit probablement au compte du « désespoir ».

« Notre époque serait donc en apparence favorable à une telle tentative [une histoire universelle] puisque, pour la première fois, la planète entière participe d'un sort commun. On objectera l'accumulation des connaissances inassimilables à un seul esprit, la rigueur scientifique qui condamne ces visions démesurées, on fera remarquer que les relations entre les peuples divers restent aujourd'hui encore lâches, leur communauté pauvre, leur unité partielle et extérieure. Toutes ces propositions sont valables, mais elles n'atteignent pas l'essentiel. Si l'Occident avait aujourd'hui encore confiance dans sa mission, on écrirait, collectivement ou individuellement, une histoire universelle qui montrerait, à partir d'aventures solitaires, l'accession progressive de toutes les sociétés à la civilisation du présent.

« Ce qui rend une telle histoire impossible, c'est que l'Europe ne sait plus si elle préfère ce qu'elle apporte à ce qu'elle détruit. Elle reconnaît les singularités des créations expressives et des existences, au moment où elle menace de détruire les valeurs uniques. » La gauche modérée de l'époque croyait encore à « la mission civilisatrice » de la France ou des pays occidentaux. Je me situais, à coup sûr, parmi les marginaux, en France du moins. Dans l'Allemagne weimarienne, l'historisme — au sens de la prise de conscience du pluralisme des cultures, de l'historicité des valeurs — nourrissait le pessimisme, le désarroi des intellectuels. Les idées auxquelles P. Fauconnet renouvela sa foi, le 26 mars 1938, n'ont pas résisté aux années qui suivirent.

Un sociologue durkheimien devait juger plus agressive encore une analyse qui visait directement la prétention de Durkheim lui-même à fonder sur la science nouvelle la morale des instituteurs. Je rappelai, dans le paragraphe consacré au relativisme historique *(der Historismus)*, le lien entre les diverses sociétés et leur moralité (au sens hégélien de la *Moralität*), et la diversité des obligations morales, des manières de vivre qui en résulte. Et je continuai : « Au contraire, l'interdépendance des morales et des sociétés confirme la validité de nos impératifs particuliers si la société est en droit autant qu'en fait à l'origine et le fondement de toute obligation. L'intention de Durkheim n'était-elle pas de restaurer la morale, ébranlée selon lui par la disparition des croyances religieuses ?... Les sociologues, démocrates, libres penseurs, partisans de la liberté individuelle, confirmaient par leur science les valeurs auxquelles spontanément ils adhéraient. A leurs yeux, la structure de leur civilisation présente (densité ou solidarité organique) exigeait en quelque sorte les idées égalitaires, l'autonomie des personnes. Les jugements de valeur gagnaient plutôt qu'ils ne perdaient en dignité à devenir jugements collectifs. On substituait en toute confiance la société à Dieu. En fait, le terme de société ne va pas sans équivoque, puisque tantôt il désigne les collectivités réelles et tantôt l'idée ou l'idéal de ces collectivités. En vérité, il ne s'applique qu'aux groupements particuliers, fermés sur eux-mêmes, mais moins que les mots patrie ou nation il rappelle les rivalités et les guerres (on imagine mal une société élargie aux limites de l'humanité tout entière). Il dissimule les conflits qui déchirent toutes les communautés humaines. Il permet de subordonner à l'unité sociale les classes opposées et de concevoir une morale nationale qui serait sociologique sans être politique : mais si ce concept, dépouillé de tout prestige emprunté, désigne l'ensemble partiellement incohérent des faits sociaux, ne semble-t-il pas que le *sociologisme* ajoute à une relativité sans limite la réduction des valeurs à une réalité plus naturelle que spirituelle, soumise à un déterminisme et non ouvert à la liberté ? »

L'exécution en quelques lignes d'une idée chère à Durkheim, à savoir la rénovation de l'enseignement de la morale dans les écoles normales par la sociologie, devait, à n'en pas douter, troubler le plus fidèle des disciples du maître. Mais je pense que l'ensemble du livre ou des livres le heurtait. Je lui donnai l'impression de rompre avec le rationalisme — alors que la suite de mon activité démontra le contraire ; de rompre avec l'optimisme du progrès et la foi dans la science — en quoi il ne se trompait pas sans avoir tout à fait raison. La signification du livre lui-même demeurait équivoque, sinon obscure : chaque analyse en elle-même était peut-être claire, l'intention et les conclusions de l'ensemble prêtaient à controverse. Pour une part, la forme du livre en porte la responsabilité mais j'aperçois d'autres raisons.

Dans l'introduction, je résumai l'intention du livre dans les termes suivants : « Sur le plan supérieur, notre livre conduit à une *philosophie historique* qui s'oppose au rationalisme scientiste en même temps qu'au positivisme. » Henri I. Marrou, dans le compte rendu qu'il écrivit pour *Esprit,* insista avant tout sur l'antipositivisme, la critique impitoyable des historiens qui nourrissent l'illusion d'atteindre la vérité au sens naïf de reproduire la réalité du passé, *wie es geschehen ist* (tel qu'il est arrivé), selon l'expression célèbre de L. von Ranke. Un peu plus loin, je précisai encore l'intention : « Philosophie historique qui est aussi en un sens une philosophie de l'histoire, à condition de définir celle-ci non comme une vision panoramique de l'ensemble humain, mais comme une interprétation du présent ou du passé rattachée à une conception philosophique de l'existence. » Ou encore : « La philosophie se développe dans le mouvement, sans cesse renouvelé, de la vie à la conscience, de la conscience à la pensée libre et de la pensée au vouloir. » Bien que d'inspiration rationaliste, le livre en 1938, dans l'ensemble, surprenait nos maîtres de la Sorbonne qui y détectaient une manière de penser, des préoccupations et des thèmes de réflexion étrangers à leur univers.

Je passerai rapidement sur les deux théories de la compréhension et de la causalité qui occupent la plus grande partie du livre mais qui relèvent de l'épistémologie. J'établissais, au point de départ, une distinction entre deux modes de connaissance, distinction que j'illustrerai par un exemple simplifié. Établir le *motif* d'un acte, dans le vocabulaire que j'avais adopté, ce n'est pas mettre en lumière la *cause*. La compréhension d'un acteur, que l'on en rende compte par la logique de la situation ou par une impulsion passionnelle, ne s'oppose pas à l'explication, au sens ordinaire du mot, mais à l'*explication causale.* Les compréhensions d'une conduite, d'une œuvre, d'une institution ont le trait commun de chercher les sens et les liaisons intelligibles, immanents à l'objet. J'aurais accepté l'énumération que je trouve dans un « working paper » d'un philosophe norvégien : sont objets de compréhension les personnes, leurs actes et leurs paroles, certains produits de leurs actions et de leurs propos, généralement les manifestations de l'esprit humain (art, peinture, sculpture, etc.), enfin certains objets que l'on dit significatifs, instruments, outils, etc. La théorie que j'exposai au début se situait aux antipodes de la conception réputée irrationaliste de la compréhension, à savoir la participation affective d'une conscience à la conscience d'autrui. Je désignai la compréhension comme la connaissance d'une signification qui, immanente au réel, a été ou aurait pu être pensée par ceux qui l'ont vécue ou réalisée.

Pour illustrer ma conception de la causalité, je reprendrai l'exemple que j'utilisai : les origines de la guerre de 1914. Pour moi, la recherche des causes de la guerre de 1914 ne consiste pas seulement à retrouver les intentions des acteurs qui, à la suite de l'assassinat de l'archiduc François-Ferdinand, ont voulu, souhaité ou accepté la guerre locale ou générale, mais à déterminer les actes qui rendaient inévitable, ou plus ou moins probable, l'explosion d'août 1914. En un sens, la détermination des causes de la guerre se compare à l'analyse des causes d'un accident, panne d'un moteur ou chute d'une avalanche. L'usure d'une pièce du moteur ou l'effondrement d'une masse de neige obéissent à des lois de la nature, mais l'expert retient pour cause parmi les antécédents celui qui provoqua directement, immédiatement, l'accident ; ou bien il retient un antécédent à tel point prévisible que l'ensemble des antécédents plutôt que le dernier, le détonateur, porte la responsabilité de l'accident ; ou bien, au contraire, il retient un antécédent imprévisible de telle sorte que l'événement n'apparaisse pas impliqué par la situation ; celle-ci ne rendait pas l'événement inévitable ni même probable, il résulta, comme on dit, d'une rencontre de circonstances.

Dans le cas des origines de la guerre de 1914, la

démarche me semble simple et difficile à la fois : nous
constatons, sans l'ombre d'un doute, que la crise, la
crainte d'une guerre proche ont commencé avec l'envoi
de l'ultimatum autrichien à la Serbie. Mais on aurait
évidemment tort de dire qu'il fut la *cause*, le détonateur
de la guerre. On peut cependant évaluer la *probabilité*
de guerre que créa l'*initiative* prise par le gouvernement
de Vienne. Les calculs rétrospectifs de probabilité
n'atteignent jamais à des conclusions rigoureuses mais
ils permettent des évaluations suggérées par une comparaison entre ce qui se passa et ce qui se serait passé si
cet incident n'avait pas eu lieu. Pour chacun des actes
(en l'espèce les antécédents de la guerre), on peut poser
la question : quelles furent les conséquences que
l'acteur pouvait et devait prévoir ? De plus, comme,
dans les affaires humaines, la causalité ne se sépare pas
de la responsabilité ou de la culpabilité, on se deman-
dera dans quelle mesure l'acte constituait une *initiative*,
si elle était conforme aux coutumes et aux règles
morales de l'univers diplomatique, quelles étaient les
intentions de l'acteur. A mes yeux, l'essentiel était de
différencier la compréhension d'une conduite humaine
par les motifs, les mobiles ou la logique de la situation
d'une part, et l'analyse de la causalité de l'autre. Dans
le cas d'un événement, unique, singulier, il s'agit ou
bien d'une causalité historique ou bien d'une causalité
sociologique ; dans un vocabulaire que je préfère
aujourd'hui : ou bien on s'efforce d'établir la règle ou
la loi qui explique l'événement (la loi établit que l'événement X se produit dans les circonstances a, b, c ; si
nous constatons que a, b, c, étaient données, nous
considérons expliqué l'événement X) ; ou bien on
s'efforce de mesurer la causalité respective de divers
antécédents par des calculs rétrospectifs de probabilité,
sans négliger les règles ou les généralités.

Aux origines de la guerre de 1914, l'analyse rencontre d'autant plus d'obstacles que la crise se déroula en
quelques jours, les actes se répondant les uns aux
autres. Quelques-uns de ces actes firent l'objet
d'enquêtes particulières : le rejet par le gouvernement
autrichien de la réponse du gouvernement serbe, la
mobilisation générale russe, etc. Au rebours de ce que

certains de mes lecteurs ont cru voir dans mon livre, une recherche sur les origines de la Première Guerre ne me paraît pas affectée par une relativité fondamentale, mais elle ne peut pas aboutir à des résultats à la fois précis et démontrés. La Russie s'étant instaurée protectrice des Slaves du Sud, l'Autriche prit à coup sûr un risque de guerre générale en raison du système des alliances, mais quel était le degré du risque (ou de la probabilité) de la guerre ? Quelles étaient les intentions des ministres de Vienne ? Jusqu'à quel point les exigences de Vienne étaient-elles légitimes ? Les contemporains ne parviennent jamais à l'impartialité ; les historiens y parviennent, mais ils ne peuvent pas donner de réponses catégoriques aux questions qu'ils posent à la manière des juges d'instruction.

Cet exemple simplifié permet de saisir les propositions générales que je souhaitais confirmer par le développement de ma recherche : « La compréhension s'attache à l'intelligibilité intrinsèque des mobiles et des idées. La causalité vise avant tout à établir des liens nécessaires en observant des régularités. Dans la mesure où le sociologue s'efforce de découvrir les relations causales, il ignore légitimement, il doit ignorer la vraisemblance des consécutions rationnelles, il traite les phénomènes historiques comme une nature étrangère ou, selon l'expression classique, comme des choses. » Un peu auparavant je distinguais trois intentionnalités, celles du juge, du savant, du philosophe. La première s'exprime par l'interrogation : à qui (ou à quoi) la faute ? La deuxième conduit à l'établissement des liens constants de coexistence ou de succession. La troisième veut rapprocher et unir les deux recherches précédentes, mises à leur place dans l'ensemble du déterminisme historique.

Seule la conclusion de la section consacrée à la causalité mérite d'être rappelée, à savoir la pluralité immanente au monde historique. Ni une société ni un devenir ne constituent une totalité. Pas plus que nous ne saisissons l'intention ultime, la *Gesinnung* d'un être (ou son caractère intelligible), nous ne saisissons d'un seul coup d'œil un vaste ensemble, une culture globale ou même un macroévénement tel que la Révolution française. Cette pluralité tient à la pluralité même de l'être humain, à la fois vie, conscience et idée, et au caractère fragmentaire du déterminisme (*instantané* s'il s'agit d'expliquer un événement, *partiel* s'il s'agit de reconstruire des régularités). Mais tous les récits, toutes les interprétations emploient simultanément la connaissance compréhensive et l'analyse causale ; le déterminisme fragmentaire est suspendu à une construction du fait et des ensembles, les relations causales sont accompagnées, éclairées par un rapport intelligible. L'adéquation causale et l'adéquation compréhensive, selon la formule de Max Weber et la pratique de tous les sociologues et historiens, se renforcent et se confirment l'une l'autre, bien que chacune de ces deux démarches ait son sens propre.

La section II qui traite de la compréhension défie, me semble-t-il, le résumé. Je m'y efforce, en effet, de décrire les divers aspects de la construction de l'objet à partir du vécu ou des documents, la connaissance de soi, d'autrui, d'une bataille ou des idées. Je voulais mettre en lumière l'intervalle entre le vécu et la connaissance que nous pouvons en acquérir, et la pluralité des interprétations qui tient à la nature de l'objet humain : « La science historique est une forme de la conscience qu'une communauté prend d'elle-même, un élément de la vie collective, comme la connaissance de soi un aspect de la conscience personnelle, un des facteurs de la destinée individuelle. N'est-elle pas fonction à la fois de la situation actuelle, qui par définition change avec le temps, et de la volonté qui anime le savant, incapable de se détacher de lui-même et de son objet... D'autre part, l'historien est, par rapport à l'être historique, l'*autre*. Psychologue, stratège ou philosophe, toujours il observe de l'extérieur. Il ne saurait ni penser son héros comme celui-ci s'est pensé lui-même, ni voir la bataille comme le général l'a vue ou vécue, ni comprendre une doctrine de la même manière que le créateur... Enfin, qu'il s'agisse d'interpréter un acte ou une œuvre, nous devons les reconstruire conceptuellement. Or, nous avons toujours le droit de choisir entre de multiples systèmes puisque l'idée est à la fois immanente et transcendante à la vie : tous les monuments existent par et pour eux-mêmes dans un univers spirituel, la logique juridique et économique est interne à la réalité sociale et supérieure à la conscience individuelle. »

Cette pluralité des compréhensions n'équivaut pas au relativisme. Si un monument, une œuvre d'art ou de pensée est équivoque et inépuisable, il en résulte légitimement de multiples interprétations — multiplicité qui symbolise plutôt la richesse des créations humaines que l'incertitude de notre savoir. Certes, des historiens positivistes pourraient objecter que l'interprétation de ces œuvres dépasse la connaissance proprement historique. Mais l'histoire de la peinture ou de la pensée contient inévitablement, me **semble-t-il**, une part d'interprétation, inséparable de la **personne** de l'interprète, sans être dévalorisée pour **autant**. De même, l'interprétation des événements peut **être** renouvelée par un nouveau système de concepts ou par des problèmes dont les historiens ont pris conscience postérieurement à l'époque qu'ils étudient. Une « histoire socialiste de la Révolution française » ne fausse pas nécessairement la réalité, même si nombre des acteurs ne prenaient pas conscience des problèmes que l'historien y projette. Les Bolcheviks nous ont aidés à voir les Jacobins sous un autre jour. Enfin, de même que le sens d'une existence n'est fixé qu'au dernier jour, le sens d'un épisode d'une histoire nationale peut être transfiguré par ses conséquences plus ou moins lointaines.

La construction de l'univers historique, telle que je la décrivais, n'implique pas autant de relativisme qu'on m'en a le plus souvent attribué (par ma faute d'ailleurs). L'expression « dissolution de l'objet » me paraît aujourd'hui gratuitement agressive, paradoxale. Mais qu'on se reporte à un passage-résumé, l'impression devient tout autre : « Il n'est pas une *réalité historique* toute faite avant la science qu'il conviendrait simplement de reproduire avec fidélité. La réalité historique, parce qu'elle est humaine, est *équivoque et inépuisable.* Équivoque la pluralité des univers spirituels à travers lesquels se déploie l'existence humaine, la diversité des ensembles dans lesquels prennent place les idées et les actes élémentaires. Inépuisable la signification de l'homme pour l'homme, de l'œuvre pour les interprètes, du passé pour les présents successifs... Dans chaque cas nous avons observé aussi l'effort nécessaire du détachement vers l'objectivité. La connaissance serait partiale qui choisirait un système selon ses préférences subjectives (l'explication rationnelle pour grandir, l'explication par les mobiles pour abaisser), omettrait de reconstruire le système des valeurs ou du savoir qui permet de sympathiser avec l'acteur. De même, la compréhension des idées deviendrait arbitraire si elle se libérait entièrement de la psychologie de l'auteur et en venait à confondre les époques et les univers, sous prétexte de rendre la vie au passé ou de dégager la vérité éternelle des œuvres. » Et pour conclure : « Cette dialectique du détachement et de l'appropriation tend à consacrer bien moins l'incertitude de l'interprétation que la liberté de l'esprit ». Je ne pense pas avoir écrit autre chose dans le chapitre sur l'interprétation au début du livre sur Clausewitz, mais en mettant alors l'accent sur l'autre aspect, les contraintes qui pèsent sur l'interprète qui veut être fidèle à l'intention de l'auteur.

Je me demande même si des formules telles que « la théorie précède l'histoire » sont aussi paradoxales qu'elles le semblèrent. L'interprétation d'une œuvre de philosophie dépend de la conception que l'historien se fait de la philosophie. De même, pour l'historien de la religion. Certes la priorité de la théorie sur l'histoire est logique plutôt que psychologique. L'historien découvre tout à la fois le sens de la philosophie et celui de l'œuvre qu'il interprète. Mais le premier commande le deuxième.

De même, certaines idées, au fond banales, ne prenaient une apparence paradoxale que par l'expression : « Dans l'histoire d'une vie, les inquiétudes religieuses de la jeunesse auront une signification différente selon l'évolution postérieure. Si, incroyant, je les considère rétrospectivement comme des accidents de la puberté, elles mériteront tout juste, dans la mémoire et dans le récit, une mention rapide. Au lendemain d'une conversion, les inquiétudes anciennes, par-delà le scepticisme, prendraient la valeur d'un signe ou d'une preuve ». Rien de surprenant ou d'original, bien que J.-P. Sartre ait repris l'idée et l'exemple dans *l'Être et le Néant*. Prenons un autre exemple qui concerne les événements politiques : « La montée de Boulanger ne ressemble plus à celle de Hitler depuis que ce dernier a pris le pouvoir. La tentative de 1923 a été transfigurée par le IIIᵉ Reich. La République de Weimar *est devenue autre* parce que la dictature[1] national-socialiste lui a donné provisoirement la signification d'une phase intermédiaire entre deux Empires. L'expérience du Front populaire révélera progressivement sa *portée* aux historiens à venir ; selon qu'elle mènera à un régime social nouveau ou à la réaction, elle apparaîtra et sera *authentiquement différente* et *c'est pourquoi il n'y a pas d'histoire du présent*. Les contemporains sont partisans ou aveugles, comme les acteurs ou les victimes. L'impartialité qu'attend la science n'exige pas tant l'apaisement des passions ou l'accumulation des documents que la constatation des résultats. »

J'ai mis en italique, dans cette citation, les expressions contestables qui, d'une certaine manière, constituent l'enjeu du débat. La *portée* du Front populaire dépend à coup sûr de ses suites mais cette portée n'est-elle pas extérieure aux faits eux-mêmes ? Faut-il dire que la République de Weimar devient authentiquement autre à cause de ses suites ? En bref, j'affirmais implicitement que le sens des événements ne se sépare pas des événements eux-mêmes. Quarante années plus tard, quand j'écrivis *République impériale, les États-Unis dans le monde, 1945-1972*, je me heurtai à cette incertitude, non plus en théoricien mais en praticien. Je m'efforçai de distinguer effectivement la reconstruction des événements, tels qu'ils furent vécus par les acteurs ou les spectateurs, ensuite la place de ces événements à l'intérieur du contexte synchronique ou diachronique, enfin le sens de ces événements. Illustrons ces distinctions : le récit suit la série des décisions diplomatiques et militaires qui constituent et jalonnent la guerre du Vietnam entre 1956 (ou 1961) et 1973 (les accords de Paris) ou 1975 (le retrait des Américains). Le récit lui-même suggère, s'il ne l'impose pas, une certaine interprétation

---

1. Je n'emploie plus depuis longtemps le mot dictature en ce sens. Je le réserve à l'institution romaine : le pouvoir absolu, légal et temporaire.

qui donne implicitement une réponse aux questions suivantes : l'intervention américaine dériva-t-elle d'une
application de la doctrine de l'endiguement ? Fut-elle
prolongée par inertie bureaucratique, par arrogance,
par incapacité de choisir une stratégie et de s'y tenir ?
Ou bien exprima-t-elle un impérialisme, la prétention
de contrôler l'ensemble du monde ? Enfin cette guerre
marque-t-elle une rupture dans l'histoire des États-Unis
et, du même coup, dans celle du système interétatique ?
La fin du siècle américain ? La montée de l'Union
soviétique au premier rang ?

Cet exemple m'amène à rectifier les expressions sou-
lignées un peu plus haut. La portée, le sens historique
des événements change avec le déroulement des suites.
L'historien insère le plus souvent cette sorte d'interprétation au récit lui-même. Mais la distinction entre l'événement et ses suites me paraît logiquement possible. Au
lieu d'employer l'expression *le passé devient autre*, je
dirais : le passé prend un autre sens aux yeux de ceux
qui disposent du recul, sans oublier que l'interprétation
— par exemple de la Révolution — fait partie intégrante de n'importe quelle histoire de la Révolution,
tant le choix des faits et des concepts commande la
reconstitution. Aussi je supprimerais la phrase qui semble condamner l'histoire du présent. Il existe
aujourd'hui un genre que l'on peut appeler histoire
immédiate ou histoire du présent à laquelle je ne refuse
pas le droit à l'existence, bien qu'elle constitue, en une
large mesure, la matière pour un historien de l'avenir.

Plus qu'une contribution à l'épistémologie de la
connaissance historique, le livre répondait à l'intention
que j'avouais au lecteur : « En 1930[1] je pris la décision
d'étudier le marxisme pour soumettre à une révision
philosophique mes idées politiques. » L'analyse de la
causalité historique servait de fondement ou d'introduction à une théorie (ou plutôt esquisse de théorie) de
l'action et de la politique. Le livre tout entier éclairait le

---

1. 1931, je crois, aurait été plus exact.

mode de pensée politique qui fut depuis lors le mien —
et le reste à l'automne de ma vie. Dans un style quelque
peu scolastique, je distinguais trois étapes : le choix, la
décision, la recherche de la vérité.

« Logiquement, il importe avant tout d'accepter ou
non l'ordre existant : pour ou contre ce qui est, telle serait
l'alternative première. Réformistes ou réformateurs
s'opposent aux révolutionnaires, à ceux qui veulent non
pas améliorer le capitalisme mais le supprimer. Le révolutionnaire s'efforce, en détruisant son milieu, de se réconcilier avec lui-même puisque l'homme n'est accordé avec
soi que s'il est accordé avec les relations sociales dont bon
gré mal gré il est prisonnier... Le révolutionnaire n'a pas
de programme, sinon démagogique. Disons qu'il a une
idéologie, c'est-à-dire la représentation d'un autre système, transcendant au présent et probablement irréalisable. Mais seul le succès de la révolution permettra de discerner entre l'anticipation et l'utopie. Si donc on s'en
tenait aux idéologies, on se joindrait spontanément aux
révolutionnaires qui normalement promettent plus que
les autres. Les ressources de l'imagination l'emportent
nécessairement sur la réalité, même défigurée ou transfigurée par le mensonge. Ainsi s'explique le préjugé favorable des intellectuels en faveur des partis dits avancés. »

A cet égard, je n'ai pas changé : si je n'ai pas choisi la
cause de la révolution (en 1937 aussi bien qu'en 1981,
cette cause se confond avec celle du communisme ou
du marxisme-léninisme), c'est à partir de ce que l'on
appelle mon pessimisme : « A n'en pas douter, les
sociétés que nous avons connues jusqu'à ce jour ont été
injustes (mesurées aux représentations actuelles de la
justice). Reste à savoir ce que serait une société juste, si
elle est définissable et réalisable. » Dans ma leçon inaugurale au Collège de France, j'avouai ou, pour mieux
dire, je proclamai l'échec de toutes les *sociodicées*.
J'ajouterai aujourd'hui que les sociétés modernes nous
apparaissent plus injustes que les sociétés d'Ancien
Régime ne l'apparaissaient à ceux qui y vivaient. Pour
une raison simple : les sociétés modernes démocratiques invoquent des idéaux en une large mesure irréali-
sables et, par la voix des gouvernants, aspirent à une
maîtrise inaccessible de leur destin.

Que signifie la priorité de ce choix pour ou contre la révolution ? D'abord et avant tout, elle appelle l'étude, aussi rigoureuse que possible, de la réalité et du régime possible qui succéderait au régime actuel. Le choix rationnel, dans la politique historique telle que je la comprends, résulte non pas exclusivement de principes moraux ou d'une idéologie, mais d'une investigation analytique, aussi scientifique que possible. Investigation qui n'aboutira jamais à une conclusion soustraite au doute, qui n'imposera pas, au nom de la science, un choix, mais qui mettra en garde contre les pièges de l'idéalisme ou de la bonne volonté. Non que, en sens contraire, le choix politique ignore les valeurs ou la moralité. En dernière analyse, on ne choisit pas la démocratie libérale et capitaliste contre le projet communiste seulement parce que l'on juge le mécanisme du marché plus efficace que la planification centrale (l'efficacité relative des mécanismes économiques est évidemment un des arguments en faveur d'un régime ou d'un autre). On choisit en fonction de multiples critères : efficacité des institutions, liberté des personnes, équité de la répartition, peut-être par-dessus tout le type d'homme que crée le régime.

Je distinguai à l'époque — et j'ai utilisé depuis lors à diverses reprises cette distinction — entre la politique de l'entendement et la politique de la Raison : « *Le politicien de l'entendement* — Max Weber, Alain — cherche à sauvegarder certains biens — paix et liberté — ou à atteindre un objectif unique, la grandeur nationale, dans des situations toujours nouvelles qui se succèdent sans s'organiser. Il est comme le pilote qui naviguerait sans connaître le port. Dualisme des moyens et des fins, du réel et des valeurs ; pas de totalité actuelle ni d'avenir fatal, chaque instant pour lui est neuf. *Le politicien de la Raison*, au contraire, prévoit au moins le terme prochain de l'évolution. Le marxiste sait la disparition du capitalisme inévitable et le seul problème est d'adapter la tactique à la stratégie, l'accommodement avec le régime actuel à la préparation du régime futur. »

Je présentai les deux termes politique de l'entendement et politique de la Raison comme des types-idéaux qui ne s'excluent pas dans la réalité : « Il n'est pas d'action instantanée qui n'obéisse à un souci lointain, pas de confident de la Providence qui ne guette les occasions uniques... La politique est à la fois l'art des choix sans retour et des longs desseins. » La dernière phrase, à peine modifiée, s'applique aussi au journaliste ou au commentateur : l'interprétation de l'événement ne vaut que dans la mesure où elle en saisit à la fois l'originalité et la place dans un ensemble, système ou devenir.

La deuxième étape de l'action, je l'appelai la décision, à savoir l'engagement de la personne dans le choix politique. « Le choix n'est pas une activité extérieure à un être authentique, c'est l'acte décisif par lequel je m'engage et juge le milieu social que je reconnaîtrai pour mien. Le choix dans l'histoire se confond en réalité avec une décision sur moi, puisqu'elle a pour origine et pour objet ma propre existence. »

En donnant pour titre à ce deuxième paragraphe : *l'homme historique : la décision*, je donnais à la politique pour ainsi dire ses titres de noblesse. La décision politique, historique, c'est aussi la décision de chacun sur soi-même.

« Dans les rares époques tranquilles, où la vie privée se déroulait en marge des affaires publiques, où le métier n'avait rien (ou presque rien) à attendre ni à craindre des pouvoirs, la politique apparaissait comme une spécialité, livrée à quelques professionnels, occupation entre d'autres, plus passionnante que sérieuse. Il a fallu la guerre pour réapprendre aux hommes qu'ils sont citoyens avant d'être particuliers : la collectivité, qu'elle soit classe ou parti, exige légitimement de chacun qu'il se sacrifie à une cause. Défense nationale ou révolution, l'individu qui appartient à l'histoire est tenu d'assumer le risque suprême. » Je rédigeai ces lignes en 1937, alors que le gouvernement du Front populaire dressait les Français les uns contre les autres, alors que s'étendait sur la France l'ombre de la guerre et du IIIe Reich. Fascisme ou communisme, résistance à Hitler ou soumission, il était vrai que « si le choix politique risque d'entraîner celui d'une certaine mort, c'est que toujours il signifie celui d'une certaine existence ».

La présence de Hitler et de Staline justifiait l'insistance avec laquelle j'affirmais que le choix politique entraînait un choix sur la société entière, et que la décision portait sur l'acteur en même temps que sur son milieu : « En souhaitant un certain ordre social, on souhaite une manière de vivre... Je découvre la situation dans laquelle je vis, mais je ne la reconnais pour mienne qu'en l'acceptant ou la refusant, c'est-à-dire en déterminant celle où je veux être. Le choix d'un milieu est une décision sur moi... La décision est aussi profondément historique que lui. Or, elle crée mon univers spirituel en même temps qu'elle fixe la place que je revendique dans la vie collective. » En dépit de l'obsession du caractère tragique de la politique, j'étais déjà conscient des limites de ses enjeux : « Tout ne serait pas bouleversé par une révolution. Il resterait toujours plus de continuité que ne l'imaginent les fanatiques. L'esprit n'est pas tout entier prisonnier de la destinée commune. » Simultanément, je soulignai l'inévitable paradoxe ou peut-être faudrait-il dire la contradiction entre l'absolu de l'engagement et l'incertitude des causes : « A notre époque de croyances aveugles, on souhaite plutôt que les individus se souviennent que l'objet concret de leur attachement n'est pas révélé mais élaboré, selon la probabilité, et qu'il ne devrait pas, comme les religions transcendantes, diviser le monde en deux règnes opposés. On est tenté de souligner la précarité des opinions plutôt que l'absolu des engagements. Aussi longtemps qu'il reste place pour la discussion, mieux vaut, en effet, se souvenir qu'il n'y a pas d'humanité possible sans tolérance et qu'il n'est accordé à personne de posséder la vérité totale. » Et pourtant, « pour une tâche historique, l'homme doit assumer le risque qui, pour lui, emporte le tout ».

La philosophie qui se dégage des quatre derniers paragraphes du livre contient implicitement une certaine idée de l'homme, avant tout d'un homme qui s'engage, qui se fait lui-même en jugeant l'esprit objectif qu'il a intériorisé, qui décide de lui-même en s'efforçant de rendre son milieu conforme à son choix : « L'homme qui a conscience de sa finitude, qui sait son existence unique et limitée, doit, s'il ne renonce à vivre, se vouer à des fins dont il consacre la valeur en leur subordonnant son être... Ce n'est donc ni céder à la mode de philosophie pathétique ni confondre l'angoisse d'une époque bouleversée avec une donnée permanente ni sombrer dans le nihilisme que de rappeler comment l'homme se détermine lui-même et sa mission en se mesurant au néant. C'est là, au contraire, affirmer la puissance de celui qui se crée en jugeant son milieu et en se choisissant. Ainsi seulement l'individu intègre en son moi essentiel l'histoire qu'il porte en lui et qui devient la sienne. »

Il restait, il reste encore, la question majeure : que faut-il entendre par histoire-réalité ? L'ensemble des sociétés humaines constitue-t-il *une unité* ? Peut-on rassembler les milliers de groupes humains depuis les bandes paléolithiques et les tribus néolithiques jusqu'aux empires et aux nations de notre temps sous le concept de l'Histoire ? Je n'envisageai que les sept mille années durant lesquelles se sont développés ou multipliés les unités collectives ou les univers spirituels. Et j'affirmai, non sans hésitation et scrupules de conscience, que l'homme a une histoire ou plutôt « est une histoire inachevée ». Formule qui probablement se nourrissait de mes souvenirs kantiens.

Ces dernières pages témoignent, me semble-t-il, de la tension entre mes réactions immédiates, affectives à l'expérience historique, et mes spéculations : « Chaque être humain est unique, irremplaçable en soi-même et pour quelques autres, parfois pour l'humanité elle-même. Et pourtant l'Histoire fait des individus une effroyable consommation qu'on ne voit pas le moyen d'éviter tant que la violence sera nécessaire aux changements sociaux. » On sacrifie les hommes à des fins historiques et pourtant ces fins se situent ici-bas. « Le jugement moral qui rapporte l'acte à l'acteur se révèle dérisoire face à la sublimité monstrueuse de l'histoire, condamnée tout entière si elle est mesurée à la loi d'amour ou à l'impératif de la bonne volonté : doit-on soumettre le chef ou le maître à la règle commune ? Puisqu'il est un entre les autres, comment éviter la réponse affirmative ? Puisqu'il est comptable de son œuvre plus que de sa conduite, responsable devant l'avenir, la réponse négative l'emporte. »

Puisque la condition de l'homme est historique — être fini qui se dévoue à des œuvres périssables et veut atteindre des buts au-delà de lui-même et de sa durée infime —, comment ne pas s'interroger sur la fin de l'histoire ? Non la fin cosmologique ou biologique de l'humanité incapable de vivre sur un continent, devenu inhabitable par la force des éléments ou par la folie des hommes, mais la fin que Kant ou Hegel avaient conçue : un état de l'humanité qui répondrait à sa destination et qui réaliserait pour ainsi dire la vérité dont les hommes sont en quête.

« Cette vérité devrait être au-dessus de la pluralité des activités et des valeurs, faute de quoi elle retomberait au niveau des volontés particulières et contradictoires. Elle devrait être concrète, faute de quoi, comme les normes éthiques, elle resterait en marge de l'action. A la fois théorique et pratique, à l'image du but qu'avait conçu le marxisme. Par le pouvoir acquis sur la nature, l'homme parviendrait peu à peu à un pouvoir égal sur l'ordre social. Grâce à la participation aux deux œuvres collectives, l'État qui fait de chaque individu un citoyen, la culture qui rend accessible à tous l'acquis commun, il réaliserait sa vocation : conciliation de l'humanité et de la nature, de l'essence et de l'existence. » Et j'ajoutai : « Idéal sans doute indéterminé puisque l'on conçoit diversement participation et réconciliation mais qui, du moins, ne serait ni angélique ni abstrait. »

J'ai rarement fait allusion à cette idée de la Raison, à cette fin de l'Histoire, dans mes livres postérieurs, bien que j'en aie conservé la nostalgie. Après la guerre, je reprochai à Sartre et à Merleau-Ponty d'avoir confondu un but particulier avec la fin de l'Histoire — confusion qui nourrit le fanatisme puisqu'elle transfigure les combats entre les classes et les partis en la lutte, moins éternelle que finale, du bien et du mal. Peut-être le style des dernières lignes de la thèse me semble-t-il aujourd'hui exagérément pathétique : « L'existence est dialectique, c'est-à-dire dramatique, puisqu'elle agit dans un monde incohérent, s'engage en dépit de la durée, recherche une vérité qui fuit, sans autre assurance qu'une science fragmentaire et une réflexion formelle. » Ni satanique ni désespéré, je vivais à l'avance la guerre mondiale que mes juges de la salle Louis-Liard ne sentaient pas venir.

Autrement lucide, Bernard Groethuysen, dans *la Nouvelle Revue Française*, écrivit : « La conception de l'Histoire de Raymond Aron et de sa génération est-elle plus proche du réalisme historique de Dilthey que de l'idéalisme philosophique de Simmel, Rickert et de Weber... Il voudrait arracher à l'Histoire son secret... C'est le pourquoi d'une génération qui cherche à comprendre son destin ou plutôt à vaincre son destin en le comprenant. Les livres d'Aron représentent le pathos de la nouvelle génération. Il y a quelque chose qui se passe et nous ne savons pas quoi. Et que va-t-il se passer... ? Aron est lié au temps par l'action ; il est responsable de ce qui s'y passe. C'est ce qui donne à son œuvre un caractère passionné. Passion tout intellectuelle en apparence, mais dans laquelle on retrouve toujours les inquiétudes et les soucis du citoyen. »

J'étais déjà proche de celui que je devins après la guerre. Léon Brunschvicg me dit, au cours de la soutenance : « Ce livre contient un programme pour une vie entière. » Il disait vrai : un programme indéfini, inachevable.

Deux lettres me touchèrent et me donnèrent confiance dans ce travail dont j'avais hâté l'achèvement afin d'arriver au but avant la guerre prévisible. L'une de Henri Bergson : « Mon cher Collègue, l'état de ma santé m'a obligé à interrompre ma correspondance pendant plusieurs semaines. Ceci vous expliquera pourquoi je ne vous ai pas remercié plus tôt pour l'aimable envoi de votre " introduction à la philosophie de l'Histoire ". Je vous avais pourtant lu tout de suite, et avec un vif intérêt. Le livre est plein d'idées et suggestif au plus haut point. Si l'on pouvait lui adresser un reproche, ce serait justement de lancer l'esprit du lecteur vers un trop grand nombre de pistes. " Felix culpa ", sans aucun doute ; mais il résulte de là qu'une seconde lecture serait nécessaire pour avoir une idée de l'ensemble. Cette seconde lecture je la ferai si cela m'est possible, et je prendrai pour points de repères celles de vos idées qui me paraîtront les plus conciliables avec ce que je pense moi-même, en particulier la considération

des effets du *découpage* et de la *rétrospection*. Mais dès
à présent je tiens à vous adresser mes compliments
pour ce livre, et j'y joins l'expression de mes sentiments
bien sympathiques. » Henri Bergson répondait toujours
aux auteurs qui lui envoyaient leurs livres et il témoignait d'une grande indulgence. La lettre ne révélait pas
nécessairement l'appréciation authentique du philosophe. Mon cousin le docteur Émile Aron, qui le soigna
pendant les années de guerre, m'assura que Bergson
attendait effectivement beaucoup du jeune philosophe.

Une autre lettre me vint de Jean Cavaillès que nous
respections et admirions tous à l'École. L'étincelle de
l'amitié devait jaillir, quelques années plus tard, à Londres, quand le chef du réseau Cahors vécut chez moi
pendant quelques semaines. « Je te remercie bien vivement de l'amical envoi de ton livre. Je l'ai lu ces
vacances avec une admiration et un intérêt toujours
nouveaux. Il y a là une rigueur d'analyse et une domination maîtresse de l'ensemble que l'on retrouve partout avec la même joie intellectuelle — comme aussi ta
lucidité à préciser la portée véritable des différentes
démarches. Ce souci d'une probité totale est peut-être
la chose dont je te sais le plus de gré. Tes nombreuses
distinctions (et d'abord la distinction générale entre
compréhension et causalité) et ta critique de Weber à
propos du déterminisme, de la probabilité sont extrêmement importantes et lumineuses. J'avais retardé cette
lettre dans l'espoir de t'en parler en détail mais c'est un
jeu inutile si on n'a pas quelque chose de précis à dire :
la seule chose pour l'instant est la reconnaissance du
lecteur... Quant à la section I, en particulier les paragraphes sur la connaissance de soi et d'autrui, ils sont
au centre même de la philosophie et sont ce que j'ai lu
de plus beau en français depuis bien des années. »

Lucien Lévy-Bruhl, que je ne connaissais pas,
exprima le désir de me rencontrer. J'eus une longue
conversation avec cet homme qui forçait le respect. Philosophe de formation, il l'était resté en dépit de sa
conversion à la sociologie. Pendant de longues années,
c'est lui qui décida des nominations aux chaires de philosophie de France. Personne ne mit en doute son
esprit d'équité ou ne le soupçonna d'une quelconque

partialité en faveur de ses amis ou des philosophes proches de son rationalisme positiviste. Une grande partie de notre conversation porta sur la guerre — qu'il détestait en pacifiste mais qu'il voyait venir sans illusion, sans désespoir. Il gardait sa foi morale, par-delà les horreurs à venir. Il mourut quelques semaines plus tard. Il m'était apparu attentif au monde ; son accueil, amical plutôt que cordial, réservé mais sans l'ombre de hauteur. L'âge avait sculpté, non déformé, ses traits, son visage respirait la sérénité ; travailleur conscient d'avoir accompli sa tâche, il s'intéressait à l'œuvre qu'il ne connaîtrait pas. Je n'ai jamais oublié cet entretien et la leçon que me donnait, par son être même, un grand universitaire dont, à l'époque, je me croyais à tort éloigné.

VI

LE CHEMIN DE LA CATASTROPHE

Je ne pris aucune part aux débats, politiques et intellectuels, entre 1934 et 1939, mais je suivis les événements avec tant de passion, au cours de ces années maudites, que je crois nécessaire de les évoquer. Je ressentais en moi-même les déchirements de la nation, je pressentais la catastrophe qui guettait les Français, dressés les uns contre les autres et que même le malheur ne parvint pas à rassembler.

La plupart de mes compagnons de ce temps ne sont plus. Mes familiers d'aujourd'hui appartiennent à une autre génération, ils ne connaissent l'avant-guerre que par les livres. Ils comprennent mal ce que fut la décadence de la France : les plus jeunes éprouvent même quelque peine à imaginer le climat parisien de la guerre froide. Ces pages s'adressent à mes amis, éveillés à la réflexion politique vingt ou trente ans après moi.

Entre 1929 et 1931, la France, relativement épargnée par la crise, ne souffre pas d'un chômage massif comme la Grande-Bretagne ou l'Allemagne. En 1931, contraint et forcé, le gouvernement d'union nationale de Londres prend la décision qui libère et sauve l'économie ; il consent à la dévaluation de la livre et abandonne la valeur de la monnaie aux mouvements du marché. Comme la plupart des matières premières sont, à l'époque, évaluées en livres, leurs prix baissent pour les pays, la France par exemple, qui n'ont pas modifié la parité de change de leur monnaie par rapport à l'or ou — ce qui revient au même — aux monnaies dominantes du marché mondial.

Le taux de stabilisation du franc a été mal calculé par Raymond Poincaré en 1926, à un niveau trop bas ; l'or s'accumule en France. A partir de 1931, le flux se renverse, l'or fuit la monnaie désormais surévaluée ; les maux inévitables de cette surévaluation se précipitent. Le secteur protégé, celui qui ne se trouve pas en concurrence avec l'économie mondiale, maintient ses prix ; le secteur ouvert sur le monde perd ses marchés, cherche des marchés de remplacement dans l'empire et doit réduire les coûts de production et les prix de vente. De 1931 à 1936, contre vents et marées, tous les gouvernements, de la gauche modérée (1932), du centre ou de la droite, s'en tiennent à cette politique. Quand Laval arrive au pouvoir, il pousse jusqu'au bout la politique ancienne ; il décrète d'autorité la baisse de tout — les traitements des fonctionnaires, les dépenses budgétaires, les coûts de production — et il refuse la mesure complémentaire que ses conseillers, Jacques Rueff le premier, lui recommandent, la dévaluation. Les gouvernements successifs, Doumergue, Flandin, Laval, avaient tous contribué au drame de l'économie française. 1931 : la France épargnée par la crise, assise sur son tas d'or ; 1936, la France secouée par des grèves généralisées semble glisser vers la guerre civile. Seule de tous les pays industrialisés, elle n'était pas sortie de la crise en 1936 ; le niveau de la production de 1929 n'avait pas été retrouvé et nos gouvernants — Paul Reynaud excepté — n'avaient pas encore compris l'absurdité du patriotisme monétaire.

Telle était pour Robert Marjolin, quelques amis et moi-même, la toile de fond. La crise mondiale, le refus des gouvernants — les ministres mais aussi les responsables de l'économie — de prendre les décisions qu'exigeaient les dévaluations de la livre et du dollar, condamnaient notre propre économie à une cure prolongée de baisse des prix et à un affaiblissement progressif. La déflation se répercutait sur la condition des ouvriers. La pression qu'exerçait en permanence sur les travailleurs l'effort de produire au meilleur prix était accrue non pas tant par l'inhumanité des patrons que par la contrainte dérivée de la surévaluation monétaire. Nous assistions, impuissants, exaspérés, à cette aberration suicidaire.

Sur le devant de la scène, la rivalité des partis se prolongeait, les scandales financiers déchaînaient les campagnes de presse et poussaient au rouge les passions partisanes. Les émeutes de 1934 ne révélèrent pas l'action ou les intrigues d'un authentique parti fasciste. L'affaire Stavisky, les mutations fantaisistes de hauts fonctionnaires de la préfecture de Police à la Comédie-Française, les défilés des Croix-de-Feu du colonel de La Rocque, un service d'ordre tour à tour passif et violent provoquèrent une de ces journées historiques, le 6 février, dont la France conserve le secret (mai 1968 témoigna de cette fécondité intacte de la nation). Au Havre, j'observai de loin ces péripéties, déjà isolé par mon obsession du péril extérieur. Antifasciste, je l'étais de toute évidence, mais comment résister à la menace hitlérienne si le gouvernement ne s'appuie que sur la moitié de la nation ?

Au cours des années 30, je refusai de me joindre au comité de vigilance des intellectuels antifascistes, pour deux raisons majeures : d'abord il n'existait pas en France de péril fasciste, au sens que l'on donnait à ce terme d'après les exemples de l'Italie ou de l'Allemagne. Le colonel de La Rocque ressemblait plus à un chef d'anciens combattants qu'à un démagogue capable d'allumer la fureur des foules. Ensuite, le groupement des intellectuels antifascistes rassemblait des alinistes (pacifistes avant tout), des communistes ou compagnons de route et des socialistes bon teint. Ils détestaient tous le fascisme et la guerre, mais, sur le problème essentiel, l'attitude à l'égard du IIIe Reich, ils différaient. A partir de 1935, de la visite de Pierre Laval à Moscou et de la déclaration commune des deux gouvernements (Staline y affirmait sa compréhension des exigences de la défense nationale française), le parti communiste avait « fermé » la chronique des « gueules de vaches » de *l'Humanité*, liquidé l'antimilitarisme primaire, hissé le drapeau tricolore et rejoint la coalition antifasciste. Nous connaissions déjà leur « nationalisme étranger », pour reprendre le mot de Léon Blum ; les disciples d'Alain n'étaient pas les seuls à suspecter les intentions de leurs alliés : s'agissait-il de prévenir la guerre ou de la détourner vers l'ouest ? L'Union soviétique n'avait pas de frontière commune avec l'Allemagne. La Pologne et la Roumanie ne craignaient pas moins leur pseudo-protecteur de l'Est que leur agresseur potentiel de l'Ouest.

Je n'étais d'accord avec aucun des partis, avec aucune des motions. Chaque événement — rétablissement du service militaire en Allemagne, guerre d'Abyssinie, entrée de l'armée allemande en Rhénanie, puis en 1938 à Vienne, accord de Munich — déclencha un des grands débats dont les intellectuels français restent friands et dans lesquels se confondent les considérations d'intérêt national et les passions idéologiques.

L'expédition entreprise par Mussolini en Éthiopie à la fin de 1935 imposait à la diplomatie française un de ces choix déchirants qui symbolisent la grandeur et la servitude de la politique. Approuver ou excuser l'agression italienne, c'était ébranler les principes moraux dont se réclamait l'action française au-dehors, renier les discours, les professions de foi des hommes d'État qui, à Genève, avaient plaidé la cause de notre pays et de la paix. Appliquer à l'Italie coupable d'agression des sanctions efficaces, c'était briser le front qui s'était formé en 1934 à l'occasion de l'attentat contre le chancelier Dollfuss à Vienne, c'était pousser le fascisme italien vers le national-socialisme allemand, c'était s'écarter du gouvernement britannique qui, soudainement converti à la doctrine de sécurité collective, voulait mobiliser la Société des Nations contre l'Italie et pour le droit international.

En aucun cas, la crise ne créait un risque sérieux de guerre. L'Italie fasciste — on en eut la preuve pendant la guerre — ne possédait pas les moyens de répliquer à un embargo sur le pétrole ou à l'intervention de la *Royal Navy*. Le fascisme aurait-il survécu à une victoire de la Société des Nations, animée par la Grande-Bretagne et la France ? On en discutait il y a un demi-siècle, la même réponse demeure probable, et non démontrée : le fascisme n'aurait pas résisté à l'humiliation.

Aussi bien le débat des intellectuels commença avant même celui des diplomates. Le lendemain de l'entrée des troupes italiennes en Éthiopie, *le Temps* publia, le 4 octobre 1935, le manifeste des intellectuels français pour *la Défense de l'Occident et la paix en Europe*, dont j'extrais les lignes suivantes : « A l'heure où l'on menace l'Italie de sanctions propres à déchaîner une guerre sans précédent, nous, intellectuels français, tenons à déclarer devant l'opinion tout entière que nous ne voulons ni de ces sanctions ni de cette guerre. » En d'autres termes, les signataires de cet appel, Henri Massis en tête, assimilaient les sanctions à la guerre — ce qui était pour le moins improbable.

« Lorsque les actes des hommes à qui le destin des nations est confié risquent de mettre en péril l'avenir de la civilisation, ceux qui consacrent leurs travaux aux choses de l'intelligence se doivent de faire entendre avec vigueur la réclamation de l'esprit. On veut lancer les peuples européens contre Rome. On n'hésite pas à traiter l'Italie en coupable, sous prétexte de protéger en Afrique l'indépendance d'un amalgame de tribus incultes, qu'ainsi l'on encourage à appeler les grands États en champ clos. Par l'offense d'une coalition monstrueuse, les justes intérêts de la communauté occidentale seraient blessés, toute la civilisation serait mise en posture de vaincue. L'envisager est déjà le signal d'un mal mental où se trahit une véritable démission de l'esprit civilisateur... »

Un peu plus loin, on évoquait « la conquête civilisatrice », la coalition de « toutes les anarchies, de tous les désordres contre une nation où se sont affirmées, relevées, organisées, fortifiées depuis quinze ans quelques-unes des vertus essentielles de la haute humanité ». Éloge des vertus fascistes, de la mission civilisatrice de l'Occident, cette sorte de littérature s'est réfugiée, à supposer qu'elle survive encore, dans les marges obscures de notre pays ; elle exprimait à l'époque la sensibilité ou la pensée d'une droite à laquelle se ralliaient un Gabriel Marcel ou un Jean de Fabrègue.

Les catholiques de gauche ou les démocrates-chrétiens répliquèrent à ce texte par un autre appel qui, avec d'autres arguments, aboutissait à la même conclusion : le refus de mesures qui risquaient de déclencher la guerre : « ... il faut constater comme un fait que le monde est impuissant à intervenir par la force des armes contre le conflit de l'Éthiopie sans courir à des maux encore plus grands ». Il était pour ainsi dire admis que l'on ne pourrait arrêter l'Italie que par la force et que l'emploi de la force contre l'Italie embraserait l'Europe. Pour le reste, la gauche chrétienne rappelait que l'œuvre colonisatrice n'a pas été « accomplie sans lourdes fautes » : « ... on doit considérer comme un désastre moral que les bienfaits de la colonisation occidentale soient manifestés à ces peuples avec un éclat inégalé par la supériorité de ses moyens de destruction mis au service de la violence et qu'on prétende avec cela que les violations du droit dont témoigne une telle guerre deviennent vénielles sous prétexte qu'il s'agit d'une entreprise coloniale... Il importe aussi de dénoncer le sophisme de l'inégalité des races. Si l'on veut dire que certaines nations se trouvent dans un état de culture moins avancée[1] que d'autres, on constate simplement un fait évident. Mais on passe de là à l'affirmation implicite d'une inégalité *essentielle* qui députerait certaines races ou certaines nations au service des autres, et qui changerait à leur égard les lois du juste et de l'injuste... » La condamnation morale du texte de Massis ne laissait de place ni au doute ni à l'ambiguïté mais elle ne suggérait pas une action politique clairement distincte de celle que prônait la droite. Elle écartait la force, ne mentionnait même pas les sanctions qui eussent été efficaces sans recours à la flotte ou à l'armée. Le refus du recours à la force, de la guerre ou même du risque de la guerre, unissait tous les intellectuels chrétiens dans la rhétorique et l'irréalité.

Quant à la gauche, elle répliqua par un manifeste *Pour le respect de la loi internationale* : « Les soussignés... s'étonnent aussi de trouver sous des plumes françaises l'affirmation de l'inégalité des races humaines en droit, idée si contraire à notre tradition et si ignominieuse en elle-même pour un si grand nombre de mem-

---

1. Cette remarque de fait trahit une philosophie « progressiste » de l'Histoire.

bres de notre communauté... Ils considèrent comme le
devoir du gouvernement français de se joindre aux
efforts de tous les gouvernements qui luttent pour la
paix et pour le respect de la loi internationale... »

Les membres du *Comité de vigilance antifasciste* se
solidarisèrent avec cette dernière motion. Elle promettait la paix par le respect de la loi internationale et se
gardait de répliquer à l'argument de l'autre camp : faut-
t-il imposer le respect de la loi internationale par la
menace ou l'emploi de la force ? Dans une discussion, à
l'*Union pour la Vérité* je crois, quand j'analysai les exigences de la sécurité collective, Jean Wahl se hâta de
prendre ses distances : la force, il la refusait en tout état
de cause. Sur ce point, tous les intellectuels se retrouvaient, incapables d'obéir à la logique de leurs prises de
position respectives, incapables de reconnaître que
l'acceptation d'un risque immédiat peut prévenir un risque autrement grave à quelques mois ou quelques
années d'échéance.

L'entrée des troupes allemandes en Rhénanie se produisit alors que la crise éthiopienne n'était pas encore
liquidée. Contre l'avis de ses conseillers, Hitler envoya
quelques détachements de la Wehrmacht dans la zone
démilitarisée, non sans donner l'assurance aux chefs
militaires que les troupes se retireraient si l'armée française répliquait à cette violation du traité de Locarno.
Le gouvernement Sarraut se trouvait à quelques
semaines des élections générales ; le ministre de
l'Armée, le général Maurin, affirma qu'une mobilisation devrait précéder l'intervention de l'armée française
en Rhénanie. Rarement les responsables d'une puissance qui se voulait encore grande eurent une occasion
comparable d'influer sur le destin de leur patrie et du
monde. La conscription avait été rétablie par Hitler en
1935 ; à peine une année plus tard, la transformation
d'une petite armée d'élite en une armée nationale ne
pouvait pas être déjà assez avancée pour que le grand
état-major acceptât l'épreuve de force. Certes, la Rhénanie était allemande et Hitler invoquait, une fois de
plus, le principe de non-discrimination, que les ex-vain-
queurs de la guerre n'osaient plus refuser, mais la réoccupation de la Rhénanie constituait une violation d'un

traité librement signé par l'Allemagne. La démilitarisa-
tion de la Rhénanie n'enlevait pas au Reich une province, à ses habitants leur liberté; elle assurait la seule
précaution possible contre les projets que le chancelier
allemand avait proclamés à l'avance quand il n'exerçait
pas encore le pouvoir.

Quelle fut la réaction des intellectuels ? Un jour ou
deux après le mouvement des troupes allemandes, je
rencontrai Léon Brunschvicg au bas du boulevard
Saint-Michel. La conversation se porta sur les événements. « Cette fois, heureusement, me dit-il, les Britanniques s'efforcent de nous calmer. » (Le ministre des
Affaires étrangères, P. E. Flandin, se trouvait alors à
Londres.) J'essayai de lui expliquer de mon mieux la
portée de la remilitarisation de la Rhénanie, l'effondrement de notre système d'alliances, notre incapacité de
venir dorénavant au secours de la Tchécoslovaquie et
de la Pologne, la contradiction entre notre appareil
militaire, destiné à la défensive, et nos obligations
d'alliance — contradiction que, dans notre groupe,
nous commentions volontiers. Léon Brunschvicg
m'écouta, à demi convaincu, et conclut, ironique à
l'égard de lui-même et désabusé : « Heureusement mes
opinions politiques demeurent sans conséquence. »
Quelque trente ans plus tard, à une soutenance de
thèse, celle de Julien Freund, Jean Hyppolite fit la
même remarque sur lui-même. Il est facile de penser la
politique, mais à une condition : en discerner les règles
et s'y soumettre. Je consens que les penseurs laissent à
d'autres la tâche ingrate de penser cette activité, mais
ils se résignent rarement à cette abstention.

Les réactions des porte-parole attitrés de l'intelligentsia furent-elles de meilleure qualité intellectuelle ?
L'article d'E. Berl dans *Marianne*, le 11 mars, ne manquait pas de bon sens. Intitulé « Dictateurs et procédu-
riers », l'article opposait Hitler qui avançait ses pions à
la France qui ne s'occupait que de procédure. « Monsieur Hitler avance ses troupes vers notre frontière et il
nous offre la paix. Nous devons de même offrir la paix,
multiplier les troupes et réclamer l'assistance des
nations qui nous l'ont promise. Le pire serait d'exciter
de plus en plus le bellicisme allemand et d'opposer à ce

bellicisme des tranchées de moins en moins profondes. »   Le texte le plus élaboré, le plus représenta-
tif et aussi le plus consternant émana du *Comité de vigi-*
lance des intellectuels antifascistes, présidé par Rivet,
Langevin et Alain. Je ne fatiguerai pas le lecteur par la
reproduction du texte intégral. Il commençait par
l'affirmation suivante : « La dénonciation unilatérale
du pacte de Locarno, quels que soient les arguments
invoqués pour la justifier, est politiquement, juridiquement, moralement indéfendable. » Un peu plus loin on
lisait : « Le conflit actuel n'est pas entre l'Allemagne et
la France, mais entre l'Allemagne d'une part, toutes les
puissances signataires du traité de Locarno et la SDN
d'autre part. » Entre le point 1 et le point 7, la déclaration rappelait les « responsabilités particulières et
lourdes encourues par plusieurs de nos gouvernements
dans la suite des événements qui ont mené à la situation
actuelle », elle incitait la France à « rompre, de la façon
la plus catégorique, avec une longue tradition de routine et d'erreurs dont la plus néfaste a été l'occupation
du bassin de la Ruhr ». Quelle conclusion ? « La seule
solution honorable pour tous et efficace pour la paix
est la rentrée de l'Allemagne dans la SDN et sur la base
de l'égalité absolue des droits et des devoirs... » Puis,
au point 9, pour tenir compte des demandes du parti
communiste, la précision suivante : « ... si la France
démocratique, surmontant sa profonde aversion pour le
régime hitlérien, accepte dans l'intérêt supérieur de la
paix de négocier et de traiter dans le cadre de la SDN
avec le IIIe Reich, elle ne peut reconnaître à celui-ci le
droit de se poser en champion de la civilisation occidentale et de repousser tout contact avec l'URSS, membre de la SDN ».

Bien rédigé, bien argumenté, ce manifeste, qualifié
d' « admirable » par Jean Guéhenno, illustre tragiquement la naïveté des intellectuels antifascistes face à
l'événement. Le 7 mars 1936 le gouvernement français
devait dire oui ou non, agir ou tolérer : tout le reste
n'était que *words, words, words*. Le « retour du
IIIe Reich à la SDN », tout ce verbiage ne présentait
aucun sens. L'esprit jouait à vide, à seule fin, inconsciemment, de camoufler le renoncement. La plupart des

chancelleries, en dehors de France, comprenaient la portée de l'événement. Le gouvernement polonais fit savoir, je crois, qu'il était prêt à faire entrer ses troupes en Allemagne si les nôtres pénétraient en Rhénanie. Les intellectuels de gauche ne le comprenaient pas ou ne voulaient pas le comprendre. Que l'on relise l'article de Jean Guéhenno, dans *Marianne* du 13 mars : « Le moment de la première alarme passé, le pays a tout de suite retrouvé sa sagesse... Une telle déclaration [celle du *Comité de vigilance*] fait que de cette alarme même, de ces folies [d'Hitler], de ces violences, la paix peut naître enfin, la vraie paix, " l'Europe ", si la France trouve enfin les hommes capables de parler vraiment pour elle, si la France le veut. » La France avait perdu sans la défendre la seule garantie de paix qu'elle devait à la mort de 1 300 000 de ses enfants ; les intellectuels louaient un peuple qui, une semaine après l' « alarme », retrouvait sa « sagesse ».

Peut-être convient-il de citer Léon Blum dont je ne méconnais certes pas le courage, la hauteur morale, mais dont les biographes-hagiographes finissent par dissimuler l'aveuglement. Qu'écrivait-il dans *le Populaire* du 7 avril ? Lisons : « Le texte littéral du pacte de Locarno ne peut prêter à aucune espèce de doute. L'occupation militaire de la zone rhénane y est assimilée en termes formels à une agression non provoquée et à une invasion du territoire national. Le gouvernement français aurait donc le droit strict de considérer le passage du Rhin par la Reichswehr comme une voie de fait flagrante, comme un acte de guerre et même je le répète, comme une invasion. Il ne l'a pas fait. Je ne crois pas qu'il ait songé un seul instant à le faire [1], je n'ai pas connaissance qu'un seul parti politique, qu'un seul organe responsable de l'opinion lui ait reproché de ne pas l'avoir fait. Au lieu de remettre ses passeports à l'ambassadeur allemand, de mobiliser, de mettre les puissances garantes en demeure de remplir sur-le-champ des obligations militaires incontestables, il a saisi la Société des Nations. Entre le règlement direct

---

1. C'était inexact : au Conseil des ministres, il fut question d'une réplique militaire.

par les armes et la procédure du règlement pacifique par l'entremise et l'action internationales, ni le gouvernement français ni l'opinion française n'ont hésité. Ne nous y trompons pas, c'est un signe des temps. C'est la preuve du changement immense dans lequel le socialisme peut revendiquer orgueilleusement sa part. » Léon Blum a-t-il jamais pris conscience de ses aberrations, de la faute commise par un homme d'État qui sacrifie les intérêts et même la sécurité du pays à ses illusions, qui confond une abdication avec le signe d'un monde nouveau ? En prison, après la défaite, en 1941, il fit une demi-confession : « Parce qu'elle était pacifique par essence, la France a voulu croire à la possibilité d'une « coexistence paisible » entre les démocraties installées en Europe et l'autocratie guerrière qui s'y implantait. Elle a fait à cette possibilité des sacrifices de plus en plus coûteux, qui n'ont eu d'autres résultats que d'affaiblir son prestige au-dehors, de compromettre sa cohésion au-dedans et par conséquent d'aggraver le péril. »

Parmi ceux qui auraient saisi sur le moment même la portée du 7 mars 1936, j'ai entendu plus d'une fois citer Charles Maurras et *l'Action française* : la lecture des numéros immédiatement postérieurs à l'entrée des troupes allemandes en Rhénanie démontre le contraire. Le journal continua de dénoncer les sanctions contre l'Italie et la ratification de l'accord franco-soviétique. Ainsi, dans le numéro du 8, dans un appel aux Français sous le titre « Dissoudrez-vous la vérité ? », on lit : « Il s'agit d'intervenir contre l'Italie alliée, dans une affaire qui ne nous regarde pas. Il s'agit d'assouvir contre le fascisme abhorré la vengeance des Loges maçonniques, de servir les intérêts de l'Angleterre et d'obéir aux Soviets qui ont besoin de cette guerre pour déchaîner la révolution universelle. Pour cette cause-là, communistes, socialistes et radicaux acceptent que la France coure tous les risques... Ils viennent de voter le traité franco-soviétique qui met la paix à la merci des intérêts et des querelles de Moscou. Huit jours ont suffi pour que nous en voyions le premier et grave résultat, Hitler déchirant le traité de Locarno avec les derniers articles du traité de Versailles, la Rhénanie remilitarisée et les troupes allemandes bordant notre frontière. »

L'Action française, aussi bien que les journaux de gauche, « défendait la paix » : celle-là contre les sanctions votées par la SDN à l'encontre de l'Italie, ceux-ci contre une réplique militaire éventuelle à la violation du traité de Locarno. Ces polémiques restituent l'atmosphère de ces années maudites. Un mouvement d'opinion amène le gouvernement de Londres à prendre au sérieux, pour la première fois, la doctrine de la sécurité collective, il veut l'appliquer contre l'Italie, engagée dans une entreprise coloniale alors que l'ère coloniale s'achève et que monte la puissance allemande. La France ne le suit pas. Quand Hitler déchire le traité de Locarno que le Reich avait signé librement et bouleverse d'un coup l'équilibre européen, les Britanniques rendent aux Français la monnaie de leur pièce ; ils ne répliquent ni par des mesures militaires ni par des sanctions économiques à la remilitarisation de la Rhénanie. Ils se déclarent indifférents aux alliances françaises en Europe centrale et orientale, et, trois ans plus tard, ils entrent en guerre pour venir au secours de la Pologne que, depuis le 7 mars 1936, les démocraties occidentales ne peuvent plus protéger. La diplomatie britannique ne mérite pas plus d'indulgence que celle de la France.

Dans *l'Action française* du 9 mars, un passage de l'article de Maurras peut passer pour une invite à l'action : « Pendant deux semaines Bainville et après lui *l'Action française* ont représenté au gouvernement républicain que le moment viendrait, tôt ou tard, où, devant les empiétements graduels et les usurpations progressives de l'Allemagne, il faudrait enfin dire : " non ". Ce moment vient de naître. Cette dure fatalité vient d'échoir. » Vient le rappel des « erreurs et crimes » antérieurs, en particulier l'évacuation de Mayence, et voici la première conclusion : « Cette fatalité est dure, elle menace même d'être très dure, parce que, avec les devoirs accrus, les moyens de les remplir ont diminué et qu'il est devenu difficile d'opposer des actes efficaces, suffisamment efficaces aux faits audacieux que les vaincus d'hier imposent à l'ancien vainqueur. » Maurras, pas plus que les ministres, ne devine que Hitler bluffe et que ses troupes se retireraient devant les troupes françaises. Aussi bien le reste de

l'article écarte l'éventualité d'un rassemblement français face au danger : «...Puisque le gouvernement
demande un sacrifice politique à des Français qui n'ont
pas partagé ses sanglantes erreurs, ses folies sangui-
naires, qu'il prenne les devants et donne l'exemple d'un
sacrifice qui est dû. Qu'il s'en aille... Dehors Sarraut !
Dehors Flandin ! Dehors Boncour ! Dehors tous les
abjects synonymes des Chautemps et des Zay, vermine
qui pullule sur le corps de la France.»

Le 10 mars, Maurras s'exprime avec plus de clarté
encore. Il commence par : « Et d'abord, pas de guerre.
Et d'abord, nous ne voulons pas la guerre. Il est triste et
cruel d'avoir à dire cela, à l'écrire, et surtout à le
publier... »

Puis viennent quelques lignes sur ce qui aurait pu et
dû avoir lieu : «...Samedi après-midi, à la première
nouvelle des décisions d'Hitler, un gouvernement national, stable, cohérent, n'eût pas été embarrassé. Car ce
gouvernement aurait eu des troupes. Il aurait eu du
matériel et des munitions. Fort de son droit, fort des
pactes et des traités, un tel gouvernement eût fait occuper, dans le bref délai que l'événement lui laissait,
toutes les places de la Rhénanie que n'eussent pas
envahies les divisions au pas de l'oie... » Maurras
s'interroge ensuite sur les raisons pour lesquelles le
gouvernement n'a pas agi et il conclut : « Au point où
sont tombées les choses depuis quarante-huit heures, il
n'y a qu'un conseil et, hélas, hélas, trois fois hélas : un
conseil public à donner au gouvernement de la république : D'abord, pas de guerre !... Ensuite, il faut que
vous armiez. Armons, armons, armons. » Charles
Maurras, à partir de cette date, prit position contre les
« bellicistes » ou les « résistants » à l'hitlérisme, parce
qu'il prévoyait la défaite française. A cet égard, certes,
il ne se trompa point.

Je me suis reporté aux deux journaux, *l'Ordre* et
l'Écho de Paris, auxquels collaboraient respectivement
Émile Buré et Henri de Kerillis, tous deux crédités
d'une particulière lucidité à l'égard du péril hitlérien.
Le premier analysait correctement la conjoncture. Le
dimanche 8 mars 1936, il écrivait : « Le Führer dit que,
s'il rompt les engagements pris à Versailles et à

Locarno, c'est parce que la France a signé l'accord franco-soviétique. Détestable prétexte qui malheureusement sera accepté par une partie de l'opinion française, aveuglée par sa passion partisane... C'est l'épreuve de force : il s'agit maintenant de savoir si elle réussira, si les nations, menacées de vassalisation par l'Allemagne, laisseront le Führer les mains libres à l'est, comme il le leur demande. Alors nous serions vraiment en 1866. » Émile Buré passait pour entretenir des relations avec l'ambassade de l'Union soviétique : il ne recommandait pas la réplique militaire, il faisait appel à l'unité nationale et il pressentait l'avenir. « Aujourd'hui le viol de Locarno, demain le viol de l'Autriche, ensuite l'attaque brusquée sur tel point ou sur tel autre. Pourquoi se gênerait-il ? D'un côté il y a des boxeurs qui portent des coups. De l'autre des avoués qui les enregistrent. » (11 mars 1936.)

Henri de Kerillis, lui, le 9 mars 1936, titrait « Les crimes du Front populaire » : « La politique insensée qui consiste d'abord à s'appuyer sur le communisme moscoutaire quand ses représentants en France refusent les crédits militaires, sabotent la défense nationale... ne pouvait que conduire le pays à l'impasse effroyable dans laquelle il se trouve, à une des plus grandes humiliations de son histoire et au bord de la catastrophe. C'est la raison pour laquelle nous supplions, l'autre jour, les députés, les nationaux de refuser leur vote au pacte... » Il dénonçait ensuite « l'odieuse politique des sanctions », de « la rupture du front de Stresa à propos d'une bagatelle coloniale » et il appelait, contre le gouvernement Sarraut, un gouvernement d'union nationale « dégagé de l'esprit et de la pression des communistes ». Et, quelques jours plus tard, il concluait un article par ces mots : « Vive l'union sacrée contre le danger extérieur et les traîtres de l'intérieur. »

J'avais gardé le souvenir d'un article clairvoyant d'Alfred Fabre-Luce, antérieur à l'événement. Il m'en a indiqué la date et le lieu de publication (25 janvier 1936 dans *l'Europe nouvelle*). J'en extrais des passages dont l'histoire et les historiens ont confirmé la pertinence : « Le maintien du statut rhénan répond pour nous à un intérêt vital ; il est en outre le centre du traité de

Locarno qui est l'expression d'après-guerre de la solidarité franco-anglaise et la base sur laquelle de plus en
plus nous tendons à construire tout le reste de notre
système européen. C'est donc le point où nous devons
témoigner le maximum de fermeté ; et cette fermeté
même assurera la paix... L'abolition des clauses 42 et 44
du traité de Versailles, c'est justement, pour l'Allemagne d'après-guerre, l'équivalent de la livraison de
Toul et Verdun pour l'Allemagne de 1914, avec toute-
fois cette différence que l'obtention lui paraît
aujourd'hui plus facile. Parce qu'il s'agit de prendre
quelque chose qui se trouve déjà sur son territoire. Elle
envisage donc de le faire sans nous consulter. Un geste
serait en réalité une façon d'interroger la France sur
son attitude en cas de guerre dans l'Est européen.
L'absence de toute réaction militaire serait considérée
comme une réponse suffisante. A partir de ce moment,
l'Allemagne, jusqu'à nouvel ordre, ne s'occuperait plus
de nous. Elle préparerait sa guerre à l'est, assurée même
sans doute que cette modification des conditions de la
guerre amènerait l'opinion française à se prononcer
contre une intervention. Nous pouvons donc être appelés d'un moment à l'autre à jouer une partie essentielle.
La pire des illusions serait de céder sur ce terrain en
conservant l'espoir d'exercer avec la même efficacité
notre rôle de garant du statut européen. La pire des
absurdités serait d'intervenir dans la guerre orientale
dont la remilitarisation rhénane serait certainement la
préface, après avoir accepté cet handicap. D'autre part,
si nous ne devons pas intervenir, il ne faut pas laisser
les peuples d'Europe dans l'espoir que nous intervien-
drons... » Cette prise de position de 1936 explique et
justifie l'approbation que Fabre-Luce donna à l'accord
de Munich de 1938.

Quelques mois après l'entrée de la Reichswehr en
Rhénanie, le gouvernement du Front populaire arriva
au pouvoir et bientôt éclata la guerre civile espagnole.
Une fois de plus, la prise de position diplomatique ne
se séparait pas des préférences idéologiques ; la notion

de l'intérêt national se perdait dans le tumulte des passions.

J'étais de cœur avec les Républicains espagnols : autour de moi, le choix allait de soi. André Malraux, Édouard Corniglion-Molinier étaient partis immédiatement pour Madrid qui restait la capitale de l'Espagne républicaine. Parmi mes amis de l'Université, Robert Marjolin, Eric Weil, Alexandre Koyré, Alexandre Kojève, la question ne se posait pas davantage. Les généraux menaient une guerre civile après avoir pris l'initiative d'un coup d'État à demi avorté. Ils recevaient aide et assistance de l'Italie fasciste et de l'Allemagne hitlérienne. Georges Bernanos, disciple d'Édouard Drumont, qui avait écrit un livre passionnément antisémite, *la Grande Peur des bien-pensants*, écrivit, contre les nationalistes espagnols, un réquisitoire : *les Grands Cimetières sous la lune*. Malraux et Bernanos comparèrent leurs expériences des crimes perpétrés d'un côté et de l'autre. Salvador de Madariaga, que j'ai bien connu plus tard, se tint au-dessus de la mêlée, convaincu — il avait raison — qu'il ne pourrait vivre en Espagne quel que fût le camp victorieux, ni dans l'Espagne de Franco, ni dans celle des Républicains gangrenée par les communistes. Derrière Franco, se profilaient Hitler et Mussolini ; derrière les Républicains, Staline et son GPU, actif à l'arrière des combats et déjà occupé à la besogne de l'épuration.

La diplomatie de non-intervention sépara les deux fractions du Front populaire, socialistes et radicaux d'un côté, communistes de l'autre. Bien que, dans le milieu d'André Malraux, la politique de Léon Blum fût plus souvent critiquée qu'excusée, je me mettais à la place du président du Conseil, selon la leçon que m'avait donnée Joseph Paganon, et j'aboutissais à la même conclusion que lui. Un chef d'un gouvernement démocratique peut-il engager son pays dans une action qui comporte un risque de guerre et que la moitié du pays ne juge pas conforme à l'intérêt national ? A. Kojève, dans un entretien chez Léon Brunschvicg (celui-ci recevait tous les dimanches matin), expliqua que les Soviétiques craignaient, par une présence trop visible en Méditerranée, d'inquiéter le gouvernement de

Londres et de l'inciter à un rapprochement avec Berlin. Le dialecticien se heurta au scepticisme du mandarin aussi bien que des jeunes philosophes réunis. Il ne se trompait pas sur un point essentiel : le gouvernement de N. Chamberlain ne souhaitait guère la victoire des Républicains, hypothéquée par l'emprise des communistes et, du même coup, des Soviétiques.

Mon ami Golo Mann s'était fâché, m'a-t-il raconté récemment, avec nombre de ses amis de gauche parce qu'il pensait à l'époque que l'Espagne de 1936 n'était pas mûre pour une démocratie parlementaire. Le long règne de Franco répondait à une nécessité tragique. Quarante années après la guerre civile, sous le roi Juan Carlos, héritier légitime de la monarchie, choisi comme successeur par le général qui avait pris le pouvoir par les armes, l'Espagne devint une démocratie parlementaire, encore fragile, menacée par le terrorisme basque plus que par les généraux, malgré tout prête à entrer dans la Communauté européenne, à joindre son sort à celui de l'Europe libre.

Je connais trop mal l'Espagne d'hier et d'aujourd'hui pour porter un jugement, même platonique et rétrospectif, sur la guerre d'Espagne et mes sentiments de l'époque. Simone Weil avait connu de près et maudit l'action du GPU qui introduisit les méthodes moscovites dans la Catalogne, dernier bastion de la résistance ; elle aurait dissipé nos illusions sur le camp républicain si nous les avions cultivées, mais le ralliement de Franco au camp fasciste complétait l'encerclement de la France. Un troisième front risquait de surgir. En fait, l'Espagne franquiste n'a pas contribué à la victoire alliée, mais pas non plus à la victoire allemande. Quelle attitude aurait adopté une Espagne républicaine en 1940 ? La guerre civile espagnole apparut à juste titre comme le prélude de la guerre européenne, mais de celle qui commença en 1941 plutôt que de celle qui éclata en septembre 1939.

La victoire du Front populaire, en 1936, quelques mois après la remilitarisation de la Rhénanie, résultait logiquement de la politique déflationniste menée jusqu'au bout par Pierre Laval avec autant de courage que d'aveuglement et soutenue par la Chambre élue en 1932. Édouard Daladier, chassé du pouvoir par les émeutes du 6 février, s'engagea dans l'alliance avec le parti de Maurice Thorez et contribua, lui aussi, à la victoire du Front populaire. Nos sentiments, les miens, ceux de nos amis, par exemple de Robert Marjolin, ne s'accordaient avec les projets d'aucun des deux camps.

Nous savions, Marjolin et moi-même, quelques autres dans des groupuscules, parmi lesquels « X crise [1] », que l'application immédiate, soudaine du programme du Front populaire condamnait à l'avance l'expérience. L'augmentation des salaires horaires, la limitation de la durée hebdomadaire du travail à 40 heures, le refus de la dévaluation composaient un cocktail que l'économie ne pouvait absorber. Léon Blum croyait que la loi de 40 heures apporterait un emploi à des centaines de milliers de chômeurs. Alors même qu'il lança une politique d'expansion, le gouvernement réduisit la capacité physique de production d'un appareil vieilli par les années de déflation et l'insuffisance des investissements. La politique de Laval avait provoqué une baisse des prix ; il aurait suffi d'une dévaluation limitée du franc pour les remettre au niveau international et pour accélérer la reprise, amorcée avant la victoire du Front populaire. Léon Blum ignorait tout des prix mondiaux, du rapport entre les prix mondiaux et les prix intérieurs ; il ne savait pas — et peut-être ses conseillers ne le savaient-ils pas plus — combien des chômeurs recensés (entre 400 000 et 500 000) étaient en état de reprendre le travail. Marjolin envoya des notes au Cabinet de Léon Blum. Il écrivit aussi dans *l'Europe nouvelle* des articles en faveur de Paul Reynaud, au grand scandale de Célestin Bouglé qui y vit la trahison d'un jeune, que les socialistes avaient accueilli à bras ouverts et qu'ils considéraient comme un de leurs espoirs. C. Bouglé, dont l'absolue bonne foi était protégée par l'ignorance économique,

1. Un groupe d'études économiques, créé par des polytechniciens comme J. Coutrot, J. Ulmo, A. Sauvy.

jugeait des opinions en la matière, non par rapport au réel, mais par rapport aux partis. Quand je l'irritais trop, il me prophétisait — Mme Porée[1] me le rapporta — une fin de carrière en tant que critique économique du *Journal des Débats.* Peut-être la mort de ce journal m'a-t-elle épargné cette infortune.

François Goguel me rappela, il y a quelques mois, l'article intitulé « Réflexions sur les problèmes économiques français », que j'avais publié dans le numéro 4 de l'année 1937 de la *Revue de Métaphysique et de Morale.* L'article, me dit-il, l'avait sur le moment frappé par la pertinence, la fermeté de l'analyse. Je l'ai relu à mon tour, plutôt déçu par ce premier exercice d'une critique d'actualité (cependant meilleur que mes « Lettres » dans les *Libres Propos*).

Les remarques du début, sur les intellectuels, ne me déplaisent pas, aujourd'hui encore : « Les intellectuels interviennent donc, et à bon droit, dans les luttes politiques, mais on discerne deux modes de cette intervention : les uns agissent (ou prétendent agir) en clercs à seule fin de défendre des valeurs sacrées ; les autres adhèrent à un parti et acceptent les servitudes qu'entraîne cette adhésion. Chacune de ces attitudes me paraît légitime, pourvu qu'elle soit consciente d'elle-même. Mais pratiquement ceux qui se donnent pour clercs, intellectuels antifascistes ou interprètes des droits de l'homme, se conduisent en partisans. Glissement inévitable : il n'y a pas tous les jours une affaire Dreyfus qui autorise à invoquer la vérité contre l'erreur. Pour qu'ils puissent, en tant que tels, exprimer quotidiennement leur opinion, les intellectuels devraient avoir une compétence économique, diplomatique, politique..., etc. S'il s'agit de déflation ou d'inflation, d'alliance russe ou d'entente cordiale, de contrat collectif ou de niveau des salaires, la justice est moins en cause que l'efficacité. D'autre part, dans tous les partis, écrivains et professeurs apparaissent aujourd'hui comme des délégués à la propagande. On leur demande moins d'éclairer les esprits que d'enflammer les cœurs. Ils justi-

1. Mme Porée était la secrétaire du directeur de l'École. Une des premières dactylographes avant 1914, elle tapa pour les normaliens d'innombrables thèses ou diplômes d'études. Elle connaissait tout de l'École et jouissait d'une popularité proche de la célébrité.

fient et attisent les passions, rarement ils les purifient. Ils sont les hérauts d'une volonté collective. Les masses qui leur font confiance ignorent que tel illustre physicien, tel écrivain célèbre, tel ethnographe réputé[1] n'en savent pas plus long que l'homme de la rue sur les conditions de la reprise économique... Il ne suffit pas de pratiquer une discipline scientifique et de se dire positiviste pour échapper aux mythes. »

Pour le reste, la discussion, marquée par les débats de l'époque, ne présente plus qu'un intérêt historique : le livre d'Alfred Sauvy, *Histoire économique de la France entre les deux guerres*, instruira bien mieux le lecteur que mon texte de 1937. A celui-ci on reconnaîtra un mérite : avoir mis l'accent sur les deux causes essentielles de l'échec de l'expérience Léon Blum, le refus de la dévaluation d'abord, l'application rigide de la loi des 40 heures ensuite. « Si, après l'amélioration de 1933, la situation économique de la France s'est aggravée en 1934 et 1935, la cause essentielle en est, d'après toutes études sérieuses, la disparité des prix français et des prix mondiaux. Cette disparité ne compromet pas seulement les exportations, elle entretient sur toute l'économie une pression déflationniste... Un fait est aujourd'hui indiscutable : dans tous les pays du bloc-or, la dévaluation a amélioré rapidement et profondément la situation ; en déclenchant une hausse plus vive et plus forte des prix de gros que des prix de détail, elle a contribué à supprimer à la fois la disparité des prix intérieurs et la disparité entre prix intérieurs et prix mondiaux... » Le refus de la dévaluation s'explique, au moins en partie, par l'opposition du parti communiste. Quant à la loi des 40 heures, je l'imputai à tort au programme du Front populaire ; elle n'y figurait pas à l'origine, mais elle se trouvait dans celui du parti communiste. Au jugement que je portai à l'époque sur cette mesure la plupart des historiens souscriraient aujourd'hui. « Aucune des études nécessaires n'avait été faite au moment où le principe nouveau [les 40 heures] fut inscrit au programme du Front populaire, aucune des précautions indispensables... ne fut prise au

1. Paul Langevin, André Gide, Paul Rivet.

moment où la loi fut appliquée brutalement à toutes les branches de l'économie. On avait surestimé la puissance de l'industrie française que l'on jugeait, sans preuves, capable de produire en quarante heures autant qu'auparavant en quarante-huit. En fait, on réduisit la marge de reprise. » La moyenne du travail, dans les industries recensées, se situait aux alentours de 45 heures. Léon Blum apprit ces chiffres au procès de Riom : les simples particuliers, comme moi-même, pouvaient connaître la durée approximative du travail hebdomadaire.

Bien entendu, ce texte, relu aujourd'hui, appelle des corrections. Je sous-estimai les premières conséquences de la dévaluation, l'importance de la reprise que celle-ci aurait provoquée si l'application de la loi des 40 heures n'avait réduit la capacité productive de l'économie tout en accélérant l'allure de la hausse des salaires. De plus, bien que l'article s'en tînt aux aspects économiques de l'expérience Blum, j'aurais dû souligner la portée morale plus encore que sociale des réformes : un demi-siècle plus tard, la gauche, fidèle à elle-même, célèbre l'expérience Blum, les congés payés et sa défaite.

Bien entendu, je ne parvins pas à convaincre les universitaires qui, pourtant, auraient dû comprendre. Maurice Halbwachs discuta aimablement avec moi mais, bien qu'il fût un des spécialistes de l'économie dans l'équipe des durkheimiens, il ne fut pas ébranlé par mes arguments. Seul Léon Brunschvicg, dont la femme appartenait au gouvernement, me dit, un dimanche suivant la chute de Léon Blum : « Aucune personne intelligente n'avait cru au succès. »

Depuis lors, la personnalité de Léon Blum a été transfigurée comme celle de Jean Jaurès l'avait été entre les deux guerres. Son courage devant ses juges à Riom, l'indignité de ceux qui instruisirent son procès, l'admiration presque unanime qui l'accueillit à son retour d'Allemagne rendent presque impossible aux hommes qui ne vécurent pas les années 30 de juger sereinement l'action du président du Conseil du premier gouvernement du Front populaire. Et à l'époque, la haine que suscitait à droite le grand bourgeois, socialiste et juif — haine peu compréhensible pour les générations d'après-guerre —, nous interdisait pour ainsi dire d'apporter par nos critiques des arguments à des hommes ou des partis avec lesquels nous n'avions rien de commun. C'est pourquoi je confiai mon analyse de la politique économique du Front populaire à une revue confidentielle, la *Revue de Métaphysique et de Morale.*

A gauche, on se souvient, on veut se souvenir exclusivement des réformes qui firent date et survécurent : les congés payés, les conventions collectives, les négociations désormais habituelles entre les syndicats et les entrepreneurs. De fait, la législation et la pratique sociales en France étaient en retard sur celles des autres pays démocratiques d'Europe. Le patronat, la grande bourgeoisie, terrifiés par les occupations d'usines, détestèrent celui qui, tout en les sauvant d'une révolution, avait ébranlé le pouvoir royal des chefs d'entreprise. Les erreurs de Léon Blum n'effacent pas ses mérites, les uns et les autres tout aussi incontestables que la noblesse de l'homme.

Du reste, il ne manquait pas de circonstances atténuantes. La France n'avait pas d'Institut de la conjoncture. Les statistiques sur le chômage prêtaient à équivoque. Le programme du Front populaire avait été rédigé par une Commission dans laquelle le *comité de vigilance* joua probablement un rôle aussi important que les délégués des partis. L'ignorance de la situation ne se limitait pas aux hommes politiques ; les dirigeants de l'économie ne témoignèrent pas de plus de lucidité. Malgré tout, Paul Reynaud, conseillé par un banquier français aux États-Unis, Istel, dénonçait l'aberration des gouvernants et disait, seul, la simple vérité. Léon Blum ne dépassait pas le reste de la classe dirigeante par le savoir ou par le jugement. Au bout d'une année, le Sénat mit fin à l'expérience et le parti socialiste accepta enfin de participer à un gouvernement qu'il ne dirigeait plus.

Après l'échec du premier gouvernement du Front populaire, les événements suivirent leur cours sans nous surprendre. La direction radicale, avec Camille Chautemps, remplaça la direction socialiste. L'inflation se poursuivit, la première dévaluation, trop longtemps retardée, fut suivie d'une autre. A la faveur de la fusion des deux confédérations ouvrières, les communistes avaient pris des positions clés dans la CGT. Au-dehors, l'Italie de Mussolini avait lié son sort à celui du IIIe Reich. Quand, au printemps de 1938, Hitler décida d'annexer l'Autriche, d'éliminer le chancelier Schuschnigg, successeur de Dollfuss assassiné en 1934, la France n'avait pas de gouvernement et Mussolini se résigna à l'événement qu'il avait contribué à prévenir quelques années auparavant. Du jour où la Wehrmacht entra à Vienne, la question de la Tchécoslovaquie se posa. Quelques mois après, ce fut Munich.

Le nom de la capitale de la Bavière demeure dans le langage politique du monde entier un nom commun plutôt qu'un nom propre : un symbole. Munich, c'est sacrifier un allié dans l'espoir de s'épargner à soi-même l'épreuve de force ; c'est l'illusion que l'agresseur se contentera des victoires remportées sans combat ; c'est l'apaisement opposé à la résistance. La politique dite de Munich signifie donc aujourd'hui tout à la fois la faute morale et l'erreur intellectuelle, la lâcheté, la guerre retardée mais d'autant plus coûteuse et fatale. Je n'ai pas la prétention de corriger cette interprétation ; après tout, en dépit des faits les mieux établis, les historiens n'ont pas réussi à refouler la légende du partage du monde à Yalta.

Entre 1936 et 1939, la plupart des Français — ou plutôt des hommes politiques et des intellectuels — s'étaient rangés dans un camp ou dans un autre : pour ou contre le fascisme italien et la conquête de l'Abyssinie, pour l'insurrection des généraux espagnols ou pour la défense de la République. La gauche, dans l'ensemble, ne comprit pas que la réoccupation de la Rhénanie modifiait radicalement l'équilibre des forces en

Europe : notre armée, en position défensive derrière la ligne Maginot, perdait les moyens de porter secours à nos alliés à l'est du Reich. De 1933 à 1936, la gauche ne prêchait pas le réarmement, elle déclarait à l'avance perdue la course aux armements. Elle se convertit à la résistance, même militaire, contre Hitler à partir de la guerre d'Espagne. La résistance à Hitler, en mars 1936, comportait le minimum de risques : nous savons aujourd'hui qu'il n'y en avait aucun et nous devions savoir à l'époque que le péril était faible. L'intervention en Espagne n'allait pas sans danger, en tout cas pour l'unité nationale. En septembre 1938, une alliance nous obligeait à déclarer la guerre à l'Allemagne si celle-ci lançait ses cohortes à l'assaut du quadrilatère de Bohême. Cette fois, la résistance comportait une probabilité de guerre, mais l'autre terme de l'alternative consistait à imposer à Prague la capitulation, c'est-à-dire le détachement du pays des Sudètes et, du même coup, l'abandon de ses fortifications, de son matériel. Hitler fit savoir au monde, après son triomphe pacifique, l'énormité du butin.

Hommes d'État et simples citoyens s'interrogeaient : Hitler bluffait-il ou bien était-il résolu à attaquer la Tchécoslovaquie au cas où celle-ci ne céderait pas ? Si Hitler bluffait, la résistance s'appelait aussi la paix. S'il ne bluffait pas, la résistance provoquait une guerre, locale en tout cas, générale probablement. Ceux qui soutenaient la thèse du bluff se donnaient du même coup une bonne conscience : la paix par le courage et sans la guerre, qui ne la choisirait d'enthousiasme ? Mais ce langage, à coup sûr habile, me paraissait malhonnête. Au lendemain de Munich, quand je commençai mes cours à l'École de Saint-Cloud, je consacrai une demi-heure à des réflexions sur la crise. Je commentai le « lâche soulagement » de Léon Blum et je dénonçai avant tout les « marchands de sommeil », selon l'expression d'Alain, ceux qui incitaient les Français à la fermeté tout en les rassurant sur le prix de leur vaillance.

Je fréquentais à l'époque Hermann Rauschning qui avait gardé des relations avec les milieux de l'armée et des conservateurs allemands hostiles à l'aventure du

Führer. Il m'entretint plusieurs fois de la conspiration des généraux ; il m'assura que les chefs de l'armée se seraient rebellés au cas où Hitler aurait ordonné l'attaque sur la « Tchéquie », comme le Führer disait à l'époque[1]. Je conduisis Rauschning chez Gaston Palewski, chef du cabinet de Paul Reynaud, après la signature des accords de Munich ; Palewski écouta avec un visible scepticisme les propos de l'ancien maire de Dantzig. Le complot existait et Halder en a parlé après coup. Mais aujourd'hui encore les historiens en discutent. Les chefs militaires auraient-ils refusé au dernier moment d'obéir à l'homme auquel ils avaient prêté serment ? Auraient-ils déposé Hitler ?

En tout cas, personne n'avait le droit d'affirmer catégoriquement que Hitler bluffait et nous savons aujourd'hui qu'il ne bluffait pas. Il a même regretté parfois que l'intervention de Mussolini l'ait empêché de détruire la Tchécoslovaquie par les armes. Une fois admis le risque de guerre et l'obligation de l'alliance, l'homme d'État et les citoyens auraient dû peser les coûts et les avantages du sursis. A supposer que la guerre fût inévitable, que Hitler, en dépit de ses déclarations solennelles (« la dernière revendication »), eût poursuivi, en tout état de cause, l'application des plans de *Mein Kampf* et de ses projets exposés en 1937 aux responsables des forces armées, quelle était la date préférable, 1938 ou 1939 ? Cette délibération raisonnable, les passions déchaînées l'excluaient.

Je ne m'excepte pas des intellectuels que cette critique vise. Je ne pensais pas, à l'époque, que Hitler bluffait ; j'étais antimunichois, comme on disait, mais par émotion, sans connaître assez le rapport des forces, sans réfléchir sur la thèse sérieuse, peut-être valable, du « sursis ». Les antimunichois applaudirent par sentiment plus que par raison à la conversion de la diplomatie anglaise après l'entrée à Prague des troupes allemandes. Je ne compris que plus tard ce que n'importe quel diplomate aurait dû comprendre immédiatement : en concluant avec la Pologne un traité d'assistance mutuelle, le Royaume-Uni accordait automatiquement

---

1. Mais le dit-il déjà avant Munich ? Je n'en suis pas sûr.

une garantie à l'Union soviétique sans obtenir d'elle la moindre compensation.

Ironie de l'histoire et folie des passions : les munichois demeurent des criminels alors que ceux qui applaudirent la « sagesse » des Français en mars 1936 ne sont jamais mis en accusation. Le conformisme va si loin que Sartre, dans *le Sursis,* présente tous les munichois comme des « salauds », alors que lui-même, par pacifisme, approuva l'accord des Quatre. La conversion de la politique anglaise, en mars 1939, ne fait presque jamais l'objet d'un débat, comme si elle n'appartenait pas à la suite des actes et des événements qui décidèrent du destin.

Chacun peut reconstruire à sa manière l'histoire qui n'a pas eu lieu et conclure qu'il eût été préférable de livrer la guerre en 1938 ou aboutir à la conclusion opposée. L'armée tchèque valait mieux que l'armée polonaise, mais Hitler plaidait le dossier des Sudètes, Allemands qui avaient le droit à l'autodétermination en vertu des principes dont se réclamaient les Français. La volonté impérialiste au-delà du rassemblement des populations allemandes prêtait encore au doute et les *Spitfires* n'auraient pas été opérationnels dans une bataille d'Angleterre livrée un an plus tôt. Parmi les munichois figuraient, à coup sûr, nombre de ceux qui approuvèrent ensuite l'armistice et soutinrent le Maréchal. Mais parmi eux se trouvaient aussi des hommes qui jugeaient que la résistance à Hitler, en 1938, se manifestait trop tard (la Rhénanie était occupée) ou trop tôt : sans frontière commune avec le IIIe Reich, l'Union soviétique assisterait, l'arme au pied, à la bataille de l'Ouest, se réservant d'intervenir plus tard pour frapper le coup de grâce et élargir son espace de souveraineté ou d'influence.

Je lisais ces derniers jours, alors que je rédigeais ce chapitre, *Un voyageur dans le Siècle.* Je connaissais à peine, avant 1939, Bertrand de Jouvenel. Il commença sa carrière de journaliste et d'écrivain beaucoup plus tôt que moi. Alors que je me libérais péniblement des leçons d'Alain, il parcourait l'Europe et le monde, il fréquentait tous les hommes politiques de France et d'Angleterre. Par son père et son oncle Robert, il appartenait de naissance à la classe politique de la IIIᵉ République ; dans les salons de sa mère, il rencontra les fondateurs de « l'Europe de Versailles ». En 1919, quand fut signé le traité, j'habitais Versailles et, perdu dans la foule, je regardais passer les hommes qui construisaient le monde d'après-guerre. Il se trouvait probablement à la Galerie des Glaces.

Deux années d'écart — quatorze et seize ans — signifiaient encore beaucoup quand nous fréquentions le même lycée Hoche ; elles ne signifiaient plus rien cinq années plus tard. Nous appartenons à la même classe d'âge, mais il vivait déjà une existence de journaliste mêlé de près à la politique qui faisait l'Histoire, alors que je prolongeais des études conventionnelles, dans le cadre de l'Université ou en Allemagne. Je n'ai presque pas connu les amis de sa génération qu'il mentionne avec fidélité, voire avec admiration dans ses Mémoires. Je rencontrai une seule fois Jean Luchaire, auteur de *Une génération réaliste.* Un vague souvenir me reste de cette conversation. Je lui fis part de quelques-unes de mes préoccupations philosophiques ; il me répondit qu'il n'avait jamais entendu un homme de mon âge exprimer de telles préoccupations. Je ne fus pas ébloui par le talent que Bertrand lui prête, par générosité peut-être. J'ai rencontré plusieurs fois Alfred Fabre-Luce pendant les années 30. Je lus régulièrement la revue *Pamphlet* qu'il publia pendant une année avec Jean Prévost et Pierre Dominique, puis l'*Europe nouvelle* de Louise Weiss dont il devint le rédacteur en chef. Il me proposa de collaborer à la revue. C'est chez lui que je rencontrai une seule fois Drieu La Rochelle dont j'admirais le talent. André Malraux m'avait dit : « De nous tous, c'est lui qui est doué du talent d'écrivain le plus authentique, le plus spontané. » Drieu et Malraux restèrent amis en dépit de la divergence de leurs itinéraires politiques. Drieu et Jouvenel étaient amis mais non Jouvenel et Malraux (pendant l'Occupation, ils se retrouvèrent en Corrèze avec Berl).

Avec la génération dont Jouvenel raconte avec tristesse le naufrage, je partageais la révolte contre la guerre et le poincarisme, la volonté de réconciliation avec l'Allemagne de Weimar. Je n'étais pas lié, comme

Bertrand, à la Tchécoslovaquie, à l'Europe de Versailles, à la Société des Nations. Favorable en principe à cette dernière, j'étais revenu de quelques jours passés à Genève, pendant l'Assemblée générale, avec des sentiments mêlés. L'Allemagne n'était pas encore là ; les États-Unis se tenaient à l'écart. L'expression parlementaire des relations entre les États me sembla verbale, artificielle, théâtrale.

Jusqu'au printemps de 1930, mes sentiments, mes opinions ne différaient pas, pour l'essentiel, de ceux des amis de Jouvenel ; ni les uns ni les autres nous ne nous dissimulions la fragilité de l'ordre édifié par les vainqueurs, immédiatement divisés, et nous jugions sévèrement la diplomatie menée par la France à l'égard du vaincu. En 1930, j'eus l'expérience brutale de l'Allemagne, frappée de plein fouet par la crise économique et le retrait des prêts américains, humiliée, revendicative, antifrançaise. Expérience choc qui suscita une intuition : le temps du malheur va revenir. L'année suivante, en 1931, la France, épargnée par la crise, domine en apparence l'Europe ; elle est dénoncée par tous, Américains, Anglais, Allemands, qui rejettent sur elle, immobile sur son stock d'or, toutes les responsabilités. En cette même année, le national-socialisme poursuit son ascension, porteur d'une tempête historique dont les signes avant-coureurs se multiplient. En sept années, entre 1931 et 1938, tout l'édifice s'écroule ; en octobre 1938, la France est réduite aux dimensions de sa population et de son industrie. Fabre-Luce fit scandale quand il rappela dans un article que la population de notre pays ne représentait que 7 % de celle de l'Europe. Elle n'a plus de choix qu'entre une guerre que les Français refusent et une soumission dont nul ne prévoit le terme.

Pendant ces années de décadence, nous avons eu mal à la France. Une obsession m'habitait : comment sauver la France ? C'est dans un climat de déclin national et d'exaspération partisane que le ralliement d'un Bertrand de Jouvenel ou d'un Drieu La Rochelle au mouvement de Jacques Doriot devient intelligible. Je n'ai jamais vu ni entendu le maire de Saint-Denis, l'orateur populaire expulsé par le PC alors qu'il soutenait des thèses que le parti adopta plus tard. Dans le parti communiste, avoir raison à contretemps est le crime suprême. Soutenu par ses troupes, qui préférèrent leur chef au parti, Jacques Doriot créa un Parti populaire français (PPF) qui, seul des groupes, ligues et groupuscules de l'époque, faisait figure d'un éventuel parti fasciste. Doriot termina sa vie en Allemagne, victime d'une attaque de l'aviation alliée.

Les écrivains des années 30, même certains qui appartenaient à une autre génération et qui, auparavant, se désintéressaient des affaires publiques, n'échappèrent pas au torrent de l'histoire. Presque tous étaient tentés de prendre à leur compte la formule attribuée, je crois, à Napoléon : la politique est le destin. Il ne s'agissait plus de choisir entre les deux Édouard[1], ni même entre Aristide Briand et Raymond Poincaré. Depuis 1933, peut-être même depuis 1929, le peuple de l'hexagone était arraché à ses distractions. Le vent souffla du dehors, de l'Est et de l'Ouest. Beaucoup des grands intellectuels savaient peu de chose de Lénine, de Hitler, de l'économie moderne, des ressources américaines. André François-Poncet, avec beaucoup d'autres, prit l'Italie pour une grande puissance. Ce qui nous frappait tous — et à juste titre —, c'était le contraste entre la paralysie des régimes démocratiques et le relèvement spectaculaire de l'Allemagne hitlérienne, les taux de croissance publiés par l'Union soviétique. Quel gouvernement pouvait sortir de la compétition entre des partis qui se perdaient dans des intrigues parlementaires et qui refusaient d'ouvrir les yeux ? Baisse de la natalité, baisse de la production, effondrement de la volonté nationale : il m'est arrivé par instants de penser, peut-être de dire tout haut : s'il faut un régime autoritaire pour sauver la France, soit, acceptons-le, tout en le détestant.

À la différence de Drieu La Rochelle ou de Bertrand de Jouvenel, je ne courais pas le risque d'être entraîné par le désespoir vers des engagements absurdes. Je fus protégé non pas tant par mon judaïsme que par les hommes au milieu desquels je vécus, par mon mode de

---

1. Édouard Herriot et Édouard Daladier.

penser, par mon refus constant des deux régimes où régnait un parti unique.

De toute évidence, je ne fus pas effleuré par la tentation fasciste. J'aurais pu l'être par l'autre tentation. Alexandre Kojève se déclarait « stalinien de stricte observance », André Malraux se conduisait en compagnon de route. Mais le premier me paraissait malgré tout un Russe blanc, communiste peut-être pour des motifs d'histoire universelle mais très éloigné du parti. Quant au deuxième il ne cherchait nullement à faire pression sur moi et me jugeait, je suppose, destiné par nature à des opinions modérées.

Pour moi, dès mon retour d'Allemagne, je jugeai vaines et même funestes les tentatives de réconciliation franco-allemande, Hitler régnant, alors qu'avant janvier 1933 je plaidais cette cause. J'observai, sans y participer, la guerre civile froide, déclenchée depuis février 1934. Je l'ai écrit déjà : je ne croyais pas au danger du fascisme en France parce qu'on y cherchait vainement un démagogue, des masses désintégrées, une passion conquérante, en bref aucune des composantes de la crise fasciste. Les antifascistes pourchassaient un ennemi insaisissable et ils ne s'accordaient pas sur l'essentiel, la méthode à suivre contre le véritable ennemi, Hitler.

Je gardais de mes souvenirs d'Allemagne, des harangues du Sportpalast, la conviction que le Führer du IIIe Reich était capable de monstruosités. L'Histoire m'a donné raison, mais je dois avouer que mon jugement se fondait sur une intuition, psychologique ou historique, plus que sur des preuves. En septembre 1938, la plupart des Allemands s'étaient ralliés au régime à cause des succès remportés, à savoir la liquidation du chômage, le réarmement, la création du Grand Reich, le rattachement de l'Autriche et des Sudètes *sans guerre* : l'œuvre dépassait en apparence celle de Bismarck[1]. S'il était mort, soudainement, au lendemain des accords de Munich, n'aurait-il pas passé pour un des plus grands Allemands de l'Histoire ? En appa-

---

1. Sébastien Haffner, dans son remarquable livre *Bemerkungen zu Hitler*, développe cette thèse avec talent.

rence, bien sûr, puisqu'il n'aurait laissé après lui ni un
régime ni un État de droit. La Constitution de Weimar
n'existait plus, celle du IIIe Reich n'existait pas encore.
De plus, Hitler avait déjà promulgué les lois de Nuremberg et dressé son peuple contre une minorité, visible
mais impuissante. C'est après Munich que Goebbels
organisa le pogrom national de la « Nuit de cristal »,
en représailles de l'assassinat d'un secrétaire de
l'ambassade d'Allemagne à Paris. Le chaos constitutionnel, le successeur de Hitler, quel qu'il eût été,
l'aurait surmonté. L'administration restait en place, les
chefs traditionnels de l'armée l'emportaient encore sur
les officiers nationaux-socialistes. Ce qu'eût été l'évolution du IIIe Reich après 1938 sans Hitler, nul ne le sait.
Tout ce que l'on est en droit de dire, c'est que l'Allemagne sans Hitler en octobre 1938 n'aurait pas nécessairement déclenché la guerre européenne, puis mondiale.

Après l'achèvement de mes thèses, au printemps de
1937, je m'accordai quelque répit — pour une fois sans
mauvaise conscience. Nous avions décidé, ma femme et
moi, en dépit de la probabilité d'une guerre prochaine,
de vivre jusqu'au dernier jour comme si l'avenir nous
demeurait ouvert, comme si les plans à long terme nous
étaient permis. Je songeai à une introduction aux
sciences sociales qui corrigerait le relativisme excessif
imputé à l'*Introduction*. Simultanément, inspiré par les
événements, je m'intéressai à Machiavel et au machia-
vélisme. Au moment où vint la guerre, je travaillais à
une étude sur la *Théorie générale* de Keynes dont je n'ai
heureusement conservé aucune trace (dans le meilleur
cas, mes commentaires auraient été banals et exacts), et
à une autre étude sur Machiavel, dont survivent une
trentaine de pages qui ne valent pas grand-chose ; ma
connaissance de l'œuvre de Machiavel était insuffisante.

Au cours de l'année 1937-1938, je fis l'aller et retour
entre Paris et Bordeaux. Le ministre (Pierre Bertaux
appartenait à son Cabinet) m'avait nommé à l'univer-

sité de Bordeaux, en tant que remplaçant de Max Bonnafous (lui aussi, comme Déat, élève de C. Bouglé), qui remplit les fonctions de ministre du Ravitaillement à Vichy pendant quelque temps. Les trois textes de cette période m'intéressent aujourd'hui, non en eux-mêmes mais comme témoignage de mon état d'esprit : l'un sur Pareto, publié dans la *Zeitschrift für Sozialforschung*, la revue de l'Institut de Francfort, un autre sur *l'Ère des tyrannies*, recueil d'études d'Élie Halévy que j'avais mis au point avec C. Bouglé et Florence Halévy, enfin le syllabus d'une Communication à la Société française de philosophie, en juin 1939, quelques semaines avant le déclenchement du conflit.

Dans l'article sur le livre *l'Ère des tyrannies*, je retrouve des analyses des régimes totalitaires proches de celles que je fis après 1945, analyses biaisées malgré tout par une volonté d'indulgence à l'égard de l'Union soviétique : « Fascisme et communisme suppriment également toute liberté. Liberté politique : les plébiscites ne représentent que le symbole dérisoire de la délégation par le peuple de sa souveraineté à des maîtres absolus. Liberté personnelle : contre les excès de pouvoir, ni le citoyen allemand, ni le citoyen italien, ni le citoyen russe ne disposent d'aucun recours ; le fonctionnaire ou le membre du parti communiste, le führer local, le secrétaire du fascio sont esclaves de leurs supérieurs, mais redoutables aux particuliers. Liberté intellectuelle, liberté de presse, de parole, liberté scientifique, toutes les libertés ont disparu. Si, dans la pratique démocratique anglaise, l'opposition, selon un mot admirable, est un service public, dans les États totalitaires, l'opposition est un crime. »

Rapprochement tolérable mais excessif : le régime italien et même le régime hitlérien, à cette date, n'allaient pas aussi loin que le régime soviétique dans le totalitarisme, aux deux sens du mot : l'absorption de la société civile dans l'État, la transfiguration de l'idéologie de l'État en dogme imposé aux intellectuels et aux universités. Bien plus, quelques lignes plus haut, je marquai la supériorité du soviétisme : « Le communisme est capable du même cynisme réaliste que les fascismes ; il ne s'en fait pas gloire au même degré. Le

communisme tâche d'apprendre à lire à tous les
hommes et ceux-ci ne se contenteront pas toujours du
Capital. Même l'idéologie unique n'a pas la même
signification : le communisme est la transposition, la
caricature d'une religion de salut, les fascismes ne
connaissent pas l'Humanité. » Est-ce le besoin que
nous avions de l'Union soviétique contre le IIIe Reich
qui tendait à fausser mon jugement ? Peut-être, mais
peut-être aussi un motif plus profond guidait-il ma
plume. Dans mon milieu, imprégné de hégélianisme et
de marxisme, l'adhésion au communisme ne faisait pas
scandale, l'adhésion au fascisme ou au PPF était simplement inconcevable. De tous, dans ce groupe, j'étais
le plus résolu dans l'anticommunisme, dans le libéralisme, mais ce n'est qu'après 1945 que je me libérai une
fois pour toutes des préjugés de la gauche.

Quant à la guerre, j'en traitai en citant Élie Halévy,
que je connus malheureusement trop tard ; notre amitié, immédiate, se poursuivit après sa mort avec Florence seule. Pacifique comme les vrais libéraux (seul,
me disait-il un jour, le libre-échangiste a le droit de se
dire pacifique), il n'était pas pacifiste, ni à la manière
d'Alain, ni à celle des juristes. Il ne comptait ni sur les
traités, ni sur le refus individuel. Il envisageait la guerre
en historien-philosophe. La condition permanente en
est " que l'homme n'est pas uniquement composé de
sens commun et d'intérêt personnel, telle est sa nature
qu'il ne juge pas la vie digne d'être vécue, s'il n'y a pas
quelque chose pour quoi il soit prêt à la perdre ". C'est
en historien encore, et non en moraliste, qu'il répondait
aux questions sur les perspectives prochaines. Dans
une conférence, au début de 1935, il affirmait que la
guerre ne lui semblait pas immédiatement à craindre,
mais que, dans six ou sept ans, le danger serait grand.
Un an après, comme je lui rappelai sa prévision, il me
dit simplement : " j'étais trop optimiste ". Depuis lors,
les événements ont justifié ses craintes. Si l'article
s'était terminé sur ce mot, je n'y aurais rien à reprendre
mais j'ajoutai : « Les événements ont aussi révélé des
forces de paix puissantes : complicité de toutes les
bourgeoisies avec les tyrannies réactionnaires, décom-
position plus morale encore que matérielle des démo-

craties et, enfin, volonté profonde de paix de tous les peuples européens, terrifiés par l'approche de la commune catastrophe. »

Je ne voulais pas annoncer la guerre que je pressentais, comme le malade qui se sait atteint d'une maladie mortelle garde malgré tout l'espoir ; pourquoi pas une erreur de diagnostic ou un médicament miraculeux ?

La discussion à la Société française de philosophie me reste présente à l'esprit. Sur les huit points du syllabus, certains me paraissent tout aussi fondés, indiscutables, qu'il y a quarante ans. Par exemple, chacun admet aujourd'hui que la France et la Grande-Bretagne n'auraient jamais pu apaiser ou satisfaire Hitler par des concessions économiques. A l'époque, il n'était pas inutile de l'affirmer, parce que nombre d'hommes de bonne volonté croyaient ou voulaient croire que l'Allemagne et l'Italie, sans espace et sans colonies, étaient poussées à la conquête par les difficultés de leurs balances des paiements et qu'elles seraient éventuellement détournées des aventures par des offres généreuses. De même, Valéry Giscard d'Estaing a préfacé, il y a quelques années, un livre [1] qui nourrit une illusion de même sorte : par le commerce avec l'Occident, l'Union soviétique serait transformée à la longue, convertie à nos valeurs. Les démocrates, antimarxistes et mercantiles, s'abandonnent volontiers à un marxisme vulgaire, incapables de comprendre que Hitler, Mussolini et Staline pensent tous trois, chacun à sa manière : politique d'abord. Brejnev ou Andropov aussi : un budget de défense qui absorbe 15 % du produit national ne laisse pas de doute sur l'ordre des priorités.

Je reprendrais aussi le point 8 : l'alternative « communisme ou fascisme » n'est pas fatale. A la différence d'une fraction importante de l'intelligentsia, je ne me suis jamais laissé prendre à cette prétendue fatalité. J'écrirais encore la phrase de commentaire : « Le mélange d'autorité illimitée et irrationnelle, de technique rationalisée et de propagande démagogique, offre l'image caricaturale d'une société inhumaine possible. »

1. Celui de S. Pisar, *les Armes de la paix*.

Pour tous les autres points du syllabus, j'écrirais en
marge : « oui, mais ». J'avais décidé de prendre la thèse
de Pareto sur les élites pour point de départ de mon
interprétation des régimes que j'appelais totalitaires, en
l'espèce l'Italie de Mussolini et l'Allemagne de Hitler.
J'avais raison, me semble-t-il, pour l'essentiel, du moins
dans le cas du IIIe Reich. Un des faits fondamentaux,
sinon le fait fondamental, c'était bien « la constitution
de nouvelles élites dirigeantes... élites violentes, compo-
sées de demi-intellectuels ou d'aventuriers, cyniques,
efficaces, spontanément machiavéliques ». Maublanc,
un communiste de service, m'objecta que ces élites nouvelles étaient au service du grand capital, que Hitler
continuait de prendre les ordres de Krupp (peut-être
des communistes le pensent-ils encore). En dehors
d'eux, personne ne prend aujourd'hui au sérieux ce cli-
ché. En revanche, je ne distinguai pas assez entre l'Allemagne hitlérienne et l'Italie mussolinienne. Les anciennes classes dirigeantes de l'économie, l'Église, la
monarchie, en Italie, retenaient des positions de force.
Mussolini ressemblait plus aux *caudillos* d'Amérique
latine qu'aux monstres de l'histoire, à Hitler ou Staline.

Dans le point 2 : « Les régimes totalitaires s'opposent premièrement aux démocraties et non au communisme », je critiquai implicitement la théorie communiste ou marxiste selon laquelle fascisme ou démocratie
ne constituent que des superstructures politiques derrière lesquelles se dissimule la même domination du
grand capital. Ce que je voulais dire, c'est que le national-
socialisme entraînait avec lui une véritable révolution (pour l'Italie, la proposition était plus discutable),
révolution des valeurs, des institutions. J'avais défendu la
même thèse, dès 1933, à Berlin lorsque les Français de la
Französisches Akademiker Haus se demandaient si l'arrivée de Hitler à la chancellerie inaugurait une révolution.

J'allai au-delà et risquai une formule qui sembla
scandaleuse à nombre de mes auditeurs : « Les régimes
totalitaires sont authentiquement révolutionnaires, les
démocraties sont essentiellement conservatrices, la
France et la Grande-Bretagne, puissances possédantes
et saturées, sont spontanément conservatrices du *statu
quo.* » Je constatais cette situation et je voulais

dissiper l'illusion que les *have not* se contenteraient de quelques os à ronger. Mais en un autre sens, plus profond, que je n'exprimai qu'imparfaitement, « les régimes démocratiques, parlementaires *conservent* les valeurs, les principes de la civilisation européenne » alors que le national-socialisme « détruit les fondements moraux et sociaux de l'ordre ancien ». Je le pense encore aujourd'hui : étant entendu que le conservatisme des démocraties n'exclut pas les réformes. Même la phrase : « rien n'est donc plus étrange, à cet égard, que la sympathie que leur ont si longtemps manifestée les conservateurs de France et d'Angleterre » garde quelque pertinence, rédigée autrement. Les conservateurs de France et d'Angleterre ne comprirent pas que les hitlériens n'avaient pas pour seule ambition d'éliminer les sociaux-démocrates et les communistes ; les hitlériens menaçaient aussi les conservateurs français et anglais, et même les conservateurs allemands. Le ralliement de toutes les classes dirigeantes d'Europe occidentale aux institutions démocratiques après 1945 s'explique par l'expérience des révolutions de droite et par une juste appréciation des régimes représentatifs.

Plus discutable, au moins dans sa formulation, me semble aujourd'hui la thèse que les conflits diplomatiques ne naissent pas des conflits d'idéologies. Je voulais dire que Hitler n'épargnerait pas plus une France fasciste qu'une France démocratique — en quoi j'avais raison —, mais le régime national-socialiste et, à un moindre degré, le régime mussolinien se définissaient par la volonté de conquête. En ce sens l'idéologie, incarnée dans le régime, conduisait à la guerre. Étienne Mantoux, pour lequel nous avions, Suzanne et moi, une profonde affection, que son intelligence destinait à une grande carrière et dont la générosité gagnait les cœurs de ses maîtres et de ses camarades, m'envoya une lettre pertinente dont j'extrais un passage : « Il est exact que des idéologies aussi opposées pourraient subsister côte à côte sans entraîner de conflit si elles restaient purement nationales. Ce n'est pas le cas du totalitarisme soviétique dont l'essence même est (ou était et sera peut-être encore) le prosélytisme universel, donc l'agression universelle. » En laissant de côté le cas de l'Union soviétique, je faussais inévitablement l'analyse de la conjoncture.

Quelques phrases scandalisèrent, non sans quelque raison, certains de mes lecteurs ou auditeurs : « Malheureusement, les mouvements antifascistes, jusqu'à présent, ont aggravé les défauts, politiques et moraux, des démocraties, défauts qui fournissent les meilleurs arguments en faveur des tyrannies. » Et, un peu plus loin : « Les excès de l'irrationalisme ne disqualifient pas, bien au contraire, l'effort nécessaire pour remettre en question le progressisme, le moralisme abstrait ou les idées de 1789. Le conservatisme démocratique, comme le rationalisme, n'est susceptible de se sauver qu'en se renouvelant. »

La phrase contre les mouvements antifascistes, écho de ma critique de la politique menée par le gouvernement du Front populaire, attribuait injustement à l'un des camps une responsabilité partagée par les deux. La remise en question du progressisme, du conservatisme démocratique exprimait des émotions plutôt que des idées élaborées. En fait, un sentiment me dominait : la proximité de la guerre. Les vertus dont les totalitaires revendiquaient le monopole et dont les démocraties devraient témoigner, c'étaient, dans ma pensée, les vertus nécessaires au combat.

Dans mon exposé du début de la séance, je retrouve aussi quelques idées que les recherches historiques, depuis lors, ont plutôt confirmées que démenties. Nous nous faisons, disais-je, une idée fausse de la révolution. Nous la pensons comme libératrice par essence ; or les révolutions du XXe siècle semblent sinon des révolutions d'asservissement, du moins des révolutions d'autorité. Elles établissent un pouvoir plus étendu, plus rigoureux que celui qui existait avant elles. Elles élargissent l'organisation technique, la bureaucratie. J'aurais pu citer Tocqueville et, du même coup, corriger, atténuer l'opposition entre les révolutions du XIXe et celles du XXe siècle. Les révolutions du siècle passé s'inspiraient d'une philosophie de la liberté et de l'individu, mais l'État sorti de la grande Révolution fut, lui aussi, plus étendu et plus fort que l'État monarchique empêtré dans les privilèges et les franchises innombrables. Bien plus, autre ressemblance, je n'avais pas tort de souligner « un phénomène nouveau » : « les chefs recrutés dans les milieux populaires peuvent prendre le pas sur les représentants des vieilles classes dirigeantes... ». Des historiens ont récemment insisté sur la démocratisation que le régime national-socialiste provoqua dans les relations humaines. J'exagérais peut-être quelque peu, mais je n'avais pas tort de déclarer que « six ans de régime national-socialiste ont réussi à faire ce qu'un demi-siècle de social-démocratie n'avait pas fait, éliminer le respect pour les prestiges traditionnels ».

Dans la discussion qui suivit, l'intervention de Victor Basch suscita l'ironie ou l'irritation de la jeune génération, alors que Jacques Maritain et Charles Rist qui n'appartenaient pas à ma génération m'approuvaient. Aujourd'hui, à la lumière des événements postérieurs, les paroles de cet homme de bien revêtent un accent pathétique : « Je vous ai écouté, Monsieur, avec un très grand intérêt ; d'autant plus grand que je ne suis d'accord avec vous sur aucun point... je dirai que ce pessimisme n'est pas héroïque, je dirai que, pour moi, fatalement les démocraties ont toujours triomphé et triompheront toujours... Il y a une régression aujourd'hui, nous sommes dans la vallée ? Eh bien, nous monterons de nouveau au sommet. Mais, pour cela, il faut précisément nourrir la foi démocratique et non pas la détruire par des arguments aussi fortement et aussi éloquemment développés que vous l'avez fait. » Jusqu'au dernier jour, il n'a jamais douté de la victoire des démocraties alors même que les miliciens s'emparaient de lui et de sa compagne pour les assassiner.

Étienne Mantoux, le pilote qui jeta sur Paris révolté en 1944 le message « Tenez bon, nous arrivons » et qui mourut à l'aube de la victoire, en mission sur une des autoroutes allemandes, répondit à Victor Basch : « C'est faire preuve d'une compréhension superficielle de l'histoire que de considérer avec tant de négligence les époques qui ont séparé les triomphes de la démocratie... C'est contre l'optimisme de la génération qui nous a précédés que je m'élèverai, pour ne pas trahir la règle qui veut que les jeunes s'élèvent contre leurs aînés. »

Et, en une phrase émouvante qui n'a rien perdu de sa force, il m'approuvait en ces termes : « Je crois comme vous que ceux qui réussiront à conserver les valeurs dont je parle seront des libéraux, et non pas de ces libéraux à l'oreille basse qui n'osent pas dire leur nom, mais des libéraux prêts à défendre la liberté, non seulement politique, mais aussi économique. »

Le pacte Hitler-Staline bouleversa les communistes et les hommes de gauche qui avaient travaillé avec eux dans les mouvements antifascistes. Personnellement, je n'avais pas à réviser radicalement mes idées ou mes prises de position, mais mon anticommunisme, à demi refoulé par mes amitiés et par le besoin de l'appui soviétique contre le IIIᵉ Reich, éclata au-dehors. Ceux qui ne dénonçaient pas Staline et le pacte germano-soviétique me devinrent insupportables. Au cours d'une permission, nous dînâmes, Suzanne et moi, avec Malraux et Josette Clotis ; pendant trois heures, je tentai vainement de convaincre Malraux de rompre avec le PC, de le faire savoir publiquement.

Certes, les événements rétablirent l'alliance des démocraties occidentales et de l'Union soviétique ; l'intermède de 1939-1941 fut oublié. Je ne l'oubliai jamais. Non que ce « coup diplomatique » révélât particulièrement la nature essentielle du stalinisme : la collectivisation agraire et la grande purge nous en apprenaient davantage. Mais mes hésitations à suivre jusqu'au bout la logique de ma pensée disparurent une fois pour toutes, et le « stalinisme orthodoxe » de Kojève (qui ne se manifesta plus après 1945) m'inspira, pour un temps, quelque détestation de la philosophie elle-même.

DEUXIÈME PARTIE

LA TENTATION
DE LA POLITIQUE
(1939-1955)

VII

LA GUERRE

La nouvelle du pacte Hitler-Staline nous parvint au Val-André, village des Côtes-du-Nord où la famille Bouglé possédait une grande maison, toute proche de la côte. C. Bouglé y mourait, dans d'indicibles souffrances, d'un cancer qui se généralisait. Nous avions loué une petite villa à un pêcheur, retraité de la marine nationale. Nous suivions de loin les négociations entre les délégations française et anglaise et les autorités soviétiques [1]. Quand un ami nous apporta, bouleversé, le télégramme de presse : le ministre allemand des Affaires étrangères, Joachim von Ribbentrop, se rendait à Moscou afin d'y signer un pacte de non-agression (les accords secrets étaient soupçonnés mais non connus), ma réaction première fut une sorte de consternation, face à un tel cynisme qui signifiait pour nous la guerre. A l'indignation, quelque peu naïve, succéda, quelques instants plus tard, la réflexion. Le partage de la Pologne entre ses deux puissants voisins reproduisait un scénario historique. A la Société française de Philosophie, en juin 1939, j'évoquai l'alliance possible des deux régimes totalitaires, mais je la jugeai improbable dans l'immédiat. Je me trompais et je compris bientôt la logique de la « rencontre des deux révolutions ».

---

1. A la veille des vacances, j'avais rencontré Marc Bloch et Marcel Mauss. Le premier, avec une rigueur impressionnante, démontrait que la guerre éclaterait dans quelques mois. M. Mauss murmura : « Le grand état-major attend la fin des récoltes. » Nous aurions dû noter les signes multiples d'un changement de diplomatie à Moscou : le remplacement de Litvinov par Molotov, les petites phrases (« nous ne tirerons pas les marrons du feu pour les autres »).

L'Union soviétique n'avait pas de frontière commune avec le IIIᵉ Reich ; la Roumanie, la Pologne refusaient à l'Armée rouge l'autorisation de pénétrer sur leur territoire pour y combattre la Wehrmacht ; elles ne se méfiaient pas moins des armées qui viendraient de l'Est à leur « secours » que des envahisseurs de l'Ouest. Quant à Staline, il avait par-dessus tout peur de Hitler et des Allemands. L'alliance conclue entre Londres et Varsovie donnait à Staline la garantie qu'il aurait peut-être achetée à bon prix. En s'engageant à se battre pour la Pologne, la France et la Grande-Bretagne prenaient implicitement le même engagement pour l'Union soviétique. Le calcul de Staline, cyniquement correct dans l'hypothèse d'hostilités prolongées à l'ouest, fut démenti par la rapidité de la défaite française.

En août 1939, je ne spéculai guère sur les suites lointaines de ce coup de théâtre diplomatique, je m'abandonnai, comme la plupart des Français, au ressentiment contre Staline qui, tout à la fois, rendait la guerre inévitable et nous en laissait, à nous les démocrates, tout le poids. L'argument qui me dissuadait de m'exprimer librement, sans réserve, sur le régime soviétique tomba de lui-même. Au début de septembre, je ralliai le centre de mobilisation, Reims, je crois, et je partis quelques jours plus tard vers la frontière belge, là où le poste météorologique OM1 devait s'établir.

En septembre 1939, le poste météorologique comptait une vingtaine de personnes, chiffre disproportionné aux missions qui nous incombaient. Le capitaine qui commandait le poste, ingénieur de l'aviation, fut l'objet au bout de quelques semaines d'une affectation spéciale ; le lieutenant qui lui succéda bénéficia à son tour d'une affectation spéciale ; je devins, en tant que sergent, le chef du poste sans être pour autant le plus expert à suivre les ballons à l'aide des théodolites.

Jusqu'au 10 mai, je ne manquai pas de loisir ; je travaillai à mon étude sur Machiavel, à la mise au point du livre *Histoire du socialisme* d'Elie Halévy que nous avions préparée en contact avec Florence Halévy. Les rédacteurs[1] de ce livre posthume, Raymond Aron, Jean-Marie Jeanneney, Pierre Laroque, Étienne Mantoux, Robert Marjolin, anciens étudiants ou amis, s'étaient partagé le travail.

J'allais déjeuner le dimanche à Charleville. J'y retrouvai plusieurs fois Lucien Vidal-Naquet — le père de l'historien de la Grèce — qui avait, à diverses reprises, séjourné dans notre maison de Versailles. Il témoigna, pendant l'Occupation, d'un courage presque excessif tant il se désigna lui-même aux bourreaux. Quand les lois de Vichy lui interdirent l'exercice de sa profession d'avocat, il protesta publiquement, m'a-t-on raconté, au Palais de Justice, défiant ceux de ses confrères qui appliquaient passivement les ordonnances de Vichy. A Marseille, où vivait la famille de sa femme, il habita une maison occupée par des officiers allemands. Il ne dissimulait ni ses origines ni ses opinions ; un jour, la Gestapo vint les prendre, lui et sa femme. Deux des enfants furent sauvés par le courage et le sang-froid de leur mère, les deux autres par le dévouement et l'intelligence de la cuisinière de la maison, par des amis, informés par elle.

Tant que dura la drôle de guerre, je ne fus pas troublé par ma condition privilégiée. Dès le déchaînement de la bataille, il en fut tout autrement. Regarder le ciel avec les instruments, transmettre les indications par téléphone et, en cas de besoin, par radio, cette activité — si je puis dire — devint dérisoire, ridicule. J'eus la naïveté d'écrire à Jean Cavaillès ; je le croyais encore au service du chiffre au ministère de la Guerre ; en fait, il avait regagné volontairement une unité combattante dès le début de la bataille. Je lui demandai comment je pourrais sortir de la météorologie et être versé dans une autre arme, de préférence dans les chars. Je n'imaginais pas qu'en quelques semaines, ou plutôt en quelques jours, la bataille serait perdue et l'armée française détruite.

Près de Charleville, je vis les spahis, sur leurs petits chevaux, partir vers l'est et, quelques jours plus tard,

---

1. Nous ne disposions que des résumés de Halévy lui-même ou de notes d'étudiants.

revenir, apparemment éprouvés. Les déplacements commencèrent. Dès le 13 ou le 14 mai, l'ordre de retraite vint et bientôt nous fûmes engloutis par la cohue des soldats de l'armée Corap. Dès ce jour-là, le souvenir de la débâcle de 1870, celle que décrivit Zola, me hanta et, sans recevoir de nouvelles, sans lire régulièrement les journaux, je perdis au bout d'une semaine ou deux tout espoir. Ma mémoire des faits ne me permet pas de reconstituer les étapes successives de nos mouvements, de Charleville à Bordeaux. Je me souviens de quelques jours passés à Brie-Comte-Robert, entre l'évacuation de Dunkerque et la bataille de la Somme. C'est au début de juin que ma mère mourut à Vannes. Je téléphonai au capitaine Léglise qui avait commandé le OMI et qui se trouvait à l'état-major de l'armée de l'air. Il me refusa l'autorisation de me rendre à Vannes. Quelques instants plus tard, il me téléphona à son tour et me dicta un ordre de mission qui me permit d'arriver avant la mort de ma mère, déjà dans le coma. J'y retrouvai ma femme qui, après un voyage interminable, avait réussi finalement à se rendre de Toulouse à Vannes. Je regagnai l'OMI, depuis le 12 ou le 13 mai parfaitement inutile ; nous transportions nos instruments désormais sans objet, armés de vieux fusils, sans autre occasion de les utiliser qu'au passage d'avions allemands volant bas.

Nous passâmes la Loire à Gien et nous assistâmes à l'attaque des ponts par les bombardiers. Les ponts ne furent pas atteints, au moins ce jour-là. J'observai à quel point les hommes s'étaient accoutumés aux attaques aériennes. Les mêmes qui, le premier jour, à Charleville se précipitaient vers un abri quand des *Stukas* apparaissaient, restaient assis, tranquillement, sur la berge de la Loire, suivant presque avec curiosité la dispersion des bombes autour de l'objectif.

Nous nous trouvâmes, vers le 20 juin, près de Bordeaux, au sud de la ville. Je me souviens d'avoir traversé la ville ; j'y allai voir, à l'université, Darbon, le doyen de la Faculté des lettres que j'avais connu pendant les mois où je remplaçais le titulaire, Max Bonnafous. Nous étions tous frappés de stupeur par la soudaineté de la catastrophe. André Darbon, un de ces professeurs de vieux style qui faisaient l'honneur et la conscience de l'Université, accomplissait sa tâche comme à l'accoutumée tout en participant de tout son être au malheur de sa patrie.

J'entendis l'allocution du maréchal Pétain. Je crus longtemps avoir entendu : « Il faut *tenter* d'arrêter le combat... » Selon les historiens, le texte exact ne contenait pas le mot « tenter ». Autour de moi, le discours fut accueilli avec soulagement, comme une décision qui résultait naturellement des circonstances. A Gien, nous avions perdu dans le chaos le sous-officier de radio, blessé par un éclat de bombe. Nous avions traversé la France du nord au sud, craignant d'être faits prisonniers par les Allemands, dont toujours on annonçait la présence à quelques kilomètres du village où nous nous arrêtions. Je discutai avec mes camarades de l'alternative : capitulation de l'armée et transfert du gouvernement français en Afrique du Nord ou bien armistice. La deuxième branche de l'alternative répondait aux sentiments de ceux qui m'entouraient. Quand je fus à Toulouse, pour une nuit, je respirai un air tout autre.

En dépit de l'afflux des réfugiés, Toulouse conservait son visage coutumier. J'avais encore devant les yeux le spectacle de l'exode, les milliers et les milliers de civils et de soldats confondus, les automobiles des riches, les carrioles des paysans, un peuple sur les routes mêlé aux soldats d'une armée en déroute, interminable chenille qui se déroulait sur les routes de France. A froid, mes amis de Toulouse, ceux qui, pour une raison ou une autre, n'étaient pas sous les drapeaux, avaient déjà pris position : contre le Maréchal, pour le Général dont ils avaient entendu l'appel. Certains d'entre eux, comme mon ami Georges Canguilhem, s'apprêtaient déjà à prendre modestement une part — qui fut glorieuse — à la Résistance.

Mes sentiments s'accordaient avec les leurs mais mon jugement politique n'était pas encore fixé. Je n'étais pas certain que le transfert du gouvernement français en Afrique du Nord et la capitulation de l'armée pour mettre fin aux combats fussent la meilleure solution. A l'époque, deux questions m'obsédaient : par la capitulation de l'armée, quelques millions de soldats devenaient des prisonniers de guerre. Si la guerre se poursuivait

quelques années, qu'adviendrait-il de la nation, privée de
tant de ses hommes mûrs ? L'autre question portait sur les
ressources de l'Afrique du Nord : il n'y existait pas
d'industrie d'armement. A défaut de la Grande-Bretagne,
les États-Unis pourraient-ils ravitailler les forces armées
de la France, passées de l'autre côté de la Méditerranée ?

Je discutai avec ma femme de la décision à prendre :
rester en France ou partir pour l'Angleterre qui, pen-
sions-nous, continuerait le combat. Le jugement sur
l'armistice, pas encore conclu mais probable, ne pesait
guère sur notre délibération. Le gouvernement qui négo-
cierait avec le IIIe Reich se situerait entre le statut d'un
satellite et celui d'un État indépendant. L'arrivée au pouvoir des hommes et des partis qui avaient dénoncé les
« bellicistes » ne prêtait pas au doute. Ni le maréchal
Pétain ni Pierre Laval ne se convertiraient au national-
socialisme, mais la France vaincue, réconciliée avec le
IIIe Reich ou soumise à lui, ne laisserait plus de place aux
Juifs. Nous envisageâmes les deux démarches possibles :
ou bien rester avec mon détachement, à mon poste,
jusqu'à la probable démobilisation qui suivrait l'armistice, puis revenir à Toulouse et attendre le cours des événements ; ou bien gagner immédiatement l'Angleterre et
m'y engager dans les troupes du général de Gaulle. Ma
femme comprit que je préférais prendre ma part, si faible
fût-elle, dans la lutte que le Royaume-Uni n'abandonnerait pas. A la différence de quelques-uns, au plus haut de
la hiérarchie militaire ou politique, je ne pensais pas que
Churchill traiterait avec Hitler, qu'il accepterait la
défaite avant même qu'il eût repoussé la tentative prévisible de débarquement. La réussite de l'opération, l'invasion de l'île — depuis le onzième siècle inviolée —, exigeait un autre type de *Blitzkrieg* que la percée des divisions blindées, soutenues par les *Stukas*.

Du sud de Bordeaux, j'étais venu à Toulouse sur le
siège arrière d'une moto conduite par un soldat du
Nord, mécanicien de son métier, avec lequel j'entretenais des relations cordiales[1]. Revenu à mon détache -

---

1. Il vint me voir une fois après la guerre ; il dirigeait une petite entreprise de
robinetterie ; il me montra les innombrables types de robinets qu'il fabriquait ; il se
tirait difficilement d'affaire avant la standardisation des années 60 et 70.

ment, je dis au revoir à mes camarades (certains revêtaient leur uniforme neuf dans l'attente des Allemands) et je partis pour Bayonne et Saint-Jean-de-Luz. Je dormis dans un wagon attaché au train qui contenait les valeurs de la Bourse de Paris. Je n'avais pris avec moi qu'une musette, qui contenait les objets de toilette, le rasoir, le savon, un livre (je crois) et j'éprouvai un curieux sentiment de légèreté. Que m'importaient les choses, les meubles, même les livres, tout cela se perdait dans le lointain. Dans le désastre national, seul surnageait l'essentiel — ma femme, ma fille, mes amis. Par ces attachements, je restais moi-même. Tout le reste, la catastrophe même en révélait la futilité.

Le lendemain, le 23 juin probablement, j'errai sur le port de Saint-Jean-de-Luz, avec quelques autres, en quête d'un bateau à destination de l'Angleterre. J'appris qu'une division polonaise allait être transportée par un transatlantique, l'*Ettrick*, ancré à quelques centaines de mètres du port. Je quittai la capote bleue de l'aviation, revêtis la capote jaune de l'infanterie, et je me trouvai finalement dans une barque qui m'amena à l'*Ettrick*. Parmi nous, épaves ou volontaires, un parent éloigné du maréchal Foch qui, si ma mémoire ne m'abuse, fit des réflexions sur les Juifs dont il m'exceptait bien entendu (vous devez leur en vouloir, me dit-il, ou quelque chose de ce genre).

Je rencontrai René Cassin sur le vaisseau ; je conversai avec quelques officiers polonais, l'un d'eux me recommanda la condition et l'humeur appropriées à l'époque : pas de famille, accepter joyeusement l'aventure solitaire. La guerre allait durer : qui sait combien d'années ? Peut-être un jour reviendrons-nous dans notre patrie. En attendant, cueillons les fleurs du jour.

Deux souvenirs me restent de la traversée qui ne me paraissent pas indignes d'être rappelés. J'étais en train de desservir une table, de nettoyer la toile cirée, peut-être la vaisselle ; je ne sais trop pourquoi un Anglais, d'un certain âge, entama la conversation et me demanda ce que je faisais dans le civil ; quand je lui appris que j'enseignerais la philosophie à l'université de Toulouse si l'armée ne m'avait réclamé, il éclata en reproches furieux contre les gouvernements français et

anglais, reproches qu'il semblait adresser à sa femme :
« Je te l'ai dit, depuis des années, qu'avec cette imbécile
politique, nous allions perdre tout. Voici où nous en
sommes vingt ans après la victoire. » Le professeur
d'université transformé en plongeur lui devenait le symbole de la société à l'envers, du malheur que les Français et les Anglais avaient appelé sur eux-mêmes.

L'organisation sur le vaisseau me laissa une impression durable. Les milliers de soldats passaient l'un
après l'autre pour remplir leur gamelle. Pas de « bon »,
pas de vérification, on faisait confiance à tous, on ne
prenait pas de précautions contre les tricheurs ou les
resquilleurs... Sur l'*Ettrick,* je respirai pour la première
fois l'atmosphère britannique, je m'y sentis immédiatement à l'aise, bien que je n'entendisse rien à l'anglais
des marins, des soldats et, à peine davantage, à celui
des intellectuels.

Ce qui nous frappa, nous tous qui venions d'un pays
sens dessus dessous, avec des millions de réfugiés sur
les routes, hantés par les images de la débâcle et des
bombardements, ce fut la paix, la perfection de la campagne anglaise. Comme d'un coup, la guerre s'effaçait !
Les gazons ne le cédaient en rien à leur légende. Les
premières conversations avec des citoyens ordinaires de
Sa Majesté nous laissèrent muets et reconnaissants. On
vous rendra votre patrie à Noël, me disait un petit
homme, installé dans un charmant cottage. Personne,
au sommet, n'ignorait le danger ; le peuple, lui aussi,
attendait l'attaque aérienne et peut-être la tentative de
débarquement. Les usines tournaient à plein régime et
des milices s'organisaient pour soutenir l'armée dont
les cadres avaient été rapatriés, mais les armes lourdes
perdues. Étrange impression : la nation confiante et,
par places, presque inconsciente. Nous avions appris,
sur le bateau, la signature de l'armistice. Nous décou-
vrions un pays intact, à peine frôlé par la violence qui
avait renversé le château de cartes d'une grande puissance ; sur lui pesait la menace de mort, et le soleil — le
soleil du printemps 1940 — éclairait un paysage où tout
était calme, luxe et volupté.

Je me retrouvai à Londres, avec quelques milliers
d'autres soldats français, à l'Olympia Hall ; nous

n'avions rien d'autre à faire que de manger, de nettoyer — vainement — notre bouge et de causer. Pour reprendre une expression courante à l'époque, nous discutions le coup. Les Français de l'Olympia Hall appartenaient à toutes les catégories sociales, à toutes les familles politiques. L'armistice ou le transfert du gouvernement en Afrique du Nord ? La même conversation se déroulait entre les Français des deux côtés de la Manche. La plupart des Français avaient déjà adopté une position sans nuances ; ou bien le Maréchal et les siens trahissaient la France et ses alliés, ou bien le Général et les siens se séparaient de la nation. Personnellement, j'éprouvai plus d'une fois, sur des interlocuteurs d'occasion, une opinion apparemment paradoxale : la décision du Maréchal ne va pas sans avantages, disais-je, à condition que l'Angleterre gagne la guerre. Paradoxe puisque l'un, à Bordeaux, misait en apparence sur la victoire allemande, l'autre, à Londres, sur la victoire anglaise. Et, de fait, la victoire anglaise mena le général de Gaulle au pouvoir. Mais l'armistice sauva quelques millions de Français des camps de prisonniers ; la zone non occupée améliora la condition d'une moitié des Français ; le souci d'épargner le sang français pouvait légitimement influer sur l'esprit des hommes d'État. A la fin de juin 1980, je rencontrai un vieux monsieur dont je ne sais plus le nom et qui me rappela une conversation à l'Olympia Hall. Il fut si frappé, me dit-il, par mon discours qu'il me demanda qui j'étais. Sa surprise disparut lorsqu'il apprit mes parchemins et mon métier.

Pendant mon premier séjour à Londres, je retrouvai Robert Marjolin qui faisait partie de l'équipe de Jean Monnet[1] ; il avait passé deux jours dans l'enfer de Dunkerque et accompagné le futur « Monsieur Europe » à Bordeaux. Il se proposait de revenir en France. Non qu'il hésitât sur son camp, mais il se croyait obligé en conscience de retrouver d'abord sa famille, sa mère, dans une période pareille.

1. Je connus à peine, sur le moment, la proposition de communauté franco-anglaise soumise au gouvernement français replié à Bordeaux. Je n'eus donc pas l'occasion d'y réfléchir immédiatement.

Par son intermédiaire, je fis la connaissance des économistes libéraux du *Reform Club,* Lionel Robbins (Lord Robbins aujourd'hui), Fr. von Hayek, d'autres encore, avec lesquels je dînai presque chaque jeudi pendant les années de guerre. Notre première conversation porta sur les chances de l'Angleterre. Robbins, plus optimiste que moi, insistait sur les chances de l'Ouest, à condition que la tentative de débarquement fût repoussée dans les mois à venir. Une fois ce moment d'extrême péril passé, la Grande-Bretagne, aidée par les États-Unis, redeviendrait inexpugnable. D'autres forces se mobiliseraient contre le IIIᵉ Reich. Analyse impeccable, qui empruntait aux appels du général de Gaulle, et que les événements confirmèrent : si la Grande-Bretagne refusait les avances de Hitler, si celui-ci n'offrait pas de paix acceptable aux pays européens occupés, la guerre devait s'étendre. A la fin de l'année 1940, on s'interrogeait : ou bien Hitler tenterait de réduire la Grande-Bretagne à la faveur de la neutralité soviétique, ou bien il lancerait son armée à l'assaut du communisme détesté, à la faveur de la demi-neutralité des États-Unis. Dans les deux cas, la défaite française se ramenait aux dimensions d'une péripétie. Dans un système élargi aux dimensions de la planète, la France cessait d'appartenir au club exclusif des grandes puissances.

Je visitai une famille anglaise que j'avais connue à Varangéville, celle de A.P. Herbert, humoriste, romancier, auteur de pièces de théâtre, marin. Je m'étais lié surtout avec sa femme, pendant les vacances que j'y avais passées en 1931. Je lisais sur la falaise *Sein und Zeit* ; elle peignait ; une amitié se noua. Je la revis plus d'une fois au cours des années suivantes.

Une fois à Aldershot, le camp militaire, je passai devant un comité de deux ou trois officiers britanniques qui offraient à chacun le choix suivant : rentrer en France, s'engager dans les Forces françaises libres ou enfin rester en Angleterre. L'immense majorité des soldats [1] choisirent le retour en France. Quant à moi je choisis la compagnie des chars d'assaut des Forces

----

1. Ils avaient été rapatriés de Dunkerque.

françaises libres. J'y fis figure d'ancien déjà : les officiers mis à part, la plupart des soldats étaient plus proches des vingt que des trente ans.

Au lieu d'entrer dans un char, je fus chargé d'administrer les comptes de la compagnie et je devins expert au calcul des livres, des shillings et des pence. Du séjour au camp, un épisode me reste présent à la mémoire. Un dimanche, en fin d'après-midi, un aspirant arriva. Il y avait un lit vide dans ma chambre, il s'y installa. Nous bavardâmes l'après-midi et la soirée. Le lendemain matin, il me demanda l'heure, d'une voix encore ensommeillée. « Sept heures moins vingt. » J'entendis sa réponse : « Déjà sept heures moins vingt ! » Je quittai la chambre pour faire ma toilette ; quand je revins, il était mort, le revolver au bas de son lit. Probablement s'était-il fixé l'heure limite de sept heures. Du Maroc, il avait gagné l'Angleterre pour continuer le combat. Pourquoi ce suicide ? L'enquête eut lieu devant le coroner ; je témoignai, accompagné par un aide-médecin, étudiant en médecine, François Jacob. Le coroner conclut au suicide, commis en état de *disturbed mind.*

Quelques jours avant la date de notre embarquement pour l'expédition de Dakar (le projet était un secret de Polichinelle et je ne fus pas surpris que Vichy, informé, eût eu le temps d'envoyer à Dakar quelques vaisseaux de guerre), j'allai à Londres, je me rendis à Carlton Gardens, au quartier général des Forces françaises libres où André Labarthe m'avait donné rendez-vous. Cette visite changea le cours de mon existence entière. Pour mon bien ou pour mon mal ?

Je rencontrai à Carlton Gardens André Labarthe, avec ses deux collaborateurs, Mme Lecoutre et Stanislas Szymanczyk (que nous appelions Staro), elle, Juive de Varsovie, lui Polonais de la région de Teschen (annexé par la Pologne en 1938, au moment de Munich). André Labarthe se présenta comme chargé de cours de mécanique à la Sorbonne. Tous trois se jetèrent sur moi et déployèrent tous leurs charmes, toute leur capacité de persuasion. Labarthe dirigeait un service encore fantôme à l'état-major ; il avait accès au Général qui, au début, lui témoigna de la sympathie et le chargea de créer une revue mensuelle. Il m'affirma qu'il avait lu l'*Introduction à la Philosophie de l'Histoire* et il me conjura de renoncer à la compagnie de chars et aux calculs de soldes. Ses arguments, le lecteur les devine. Beaucoup d'autres pouvaient me remplacer dans mon travail de comptable, mais combien, en Angleterre, à ce moment, pouvaient rédiger des articles ? Staro, avec cynisme, me lança : « Si vous voulez la mort du héros, vous avez le temps. La guerre ne finira pas de sitôt. » Labarthe appartenait au mouvement gaulliste ; les militaires ne lui refuseraient pas le transfert du sergent Raymond Aron à l'état-major.

Je délibérai pendant trois jours. Tempête sous un crâne, me disais-je à moi-même par dérision. Je n'avais pas quitté ma famille, la France, pour me mettre à l'abri (à cet égard, les États-Unis étaient plus sûrs), mais pour coopérer avec ceux qui continuaient la lutte. L'expérience humiliante de la campagne de France me restait présente à l'esprit. Je ne savais pas si je tiendrais face aux sifflements des balles et aux explosions des obus. Enfant au cours de la Première Guerre, j'étais encore assez jeune pour participer physiquement à la deuxième ? Pourquoi ai-je finalement accepté l'offre de Labarthe ? Je ne puis que me rappeler les raisons que je me donnai à moi-même. Je voulais servir dans un char : on m'avait mis aux écritures. J'accompagnerais les véritables combattants, je ne serais pas l'un d'entre eux. Du reste, le choix que Labarthe me pressait de faire ne revêtait pas un caractère définitif. Peut-être la revue ne durerait-elle pas longtemps, ou bientôt n'aurait-elle plus besoin de moi. Si j'hésitai, c'est malgré tout que je craignais que le choix ne fût irréversible.

Pour un intellectuel juif, diriger la rédaction d'une revue représentative de la France en exil, ce n'était pas déshonorant, ce n'était pas non plus glorieux. En 1943-1944, me comparant aux aviateurs qui risquaient leur vie à chaque mission, comme Jules Roy ou Romain Gary, je me sentis « embusqué » ; le regard de ceux qui défiaient la mort chaque jour pesait sur moi. A l'été de 1940, plus encore à l'automne et durant l'hiver, je n'éprouvai pas cette mauvaise conscience. Peut-être la grande bataille se livrerait-elle en Grande-Bretagne : Londres servait de cible à l'aviation allemande.

Ni ce que l'on a coutume d'appeler le *Blitz* — le bombardement de Londres toutes les nuits pendant l'hiver 1940-1941 — ni les V1 de 1944 ne ressemblaient, même de loin, à l'épreuve du feu. J'ai régulièrement dormi dans mon lit, pendant le *Blitz,* à l'exception d'une ou deux nuits « sous la protection du calcul des probabilités », selon le mot de Dennis Brogan. A ce moment-là, du moins en apparence, les volontaires de Londres subissaient l'assaut, cependant que les Français de Toulouse suivaient de loin, en spectateurs, les péripéties de la lutte. A la faveur de la bonne conscience, je dormis mieux que d'ordinaire. Une nuit, pour soutenir le moral de la population, les Anglais renforcèrent l'artillerie antiaérienne. Le bruit des canons, plus assourdissant que celui des bombes, me tint éveillé quelques heures, il ne m'empêcha pas de m'assoupir ensuite paisiblement. J'habitais à la maison de l'Institut de France, Queens Gate, dirigé par M. Cru, célèbre par des livres dans lesquels il s'efforçait de rétablir la vérité sur la Première Guerre, sur les combats tels que les fantassins les avaient réellement vécus, de faire justice des légendes (par exemple celle des combats à l'arme blanche). Il avait organisé un roulement de garde pour les pensionnaires de la Maison pendant les alertes. Il fut tué, la maison détruite en 1943, au cours d'un des rares bombardements sérieux menés par l'aviation allemande contre Londres après le début de la campagne de Russie.

Les attaques des V1 en 1944 n'ébranlèrent que les nerfs fragiles. Les V1 agissaient par l'effet du souffle. Même dans une maison soufflée par une bombe volante, une table suffisait le plus souvent à protéger la personne des chutes de bois ou de pierre, des éclats de vitre ou d'acier. Le bruit du moteur grossissait plus ou moins vite. Quand le bruit s'arrêtait, on savait à peu près à quelle distance on se trouvait de l'explosion. Au pire moment, cent vingt V1 s'abattirent sur Londres en un seul jour : le sang-froid ou mieux l'indifférence face à ce danger mineur ne peut servir de test du courage physique.

Londres, au cours de l'hiver 1940-1941, apparut aux yeux du monde le symbole de la résistance à Hitler. A juste titre, à condition de mettre l'accent sur le symbole. La ville ne fut jamais frappée physiquement comme le furent des villes allemandes.

André Labarthe me séduisit. Il parlait de tout et de rien, d'abondance, avec charme. Il évoquait, de temps à autre, ses talents de violoniste, enfant virtuose quand il avait huit ans. Fils d'une mère très pauvre (femme de ménage), peut-être d'un père illustre (on murmurait Maeterlinck), il excipait volontiers de ses titres de scientifique. Il avait appartenu au Cabinet de Pierre Cot, ministre de l'Aviation dans le gouvernement du Front populaire ; il passait pour un homme de gauche. Parmi les ralliés de 1940, il faisait figure d'une personnalité de premier ordre, une brillante carrière lui était ouverte dans le mouvement gaulliste. Il gaspilla ses chances par excès d'ambition, par ce que je puis appeler son anormalité, par sa propension à la paranoïa, à des propos rarement exacts, presque toujours flottant quelque part entre le vrai et le faux.

Quand je le rencontrai, il entretenait d'excellentes relations avec le Général. A l'occasion du premier incident sérieux, à savoir l'arrestation de l'amiral Muselier par la police anglaise pour avoir divulgué les secrets de l'expédition de Dakar, il réagit avec résolution, avec une certaine noblesse. Il rendit visite au Général et se porta garant de son ami Muselier ; le Général apprécia cette attitude qui, pour une fois, n'obéissait à aucun calcul politique.

Bien longtemps plus tard, en 1979 ou 1980, Henri Frenay m'affirma que Labarthe avait avoué, avant sa mort, qu'il appartenait aux services secrets de l'Union soviétique. Je ne parviens pas à le croire. Pourquoi, agent soviétique, aurait-il gâché l'occasion de recueillir, dans les Forces françaises libres, des informations ? Ses démarches désordonnées, son agitation permanente, les propos qu'il tenait dans les salons, son penchant à l'imagination plus encore qu'au mensonge, rien de tout cela ne s'accorde avec la conduite d'un agent soviétique [1].

---

1. A moins qu'il ne le fût devenu après la guerre, par dépit de ses échecs. Là encore, j'en doute.

Puisque la question des liens entre Jean Moulin et les communistes a été posée, en particulier par H. Frenay, je ne puis pas ne pas mentionner l'amitié ancienne qui liait Jean Moulin et André Labarthe (tous deux se trouvaient en même temps au cabinet de Pierre Cot). Staro, de son côté, se vantait volontiers d'avoir réclamé et obtenu de Pierre Cot des rémunérations substantielles en contrepartie des idées qu'il lui donnait au cours de déjeuners ou de dîners. Quand Jean Moulin vint à Londres, il évita de rencontrer A. Labarthe. Ce dernier pensa que Moulin ne voulait pas se compromettre avec un homme qui, à cette époque, passait déjà pour ne pas appartenir aux fidèles du Général.

« L'état-major » de Labarthe comprenait deux personnes, l'une et l'autre hautes en couleur, marginaux à la limite de la bizarrerie, Staro et Martha. Staro avait fait la Première Guerre comme officier d'artillerie dans l'armée austro-hongroise, avant de servir dans l'armée polonaise après 1918. Il appartint longtemps au parti communiste (polonais ou allemand, je ne sais), résida en Union soviétique, milita dans l'Allemagne de Weimar ; il connaissait bien le fameux Münzenberg [1]. Quel rôle avait-il joué dans le mouvement communiste international ? Quand avait-il rompu avec lui ? Je ne l'ai jamais su. Quand je le rencontrai, je le jugeai libre de toute attache et j'en reste convaincu aujourd'hui encore. Il affichait volontiers un cynisme radical. Le communisme, disait-il, c'est un fascisme de sous-officiers ; le fascisme, le régime des officiers. Avant tout, il était intelligent, d'une intelligence remarquable qui perçait en dépit de sa peine à s'exprimer, même en allemand, sa langue de culture. Au début de notre collaboration, il me donnait parfois un manuscrit informe d'une cinquantaine de pages dont je tirais une vingtaine de feuillets dactylographiés. Ainsi naquit l'article sur la bataille de France que le général de Gaulle lut et commenta en marge. Peu à peu, ses manuscrits allemands se rapprochèrent des dimensions et du style de l'arti-

1. Militant communiste qui joua un rôle important à l'Ouest, dans l'organisation de la propagande soviétique et des mouvements de gauche manipulés par les communistes.

cle ; mon travail se rapprocha de la traduction. Nous signâmes ensemble un petit livre, *l'Année cruciale*, demandé par un service britannique de propagande. Il avait jeté sur le papier quelques idées. Cette fois, ma contribution fut grande ; aussi bien, depuis 1940, j'avais réfléchi pour la première fois sur les choses militaires. Je m'indignai rétrospectivement de notre ignorance, à nous tous, de la stratégie et de la tactique, comme je m'étais indigné de notre ignorance de l'économie.

En dépit de son intelligence, Staro ne se situait pas au même niveau que mes amis de France. Il avait beaucoup lu Clausewitz à coup sûr, mais non les philosophes. Il méprisait, peut-être par provocation, les nuances et les subtilités. Le pouvoir que le Général exerça de 1958 à 1969 aurait, à ses yeux, plutôt vérifié que démenti sa formule : « Le Général est un fasciste. » Voué à l'action politique, dans le parti communiste ou contre lui, il avait collaboré aux journaux, acquis une culture étendue. Mais il collait de trop près à l'événement. Du trio, il me semblait, il me semble encore aujourd'hui, en dépit de ses accès de brutalité, en dépit de son cynisme, le meilleur — et pas seulement sur le plan intellectuel.

Mme Lecoutre — Lecoutre auquel elle devait la nationalité française vivait quelque part en France — ne manquait certes pas de finesse, de vitalité, de savoir-faire, d'intelligence. Dans la rédaction, elle exerçait une sorte de censure et avait à cœur de relire tous les articles et de suggérer des corrections ou des améliorations utiles. Pour le reste, elle s'occupait des relations publiques de Labarthe et de la revue. Elle attachait à son rôle de lectrice plus de prix qu'il n'en méritait. En revanche, probablement son activité d'animatrice fut-elle indispensable.

Autour de la revue tournaient des personnalités à la fois mondaines et marginales ; parmi elles avant tout la baronne Budberg, issue d'une famille d'aristocratie germanique en Estonie, d'une grande beauté dans sa jeunesse, encore charmante, adorée par quelques hommes célèbres, entre autres H. G. Wells. Je vis ce dernier deux ou trois fois, proche de la mort contre laquelle il luttait avec opiniâtreté. Je me souviens de sa phrase à propos d'elle : « Everybody likes her because she is so likable. » Un ministre du gouvernement britannique (Bruce Lockard), qui avait vécu les premiers mois de la révolution russe, évoque, dans ses Mémoires, l'entrée de « Moura » dans sa vie. Les traits de son visage rappelaient encore à ses adorateurs les amours à peine éteintes. Elle tenait salon toutes les fins d'après-midi et l'on y rencontrait des membres de la bonne société, rarement ceux de la couche la plus élevée.

La France libre dut ainsi sa naissance et son succès à quatre « permanents », dont deux n'étaient pas français. Staro fut autant que moi indispensable, parce qu'il concevait ou rédigeait les analyses mensuelles de la conjoncture militaire, analyses de stratégie qui, plus que tous les autres articles, firent la réputation, l'autorité intellectuelle de la revue. Il ne pouvait se passer de moi. Et tous deux, Staro et moi, nous ne pouvions nous passer ni de Martha, l'animatrice et la responsable des relations publiques, ni d'André Labarthe, capable d'élans généreux et, finalement, naïf dans son ambition. Sans lui, la revue n'aurait pas existé, même s'il n'y écrivit pas toujours les articles qu'il signait. Par sa faute, elle perdit son cap.

Il m'est difficile de souligner les mérites de la revue sans me vanter moi-même, mais avec la distance de quarante années, je suis assez détaché d'elle pour l'évoquer sans en tirer une satisfaction qui serait ridicule. Je me risque donc à citer Alexandre Koyré qui m'écrivit, vers la fin de la guerre, que les Français de l'extérieur avaient peu produit qui fût valable, à l'exception de *la France libre*, la meilleure production de l'exil.

Jean-Paul Sartre, auquel j'avais donné un volume relié d'un semestre de la revue, écrivit dans *Combat* un article élogieux (il faut tenir compte des circonstances, de notre amitié). J'en reproduis un extrait : « *La France libre* offre l'aspect le plus pondéré et le plus calme, le mieux équilibré. Écrite avant tout dans le feu vivant d'une actualité toujours mouvante et dont le rythme même n'était pas prévisible, elle semble toujours disposer du recul de l'Histoire. Bannis, insultés en France, séparés de leur famille, comment ont-ils pu garder quatre ans cette objectivité sans passion, alors qu'ils étaient au fond d'eux-mêmes rongés d'espoir et de regrets ? Est-il beaucoup de chroniques militaires que l'on puisse relire, quatre années après les événements, avec le même intérêt profond ? Les articles les plus divers sur Vichy, l'état de la France, sur l'opinion italienne ou la presse allemande, sur des problèmes de droit international, des récits de guerre faits par des officiers ou des soldats se groupaient autour de trois chroniques régulières, toutes trois d'une intelligence admirable : la chronique de Raymond Aron (René Avord) qui nous donne une sorte d'analyse spectrale du national-socialisme, celle du critique militaire anonyme qui a su prendre, pour expliquer les batailles et la stratégie de cette guerre universelle, un point de vue mondial et montrer en chaque cas comment le sort des armes et la lutte économique se commandaient étroitement ; celles enfin de René Vacher (Robert Marjolin), l'économiste, qui examinent les problèmes de la guerre et de l'après-guerre [1]. »

J'écrivais chaque mois un article sur les événements et l'état de la France, sous le titre « Chronique de France », et un article d'analyse politique ou idéologique ; je traduisais ou adaptais en français l'article militaire de Staro et parfois j'écrivis aussi l'éditorial que signait Labarthe. Dans la partie littéraire, souvent faible, nous avons publié des textes de Jules Roy, d'Albert Cohen. Sartre, en lisant un des textes de ce dernier, réagit avec vivacité ; il en détesta le style et me dit : « Qui est cet Albert Cohen ? » Il s'agissait d'un article sur l'armée allemande, paralysée par l'hiver russe. Jules Roy donna aussi des textes de haute qualité. Je lus à Londres le manuscrit de l'*Éducation européenne* de Romain Gary à qui je promis une grande carrière littéraire. Après mon retour en France, l'article de Lucien Febvre, en 1946, me toucha d'autant plus qu'il avait critiqué sévèrement l'*Introduction* en privé. Il commenta les deux livres dans lesquels j'avais réuni les « Chroniques de France » et les articles idéologiques [2].

1. J.-P. Sartre avait lu un volume qui regroupait les numéros de six mois, le deuxième semestre de 1941. Robert Marjolin collabora régulièrement à la revue pendant cette période. Il la quitta, avec les meilleures raisons, après la crise Muselier. (Il se trouvait à l'état-major de l'amiral.)
2. *L'Homme contre les tyrans* et *De la capitulation à l'insurrection nationale.*

« ... Cela dit, les deux livres de Raymond Aron ont pour nous historiens un intérêt de plus. Ils ont été écrits en Angleterre et dans toute la mesure où ils traitent de la France, de ses réactions et de ses devoirs en ces temps troublés, ils ne bénéficiaient même pas de ces informations misérables, tronquées et truquées de mille façons et pour mille motifs, dont les Français des deux zones disposaient tant bien que mal. Mais précisément, soucieux d'expliquer son pays aux étrangers, aux Alliés notamment, Raymond Aron ne se préoccupait guère de précisions documentaires impossibles à obtenir. Ce qu'il se proposait, c'était de faire comprendre au-dehors « l'ensemble de la réalité française ». Ses explications étaient-elles toujours celles-là mêmes que, sur place, Français demeurés en France, nous nous fournissions à nous-mêmes des grands événements qui tantôt nous exaltaient, tantôt nous déprimaient ? Et, si non, sur quels points différions-nous ? Il y a là matière à une belle étude de psychologie historique comparée. J'espère qu'on ne laissera pas perdre l'occasion, et que quelqu'un s'avisera de nous en doter. L'entreprise serait capitale, pour notre connaissance des Français (car il y en avait toute une série) qui réagissaient aux mêmes événements, dans des milieux très différents, avec une identité foncière de sentiments et des nuances de sensibilité parfaitement tranchées.

« Je n'ai pas besoin de dire que celui qui s'appliquerait à cette tâche délicate et tentante serait payé de ses peines, d'avance par un plaisir... Les études de Raymond Aron sont belles, limpides, nuancées et d'une rare pénétration... Économiste, sociologue, politique, il est tout cela à la fois, et avec un égal bonheur. Personne, ayant ouvert ces livres de bonne foi, ne les refermera sans les avoir lus et médités comme le voudrait l'auteur. »

Trente-cinq ans plus tard, Jean-Louis Missika, un des deux jeunes hommes qui préparèrent les émissions de télévision d'Antenne 2, s'étonna du ton de mes « Chroniques de France », de notre discrétion sur la question juive. A l'occasion de ces entretiens, je parcourus quelques-uns de ces textes, vieux de quarante ans.

Pour l'historien d'aujourd'hui, ces articles ne constituent qu'un témoignage ou un document. Je disposais de la presse française des deux zones. Dans une presse bâillonnée on trouve des informations, mais les archives allemandes en ont apporté beaucoup d'autres ; probablement les archives françaises contiennent-elles encore nombre de faits que nous ignorons. Ce qui me trouble, avec le recul, c'est la critique implicite d'un Français d'une trentaine d'années, de confession juive, non croyant : pourquoi cette froideur ? Pourquoi seulement trois passages d'un paragraphe ou deux sur le statut des Juifs ou la rafle du Vél' d'hiv' ?

Sur le ton de ces chroniques, je me défendrai. Ce qui fit la valeur, le succès de *la France libre,* c'est précisément le fait que la revue ne relevait pas de la littérature de guerre. Les quelques articles qui s'en rapprochèrent furent critiqués par nos meilleurs amis. Il y a quelque temps à Oxford, au déjeuner qui suivit ma conférence, l'historien de la Révolution française Richard Cobb me rappela qu'il m'avait déjà rencontré deux fois ; la première rencontre, il l'avait provoquée en me rendant visite à *la France libre,* la seule publication française, me dit-il, qu'il pouvait alors lire, revue de culture, sans propagande, sans polémiques excessives, revue française.

Nous évitions, il est vrai, l'usage des adjectifs dont les « philosophes » d'aujourd'hui sont friands. Appeler l'antisémitisme « bête abjecte » nous aurait semblé ridicule. L'antisémitisme, ce n'était pas pour nous un souvenir atroce ou une menace diffuse, c'était la réalité. Aurions-nous dû en traiter davantage, en particulier dans mes « Chroniques de France » ? Aujourd'hui, je répondrais certainement *oui.* Mais entre 1940 et 1943, peut-être même jusqu'à la Libération, je me souciais davantage des sentiments pro- ou anti-allemands des hommes de Vichy que de leurs opinions en politique intérieure. On rencontrait aussi des antisémites parmi les gaullistes. Je tairai le nom d'un ministre de la IVe République qui, dans le courant de l'automne 1940, me dit : « La Révolution nationale, je ne lui serais pas hostile, mais pas tant que les Allemands occupent le pays. »

Dans une revue française qui défendait inlassablement la démocratie, je n'avais pas besoin de multiplier les invectives contre les vichystes pour démontrer que je n'étais pas l'un d'eux. Les vichystes, il est vrai, au moins ceux de la première équipe, n'agissaient pas le plus souvent sur l'ordre des Allemands, ils appliquaient certaines de leurs théories ; je savais que seule la défaite leur avait permis d'accéder au pouvoir, mais je savais aussi que certaines de leurs idées préexistaient à la défaite et survivraient à la victoire. Il faudrait bien, pour reconstruire la France, en exclure le moins possible de « traîtres ». Traîtres, les collaborateurs, oui ; traîtres, les tenants de la Révolution nationale, certainement non. Ceux qui regrettent aujourd'hui, à froid, que l'épuration n'ait pas frappé tous les tenants de la Révolution nationale en tant que tels se conduisent en fauteurs de guerre civile. Même en 1941, je ne m'abandonnai pas à ces passions basses.

Venons à l'autre reproche : je n'aurais pas donné assez de place dans mes « Chroniques » aux persécutions des Juifs. Un argument simple m'incitait à un relatif détachement à l'égard des *lois* (mais non des *pratiques*) de Vichy. Si les Allemands gagnaient la guerre, les Juifs disparaîtraient de la France et de l'Europe. S'ils la perdaient, le statut des Juifs ne durerait pas ; il s'évanouirait avec la guerre. Reste la rafle, menée par la police française, sur les ordres des autorités allemandes d'occupation. Reste le sort de tous les Juifs, de Drancy à Auschwitz. Nous savions que le régime d'occupation différait profondément d'un pays à un autre, de l'ouest à l'est. Les conceptions raciales de Hitler déterminaient en gros les modalités de l'occupation. Écoles, lycées, universités fonctionnaient à peu près normalement à l'ouest en général, en France en particulier. En Pologne, les occupants interdisaient l'enseignement supérieur comme si les Slaves, peuple inférieur, devaient abandonner leur terre au *Herrenvolk* ou y travailler sous les ordres et pour la gloire de leurs maîtres. Nous n'ignorions ni l'action des résistants, ni la répression par la Gestapo, ni les déportations de Juifs. Mais jusqu'à quel point, à Londres, les services de la France libre savaient-ils que le transfert des Juifs vers l'est avait une autre signification que la déportation des résistants saisis par la Gestapo ? On parla, à Londres, à voix basse, sans précision, du suicide de deux dirigeants du *Bund*[1] qui avaient mis fin à leur vie pour attirer l'attention du monde sur le génocide qui se déroulait à l'est de l'Europe, dans le silence des deux hommes — en dehors du pape — qui auraient pu parler, Winston Churchill et Franklin D. Roosevelt.

Si nous avions possédé les informations nécessaires, aurions-nous pu les utiliser dans *la France libre* ? Nous n'étions pas soumis à une censure, nous pratiquions une sorte d'autocensure. La revue ne donnait pas dans la *Greuelpropaganda,* selon l'expression que les Allemands avaient forgée en 1914 pour dénoncer la propagande alliée qui les accusait d'atrocités. Nous tenions pour acquise l'horreur du régime hitlérien, de la Gestapo et de ses œuvres. Pour le reste, nous n'entrions pas dans les détails. En 1944, après la libération de la France, je ne participai plus à la rédaction de la revue. Du *dernier secret*[2], pour citer un livre maintenant classique, je n'ai rien su ou rien voulu savoir. J'écris « rien voulu savoir » par scrupule ; je crois me souvenir que l'on fit allusion, dans les journaux, aux Soviétiques qui refusaient de revenir dans leur pays.

Un doute encore aujourd'hui me hante. Le génocide[3], qu'en savions-nous à Londres ? Les journaux anglais l'ont-ils évoqué ? S'ils l'ont fait, était-ce hypothèse ou affirmation ? Au niveau de la conscience claire, ma perception était à peu près la suivante : les camps de concentration étaient cruels, dirigés par des gardes-chiourme recrutés non parmi les politiques mais parmi les criminels de droit commun ; la mortalité y était forte, mais les chambres à gaz, l'assassinat industriel d'êtres humains, non, je l'avoue, je ne les ai pas imaginés et, parce que je ne pouvais les imaginer, je ne les ai pas sus.

---

1. Parti socialiste organisé par des Juifs polonais.
2. Écrit par un diplomate américain sur la livraison aux autorités soviétiques de tous les soldats ou civils d'URSS qui se trouvaient en Occident. Les Américains et les Britanniques s'y étaient engagés à Yalta.
3. On a pris l'habitude d'employer le mot *holocauste*, de résonance religieuse ; le mot *génocide* me paraît plus exact.

Dans une émission à la télévision, il y a quelques années, Jacques Attali mit en accusation les générations de l'avant-guerre qui, sourdes et aveugles, n'avaient rien prévu, rien tenté pour forger leur propre destin et échapper à celui que leur réservaient les nazis. L'accusation, portée moins contre moi que contre une génération, me blessa. Je ne pouvais pas beaucoup pour les Juifs allemands, faute de fortune personnelle et de relations, mais j'en ai aidé quelques-uns ; Hannah Arendt n'oublia pas les modestes services que je pus lui rendre ; mes amis et moi avions compris qu'il n'y avait plus, après 1933, de place pour les Juifs en Allemagne hitlérienne. Bien qu'« assimilé », je détestais les « Israélites » qui ne voyaient dans les Juifs réfugiés que des « boches » et l'occasion (ou la cause) d'un nouvel antisémitisme. J'envoyai à un de mes camarades du *Französisches Akademiker Haus* une lettre furieuse lorsqu'il écrivit qu'une loi, frappant les derniers immigrés venus de la Pologne, pas encore assimilés, en elle-même acceptable, aurait permis d'épargner la communauté juive établie depuis des dizaines d'années, voire des siècles. L'effort des Israélites français de séparer leur sort de celui des « polaks » me répugnait. Mais je ne prêtai pas, même aux hitlériens, l'idée de l'*Endlösung* : la mise à mort, à froid, de millions d'hommes, de femmes et d'enfants, une telle opération monstrueuse, accomplie par un peuple de haute culture, qui osait la prévoir ? La collectivisation agraire en Union soviétique, dira-t-on, coûta encore plus de morts. Délire d'un tyran, résolu à transformer par la force le monde agricole d'un immense empire, la collectivisation agraire en tant que projet d'un parti idéologique n'échappait pas à la compréhension d'un esprit normal, d'un Européen des années 30. L'exécution d'un projet de génocide, je ne parviens pas à me reprocher de ne pas l'avoir prévue et de n'en avoir rien écrit dans *la France libre*.

Une fois l'armistice signé, les ministres de l'État français, y compris les plus anti-allemands, devaient attendre le moment propice de reprendre les armes, le moment où les Alliés pourraient leur en donner. Mais la plupart d'entre eux se trompèrent d'abord sur la nature de cette guerre planétaire ; ils songèrent à signer un traité de paix avec l'Allemagne hitlérienne avant la fin des hostilités. De même, ils se trompèrent sur le cours des événements, ils se firent des illusions sur les projets de Hitler et sur le poids de la France pendant les hostilités ou à la fin de la guerre.

L'armistice ne les obligeait pas à lancer le mot d'ordre de la Révolution nationale, moins encore à prendre l'initiative du statut des Juifs. De Londres, je préférai croire que les propos et les actes les plus odieux de Vichy venaient de la contrainte des « vainqueurs » et non de la volonté des maîtres de l'État français. Les documents ne permettent plus aujourd'hui cette interprétation, au moins dans la plupart des cas. La propagande anti-anglaise, anti-alliée, antisémite exprimait les préjugés et les passions des amiraux, des intellectuels contre-révolutionnaires, fascistes ou parafascistes que la défaite rapprochait dans leurs haines, sinon dans leurs aspirations. Par cette propagande, les vichystes, loin de préparer les Français à reprendre la lutte, s'imposaient un isolement dont le suicide de la flotte, à Toulon, symbolisa et consacra l'absurdité.

Quand la Syrie, l'Afrique du Nord, les colonies furent l'objet d'une « agression » anglaise ou américaine, le gouvernement de Vichy ordonna aux gouverneurs ou aux commandants de troupes de résister jusqu'au bout. Après coup, ils justifièrent ces ordres par la crainte des représailles allemandes au cas où les Français du dehors se joindraient trop aisément aux Anglo-Américains ; seul l'amiral Auphan prit sur lui d'envoyer à l'amiral Darlan un câble, l'assurant que le Maréchal approuvait au fond de lui-même l'accord signé avec les « envahisseurs » anglo-américains. Je doute que la crainte des représailles allemandes déterminât seule même les meilleurs des vichystes à transformer en Syrie le baroud d'honneur en véritable bataille (à supposer que le baroud d'honneur fût inévitable). Encore en 1943, la résistance aux Anglais se poursuivit à Madagascar pendant plusieurs semaines. Aucune des équipes de Vichy ne réduisit au minimum le coût inévitable de l'armistice.

La vie politique ne s'arrêta pas dans la France à demi occupée, elle se poursuivit aussi à l'extérieur. A Vichy, attentistes et collaborateurs luttaient pour le pouvoir, les uns et les autres s'efforçant de gagner les faveurs du Maréchal dont le prestige leur parut jusqu'au bout indispensable. Ni l'amiral Darlan ni Pierre Laval ne voulurent s'engager jusqu'au bout dans l'aventure hitlérienne. Mais ce dernier était le plus pro-allemand des attentistes et tous deux négociaient avec le vainqueur tantôt afin de s'attirer les faveurs du Führer dans l'hypothèse de la victoire allemande, tantôt afin d'atténuer les rigueurs de l'Occupation. Le personnel de Vichy venait de milieux différents : survivants de la IIIe République, doctrinaires de l'extrême droite, technocrates, intellectuels fascisants. Les hommes de Paris attaquaient les hommes de Vichy et leur reprochaient de rester entre les deux camps. Le Vichy de 1944, avec Déat ou Doriot, ne ressemblait plus guère à celui de 1940, avec des royalistes, tel Raphaël Allibert.

Si Jean Monnet ou André Maurois partirent pour les États-Unis, la plupart des Français qui se trouvaient à Londres au moment de l'armistice décidèrent de rentrer en France. Ils obéissaient à des sentiments divers, souvent honorables. Certains, dont l'attachement à la cause alliée ne faiblit jamais, voulaient partager avec leur famille les épreuves des années à venir. D'autres jugeaient que le moment n'était pas encore venu de rompre avec un gouvernement qui possédait, en dépit de l'article publié par René Cassin dans le premier numéro de *la France libre,* presque tous les attributs de la légalité (de la légitimité, on discutera indéfiniment). C'est à Vichy que résidaient les ambassadeurs de l'Union soviétique et des États-Unis, accrédités auprès du gouvernement français. Le 18 juin, le général de Gaulle fit un geste tout autant moral que politique. Probablement aurait-il été amené par la force des événements à présider après la guerre le gouvernement provisoire de la République, même s'il n'avait pas revendiqué immédiatement et avec autant de véhémence un statut aussi proche que possible de celui d'un gouvernement en exil (celui des gouvernements de plusieurs pays occupés).

La France libre, créée en 1940, à l'instigation du Général lui-même, appartenait au mouvement des Français libres, mais elle ne fut jamais une revue gaulliste. Le premier numéro déçut et peut-être irrita quelque peu le Général, parce que son nom n'y figurait qu'une seule fois, dans une parenthèse[1]. Il le fit remarquer à Labarthe, en souriant. Il envoya à la revue quelques mois plus tard une lettre dans laquelle il rendait hommage à son chef Paul Reynaud. Au début de 1941, Labarthe ne songeait pas à rompre avec le Général : il voulait être reconnu par lui à la mesure des mérites qu'il s'attribuait à lui-même.

Le culte de la personnalité de Charles de Gaulle naquit en même temps que le mouvement lui-même. L'armistice devint le péché originel qui, une fois pour toutes, disqualifiait tous les hommes de Vichy. Les gaullistes déchaînèrent immédiatement la propagande contre le « gouvernement de rencontre », qui livrait à l'ennemi nos armes, nos arsenaux, nos ports, etc. (comme si, en cas de capitulation de l'armée, les Allemands n'eussent pas tout pris). Le Général, dans un de ses premiers discours, accusait ou suspectait le gouvernement de Vichy de vouloir livrer la flotte à l'ennemi.

Je ne disposais pas de toutes les informations nécessaires pour exprimer un jugement catégorique sur l'armistice, mais j'inclinai à le croire inévitable. En tout cas, ceux qui l'avaient signé ou accepté ne me paraissaient pas, de ce fait même, déshonorés. Quelles armes, quelles munitions le gouvernement français aurait-il trouvées en Afrique du Nord ? Le Maréchal et Laval, qui avaient déclaré qu'ils ne quitteraient pas la France, auraient probablement formé un gouvernement. A quel gouvernement les aviateurs, les marins auraient-ils obéi ? Combien d'hommes sous l'uniforme auraient été envoyés dans les camps allemands ? Le transfert du gouvernement français à Alger aurait dû être décidé dès la fin de mai au plus tard, organisé pendant les premières semaines de juin. Improvisé au dernier moment,

---

1. Dans ce premier numéro, René Cassin condamnait l'armistice et mettait en cause la légalité et la légitimité du gouvernement du maréchal Pétain.

eût-il servi ou desservi la cause alliée ? Certes, ceux qui l'emportèrent finalement à Bordeaux obéissaient à d'autres considérations que le calcul, réfléchi et tragique, des avantages et des inconvénients respectifs de la capitulation militaire et de l'armistice : ils désespéraient de la démocratie, de la France, ils appelaient de leurs vœux une « restauration » ou un régime autoritaire. C'était une faction politique qui avait imposé l'armistice : dès lors les gaullistes dénoncèrent les « fascistes » en même temps que l'armistice (que l'on appelait la « capitulation », alors que l'autre solution comportait la capitulation au sens propre, à savoir celle de l'armée, que le général Weygand refusa obstinément).

Encore aujourd'hui, le débat n'est pas clos. Les magistrats qui instruisirent le procès contre le maréchal Pétain ne retinrent pas l'armistice lui-même parmi les chefs d'accusation. Le Général, dans ses *Mémoires*, ne pardonne pas aux magistrats leur refus. Puisqu'il revendiqua la légitimité depuis le 18 juin 1940, puisqu'il emporta avec lui cette légitimité à Colombey-les-deux-Églises en janvier 1946, l'armistice devait être criminel et l'appel du Général l'expression authentique de la France, encore inconsciente d'elle-même. Les événements ont ratifié après coup cette légende juridique, mais, à la fin de l'année 1940, l'ensemble de la France, les corps constitués, l'armée, la flotte, l'aviation prenaient leurs ordres du Maréchal. Il fallait non excommunier tous les vichystes, mais ramener la plupart d'entre eux à la cause de la France et de ses alliés.

Après l'élimination des survivants de la IIIe République, le premier Vichy, si je puis dire, la première équipe symbolisée par Raphaël Allibert, se réclama explicitement de la contre-révolution, elle s'inspira d'idées maurrassiennes. Réaction comparable à celle de 1871 qui amena une majorité de royalistes à l'Assemblée nationale. Les deux voix de Vichy et de Londres, sans compter la radio de Paris directement contrôlée par les Allemands, échangèrent dès juin 1940 un dialogue d'ennemis irréconciliables. Les Français ne participèrent pas tous à ce duel à mort (beaucoup croyaient à un accord secret entre le Maréchal et le Général). Jusqu'à novembre 1942, la France garda une chance d'échapper à la guerre civile.

Nous discutions souvent, à Londres, du sort de l'Afrique du Nord. La plupart de mes interlocuteurs usaient de l'argument simpliste : « Puisque les Allemands tolèrent le maintien de l'autorité vichyste en Afrique, c'est qu'ils y trouvent leur intérêt. » Argument qui se fondait sur l'omniscience ou l'omnisagesse des hitlériens. Je plaidais que les deux camps trouvaient leur intérêt à cette neutralité : les Allemands économisaient les troupes d'occupation qui eussent été nécessaires pour contrôler directement l'Afrique du Nord ; les Alliés attendaient le moment où ils posséderaient les moyens du débarquement. Depuis lors, j'ai lu, dans Clausewitz, la théorie rationnelle de l'accord implicite entre ennemis : le parti supérieur, qui donc devrait attaquer, ne dispose pas d'une marge de supériorité suffisante pour compenser l'avantage intrinsèque de la défensive. Le cas de l'Afrique du Nord illustre en quelque façon le raisonnement : le parti le plus fort, l'Allemagne, n'avait pas intérêt à prendre la responsabilité de ces territoires. Le sort de la guerre se jouait en Russie. Une fois l'armistice avec la France signé, les Allemands et les Alliés s'accommodèrent du *statu quo*. Celui-ci, en dernière analyse, favoriserait le camp qui mobiliserait à son profit l'Afrique du Nord française : ce furent les Alliés. Ainsi s'explique le mot de Churchill au général J. Georges, à Alger, en novembre 1942 : « Finalement, c'est mieux comme cela ; en 1940, nous n'aurions rien pu faire, faute de troupes et de matériel. » Le propos a été naturellement démenti ; je crois qu'il a été tenu.

En 1941 comme en 1942, nous nous demandions ce qui se passerait le jour où les troupes alliées débarqueraient. J'en causai plus d'une fois avec l'ambassadeur canadien Pierre Dupuy qui faisait l'aller et retour entre Vichy et Londres, accrédité, en fait sinon en droit, tout à la fois auprès du gouvernement du Maréchal et auprès de la France libre. Il analysait les différentes factions de Vichy, et, s'il n'annonçait pas le ralliement des vichystes à la cause alliée, il ne le jugeait pas inconcevable. En novembre 1942, le général Weygand[1], des ministres, J. Borotra, conjurèrent le Maréchal de partir

1. Au moins le premier jour.

pour Alger. Sans succès, nous le savons. Le Maréchal s'était interdit de jamais quitter le sol du pays ; il s'imaginait capable, par sa seule présence, de protéger le peuple français des rigueurs extrêmes de l'Occupation. A défaut du Maréchal, les officiers et les soldats de l'Afrique du Nord finirent par reconnaître l'autorité du Général. La propagande anti-anglaise de Vichy retarda le ralliement de la marine en particulier. La politique et la propagande du mouvement gaulliste entre 1940 et 1942 ne facilitèrent pas non plus le rassemblement des deux France d'outre-mer.

Je souhaitais, sans y croire, le rassemblement des Français lorsque le débarquement des Alliés en Afrique priverait le gouvernement de Vichy de ses dernières armes, la flotte et l'Empire, et le dépouillerait de ses apparences légales. En Syrie, les troupes, obéissant au Maréchal, avaient combattu courageusement contre les Français libres et les Anglais. La plupart des soldats, après la fin des hostilités, avaient préféré le rapatriement au ralliement à la France libre. Les Américains et les Anglais ne mirent pas le général de Gaulle dans le secret de l'opération d'Afrique du Nord, peut-être parce qu'ils prévoyaient une résistance plus forte contre les Français libres que contre les Alliés, peut-être aussi par hostilité au général lui-même. Les Américains avaient misé sur le général Giraud, le jugeant à tort capable de rallier les forces d'Afrique du Nord à la cause alliée. « L'expédient temporaire » — selon le mot de Roosevelt —, le rôle de l'amiral Darlan, ne me scandalisa pas ; il mettait fin aux combats entre les Français et leurs alliés ; il créait une transition entre le Maréchal et le Général. Je détestais la guerre civile et ne partageais pleinement les passions d'aucun des camps.

Que l'armistice ait été ou non inévitable, le choc entre Vichy et Londres était, lui, inévitable parce que, ici et là, des hommes prétendaient incarner le gouvernement légitime de la France. Comme René Pleven me l'expliqua un soir de 1941, dans un dîner en tête à tête, dès l'origine, le général de Gaulle avait le choix entre deux voies : ou bien il créait un corps de volontaires et, en ce cas, il ne représenterait rien, tant les effectifs apparaîtraient insignifiants, mesurés aux dimensions de

cette guerre planétaire ; ou bien il constituait une organisation politique ayant vocation de devenir le gouvernement de la France. Entre ces deux voies, il n'a pas
hésité et les accords conclus entre le général de Gaulle
et le gouvernement britannique à l'instigation de Winston Churchill ne laissaient pas de doute : ils assuraient
à la France libre un statut original, celui de représentant des intérêts français au-dehors, ils faisaient du
général de Gaulle le chef des Français qui poursui-
vaient le combat. Le Général devait donc dénoncer
« l'imposture » du Maréchal. D'où les longs visages de
certains gaullistes, en novembre 1942, quand un demi-
ralliement de vichystes leur fit craindre la perte du
monopole de la Résistance.

Je pense que le Général ne pouvait pas choisir
d'autre voie, en juillet 1940, mais il aurait pu mener la
lutte politique contre Vichy un ton au-dessous. La
guerre de Syrie, qu'il recommanda aux Anglais, n'était
pas nécessaire : les événements jouaient pour lui. Même
si le Maréchal avait gagné Alger en novembre 1942, le
général de Gaulle aurait probablement accédé au pouvoir, comme héritier du Maréchal. Le Général voulait
qu'il en fût autrement, pour la France et donc pour lui-
même.

Dès juin 1940, il s'est tenu pour le dépositaire de la
légitimité. Du coup, sa mission se transfigurait à ses
propres yeux. Ce qu'il revendiquait apparemment pour
lui-même, c'était pour la France qu'il le revendiquait.
S'il regardait comme des transfuges les Français qui
combattaient dans les forces anglaises, c'est qu'il incarnait la France et qu'à ses yeux les batailles diplomatiques contre les Alliés n'importaient pas moins que la
guerre contre l'ennemi. La reconnaissance qu'il arracha
« envers et contre tout » bénéficiait à la France qui,
grâce à lui et par lui, n'avait jamais quitté le camp de la
liberté et de la victoire. Vision épique, mythique de
l'Histoire qu'il n'était pas interdit de refuser.

Non gaulliste mais proche du mouvement, *la France
libre* passa pour antigaulliste à partir de la querelle

entre l'amiral Muselier et le général de Gaulle. André Labarthe, lié à l'amiral, prit à coup sûr une part importante dans cette crise grave. Je serais bien incapable de rien écrire de neuf sur cet événement que l'amiral Muselier raconta à sa manière et dont les textes du Général permettent de reconstituer le déroulement. A. Labarthe ne me racontait pas tout ce qu'il faisait et ce qu'il racontait n'était pas toujours exact.

L'amiral Muselier, sur l'ordre du Général, prit possession des îles de Saint-Pierre et Miquelon, en décembre 1941, ou, si l'on préfère une expression plus orthodoxe, hissa sur ces territoires français le drapeau tricolore à croix de Lorraine et en chassa les représentants de Vichy. L'opération fut menée dans le secret, sans en avertir les Britanniques ou les Américains. Selon le Général, les Américains et les Canadiens projetaient de s'emparer de la radio de ces îles.

Les Américains réagirent avec une brutalité extrême, verbale bien entendu, contre l'intervention des Français libres dans une zone que couvrait un accord conclu avec le Maréchal. Sous certaines conditions, les autorités, établies dans les possessions françaises de l'hémisphère occidental et obéissant à Vichy, ne seraient pas inquiétées. Le coup de Saint-Pierre et Miquelon violait apparemment cet accord. Ulcéré, le secrétaire d'État américain, Cordel Hull, parla des « so-called free French », les « soi-disant Français libres ». Le mot déchaîna une tempête dans la presse et dans quelques milieux du Congrès. Il servit le Général, tant le secrétaire d'État, qui ne manquait pas de griefs valables, s'était mis dans son tort et avait heurté l'opinion profrançaise aux États-Unis.

Quant à de Gaulle, comme ses télégrammes de l'époque et ses *Mémoires* en témoignent, il ne douta pas un instant d'avoir bien agi. Je retrouve dans le volume *Lettres, notes et carnets* (juillet 1941-mai 1943) la phrase révélatrice de sa pensée : « S'il arrive que, pour des raisons d'opportunité, nos alliés s'accommodent de la neutralité française, générale ou locale, nous ne l'acceptons pas. En toute occasion, nous faisons tout pour faire cesser cette neutralité de gré ou de force partout où nous en avons les moyens. » Il ajoute : « Nous pen-

sons d'ailleurs que cela est dans l'intérêt commun. » En
d'autres termes, par principe, il combattait, y compris
par la force, les autorités vichystes[1].

La fureur des Américains ne troubla pas le Général ;
bien plutôt celui-ci savourait-il, en artiste, le spectacle
de la tourmente qu'il avait soulevée. Les Britanniques,
au fond d'eux-mêmes, n'en voulaient pas au chef de la
France libre d'avoir lancé une pierre dans la mare aux
grenouilles et embarrassé le secrétariat d'État, qui prolongeait la politique baptisée plus tard *The Vichy Gam-
ble* par un historien américain[2].

Le Général félicita l'amiral pour la manière dont il
avait exécuté ses ordres et accompli le ralliement des îles
à la France libre. L'amiral lui-même n'approuvait pas la
manière, agressive à l'égard des Américains, que le Général lui avait imposée. Quand il revint à Londres, Alain
Savary exerçant l'administration civile et Louis de Villefosse le commandement militaire de l'île, il tenta, semble-
t-il, de modifier le fonctionnement du Comité national,
pour éviter que des décisions aussi graves fussent à l'avenir prises par un seul, sans délibération. (La décision relative à Saint-Pierre et Miquelon fut-elle prise dans ces
conditions ?) A travers les *Notes* et les *Mémoires* du Général, on retrouve les étapes de la crise. L'amiral démis-
sionne de ses fonctions de membre du Comité national,
mais veut conserver le commandement des Forces françaises navales libres. Le Général lui enlève le commandement quelques jours plus tard et nomme à sa place le
contre-amiral Auboyneau. Des manifestations de solidarité avec l'amiral Muselier agitent la marine, surtout dans
l'état-major. Le gouvernement britannique fait pression
sur le Général, d'abord pour qu'il ne renvoie pas l'amiral,
ensuite, le général s'étant montré inflexible, pour qu'il lui
réserve un statut digne de son grade et des services rendus. L'amiral, après avoir été prié de prendre du repos en
dehors de Londres, ne se rend pas aux convocations du
Général et rompt avec lui. Il refuse le titre et la fonction
d'Inspecteur des forces militaires de la France libre.

---

1. Il ne restait rien de la promesse, faite aux volontaires de 1940, de
n'avoir pas à combattre des Français.
2. W. Langer.

Quel fut le rôle exact d'André Labarthe dans toute cette affaire, dans ce « complot », pour prendre l'expression souvent employée ? A n'en pas douter, il poussa l'amiral à se dresser contre « l'exercice solitaire du pouvoir », mais, à mon sens, il n'envisagea jamais une « dissidence » ou une « sécession » de la marine, inconcevable quel que fût l'attachement de nombre d'officiers à la personne de l'amiral. Rétrospectivement, la tentative de Muselier et de Labarthe paraît puérile. A l'intérieur du Comité national, l'amiral n'avait pas de soutien. L'appui anglais, sur lequel, probablement, l'un et l'autre comptaient, ne leur fit pas défaut, mais le Général rejeta avec hauteur ces ingérences dans les affaires intérieures de la France libre, donc de la France tout court. Après l'apaisement, le Général fit une concession au gouvernement anglais : il proposa, je l'ai dit, un poste, honorable mais sans pouvoir, à l'amiral, qui préféra se retirer.

Louis de Villefosse resta fidèle à l'amiral, avec noblesse et désintéressement ; le capitaine de vaisseau Moret (Moullec de son vrai nom) aussi, mais il avait été très lié à Labarthe, de ceux qui tissèrent les fils de l'intrigue. Quant à l'amiral et à André Labarthe qui, au fond, voulaient une place élargie à l'intérieur du mouvement, en limitant la toute-puissance du Général, ils se trouvèrent finalement sur la touche. Il n'y eut guère d'échos de cette crise dans *la France libre* qui n'en apparut pas moins antigaulliste, en raison de l'activité politique de son directeur.

La distance entre le gouvernement gaulliste et *la France libre* s'élargit encore en novembre 1942 quand les troupes anglo-américaines débarquèrent en Afrique du Nord et que les autorités de Vichy se rallièrent, non sans un baroud d'honneur, à la cause alliée. Un éditorial équivoque qui suggérait un rassemblement de tous les Français fut critiqué âprement par les services du Général. Jacques Soustelle m'envoya une lettre que je n'ai pas conservée, mais qui nous reprochait de rompre avec l'inspiration et les principes de la France combattante.

Cette rupture n'aurait peut-être pas été définitive si l'amiral Muselier et André Labarthe n'avaient gagné l'Afrique du Nord pour se mettre aux ordres du général Giraud. Autant que je m'en souvienne, la revue ne suivit pas les péripéties de la bataille des généraux, mais la prise de position de son directeur mettait *la France libre,* en apparence au moins, du côté du général Giraud et, après l'élimination de ce dernier, parmi les exilés non gaullistes ou antigaullistes. En particulier, un de mes articles, « L'ombre des Bonaparte » (1943), fit scandale, parce qu'il développait une comparaison entre le bonapartisme et le boulangisme d'un côté, le fascisme de l'autre. J'énumérais les traits caractéristiques d'une situation de césarisme plébiscitaire : *popularité d'un homme ou simplement d'un nom, ralliement au César des classes bourgeoises, discrédit du Parlement, divisions des républicains et confusion dans les masses populaires, chances offertes par le système des plébiscites.* Je retrouvais, à l'origine de l'aventure boulangiste, la conjonction des mêmes phénomènes : « république contre parlement, appel au peuple avec la bénédiction des classes possédantes. Général républicain et général Revanche : autour de son nom se cristallisaient et les transports d'un patriotisme humilié par la défaite et l'espérance du romantisme démocratique ».

Je répondais aux deux objections soulevées contre le rapprochement entre le bonapartisme du XIXe siècle et le fascisme du XXe siècle : le rôle décisif de la paysannerie au siècle passé, la crise économique à l'origine du national-socialisme. « Le rôle des paysans est une des caractéristiques du bonapartisme français mais il y a, d'autre part, un bonapartisme des villes, celui des petits-bourgeois, des artisans, des ouvriers même, milieux radicaux sensibles à l'appel du soldat, nationalistes et frondeurs, républicains et en même temps désireux d'une autorité forte. De plus, la conjonction des extrêmes dans le mythe d'un héros national, le ralliement du parti d'ordre à l'aventurier adulé par les foules, l'explosion de ferveur montant vers le chef charismatique, la mobilisation des multitudes flottantes, tous ces traits communs à la formation des fascismes comme des bonapartismes justifient la comparaison. » Quant à la deuxième objection, la différence radicale entre la conjoncture socio-économique du milieu du siècle passé et celle du milieu du siècle présent, je répondais par une question : « Pourquoi la France a-t-elle connu, avant tous les autres pays d'Europe, une forme particulière de césarisme populaire ?... La peur des « partageux » créa la même disponibilité au césarisme dans les masses paysannes, devenues conservatrices avec l'accession à la propriété, que la peur de la prolétarisation créa dans les masses de la petite bourgeoisie allemande après 1930. »

La conclusion analytique se résumait dans les lignes suivantes : « Le bonapartisme est donc tout à la fois l'*anticipation* et la *version française* du fascisme. Anticipation française parce que l'instabilité politique, l'humiliation patriotique et le souci des conquêtes sociales — mêlé d'une certaine indifférence aux conquêtes politiques — de la révolution ont créé à diverses reprises une situation plébiscitaire dans le pays, au temps même du capitalisme ascendant. Version française, parce qu'il se trouve toujours, dans des circonstances favorables, des millions de Français pour compenser leur hostilité coutumière à leurs gouvernants par des élans passionnels, cristallisant autour d'une personne désignée par les événements. Version française encore parce qu'un régime autoritaire, en France, inévitablement se réclame de la grande Révolution, paie tribut verbal à la volonté nationale, adopte un vocabulaire de gauche, fait profession de s'adresser, par-delà les partis, au peuple entier. »

L'article ne laissait guère de doute au lecteur sur le sens de cette mise en garde : « Si profonde et unanime que soit cette aspiration à la liberté, la nation n'en restera pas moins, tant que ses institutions n'auront pas été réorganisées, exposée aux aventures. Abreuvée d'humiliations, elle vibrera d'un patriotisme ombrageux. » Je transmuai l'analyse en polémique parce que je mis en épigraphe la phrase écrite par Louis-Napoléon alors qu'il résidait à Londres, précisément à Carlton Gardens : « La nature de la démocratie est de se personnifier dans un homme. » Maurice Schumann dénonça la « mauvaise action », Dennis Brogan admira beaucoup l'article. Un historien anglais, spécialiste du second Empire, confirma la pertinence de l'analyse.

Aujourd'hui, je regrette certaines insinuations du texte plus que le texte lui-même.

En quoi consistait l'erreur ? Le Général avait avec Louis-Napoléon et tous les candidats au pouvoir suprême des similitudes évidentes. Alexis de Tocqueville présente Louis-Napoléon « plus assuré de sa légitimité que les descendants des rois de France ». Le Général s'était attribué à lui-même une inaliénable légitimité, qu'il conserva précieusement dans son exil et sa solitude. Quand il revint au pouvoir, en 1958, il invoqua l'acte du 18 juin, bien que les Français n'eussent pas tous condamné l'armistice, ni accepté l'appel du 18 juin en tant que créateur d'une légitimité personnelle qui persisterait après la restauration de la République. Comme les Bonaparte, de Gaulle détestait les partis et les factions ; s'adressait à la nation tout entière ; et il usa du plébiscite comme l'avait fait Louis-Napoléon. Au rebours de ce qu'affirmaient les thuriféraires, il n'avait jamais limité sa mission à la victoire militaire ; il avait conçu le projet — et pourquoi lui en tenir rigueur ? — de donner à la France de « bonnes institutions ».

Mais il avait à l'avance limité son pouvoir, par conviction démocratique, peut-être aussi afin de convaincre les Anglais et les Américains de son orthodoxie républicaine. Il avait rejeté la proposition faite par certains résistants, comme Henri Frenay ou Pierre Brossolette, d'empêcher la reconstitution des vieux partis et de rassembler les mouvements de résistance en un parti, au moins provisoirement unique. Le Général arriva en France avec une Assemblée consultative, un parti communiste légal, lavé des fautes de 1939-1940. A coup sûr, il ne voulait pas restaurer la IIIe République. Les radicaux et les socialistes qui publiaient le quotidien *France* pressentaient, avec raison, que la République gaulliste ne ressemblerait pas à celle des députés. Lorsqu'on était conscient des tares de cette dernière, pourquoi rejeter à l'avance cette perspective ?

« L'ombre des Bonaparte », relu aujourd'hui, souffre moins de ce qu'il contient que de ce qu'il omet. Ni général Monck ni général de coup d'État, le général de Gaulle voulait instaurer une Constitution taillée à sa mesure et, en même temps, viable après lui. Il y parvint en 1958.

Aux États-Unis comme en Angleterre, les Français hostiles au régime de Vichy ne se rallièrent pas tous au gaullisme. A New York, Antoine de Saint-Exupéry soulevait la colère des gaullistes qui le traitaient de traître, et lui-même ne supportait pas leur sectarisme. Au lendemain du débarquement anglo-américain en Afrique du Nord, Saint-Ex plaida pour la réconciliation de tous les Français qui voulaient combattre l'ennemi. Jacques Maritain lui répliqua dans une lettre sévère qui blessa le destinataire[1]. L'un a-gaulliste, sinon antigaulliste, l'autre gaulliste. Le premier voyait les hommes de Vichy tenus à la gorge par les occupants et contraints à des concessions pour sauver « le lait des enfants », l'autre, critique impitoyable de l'armistice, ne concevait pas de réconciliation avec ceux qui avaient joué un rôle à Vichy. L'un refusait toute politique et voulait reprendre le combat ; l'autre rappelait que la guerre doit être conduite et que la charge en revenait de toute évidence au Général lui-même. (Sur ce point, Maritain avait raison.) Ainsi se heurtaient les deux esprits supérieurs, les deux consciences des Français d'Amérique. Saint-Exupéry, passé en Afrique, n'adhéra pas au mouvement gaulliste qu'il jugea aussi sectaire à Alger qu'à New York. Il obtint avec peine l'autorisation de piloter un *lightning,* en violation de tous les règlements. Il trouva la mort dans une mission d'observation au-dessus de la France.

Autre personnalité française, Saint-John Perse (Alexis Léger) s'en tint à l'opinion qu'il exprima dès le premier jour : pas de gouvernement, même provisoire, en dehors de la France occupée. Il refusa la position importante que le Général lui offrit, il continua de vivre pauvrement de la dotation que lui assurait le poste de

---

1. Dans l'introduction que j'écrivis, en 1982, aux *Écrits de guerre* de Saint-Exupéry, j'ai tenté de faire comprendre l'attitude de l'écrivain-pilote qui donna sa vie à sa patrie.

conseiller littéraire à la Bibliothèque du Congrès, dirigée alors par son ami, le poète Archibald Mac Leish.

Les Français qui refusèrent de se joindre au mouvement gaulliste obéirent, pour la plupart, à d'autres motifs qu'Alexis Léger, par exemple les rédacteurs de *France,* le journal quotidien publié en français à Londres. Eux s'accordaient pleinement avec la version gaulliste de l'Histoire. Ils traitaient le Maréchal et Maurras de traîtres. Par passion partisane, ils dénonçaient parfois les gens de Vichy avec tant de violence que leur propagande prenait un caractère antifrançais. Je me souviens d'un déjeuner auquel un rédacteur du journal avait invité des Tchèques, Ripka parmi eux. La conversation vint sur le président Hacha, celui qui avait signé le texte par lequel son pays demandait la « protection » du Reich. Notre interlocuteur répondit avec retenue, par une phrase vague : « Il fait de son mieux ». Quelques instants plus tard, le journaliste français tira à boulets rouges sur le Maréchal, ses ministres et ses partisans, comme si aucun ne faisait de son mieux, comme si tous servaient docilement, voire avec zèle, les occupants.

L'équipe qui rédigeait *France,* Pierre Comert, Charles Gombault, Louis Lévy, venait de la classe politique de la IIIe République ; elle se méfia toujours du général de Gaulle que son style, ses affinités (prétendues) avec l'Action française, ses propos sévères sur le régime aboli rendaient suspect.

L'équipe de la radio, *Les Français parlent aux Français,* était divisée. Jean Marin passait pour un gaulliste de stricte observance ; Pierre Bourdan prenait ses distances par rapport à l'orthodoxie. Jacques Duchesne, qui dirigeait l'équipe, neveu de Jacques Copeau, acteur de profession, nullement nostalgique de la IIIe à la manière des journalistes de *France,* n'aimait pas l'atmosphère de confessionnal qui régnait autour du Général. P. Bourdan, le plus doué de tous, se noya stupidement, en 1947, après avoir commencé une carrière politique brillante.

Après le débarquement des Alliés en Afrique du Nord, grâce à la multiplication des vols entre la France occupée, l'Afrique du Nord et la Grande-Bretagne, la colonie française de Londres grossit. Résistants, hommes politiques, hauts fonctionnaires enrichirent la France libre dont le général de Gaulle avait déploré devant moi, en 1941, la pauvreté en hommes de qualité.

Robert Marjolin était revenu en 1941, après que Emmanuel Monick, dont il avait été le chef de cabinet au Maroc, eut été rappelé en France sur l'exigence des Allemands. Il avait connu et admiré le général Weygand mais il apprit vite que ces sentiments nuisaient à ceux qui les avouaient. La plupart des diplomates ou des hommes politiques, qui venaient de Vichy, se ralliaient au général de Gaulle, et ils avaient raison. Il y avait désormais deux France, chacune incarnée dans un groupe qui, à ses propres yeux, représentait *la* France. Il n'existait plus de troisième terme, sinon pour les isolés. Bien plus, les ralliés apprenaient vite que les ex-vichystes, une fois le baptême gaulliste reçu, étaient acceptés plus aisément que ceux qui avaient servi la cause alliée en marge du gaullisme.

A l'époque, la vertu du baptême gaulliste me choquait, comme me choquait la sévérité gaulliste à l'égard des Français inscrits dans l'armée anglaise ou dans les mouvements de Résistance, en relations directes avec les services britanniques. Aujourd'hui, une éducation politique un peu plus avancée m'aide à tolérer cette logique de la guerre civile (que j'avais toujours comprise) ou, si l'on veut, du nationalisme intégral. La cause française ne se *séparait* pas de la cause alliée mais elle ne se *confondait* pas avec elle. Une fois l'armée française détruite et la France occupée, la contribution matérielle de la France à la victoire ne pouvait être que secondaire. Il importait donc de valoriser au maximum cette contribution ; tout ce qui était donné à la cause alliée sans apparaître comme l'apport propre de la France, donc du gaullisme, manquait au devoir national.

Pour moi, il n'était pas question de me rallier au mouvement gaulliste, désormais victorieux. La politique s'était déplacée de Londres vers Alger. André Labarthe était aux États-Unis. Face à la dégradation du régime de Vichy, le général de Gaulle était devenu, de manière incontestable, le chef légitime. La vie politique n'était pas pour autant suspendue ; au contraire, elle sortait des brumes de l'exil et rentrait dans la réalité.

Dans le Londres de la guerre, capitale de l'Europe occupée, se retrouvaient les gouvernements en exil des pays occupés. A partir de l'agression hitlérienne contre l'Union soviétique, les perspectives d'avenir, au-delà de la défaite maintenant probable du IIIe Reich, nourrissaient les conversations en même temps que les négociations entre les hommes d'État. Notre revue entretenait des relations amicales avec les Polonais de Londres et nous publiâmes, à maintes reprises, des articles, rédigés par eux à l'instigation de leurs autorités officielles, à savoir du gouvernement polonais en exil.

Les spéculations d'avenir des Polonais se développaient en un monde irréel ; elles imaginaient un réseau de pays, petits ou moyens, qui s'uniraient contre l'Union soviétique et contre l'Allemagne, et, de ce fait, préviendraient tout aussi bien le conflit que la coalition des deux Grands. Projet parfaitement utopique puisqu'il équivalait à la reproduction du règlement dicté à Versailles, que le géographe H. J. Mackinder avait conçu en 1919. L'idée d'une zone tampon entre l'Union soviétique et l'Allemagne se heurtait à de multiples obstacles. Les pays désignés pour constituer cette zone non engagée entre les empires devaient être suffisamment unis pour qu'aucun d'entre eux ne demandât l'arbitrage de l'un des Grands dans un conflit qui l'opposerait à l'un de ses voisins. Cette union n'avait jamais été réalisée au cours de l'entre-deux-guerres. La Roumanie et la Hongrie revendiquaient toutes deux la Transylvanie ; la Pologne participa à la curée après l'accord de Munich ; ni la Pologne ni la Tchécoslovaquie n'étaient à l'abri de protestations ou de revendications des minorités nationales. De plus et surtout, le statut territorial de l'Europe dépendait de l'Union soviétique. Les États de la zone tampon, rêvée de loin, ne posséderaient pas la force nécessaire pour faire respecter leur non-engagement, pour remplir leur mission de double barrage, vers l'est et vers l'ouest.

Les Polonais et les Tchèques, en dépit de l'accord qu'ils avaient conclu, ne parlaient pas le même langage. Les Polonais ne faisaient pas mystère de leurs craintes. Aussi bien n'avaient-ils oublié ni le pacte Hitler-Staline, ni le partage de leur territoire par les armées des deux empires, ni l'assassinat à Katyn d'une douzaine de milliers d'officiers polonais par les troupes soviétiques. Ce dernier forfait, ils le connaissaient par les informations de quelques survivants du massacre, informations précises, apportées par des réfugiés. Les personnalités proches du gouvernement Sikorsky le savaient : les milliers d'officiers polonais, retenus prisonniers dans un camp soviétique, avaient disparu avant l'arrivée des troupes hitlériennes. Quand les communiqués officiels de la *Wehrmacht* firent état du charnier mis au jour, les ministres polonais réclamèrent une commission d'enquête, composée de personnalités neutres, dont le témoignage ne serait récusé par aucun gouvernement. On sait ce qu'il en advint.

Dans les conversations privées, les Tchèques — au moins tous ceux que je fréquentais — critiquaient la conduite des Polonais. Ils avaient tous adopté la thèse de Benès. L'Union soviétique dominerait l'Europe orientale — ce qui, en effet, semblait incontestable. Donc, le gouvernement qui s'établirait à Prague devrait avant tout maintenir de bonnes relations avec Moscou. A Munich, Benès et le peuple tout entier avaient fait l'expérience tragique de l'impuissance de leurs alliés. Ils avaient appris à leurs dépens que l'Occident ne leur assurerait jamais la sécurité. C'est donc sur l'amitié de Moscou qu'ils compteraient désormais. Raisonnement au premier abord raisonnable, qui risquait de rejoindre celui de Gribouille. De même que, de 1919 à 1939, Benès avait pourchassé le fantôme de l'Empire austro-hongrois alors que le péril venait du IIIe Reich, de même, pendant la guerre, il prit des précautions contre le réveil de l'impérialisme allemand et la trahison occidentale. Il chercha la protection du nouvel impérialisme.

Benès ne croyait pas à cet impérialisme. Il se portait pour ainsi dire garant des intentions soviétiques auprès de ses grands alliés. L'Union soviétique ne tolérerait pas à sa frontière occidentale des pays hostiles, susceptibles de se joindre à une invasion venant de l'Ouest, comparable à celle de juin 1941. Mais, à l'exception des provinces polonaises de l'Est, habitées en majorité par des allogènes, en particulier des Russes ou des Ukrainiens, les gouvernants de Moscou, selon lui, ne se proposaient ni de conquérir des terres, ni de répandre par la force leur régime. Parfaitement aveugle, cet homme d'État, étoile aux beaux jours de Genève, continuait le travail de désinformation qu'il avait inauguré en transmettant à Staline en 1936 des « informations » reçues des services allemands par l'intermédiaire de son propre service d'intelligence, qui favorisèrent l'exécution de Toukhatchevski et des autres généraux passés par les armes au temps de la grande purge.

Les propos privés des Tchèques sur les Polonais ne laissaient pas de me déplaire. Certes, les premiers se conduisaient, une fois de plus, raisonnablement. Puisque l'Union soviétique régnerait sur l'est de l'Europe, la raison ordonnait de s'entendre avec Moscou. Au château des rois qui surplombe Prague, Benès, au lendemain de la guerre, embrassa d'un geste large la ville et dit à un visiteur : « Voyez ce que j'ai sauvé. » Prague, dans son être matériel, devait sa survie à la capitulation de septembre 1938, qu'il avait flétrie mais qu'il avait peut-être souhaitée au fond de son cœur et dont les Alliés avaient assumé la responsabilité.

Le langage des Tchèques me paraissait d'autant plus irritant qu'ils adoptaient volontiers un ton de supériorité à l'égard des Polonais, toujours puérils ou romantiques, incapables de mesurer les rapports de forces et d'agir en conséquence. A quoi bon rallumer les cendres ? Certes, les officiers polonais avaient été assassinés, mais chaque jour des milliers de Soviétiques, aussi nombreux que les prisonniers du camp de Katyn, tombaient sur les champs de bataille. Il fallait regarder vers l'avenir, donc vers Moscou. A quoi nous répliquions : pouvons-nous faire confiance à Staline, à l'Union soviétique ? Celle-ci est-elle devenue un État comme les autres, dont l'impérialisme ne dépasserait ni les limites, ni la manière de la Russie tsariste ? De fait, les Tchèques n'ont pas plus échappé à la domination soviétique

que les Polonais. Une première fois les Soviétiques ont pris le pouvoir à Prague par l'intermédiaire du parti communiste, sans qu'aucun de leurs soldats eût franchi la frontière. La deuxième fois, vingt ans plus tard, ce sont les troupes du pacte de Varsovie qui ont « normalisé » un régime que les dirigeants communistes tchèques eux-mêmes s'efforçaient de libéraliser.

Pendant ces années, je vécus dans un milieu français, mais j'entrai aussi dans la société anglaise. Le *Reform Club* et le groupe des libéraux, Lionel Robbins ou Friederich Hayek, m'accueillirent avec une générosité dont je garde un souvenir reconnaissant. Karl Mannheim qui enseignait à la *London School of Economics and political studies* m'invita plusieurs fois. Morris Ginsberg, le sociologue principal de la même école, vers la fin de la guerre, me demanda si j'accepterais un poste qui deviendrait rapidement celui d'un *full professor*. Je n'envisageai pas sérieusement cette proposition. Bien que, durant ces années, j'eusse parlé le plus souvent français et avec des Français, j'avais fait assez de progrès pour que des conférences ou des cours en anglais ne fussent plus de nature à me terrifier. La raison décisive de mon choix allait pour ainsi dire de soi : je ne changerais jamais de patrie. Je serais français ou je n'aurais pas de patrie.

Certes, j'aurais pu vivre dans un autre pays, en Grande-Bretagne ou aux États-Unis, et m'y conduire en bon citoyen. Mais sans y trouver une patrie de substitution. La langue, les symboles, les émotions, les souvenirs, tous les liens qui attachent un individu à une communauté se nouent dans les premières années de la vie ; une fois ces liens déchirés, nous nous sentons amputés d'une partie irremplaçable de notre être. Nombre de Juifs français n'ont pas pardonné à la France le statut des Juifs ; ou, pour mieux dire, le statut les a séparés de *leur* France, de leur pays tel qu'ils le connaissaient ou le voulaient. Quant à moi, peut-être pour m'épargner une révision déchirante, je crus d'abord que le statut avait été imposé à Vichy, directement ou non, par les Allemands, puis je décrétai que Vichy constituait une parenthèse dans l'histoire de France, un épisode de la guerre.

Je connus beaucoup de Français de Londres, le personnel de l'Institut de France ; je me liai d'une profonde et douce amitié avec Louise Verrier. Parmi les combattants qui avaient servi en Afrique et qui revinrent à Londres, je retrouvai le général Édouard Corniglion-Molinier, le pilote d'André Malraux dans l'expédition aérienne vers la capitale de la reine de Saba. Niçois, homme du pays d'oc à la frontière de l'Italie, il racontait volontiers des « anecdotes fumantes », mais jamais des vantardises. Tout au contraire : un des seuls Français à avoir été un pilote de chasse dans les deux guerres, 1914-1918 et 1939-1940, il ne parlait jamais de ses exploits, des appareils ennemis qu'il avait abattus. Pas davantage, il ne mentionnait ses dons de musicien, de violoniste. Discret sur le meilleur de lui-même, expansif sur des réussites d'autre qualité, il fut, pour Suzanne et moi, un incomparable ami, fidèle, serviable, désintéressé.

Par chance, grâce aux relations d'André Labarthe avec les Américains, Suzanne et Dominique arrivèrent à Londres le 14 juillet 1943. Notre fille Emmanuelle naquit le 18 juin 1944 et Édouard en fut le parrain. Nous louâmes deux cottages proches, l'un pour Corniglion et son amie de l'époque, l'autre pour Suzanne et son bébé. La Libération ne nous sépara pas. Plusieurs fois ministre sous la IVe République, il demeura pour nous un compagnon.

Plusieurs jeunes Français, appartenant au commando des FFL qui fit partie de la première vague du débarquement, fréquentèrent la petite maison de Queensberry Gate dans laquelle je vivais seul quand nous fûmes obligés de quitter l'appartement de Cromwell Gate et quand Suzanne s'installa à la campagne. Deux d'entre eux me restent présents, vivants à l'esprit, Guy Hattu et Guy Vourch. Ce dernier est aujourd'hui un spécialiste réputé d'anesthésie. Nous nous rencontrons rarement, mais je conserve un souvenir fidèle de ces années de camaraderie.

C'est dans la petite maison de Queensberry Gate que Jean Cavaillès passa plusieurs semaines avec moi. Je l'avais connu à l'École, « cacique général » (le premier de la promotion la plus ancienne). Nous l'admirions, un peu de loin ; il fréquentait beaucoup les scientifiques puisqu'il préparait la licence de mathématiques. De ces années d'École, un seul souvenir précis à son propos me revient à la mémoire : il faisait une démarche auprès d'Émile Bréhier pour que celui-ci retirât sa démission. Émile Bréhier avait été offensé par le fait que certains élèves n'assistaient pas régulièrement à son séminaire donné pour les philosophes de l'École (les principaux « coupables » étaient Sartre et Nizan). Je fus impressionné par l'ardeur, le ton avec lesquels Cavaillès tenta de convaincre le professeur de revenir sur sa décision. Plusieurs années plus tard, agrégé préparateur pour les candidats à l'agrégation, il m'invita à parler de l'Histoire à un de ses séminaires. Il m'écrivit une lettre généreuse à propos de ma thèse. A la veille de la guerre, nous créâmes ensemble une collection à la maison d'édition scientifique Hermann. La collection ne compta qu'un ouvrage, la *Théorie des émotions,* de Jean-Paul Sartre.

C'est à Londres que nous devînmes amis. Il me parla de sa famille, de sa sœur, Gabrielle Ferrières. J'admirai sans réserve le philosophe-mathématicien, la force de son esprit et la fermeté de son sens moral. Nous échafaudâmes des projets d'avenir. Pris par la Gestapo, il fut fusillé. S'il avait vécu, la communauté philosophique, la communauté intellectuelle de la France auraient été différentes. J'aurais commis moins d'erreurs.

A Londres aussi, je me savais juif et les autres me savaient juif. Mais en dépit des rumeurs qui circulaient sur l'antisémitisme de certains milieux gaullistes, je n'ai jamais perçu le moindre indice d'un antisémitisme venant d'en haut. Personnellement, je n'ai pas voulu parler à la radio — sauf en des occasions exceptionnelles, par exemple à la mort de Bergson — pour ne pas donner de nourriture à la propagande adverse ; il me plaisait de revenir en France aussi anonyme, aussi pauvre que j'en étais parti. A cet égard, je réussis.

Quel était mon état d'esprit, à l'été de 1944, après la Libération, à la veille du retour en France ? Quel bilan établir ? J'oscillais entre la bonne et la mauvaise conscience. A défaut d'avoir connu des dangers dans une unité combattante, j'avais contribué à une œuvre nécessaire : une revue française de culture, distribuée dans le monde entier, alors que la voix de la France était étouffée ou, pis encore, déformée. Elle aurait dû, selon certains, témoigner d'un gaullisme plus orthodoxe : je n'en suis pas, aujourd'hui encore, convaincu. Pas plus au-dehors qu'au-dedans, les Français ne se partageaient entre des inconditionnels, du Maréchal ou du Général. Elle servit mieux le gaullisme œcuménique, au moins jusqu'en 1943, que ne l'aurait fait une publication rédigée dans le style et le ton adoptés par les fidèles du Général.

En même temps, je m'interrogeai sur moi-même, sur mon penchant à la solitude. Devais-je trouver toujours des raisons plus ou moins subtiles de rester marginal, en dehors de tous les partis, de tous les mouvements ? Je me souvins de l'étudiant allemand qui, en 1933, me reprochait d'être incapable de *mitmachen,* de m'enrôler.

L'exil accentue les traits les plus déplaisants de la politique : pullulement des intrigues, propos rapportés, inimitiés couvertes, rapprochements superficiels. Les controverses portent sur l'avenir, sur les possibles. L'expérience de Londres aurait dû réprésenter la dernière étape de mon éducation politique. Elle le fut en un certain sens puisque, pour la première fois, j'approchai les hommes qui font la politique. Je n'en acceptai que progressivement la leçon. Mon allergie à toute vision mythique de l'histoire-se-faisant me vouait à la destinée qui fut la mienne au cours des trente-sept années écoulées depuis la fin de la guerre. Je ne le savais pas aussi clairement qu'aujourd'hui à l'instant où, le cœur battant, je mis le pied sur la terre de France. Il me fallut encore quelques années pour m'accepter ou, plus exactement, pour faire la part exacte qui revenait respectivement à l'analyse et à l'engagement.

VIII

L'ILLUSION SANS LYRISME

J'ai choisi pour titre de ce chapitre, consacré à la fin de la guerre et aux premières années de l'après-guerre, *L'illusion sans lyrisme,* inverse de la formule par laquelle André Malraux désigne la première phase d'une révolution. On parla beaucoup de révolution, dans la France libérée ; sur la première page de *Combat,* au-dessous du titre, figurait le mot d'ordre *De la Résistance à la Révolution ;* Georges Bidault lança le slogan « Révolution par la loi ». Cette phraséologie ne signifiait rien.

Pendant la guerre, la décision avait été prise, par le général de Gaulle lui-même, de favoriser la reconstitution des partis. Aujourd'hui encore, je tiens cette décision pour tout à la fois sage et inévitable. De toute manière, le parti communiste n'avait pas cessé de vivre dans la clandestinité ; il avait pris une part active à la lutte contre l'occupant à partir de juin 1941. Puisque le général de Gaulle s'était engagé à donner la parole à la nation, en d'autres termes à organiser des élections, il fallait bien que, face au PC, d'autres partis et leurs représentants fussent capables de se manifester. Léon Blum et les survivants de la SFIO n'auraient pas consenti à se fondre dans un ensemble défini par la Résistance ou la République. La France était condamnée à la rivalité, sinon au régime, des partis. Lutte camouflée et faussée tout à la fois par la tactique adoptée par le PC. Celui-ci, tant que les hostilités se poursuivirent, soutint le gouvernement du Général, incita les ouvriers au travail tout en réglant ses comptes, à la faveur de l'épuration, avec d'anciens militants communistes ou des syndicalistes à l'intérieur des fédérations hostiles à la CGT. Leurs ministres mettaient en place leurs hommes et s'assuraient des positions que le PC conserve parfois aujourd'hui encore (Marcel Paul à l'EDF par exemple).

L'unité de la Résistance m'apparaissait mensongère. Le comportement des autorités soviétiques d'occupation, en Roumanie, en Pologne, dans la zone allemande, ne laissait guère de doute sur les intentions de Staline. Selon la formule qu'il employa dans une conversation avec Djilas, chaque armée apporte avec elle son idéologie. Dès mai 1945, la rupture entre le PC et les autres partis n'était qu'une question de temps. En refusant au PC un ministère clé, le Général avait marqué la différence radicale qu'il établissait entre lui et tous les autres partis. Le tripartisme — l'alliance des trois grands partis, PC, MRP, SFIO — ne pouvait durer longtemps ; il ne résisterait pas à la dissolution de l'alliance des trois grandes puissances.

Autant que la lutte des partis, l'épuration empoisonna l'atmosphère de la première phase de la démocratie retrouvée. L'inflation, partiellement refoulée pendant la guerre, se déchaîna immédiatement. L'expulsion des envahisseurs ne guérit pas d'un coup les déchirements du corps national, elle laissa tout au contraire libre cours aux ressentiments, aux aspirations contradictoires des diverses classes, des divers partis ; les simples Français s'abandonnèrent à la morosité, tant la réalité démentait les espoirs nourris durant les années noires. Je me souviens des journées du 8 et 9 mai et de la tristesse de la capitale. Avec Jules Roy, si mes souvenirs ne m'abusent, j'ai échangé quelques mots sur l'étrange climat, l'absence de tout enthousiasme. Les massacres prenaient fin, en Europe du moins ; la France se trouvait dans le camp des vainqueurs, mais le peuple n'était pas rassemblé et nous nous interrogions déjà sur l'avenir. J'avais treize ans au 11 novembre 1918. Mes parents nous conduisirent tous trois, mes frères et moi, à Paris, le lendemain de la signature de l'armistice. Je n'oublierai jamais la liesse du peuple de

Paris, qui tout entier, sorti des maisons, des usines, des
bureaux, remplissait les rues. Bourgeois et ouvriers se
mêlaient, les hommes et les femmes s'embrassaient,
tous criaient à tous les échos « nous avons gagné la
guerre », « nous les avons eus ». L'unanimité nationale,
elle non plus, ne dura pas. Du moins exprima-t-elle la
fierté que les Français tiraient de leur héroïsme et de
leurs sacrifices, le soulagement que leur apportait la fin
de la tuerie. J'ai participé à beaucoup de manifestations ; aucune ne réunissait les Français de toutes
conditions, aucune ne ressembla à celle des Parisiens
du 12 novembre 1918. Ce jour-là, ils ne défilaient pas,
ils marchaient ensemble, ils vivaient ensemble.

Faut-il ajouter que la France se releva mieux de la
défaite de 1940 que de la sublime et surhumaine
épreuve de 1914-1918 ?

La rencontre d'André Labarthe à Carlton Gardens,
en juillet 1940, avait déterminé mon existence durant
les années de guerre.

Une autre décision prise cette fois sans examen de
conscience, presque sans réflexion, influa, elle aussi,
sur le reste de ma vie. Le doyen de la Faculté des lettres
de Bordeaux me demanda de poser ma candidature à
une chaire de sociologie vacante, il me promit un soutien unanime de ses collègues. J'avais été élu maître de
conférences à la Faculté des lettres de Toulouse et ma
femme avait perçu mon traitement au cours des années
40-43, tant que je fus porté disparu. Le doyen de la
Faculté n'ignorait pas la vérité. J'aurais donc dû me
rendre le plus tôt possible à Toulouse pour remercier le
doyen et mes collègues de leur attitude à l'égard de ma
famille. Pourquoi je ne le fis pas, je ne parviens pas à le
comprendre.

En 1938, remplaçant du professeur Bonnafous,
j'avais fait l'aller et retour de Bordeaux pendant la plus
grande partie d'une année universitaire. Cette pratique,
interdite sur le papier à moins de circonstances particulières (par exemple la résidence de la femme — ou du
mari — dans une autre ville), ne troublait ni l'adminis-

tration, ni le doyen. D'après mes souvenirs, celui-ci qui m'invita à me porter candidat ne formula aucune exigence de résidence. Peut-être mon exercice du métier, en 1938, avait-il laissé à Bordeaux de bons souvenirs. Peut-être aussi les Juifs, hier persécutés, bénéficiaient-ils, pour un moment, d'une cote de faveur, dans certains milieux au moins. Dans l'université, ceux qui avaient été tentés par la collaboration se comptaient presque sur les doigts de la main. En revanche, même dans les camps de prisonniers en Allemagne, de nombreux universitaires catholiques restèrent acquis plus ou moins longtemps au Maréchal, Jean Guitton par exemple.

Ma nomination à Toulouse, en août 1939, avait comblé mes espérances. En 1944, j'avais le choix entre Toulouse et Bordeaux puisque j'aurais obtenu, si je l'avais sollicité, ma réintégration au poste même d'où le statut des Juifs m'avait exclu. La raison que je me donnai à moi-même se réduisait à la question de la résidence. Sevré, depuis cinq années, de mes amitiés parisiennes, je craignis une sorte d'exil à Bordeaux où mes futurs collègues, à peu d'exceptions près, m'étaient inconnus. En 1938, j'avais respecté et estimé le doyen André Darbon avec lequel j'avais causé brièvement, en juin 1940, à la veille de prendre le bateau pour l'Angleterre ; je fréquentai régulièrement William Seston, historien de Rome, protestant, avec lequel je sympathisai. Répugnant à m'installer à Bordeaux, je répugnai aussi au va-et-vient entre la ville où je vivrais et celle où j'enseignerais. Donner un jour et demi par semaine à l'université, était-ce suffisant, convenable ?

Cette objection morale fut-elle le mobile majeur ? Pour parler brutalement, j'étais atteint par le virus politique. Non que j'aie rêvé, à mon retour en France, d'une carrière politique. Ce qui me décida à interrompre la carrière universitaire à laquelle me destinaient mes études, mes aspirations et le souvenir de mon père, ce fut le changement de ma personne même, dû aux années de Londres, que j'avais passées tout proche des acteurs de l'Histoire dans l'exercice du journalisme. Au fond, je ne me l'avouais pas à moi-même, l'université telle que je l'avais connue, telle que je la devinais à l'avance, m'ennuyait. Quelques dizaines d'étudiants auxquels j'exposerais *le Suicide* et *les Formes élémentaires de la vie religieuse* : je me rappelai mon expérience de 1938 avec des sentiments tout différents de ceux que j'avais éprouvés à l'époque. En 1938, je sortais de quatre années durant lesquelles j'avais écrit trois livres et je me reposais sans trop de scrupules ; je rechargeais les accumulateurs. Déjà les résultats atteints, tout modestes qu'ils étaient, auraient transporté de joie mon père s'il avait vécu quatre années de plus. En 1944-1945, une autre ambition me détournait provisoirement de ce que j'appellerais aujourd'hui mon lieu naturel : l'ambition de prendre part aux débats nationaux, de servir ma patrie, de ne pas ronger mon frein si la France de nouveau s'enfonçait dans le déclin. Mon pays était libéré et tout restait encore à faire.

J'avais plaidé, à Londres, pour un régime de démocratie libérale — ce régime que j'avais critiqué avec tant d'âpreté à la *Société française de philosophie*. La nouvelle république éviterait-elle les tares qui avaient conduit la précédente à la mort ? La même ignorance des affaires économiques amènerait-elle les gouvernants à des aberrations comparables à celles des années 30 ? Comment la France parviendrait-elle à s'adapter à l'âge des empires, à un système interétatique non plus européen mais mondial ? Je ne crois pas me flatter à distance, trente-sept années plus tard : je voulais participer activement à la reconstruction de la France autrement que par une *Introduction aux sciences sociales* ou par un essai sur Machiavel. Mes amis qui ont aujourd'hui trente ou quarante ans imaginent mal ce mélange d'humiliation et de volonté nationale qui animait les hommes de ma génération. L'épopée gaulliste n'avait pas effacé le souvenir de l'écroulement de 1940, précédé par les années de déclin. La défaite du IIIe Reich rendait une chance à la France : cette chance, il ne fallait pas la manquer.

Dois-je aussi incriminer le goût du journalisme, la tentation de la facilité que Londres et *la France libre* m'avaient inoculés ? Un livre sérieux exige des années de travail ; des mois s'écoulent avant que les échos du livre publié reviennent à l'auteur. Mon ambition authentique, strictement intellectuelle, céda pour un temps au rêve du service public et à l'intoxication politique.

Je m'interroge rarement sur ce qu'auraient été mon existence et mon œuvre si j'avais occupé la chaire de Bordeaux, qui m'aurait probablement conduit à celle de Paris, non en 1955 mais en 1948. Tous mes livres, ou presque, se ressentent de mon attention à l'actualité. *Le Grand Schisme* sortit du besoin que j'éprouvai de prendre une vue d'ensemble du monde afin d'encadrer pour ainsi dire mes commentaires de politique internationale. *Les Guerres en chaîne* faisait suite au *Grand Schisme*, répondait à des critiques, approfondissait l'étude de certains problèmes que me posait la conjoncture mondiale. Même des livres auxquels je tiens davantage, comme *l'Opium des Intellectuels, Paix et guerre entre les nations,* ne se séparent pas de l'histoire-se-faisant bien que je m'y efforce de m'élever au-dessus de l'expérience vécue et des balbutiements du destin.

Cela dit, rien ne me permet d'affirmer que, revenu à l'Université dès 1945, j'aurais prolongé les recherches des dernières années avant la guerre, comme si la guerre, simple parenthèse, ne m'avait pas transformé moi-même. Tel que j'étais en 1944 ou en 1945, je n'imagine pas que j'aurais entrepris une introduction aux sciences sociales. Les questions d'épistémologie qui m'intéressaient, éventuellement même me passionnaient avant 1939, me laissaient presque indifférent en 1945. La réalité, plus que les diverses manières de l'approcher, sollicitait ma curiosité philosophique. Pour me détacher des événements, au cours des années d'après-guerre, il m'aurait fallu me contraindre moi-même. Il en fut tout autrement dix années plus tard, en 1955, quand j'aspirai à rentrer dans l'Université non pour m'assurer le prestige d'une chaire à la Sorbonne, mais pour me délivrer, au moins partiellement, du journalisme. Au bout de quelques années du *Figaro,* je me sentis, une fois encore, en train de me disperser ou de me perdre — comme mon père.

Ma carrière de journaliste, à mes yeux, ne commença qu'en mars 1946, à *Combat,* quotidien issu de la Résistance, dirigé par Pascal Pia. Des dix-huit mois entre mon retour en France à l'automne de 1944 et l'entrée à *Combat,* je ne garde que des souvenirs incohérents que j'ai grand-peine à me remémorer — au point que cette période m'apparaît rétrospectivement comme un temps vide. Durant les premiers mois, je ressentis intensément tout à la fois la joie de retrouver mon pays et les « désillusions de la liberté » pour reprendre le titre d'un article que j'écrivis pour le premier numéro de la revue *les Temps modernes.*

Simone de Beauvoir a raconté avec quelle émotion Sartre et moi nous reprîmes notre dialogue, plus rarement philosophique désormais, mais toujours amical. Après cette longue séparation, nous fûmes immédiatement proches...

Sartre écrivit pour *la France libre* un très bel article, « Paris sous l'Occupation » ; il l'écrivit en une nuit, non sans avaler un excitant, parce que je lui avais indiqué une date limite. Entre-temps, cette date avait été reportée d'un jour ou deux, et je ne lui en avais pas fait part. Quand je le lui dis, alors même qu'il me donnait son article, il répondit par un « la vache ! ». Bien sûr, j'avais eu tort (peut-être n'avais-je pas eu le moyen de communiquer avec lui). Je suis frappé — et pas exclusivement par cet incident — à quel point il réagissait en moraliste. Spontanément kantien, il se souciait de l'*intention* de l'autre, bien plus que de l'acte lui-même, et il concluait sur un jugement sans appel, mal ou bien, en fonction de l'arrière-pensée qu'il attribuait à la personne.

Une autre de mes joies fut de retrouver une amitié que je n'ai pas mentionnée dans les chapitres précédents. Non qu'elle tînt moins de place dans ma vie ou dans mon cœur ; je dirais plutôt au contraire. Colette et Jean Duval ne se rattachaient pas à mes études ; j'avais rencontré pour la première fois Colette aux Praz de Chamonix, avant qu'elle fût mariée à Jean. C'est par

elle que je connus Jean. Un de mes camarades de
Condorcet, Philippe Schwob, était lié à un frère de
Colette, Michel Lejeune, l'helléniste ; peut-être aussi à
un autre frère Lejeune, Jean Effel. Jean Duval, collègue
et ami de Jean Guéhenno, était, d'abord et avant tout,
un être adorable, d'une finesse, d'une délicatesse qui
m'aurait aisément donné le sentiment d'être un paysan
du Danube s'il n'avait dissimulé pudiquement, sous
l'humour, et ses affections intimes et ses sentiments
pour les autres. Jean et Colette composaient un couple ;
ami de l'un, on devenait nécessairement un ami de
l'autre. Pendant notre année au Havre, ils vinrent passer deux jours avec nous. Tantôt nous causions à quatre, plus souvent par deux, Colette ou Jean tour à tour
avec l'un de nous deux.

Ils avaient traversé la guerre là où ils avaient toujours
vécu — là où vit maintenant leur fils André, rue Mon-
sieur-le-Prince. Ils avaient fait partie du réseau du
Musée de l'Homme, sauvés miraculeusement. La Gestapo savait qu'il y avait eu une rencontre rue Monsieur-
le-Prince ; elle fit passer un suspect tout le long de la
rue dans l'espoir que, d'une manière ou d'une autre,
par un signe, une expression du visage ou un geste, il
désignerait la maison. Le prisonnier soutint l'épreuve et
sauva ses camarades.

Malraux connaissait les Duval et les estimait. Un
jour, en sortant avec moi de leur appartement, il parla
de ces êtres nobles, voués à un métier noble, cultivés, en
marge des batailles et des vulgarités de la jungle politique ou littéraire, dépositaires du patrimoine et chargés
de le transmettre. André Duval, aujourd'hui, victime de
la « révolution culturelle » et du discrédit des humanités, ne croit plus autant que son père à cette tâche obscure et nécessaire. Son père y croyait mais sans y enfer-
mer le tout de son existence. Il parlait de la poésie
comme personne ; ses élèves l'admiraient et l'aimaient.
Lui, il nourrissait un projet lancinant, un livre sur Victor Hugo ; il ne l'écrivit jamais. Après sa mort, on
découvrit le journal intime qu'il tenait régulièrement,
mais non quotidiennement. Malraux pensait que le
journal intime dévore peu à peu l'écrivain. Dans le cas
de Jean, l'explication ne suffit pas. Heureux avec

Colette, autant qu'un homme peut l'être, satisfait de son métier, entouré d'amis, il souffrait de contradictions intérieures qu'il ne voulut pas s'avouer à lui-même. Jusqu'au bout, il tint bon, heureux et déchiré. Colette écrivait des livres pour enfants, charmants, traduits dans d'innombrables langues. Elle survécut à Jean de nombreuses années, toujours en pensée avec lui, toujours aussi jeune de cœur, toute proche de ses petits-enfants. Je me reproche de ne l'avoir pas vue assez souvent au cours des dernières années mais, quand nous nous revoyions, la distance et le temps disparaissaient et la même amitié nous unissait dans les mêmes souvenirs.

Sartre, en dépit du succès de *la Nausée*, ne jouissait encore, en 1938, que d'une notoriété restreinte au milieu littéraire. En 1944, il n'avait pas changé sa manière d'être et de vivre mais il accédait à la gloire. *L'Être et le Néant* avait paru, *Huis Clos*, après *les Mouches*, était accueilli avec enthousiasme par le public du théâtre. La mode de l'existentialisme et des cafés de Saint-Germain-des-Prés commençait. Loin d'ignorer la politique, il s'y jetait résolument. Au communisme, il portait, non sans réserve, une amitié rarement payée de retour. André Malraux avait changé. Non dans ses relations avec ses amis, ou, en tout cas, avec moi ; j'observai la même simplicité, la même affection discrète ; ce qui me stupéfia, ce fut son hostilité, je dirais presque sa haine du communisme. Il ne m'expliqua jamais les motifs de sa « conversion ».

Pendant la guerre, je n'avais reçu de lui qu'une petite lettre, alors qu'il résidait dans le Midi et écrivait *la Lutte avec l'Ange*. Je me souviens d'une phrase dont je reproduis le sens mais non les termes exacts : « On dit que je vais participer à la *Nouvelle Revue française* de Paris. Il n'en est pas question. » Il n'est entré dans la Résistance qu'en 1944 mais il n'a certainement jamais été tenté par la collaboration ou par le vichysme. Il venait de temps en temps à Paris, pendant l'hiver 1944-1945, parfois pour mettre en garde les mouvements unis de Résistance contre les manœuvres des communistes. Il n'avait pas encore pris parti pour le général de Gaulle ou plutôt, dois-je dire, il n'avait pas

encore choisi le général de Gaulle en tant que son chef.
Il regardait avec quelque mépris l'agitation littéraire et
le surgissement de revues (le projet de Sartre de créer
les Temps modernes lui était bien connu).

Exilé volontaire de l'Université, je continuai à collaborer à *la France libre* jusque vers le milieu de l'année
1945. Tant qu'il avait eu besoin de moi, André Labarthe
avait joué de son charme et m'avait même manifesté
une affection qu'il éprouvait probablement dans la
mesure où ce comédien, à sincérité intermittente, en
était capable. Simple salarié de l'entreprise, je n'avais
pas demandé un statut différent à un moment où il
n'aurait pas pu me le refuser. Il ne me resta pas d'autre
issue que de m'en aller quand les divergences, politiques et personnelles, s'exaspérèrent, à partir de la fin
de 1943, quand, après l'échec final du général Giraud, il
partit pour les États-Unis et tenta d'y créer une revue
en anglais, caricature de *la France libre*. Je m'étais attaché à cette revue à laquelle j'avais pris une grande part,
je la quittai, le cœur lourd. Amertume qui me semble
aujourd'hui quelque peu ridicule. Une revue pèse sur le
responsable d'un poids qui accable ; j'avais donné
beaucoup de temps et surtout de pensée à cette œuvre
éphémère — j'aurais pu et dû trouver du loisir pour les
travaux plus substantiels.

Politiquement, au cours de cette période, j'étais *ailleurs* ou en marge. Il n'était plus question d'antigaullisme. Le Général, arrivé au pouvoir avec le soutien des
partis reconstitués et des mouvements de Résistance,
donc avec une coalition dominée par les idées et les
organisations de gauche, se présentait sous un double
visage : l'homme autour duquel la masse des Français
se rassemblait, comme la majorité d'entre eux l'avaient
fait quatre années plus tôt, en 1940, autour du Maréchal ; l'homme qui, grâce à sa popularité, restaurerait
l'État et tiendrait en respect le parti communiste qui, à
la faveur de l'épuration, liquidait des adversaires sous
prétexte de faire la justice.

Il me paraissait évident que, dans le jeu électoral, les
mouvements de Résistance ne pèseraient pas lourd et
que les partis retrouveraient rapidement leur rôle traditionnel. Je l'écrivis dans deux articles intitulés « Révo-

lution ou Rénovation[1] » ; j'écartai le vocabulaire révolutionnaire à la mode dans le Paris de 1944-1945, qui me paraissait vide de sens par rapport à la situation historique et géographique de la France. A propos des mouvements de Résistance, j'écrivis dans le numéro d'octobre 1944 : « La Résistance joue et jouera un rôle de premier plan dans la période initiale où elle appuiera le gouvernement comme celui-ci s'appuiera sur elle. Mais dès qu'interviendront les élections, elle se heurtera aux partis... ; transformer *Combat* et *Libération* en partis, c'est la voie de la facilité qui probablement aboutira au fiasco. Ériger la Résistance en un parti unique est pure illusion parce qu'il n'y a pas d'unité politique entre ceux qui ont, d'un même cœur, combattu pour la France... La Résistance n'amène pas au jour des *partis* nouveaux, elle fait surgir un *personnel* nouveau... »

En août 1945, j'expliquai pourquoi la France n'était pas à la veille d'une révolution. Le parti communiste ? « Convaincu qu'à l'ouest de l'Europe, dans la phase historique actuelle, son heure n'est pas encore venue, il se borne, à la faveur de la légalité reconquise et des circonstances, à étendre ses positions, à entretenir l'ardeur et à calmer l'impatience de ses troupes. La Résistance ? Certains des hommes des organisations de la Résistance se plaisent souvent au langage extrémiste. Ils se trouvent contraints, du jour au lendemain, à un renversement du pour au contre ; hier avant tout soucieux d'obscurité et de mystère, ils appellent désormais le grand jour de la publicité. La loi de la clandestinité, c'est d'être inconnu. La loi de la politique, c'est d'être connu. On n'est pas un homme politique avant d'avoir eu son nom cité assez souvent dans les journaux. » Pour le reste, j'esquissai les grandes lignes de la rénovation nécessaire, sans révolution, dans le cadre d'un régime parlementaire.

C'est dans un hebdomadaire illustré, *Point de vue,* que je fis la première expérience du journalisme dont je ne me souviens jamais sans embarras, sinon quelque honte. Pourquoi ai-je accepté de jouer l'éditorialiste d'une telle publication ? Il faut se rappeler le Paris des

1. *La France libre,* octobre 1944 et août 1945.

mois qui suivirent la Libération, puis la capitulation du
IIIe Reich. A l'exception du *Figaro,* tous les journaux
de l'avant-guerre avaient disparu ; des titres nouveaux
surgissaient, retenant quelquefois un fragment d'un
titre populaire (*le Parisien libéré, France-Soir,* etc.). Des
réseaux de Résistance (*Combat*) transformèrent une
feuille clandestine en journal quotidien. Des personnalités de la Résistance, à un moment où n'importe quelle
feuille se vendait, se lancèrent, elles aussi, dans la
presse. C'est Corniglion-Molinier et Marcel Bleustein
qui me convainquirent d'écrire dans *Point de vue,* dont
Lucien Rachline, de son métier fabricant de sommiers
et de matelas, qui avait occupé un poste de commandement dans la clandestinité, fut le directeur et Pierre
Descaves le rédacteur en chef. Quel que fût le titre qui
m'avait été donné, mon rôle se réduisit bientôt à la
rédaction d'un article qui, par ses dimensions et son
caractère, ne différait pas, sensiblement, de ceux que
j'écrivis ensuite au *Figaro.*

J'ai relu certains de ces articles que j'avais complètement oubliés. J'y ai retrouvé quelques idées, aujourd'hui banales ou, pour mieux dire, évidentes, qui,
à l'époque, allaient à l'encontre de l'opinion. Avant
tout, je m'efforçai plusieurs fois de libérer les Français
de l'obsession de l'Allemagne. Ainsi, le 4 avril 1945,
j'écrivis : « Nous Français, nous restons obsédés par la
seule question allemande, comme si l'univers continuait
à graviter autour de l'Europe. Et quand M. Wladimir
d'Ormesson nous met en garde contre les erreurs de
1919, il nous propose de revenir au partage de l'Allemagne, c'est-à-dire à trois siècles en arrière. 1945 est le
1815 de l'Allemagne. » Quelques semaines après la fin
de la guerre, je dénonçai la politique des autorités
d'occupation, l'interdiction faite aux soldats de frater-
niser avec la population. « A l'Ouest, on redouble de
sévérité, surtout verbale. On prétend maintenir le règlement proprement absurde de non-fraternisation. On n'a
pas encore jugé Goering ou Rosenberg, mais les tom-
mies ou les G.I. n'ont pas le droit de sourire aux bambins de cinq ans... »

Punir l'Allemagne ? C'est Hitler lui-même qui s'en est
chargé. Face à ses villes détruites, à une économie en

ruine, à des millions de réfugiés, les vainqueurs sont
chargés par l'Histoire, qu'ils le veuillent ou non, de
reconstruire leur ennemi abattu et de lui promettre un
avenir. « Hitler, par sa folle obstination, a châtié son
propre peuple plus cruellement qu'un " Vansittariste "
endurci n'eût pu le faire. D'après la *Neue Zürcher Zei-
tung,* le bombardement de Dresde fit 200 000 victimes [1] »
(4 mai 1945). Dès ce moment-là, je ne croyais pas à la
reconstitution de l'unité allemande. « De l'unité, chacun attend autre chose. Les Anglo-Saxons auraient
l'espoir que le rideau de fer abaissé depuis plus de deux
mois sur la ligne de démarcation serait enfin levé. Mais
les Russes y verraient la chance d'étendre jusque vers
l'ouest du Reich le rayonnement de leurs idées et
l'action de leurs représentants. Qui gagnerait davantage ? » L'expression du « rideau de fer » n'était pas
encore courante. Je crois que W. Churchill ne l'avait
pas encore employée.

Le partage de l'Allemagne me semblait acquis pour
une longue période et, de ce fait, le rapprochement de
la France avec la fraction occidentale de l'Allemagne
inévitable. Ces idées de bon sens gardaient alors un ton
paradoxal ou audacieux. Un antigermanisme extrême
animait encore, au moins en apparence, l'opinion française. Aussi bien le général de Gaulle et ses porte-
parole réclamaient-ils des amputations de l'Allemagne
à l'ouest comparables à celles que l'Union soviétique
lui infligeait à l'est. Quelques années plus tard, président du RPF, le Général reprenait encore le slogan
« Plus jamais de Reich ». André Malraux, lui aussi,
soutint cette thèse et répéta la formule dans un dialogue
publié avec James Burnham.

Dans *les Temps modernes,* j'écrivis trois articles :
« Les désillusions de la liberté » ; « Après l'événement,
avant l'Histoire » ; « La chance du socialisme ». Le
dernier ouvrait pour le parti socialiste français une perspective plus ou moins comparable à celle du travail-

---

1. Le chiffre s'élève à 300 000. Les Anglais, depuis lors, condamnent cet
acte inhumain, sans justification militaire.

lisme vainqueur aux élections en Grande-Bretagne ; je préfère l'oublier bien qu'une idée s'y exprimât, vraie hier, vraie encore aujourd'hui. Le socialisme n'a de véritable chance en France qu'à la condition de penser par lui-même, de se vouloir social-démocrate, en dehors de l'alliance avec le parti communiste. Dans l'article « Les désillusions de la liberté », je retrouve une discussion — la première — de la politique extérieure du général de Gaulle : « Matériellement nous dépendrons surtout de nos Alliés américains. Une menace « extérieure » à notre indépendance vient donc plutôt de l'Ouest que de l'Est. Le gouvernement français se trouve amené, par cette sorte de logique passionnelle, à marquer sa souveraineté totale, sa répugnance aux concessions, surtout à l'égard de ceux dont il dépend le plus. » Ces propos, embarrassés, mal écrits, visaient l'anti-américanisme dont témoignait la diplomatie inspirée par le Général.

Je développai, dès cette date, en octobre 1945, les idées qui me furent tant reprochées et qui me valurent la réputation suspecte de pro-américain : « Notre indépendance réelle, la liberté d'action, et non pas la souveraineté qui, en tout état de cause, est et demeurera légalement intégrale, exige d'abord et avant tout le relèvement du pays. Le relèvement importe plus pour l'avenir que les succès diplomatiques. » Or seuls les États-Unis, à l'époque, avaient les ressources nécessaires pour nous expédier les matières premières et les machines qui nous manquaient. En ce sens, disais-je, l'amitié américaine est pour nous décisive. Déjà, dans la France ravagée, la propagande contre « l'invasion » américaine se déchaînait. On sait aujourd'hui qui disait vrai : « l'invasion » américaine accéléra la restauration de l'économie française et européenne.

Par bonne chance, je ne pris aucune part ou presque à « l'épuration ». Je fus nommé dans une Commission qui, au ministère de l'Éducation nationale, traita les cas des professeurs d'université. Peu de dossiers nous furent soumis. Le seul dont je garde le souvenir, celui de Maurice Bardèche, fut renvoyé à la Commission de l'enseignement secondaire[1]. J'écrivis cependant deux

---

1. J'ai cherché vainement à consulter les archives de l'épuration ; elles ne sont pas encore ouvertes aux chercheurs.

textes sur les principes et les contradictions de l'épuration, l'un à propos du procès Pétain dans *les Temps
modernes,* l'autre dans une « Note finale », en conclusion aux « Chroniques de France » publiées dans *la
France libre.*

Les quelques pages sur le procès Pétain anticipaient
sur les polémiques qui jalonnèrent les années d'après-
guerre et qui se prolongent encore. Première thèse : le
procès et, du même coup, l'épuration relevaient d'une
« justice révolutionnaire », non d'une justice au sens
ordinaire. « Le gouvernement provisoire, sorti d'une
insurrection et non d'un vote populaire, accusait celui
qui avait reçu le pouvoir constituant, donc suprême,
des derniers représentants élus du peuple français. » Et,
un peu plus loin : « Parler d'intelligence avec l'ennemi
dans le cas d'un chef d'État alors que le territoire national est occupé se ramène à une pure fiction juridique. »
Deuxième thèse : ou bien l'accusation dénonçait la politique de Vichy comme condamnable en tant que telle,
incompatible avec l'honneur, ou bien elle la dénonçait
comme contraire à l'intérêt national. Elle choisit le
deuxième terme de l'alternative et la défense fit valoir
les efforts de l'accusé — du Maréchal — pour protéger
les Français. Qui, à moins d'aberration, aurait jamais
soupçonné le Maréchal de s'être mis au service des
nazis pour accabler son peuple ?

Troisième thèse : bien que l'armistice ne fût pas
retenu en tant que chef d'accusation par le réquisitoire,
il tint une grande place dans les dépositions des
témoins. Certains d'entre eux tentèrent de démontrer la
thèse du complot qui aurait amené le Maréchal au pouvoir à l'occasion de la défaite. Ils apportèrent tout au
plus de vagues présomptions. Devant un vieillard silencieux, « syndic plutôt que responsable de la défaite »,
les hommes politiques de la IIIe République prononcè-
rent sans convaincre des plaidoyers *pro domo.*

Quatrième thèse : les arguments pour et contre
l'armistice se laissent plaider en 1945 comme en 1940.
Une capitulation militaire condamnait l'armée entière à
la captivité ; l'Afrique du Nord, presque sans matériel,
possédait-elle les moyens de se défendre ? Dans le sens
contraire, on faisait valoir la contribution qu'auraient

apportée à la lutte la flotte, l'aviation, l'Empire. J'avançai l'argument le plus souvent oublié aujourd'hui encore : « On ne saura jamais si les Allemands auraient attaqué l'Afrique du Nord (où le gouvernement français se serait replié) en passant par l'Espagne. On ne saura jamais si, en ce cas, nous aurions « tenu ». Mais, à supposer que nous ayons tenu, il est hautement improbable que Hitler eût attaqué la Russie au printemps de 1941 en laissant les forces franco-anglaises maîtresses de la Méditerranée. Dans la mesure où l'armistice précipita indirectement l'intervention de l'Armée rouge, il servit la cause alliée. » Et je risquai la formule : « La décision de l'armistice paraît rétrospectivement justifiable, *sur le plan des faits,* parce que les choses ont bien tourné. » Non sans compléter par cette autre : « ... ni le prestige ni l'unité morale de la France ne sont entièrement remis du coup que leur porta l'armistice ».

Cinquième thèse : en ce qui concerne les Juifs, les avocats du Maréchal invoquaient le moindre mal. « Il est certain que la zone inoccupée a offert un abri à de nombreux Israélites... Sans l'armistice, les Juifs auraient probablement souffert physiquement davantage. Mais qui osera dire que tels aient été les objectifs de Xavier Vallat, de Charles Maurras ou de Darquier de Pellepoix ? » A nouveau, on bute sur l'équivoque des intentions et des conséquences.

Sixième thèse : la date cruciale se situe en novembre 1942 et non en juin 1940. Si le Maréchal avait gagné Alger en 1942, il ramenait à la France, c'est-à-dire à la Résistance, les bons Français égarés par son prestige. Resté en France, multipliant les messages contre les dissidents et les résistants, il empêchait le rassemblement de la nation. Il ne trompait plus guère les Allemands, mais il continuait de tromper nombre de Français.

Plus en détail, dans la « Note finale » : « De l'armistice à l'insurrection nationale », j'analysais les distinctions nécessaires au jugement historique et au verdict des tribunaux sur les acteurs de ces années tragiques. Après l'armistice, inévitable ou criminel, il fallait avant tout sauver la flotte et l'Empire ; des patriotes devaient légitimement rester en poste afin de freiner la collaboration et de favoriser la rentrée de la France dans la guerre. Sur ceux qui firent preuve d'un zèle particulier entre 1940 et novembre 1942 en faveur de la collaboration pèse une présomption de culpabilité, non sur ceux qui obéirent à un gouvernement qui conservait les attributs visibles de la légalité.

Je ne mentionnerai qu'en passant un échange de lettres avec Alfred Fabre-Luce à la suite de deux textes dans lesquels je le mettais en cause. J'avais écrit à Londres trois articles respectivement sur Henry de Montherlant, Jacques Chardonne et Alfred Fabre-Luce.

Je n'écrirais plus aujourd'hui aucun de ces trois articles, à froid. Ils figurent dans le recueil *l'Homme contre les tyrans,* publié d'abord à New York dans une collection dirigée par Jacques Maritain, puis à Paris, après la Libération. Depuis lors, Alfred Fabre-Luce a exposé plusieurs fois ses prises de position entre 1940 et 1944 ; le troisième tome du *Journal de France* ne m'était pas connu quand je discutai les deux premiers. Je n'avais pas lu non plus l'Introduction à l'*Anthologie de la nouvelle Europe,* qui date de la fin de 1941, et qui à Londres m'aurait indigné. Depuis lors, nous nous sommes si souvent retrouvés dans le même camp qu'il me paraîtrait fâcheux de ranimer de vieilles polémiques. Renan mettait l'oubli au premier rang des vertus nécessaires à la politique. Je souhaite que Fabre-Luce juge l'oubli aussi facile pour lui que pour moi.

De toute évidence, les articles de *Point de Vue* passèrent inaperçus dans le Paris littéraire et politique. André Malraux me tira de l'impasse dans laquelle je m'étais moi-même fourvoyé en me demandant de diriger son Cabinet. C'était en décembre 1945, dans le ministère composé par le général de Gaulle après l'élection de l'Assemblée constituante. Pour la première et dernière fois, je remplis une fonction officielle, modeste d'ailleurs : le ministre de l'Information ne disposait pas de grands pouvoirs et son directeur de Cabinet moins encore. Ajoutons que le Secrétaire général du ministère était Jacques Chaban-Delmas. Que de substance grise dans ce trio pour si peu de chose !

Ce ministère ne dura que deux mois et le temps manqua à André Malraux pour entreprendre aucun des pro-

jets qu'il lança douze ans plus tard. A la fin de l'année
1945, la question centrale demeurait l'autorisation de
paraître des publications, la répartition du papier, le
sort des anciens journaux interdits, des imprimeries saisies au lendemain de la Libération. Je n'éprouvai
aucune sympathie pour le *racket* des journaux, en particulier de province, dont les anciens propriétaires
avaient été dépossédés et dont des résistants s'étaient
emparés. Peut-être les anciens propriétaires méritaient-
ils un châtiment (nombre d'entre eux ne furent pas traî-
nés devant les tribunaux) ; les résistants méritaient-ils la
fortune que leur assura un journal au titre proche de
celui qui dominait une région avant la guerre ? Quelques-uns des grands journaux régionaux, les plus prospères de la presse française, changèrent quelque peu de
nom et échurent à de nouveaux propriétaires. Parfois,
des groupes de résistants se répartirent les actions de
l'entreprise sans en tirer de profit ; dans d'autres cas, le
résistant prit la place de l'entrepreneur de presse.

Quand André Malraux arriva avenue de Friedland,
ce bouleversement de propriété était un fait accompli.
A quelques exceptions près, les journaux d'avant-
guerre avaient changé de mains et de titre. *Paris-Soir,*
devenu *France-Soir,* revint non à Jean Prouvost, mais à
celui qui en avait été le premier collaborateur, Pierre
Lazareff. Jean Prouvost profita d'une autorisation de
paraître que détenait le directeur de *France* à Londres,
Comert, pour lancer *Paris-Match,* qui, après un début
difficile, remporta un succès éclatant pour retomber
ensuite. Le vieux lion fut contraint de vendre, à la veille
de sa mort, *Paris-Match,* son enfant chéri, qui, sous une
direction plus attentive, redevint une bonne affaire. Je
n'étais pour rien dans cette situation que je n'aimais
guère. Parmi les visiteurs figurèrent quelques spoliés ;
Jacques Chastenet vint me voir ; je lui déclarai, sans
ambages, que *le Temps* n'existait plus et que *le Monde,*
installé dans les meubles de son prédécesseur, conser-
verait la place. Je m'abstins d'un jugement sur la substitution elle-même ; je constatai qu'elle était définitive.

Les autorisations de paraître et la répartition du
papier faisaient déjà l'objet de polémiques. Les autorisations de paraître, disait-on, nous ramenaient au

second Empire et peut-être plus loin encore. Un jour,
une directive du Cabinet de la Présidence du gouvernement nous invita à préparer la suppression des autorisations de paraître. Initiative louable mais qui ne levait
pas le véritable obstacle au retour à un régime normal
de liberté : la pénurie de papier. Tant que le papier était
réparti par voie administrative, la suppression de
l'autorisation de paraître n'avait de sens qu'à la condition que toute publication nouvelle eût automatiquement droit à un certain volume de papier. C'est dans
mon bureau de l'avenue Friedland que je fis la connaissance de Louis Gabriel-Robinet, bouleversé quand je
lui annonçai, un jour à l'avance, la décision du Général
de quitter le pouvoir. Nous fûmes d'accord, Malraux et
moi, pour accorder au *Figaro littéraire* l'autorisation de
paraître.

De mon passage au ministère, la seule décision de
quelque importance qui, je le crois, eût été conforme à
l'intérêt commun et que j'avais prise — Malraux ne s'en
occupait pas — arriva trop tard, et son successeur Gaston Defferre revint à la solution qui me semblait déraisonnable et qui produisit les conséquences prévisibles.
Des centaines d'imprimeries de labeur et de presse
avaient été saisies par les pouvoirs publics ou simplement par des équipes de résistants, vrais ou faux. Le
juriste du ministère, spécialiste et responsable du droit
de la presse, de tendance socialiste, me soumit un projet, le plus simple mais à mes yeux le moins opportun :
la constitution d'une société unique qui posséderait et
gérerait l'ensemble de cette propriété d'État. J'objectai
que cette société para-étatique remplirait mal la fonction qui lui serait confiée : assurer l'entretien et la
modernisation d'installations trop diverses pour se prêter à une autorité unique, lointaine et mal informée. Je
suggérai une loi tout autre qui prévoyait la vente des
imprimeries aux nouvelles sociétés de presse ; l'État se
déchargerait peu à peu de son fardeau. Aussi bien,
puisque nous voulions revenir à un régime de presse
libre, la nationalisation des imprimeries ne s'accordait
pas avec l'esprit de nos projets. Le juriste du ministère
eut plus de succès avec Defferre qu'avec moi.

Quelles impressions me restent de ces quelques

semaines ? D'abord, le nombre de personnes que je devais recevoir chaque jour. Peut-être la multitude des quémandeurs — mot injustement péjoratif puisque ces visiteurs demandaient souvent moins une faveur qu'une facilité, qu'en temps normal ils n'auraient pas eu besoin de solliciter — était-elle grossie par les pouvoirs abusifs du ministère ? Puis-je ajouter que les dix heures de travail au ministère me semblaient moins dures que quatre heures de lecture de la *Critique de la Raison pure* ? Une autre impression, probablement plus banale, que je n'oubliai pas : la rivalité d'amour-propre entre les divers membres d'une administration ou d'un Cabinet, rivalité qui se manifestait à propos des bureaux ou des automobiles. Ce ministère, improvisé, avec des services pléthoriques, caricaturait probablement les pratiques ordinaires des ministères. Dois-je ajouter que le Cabinet, en deux mois, se gonfla lui aussi ; Aron-Brunetière, qui avait dirigé un service de deuxième bureau dans la Résistance, passa quelques semaines avec nous et revint bientôt à la médecine. Quelques jours avant la démission du Général, Jean Lecanuet y entra ou devait y entrer.

Un mot encore sur le ministre. Ceux qui ont travaillé avec lui, à partir de 1958, en savent beaucoup plus que moi, mais un bref témoignage peut intéresser quelques-uns. En arrivant au ministère, Malraux ignorait encore plus que moi le fonctionnement des pouvoirs publics ; la distinction de la loi, du décret et de l'arrêté lui était étrangère, probablement inconnue. En quelques jours, il apprit ce qu'il devait savoir et il absorba, avec la même rapidité, les dossiers sur lesquels la curiosité des journalistes était braquée. Il s'imposait un horaire rigoureux et recevait les journalistes à la minute même fixée à l'avance. Il répliquait à des questions précises par des réponses pertinentes qui impressionnaient les journalistes ordinaires et attristaient un Georges Altman par exemple, désolé que Malraux s'occupât de pareilles vétilles. En dépit de sa nervosité, je ne me souviens pas qu'il eût jamais dit un mot plus haut que l'autre à aucun de ses collaborateurs. Il me créait parfois des difficultés parce qu'il promettait à tel ou tel un poste ou une faveur en me laissant la responsabilité de tenir sa promesse. Il ne dépendait pas toujours de moi de le faire.

Telle fut l'origine de ma « brouille » avec Romain Gary dont j'avais reconnu le talent à Londres et pour lequel j'éprouvais de l'amitié. André Malraux voulait le nommer conseiller culturel à l'ambassade de France à Londres ; moi aussi. Dans son style favori, André lui assura que « la chose était faite ». Or nous devions encore obtenir l'accord du Cabinet du Général. Gaston Palewski jugea Gary trop léger ou trop jeune pour ce poste. A moi donc de l'en informer. Une matinée, plus que d'ordinaire harcelé, je lui dis au téléphone, plus brutalement que je ne l'aurais dû, de ne pas compter sur Londres et d'accepter un autre poste qui s'offrait à lui. Pendant des années, il rejeta sur moi une responsabilité qui ne m'incombait pas. Roger Martin du Gard dans une de ses lettres fit allusion aux propos que Gary tenait sur moi. Bien des années avant sa mort, il ne restait rien de ce malentendu.

Un mois après la fin du premier règne du Général, j'entrai à *Combat*, à l'époque le journal le plus réputé dans les milieux littéraires ou politiques de la capitale. Les éditoriaux d'Albert Camus jouissaient d'un prestige singulier : un véritable écrivain commentait les événements du jour. L'équipe comprenait aussi une pléiade d'intellectuels qui, sortis de la Résistance, n'avaient pas encore regagné leur lieu naturel ; pour n'en citer que quelques-uns : Albert Ollivier, Jacques Merleau-Ponty, cousin de Maurice, qui, après une thèse sur les *Cosmologies du XXe siècle*, enseigne la philosophie à l'université de Nanterre, Pierre Kaufman qui enseigne aussi la philosophie à la même université, Alexandre Astruc, Roger Grenier, d'autres encore, écrivains ou philosophes. Quelle disproportion entre la substance grise et l'espace rédactionnel disponible ! j'avais observé une disproportion de même sorte au ministère de l'Information. Probablement ces écrivains ou universitaires étaient-ils animés par des sentiments proches de ceux qui me détournaient d'un retour immédiat à l'Université.

Le directeur de cette équipe, au rebours de l'opinion courante, ne fut jamais Albert Camus ; ce fut Pascal Pia, personnalité hors du commun, dont l'existence visible, l'itinéraire public ne laissent deviner ni ce qu'il fut ni ce qu'il aurait pu faire. Ami très proche d'André Malraux qui lui dédia l'un de ses livres de jeunesse, d'une culture littéraire à la fois étendue et profonde, doué d'un talent exceptionnel de critique sinon de créateur, il imposait le respect à tous par ce que W. Jankélévitch appellerait le *je-ne-sais-quoi*. Les titres de Résistance ? d'autres détenaient les mêmes. La modestie ? peut-être ; directeur en théorie et en fait, il travaillait du matin au soir mais, comme nous disions, il corrigeait les virgules et les fautes d'orthographe. Refus « d'arriver », au sens social du mot, résolution ferme de s'enfoncer dans l'anonymat alors que *Combat* offrait à tous l'occasion de percer ? Pourquoi cette volonté de l'ombre ? Nous en parlions dans l'équipe. Certains affirmaient qu'au cours de ses études historiques il avait mesuré les aléas de la gloire, découvert l'œuvre d'un écrivain tombé dans l'oubli — œuvre dont un auteur encore renommé avait tiré la substance de ses écrits. Interprétation trop rationnelle pour être convaincante. J'ignore le secret de Pia, et beaucoup d'autres qui le connurent mieux que moi n'en savent peut-être pas davantage.

Il avait protégé Albert Camus, plus jeune que lui. Quand celui-ci revint à *Combat* en difficulté au début de 1947, les relations entre les deux hommes se tendirent insensiblement. A. Camus prenait des initiatives, discutait de l'avenir du journal comme s'il en avait été le créateur ou le directeur. Il n'empiétait pas sur l'autorité de Pia, puisque celui-ci ne l'exerçait pas. Ils quittèrent tous deux le journal quand la moitié du capital fut rachetée par un homme d'affaires tunisien, Smadja, et que Claude Bourdet en prit la direction politique. Pascal Pia emprunta le chemin du gaullisme et écrivit ensuite dans *Carrefour*, l'hebdomadaire d'Amaury, qui glissa de plus en plus vers l'extrême droite. Il fut de ceux qui maltraitèrent Albert Camus, à l'occasion du prix Nobel. Il fut de ceux qui m'accusèrent de vouer les « pieds-noirs » aux camps de concentration, lorsque je

pris position en faveur de l'indépendance de l'Algérie.
Peut-être ne supporta-t-il pas à la longue l'obscurité
qu'il avait choisie. Peut-être souffrait-il de ne pas s'être
accompli et rejetait-il sur les autres le ressentiment qu'il
éprouvait contre lui-même. Je veux me rappeler
aujourd'hui le Pascal Pia de mars 1946, directeur
reconnu par une équipe incomparable, qui se chargeait
gaiement des tâches ingrates en laissant aux autres la
lumière qu'il semblait fuir délibérément.

C'est à la demande de Pascal Pia, répondant peut-
être à une suggestion d'André Malraux, que je commençai d'écrire régulièrement dans *Combat*[1]. Les premiers articles traitaient successivement des différents
partis de 1946. Pour des raisons que je m'explique assez
mal, ces articles furent remarqués. Albert Ollivier et
beaucoup d'autres m'en félicitèrent, non sans une
ombre de surprise. Dans le petit milieu de la presse, ils
m'assurèrent d'un coup une position que mes livres
d'avant-guerre, ignorés par la plupart des journalistes,
ne me promettaient nullement. Je devins éditorialiste,
au sens propre du terme, et non plus seulement *columnist*. En alternance avec Albert Ollivier, et, plus rarement, avec un journaliste qui signait Marcel Gimond, je
rédigeais la colonne de gauche de la première page.

Au printemps de 1946, le débat portait sur la Constitution que rédigeait l'Assemblée constituante, les relations entre le PC et les autres partis, les difficultés économiques et les négociations avec Hô Chi Minh, plus
largement les relations de la métropole avec l'Empire
français, déjà baptisé Union française.

Sur la Constitution, j'écrivis pour la maison d'édition
de P. Vianney, « Défense de la France », une étude qui
parut sous le titre : *les Français face à la Constitution*.
Un jeune juriste que je connaissais peu passa en revue
brièvement les diverses constitutions de la France
depuis 1789 ; une deuxième partie, plus brève, rédigée
par moi, envisageait la Constitution prochaine. J'avais
gardé un si mauvais souvenir de ce texte qu'il ne figure
dans aucune des bibliographies que l'un ou l'autre de

1. J'avais écrit, à la demande de P. Pia, un article pour *Combat* dès octobre 1944.

mes assistants établit au cours des vingt dernières
années. Je l'ai relu il y a quelques jours, avec une surprise plutôt agréable.

Non que le texte fût d'aucune manière original. Il
élaborait un certain nombre d'idées dans l'air, à la
mode, que d'ailleurs ne reprirent pas les constituants :
renforcement du président de la République par le
mode de son élection et par ses pouvoirs (droit de dissolution sans agrément du Sénat), autorité donnée au
gouvernement de clore les débats parlementaires, de
contrôler davantage les travaux de l'Assemblée ; j'exprimai une préférence hésitante pour le scrutin nominal à
deux tours, sans croire à la chance de succès de cette
proposition. J'avais emprunté quelques suggestions à
Jacquier-Bruère, c'est-à-dire à Emmanuel Monick et à
Michel Debré.

Je commis une erreur cardinale : ne pas déclarer, dès
le point de départ, le contexte politique du débat
constitutionnel, à savoir la bataille triangulaire qui se
développa dès le retour en France et les séquelles des
années de guerre et d'Occupation. En apparence, de la
Libération à l'élection de la première Assemblée constituante, le général de Gaulle gouverna le pays avec le
soutien des trois grands partis, communiste, socialiste
et MRP, le dernier récoltant la majorité des suffrages
des électeurs modérés ou radicaux-socialistes. Il n'y
avait jamais eu de parti organisé au centre et à droite
sous la IIIe République. Des hommes de droite avaient
siégé dans le Conseil national de la Résistance, mais,
quand le peuple fut consulté, le MRP possédait les
meilleurs atouts ; il se réclama du Général, ses dirigeants détenaient des titres de Résistance incontestables ; il sembla seul capable de freiner la poussée
socialo-communiste.

Cette première constellation dissimulait deux conflits
fondamentaux : le parti communiste contre tous les
autres et tous les partis — ou presque — contre le
Général. Celui-ci ne jugea jamais que sa mission dût
s'achever avec la Libération et l'élection d'une Assemblée constituante. Il nourrissait l'ambition de donner à
la France des institutions solides et de la gouverner, au
moins pendant quelques années. Quand il démissionna

au début de 1946, il comptait revenir au pouvoir au bout de quelques mois. Je me souviens d'André Malraux, au retour d'un entretien avec le Général, me disant : « Nous reviendrons dans six mois. »

Pourquoi la démission du Général en janvier 1946 ? Il crut que les partis ne parviendraient pas à gouverner le pays, mais il pensa aussi, à juste titre, que l'Assemblée constituante ne rédigerait pas une Constitution qui lui donnerait la place qu'il entendait occuper dans la République. Tous les partis, sans excepter le MRP, comprirent, de manière plus ou moins claire, que le Général ne refusait pas aux partis le droit d'exister mais n'entendait pas recevoir d'eux son pouvoir. Il ne voulait pas gouverner le pays en tant que président du Conseil des ministres. Non qu'il en fût incapable : tout au contraire, il possédait un talent inné de *debater* parlementaire. Je me trouvais à l'Assemblée lorsqu'il intervint dans le débat, ouvert par une proposition d'André Philip[1], et laissa prévoir son retrait. Son intervention impressionna l'Assemblée sans la convertir. Divisés, dès 1947, entre communistes et non-communistes, les partis restèrent en dernière analyse unis pour voter une Constitution que le Général tenait pour incompatible avec les intérêts de la nation et ses propres ambitions.

Combat, le premier, celui qui dura jusqu'au printemps 1947, se situait à gauche par son vocabulaire, par ses prises de position sur les questions coloniales, mais quelques-uns des rédacteurs, Pascal Pia, Albert Ollivier, au cours de l'année 1946-1947, s'affirmèrent de plus en plus gaullistes. Dans mes éditoriaux, je conseillai le *non* au texte de la Constitution votée par l'Assemblée nationale, appuyée par les communistes et les socialistes ; quand la deuxième version de la Constitution fut soumise aux Français, je suggérai un *oui* de résignation ; le lendemain, Albert Ollivier me répondit par un *pourquoi pas non ?*

En décembre 1946, la guerre d'Indochine éclata : le Vietminh attaqua par surprise les troupes françaises à Hanoi. J'écrivis un éditorial que Sartre qualifia

---

1. Il s'agissait, je crois, d'une diminution du budget de la défense nationale.

d' « embarrassé ». Je l'ai relu sans trop de honte ou de remords. A Londres, je plaidais en faveur de l'*abandon* de l'Indochine. Les charges de l'Empire dispersé à travers le monde dépassaient les ressources d'une France appauvrie par les années de guerre et d'Occupation. Mais, en décembre 1946, dans un article quotidien, alors que nos soldats venaient d'échapper de peu à un massacre, je ne pouvais pas ne pas soutenir le gouvernement socialiste de Léon Blum qui décidait lui-même de l'envoi de renforts. D'où la ligne en zigzag de mon analyse ou plutôt de ma prise de position.

D'abord : « ... Quand nos troupes se défendent contre une attaque délibérée, déclenchée par surprise et par ordre, nous nous sentons solidaires des Français qui se battent et meurent sur une terre lointaine. » Mais contrepartie immédiate : « Il y aurait pourtant quelque lâcheté à s'en tenir là. Il se peut bien que, dans la situation actuelle, l'affirmation de la force soit une nécessité inéluctable. Fût-ce pour négocier demain, il faut aujourd'hui recourir aux armes. Mais comment ne pas avouer que cette nécessité même marque pour les espoirs qui nous animaient tous, au lendemain de la Libération, une rude déception, un échec amer ? La Constitution qui vient d'être adoptée proclame solennellement que la France n'entreprendra rien contre la liberté d'aucun peuple. Nous avons reconnu l'indépendance du Vietnam dans le cadre de l'Union française. Rien ne nous autorise à penser que nos représentants veuillent revenir sur le principe. Mais la bataille actuelle n'en paraît que plus funeste, puisque nous n'avons pas et ne pouvons pas avoir l'intention d'une reconquête militaire et que le Vietnam jusqu'à présent ne niait pas nos droits. » Je ne distinguai pas entre Vietnam et Vietminh : Hô Chi Minh représentait le Vietnam. Faute de connaissances précises sur la préhistoire du coup de Hanoi, je me refusai à répartir les responsabilités entre les divers acteurs. Je conclus en faisant appel au parlement pour qu'il rappelât une fois de plus la doctrine française. « Nous ne doutons pas que les élus du peuple n'affirment la volonté de " maintenir ", mais les véritables positions françaises, celles qui ne se confondent pas avec les intérêts sordides, celles que la nation est résolue à sauver, ne sont pas celles que la force seule puisse maintenir. Maintenir par la violence, ce ne sera pas maintenir la France. »

En dépit de l'embarras, le sens ne me semble pas équivoque. Pas de reconquête militaire dont nous n'avons ni les moyens ni l'intention ; honorer la promesse de l'indépendance ; ce que la France veut maintenir, ce n'est pas le régime colonial du passé. Le ton d'Albert Ollivier, le lendemain, différait du mien mais son éditorial se référait à la communication de Léon Blum au parlement. Albert Ollivier, sur le point essentiel, citait le président du Conseil socialiste : « Pour l'instant, l'on ne peut qu'enregistrer le refus de négocier sous la pression de la force ou, comme l'a fort bien dit Léon Blum, " avant que soit rétabli l'ordre pacifique, base nécessaire de l'exécution du contrat ". »

Chef d'un gouvernement transitoire, Léon Blum devait prendre en charge une situation dont, peut-être à contrecœur, il assumait la responsabilité et n'ignorait pas la gravité. Il n'en usa pas moins d'une formule qui portait en germe des années de guerre : « rétablir l'ordre pacifique ». Rétablir cet ordre équivalait à tenter une reconquête militaire dont par ailleurs on se défendait de nourrir l'intention. Le sentiment national, si fort dans le pays — pour ne pas user du terme ambigu de nationalisme —, la méconnaissance du rapport des forces expliquent, sans les excuser, les décisions qui entraînèrent peu à peu la France dans le piège vietnamien. L'éditorial du 29 janvier 1947 dans lequel je commentai les déclarations de Marius Moutet au retour de l'Indochine, trop modéré à mon goût d'aujourd'hui, n'en rappelait pas moins ce refus de la reconquête militaire et la nécessité de conversations non pas avec nos seuls protégés mais, avant tout, avec ceux qui jouissent de la confiance des populations [1].

En dehors des articles économiques d'actualité, j'écrivis les éditoriaux les plus nombreux et peut-être les plus importants sur l'Allemagne et la Constitution.

---

1. L'éditorial du 20 mars 1947, après le débat à l'Assemblée sur l'Indochine, n'ajoute rien aux précédents. Il insiste sur l'équivoque de la politique du gouvernement Ramadier : avec qui veut-il négocier ? combien de temps durera la « pacification » ?

Dans le numéro daté des 26-27 janvier 1947, sous le titre « Y a-t-il encore un danger allemand ? », j'analysai, une fois de plus, la nouveauté radicale de la conjoncture, l'abaissement de l'Europe entière dans le cadre de la politique planétaire, l'infériorité définitive du pays du milieu par rapport à l'Union soviétique d'un côté, par rapport aux démocraties occidentales de l'autre ; quelques jours plus tard, j'insistai sur l'inévitable reconstruction économique et industrielle de l'Allemagne, je critiquai les « plafonds » fixés à la production de certaines branches de son industrie. Enfin le 7 février 1947, j'évoquai « une autre Allemagne ». « La renaissance de l'Europe, c'est-à-dire des États nationaux situés entre la frontière de la Russie et l'Atlantique, n'est guère concevable sans la réintégration du Reich ou de ce qui en tiendra lieu dans une communauté pacifique. » Quant à la politique française, disais-je, en acceptant l'unité économique de l'Europe, elle accepte virtuellement une certaine forme d'unité politique. « Rien ne s'oppose à l'affirmation d'une doctrine française, doctrine positive et constructive, qui se donne pour fin une Allemagne reconstituée dans une Europe pacifique... Je pense que la reconstruction de l'Allemagne se fera contre nous si, par notre faute, elle se fait sans nous. »

J'ai relu la plupart des articles que j'écrivis sur la Constitution — ou plutôt sur les deux textes qui furent successivement soumis au peuple par référendum. Sur le premier texte, nous nous accordions tous : nous rejetions la Constitution proposée à la fois parce qu'elle nous semblait détestable et parce que seuls les deux partis « marxistes », communiste et socialiste, la soutenaient ; et encore le parti socialiste la soutenait-il la mort dans l'âme. Au lendemain du « non », je titrai mon éditorial « Sauvés par la défaite ». Il s'agissait, bien entendu, des socialistes.

Le débat sur le deuxième projet de Constitution se déroula dans de tout autres conditions à cause de l'intervention du général de Gaulle. Celui-ci prononça à Bayeux, le 16 juin 1946, un discours qui resta célèbre et dans lequel on discerne sans peine les idées directrices de la Constitution de 1958. Les formules clés demeurent les mêmes : la séparation des pouvoirs, donc l'exécutif ne doit pas « procéder » du législatif ; le président de la République (dont l'élection était prévue par un collège élargi) choisit le Premier ministre. La responsabilité du gouvernement devant l'Assemblée n'était pas explicitement prévue. Le Général dissipa l'équivoque sur ce point essentiel dans des discours ultérieurs.

Peut-être le portrait du chef de l'État tel que le concevait le Général se dégage-t-il de ces propos de 1946 mieux que dans aucun de ses écrits : « C'est donc du chef de l'État, placé au-dessus des partis, élu par un collège qui englobe le Parlement mais beaucoup plus large et composé de manière à faire de lui le président de l'Union française en même temps que celui de la République, que doit procéder le pouvoir exécutif. Au chef de l'État, la charge d'accorder l'intérêt général quant au choix des hommes avec l'orientation qui se dégage du Parlement. A lui la mission de nommer les ministres et, d'abord, bien entendu, le Premier, qui devra diriger la politique et le travail du gouvernement. Au chef de l'État, la fonction de promulguer les lois et de prendre les décrets, car c'est envers l'État tout entier que ceux-ci et celles-là engagent les citoyens. A lui la tâche de présider les conseils du gouvernement et d'y exercer cette influence de la continuité dont une nation ne se passe pas. A lui l'attribution de servir d'arbitre au-dessus des contingences politiques, soit normalement par le conseil, soit, dans les moments de grave confusion, en invitant le pays à faire connaître par des élections sa décision souveraine. A lui, s'il devait arriver que la patrie fût en péril, le devoir d'être le garant de l'indépendance nationale et des traités conclus par la France. »

Entre les discussions au Palais-Bourbon et le projet du Général, un compromis apparaissait pour le moins malaisé. Le régime esquissé à Bayeux condamnait à mort non la démocratie parlementaire mais la République des députés (ou des partis). Jamais les partis communiste et socialiste ne souscriraient à une Constitution inspirée par la doctrine du Général. Ainsi se dégage, en même temps que le « grand schisme » entre les communistes et tous les autres, un « petit schisme » entre tous les partis et le général de Gaulle. Je ne croyais pas à la victoire du Général sur les partis dans le proche avenir ; la réplique immédiate de Léon Blum au discours de Bayeux ne laissait pas de doute sur l'attitude du parti socialiste à l'égard des idées constitutionnelles du Général.

L'éditorial que j'écrivis le 18 juin, deux jours après le discours de Bayeux, se terminait sur les lignes suivantes : « Désormais, en dehors de ce régime dont personne ne se déclare satisfait, pas même ceux qui le dirigent, il y a au moins une autre possibilité. La Constitution intermédiaire entre le parlementarisme britannique et le système présidentiel esquissé par le général de Gaulle n'est probablement pas viable en période tranquille ; du moins laisse-t-elle apercevoir une tentative à laquelle les partis ne se résoudront pas volontiers mais à laquelle certains d'entre eux se résigneront, peut-être par nécessité, quelque jour. » J'aurais dû écrire non pas que ce régime ne serait pas viable en période tranquille mais qu'il ne viendrait à la vie que dans une période non tranquille — un jour où les partis abdiqueraient sous la contrainte. Ce jour ne vint que douze ans plus tard, à l'occasion de la guerre d'Algérie.

Après le discours d'Épinal, prise de position claire du Général contre le projet n° 2, j'annonçai la victoire des partis au référendum prochain. « Si donc il doit y avoir une " épreuve de force "... l'issue n'en paraît pas douteuse. La propagande des partis invoquera la menace du pouvoir personnel plutôt que les mérites de la Constitution. Avec une participation plus faible, les 47 % du *oui* au premier référendum deviendront une majorité. »

Que faire ? me demandai-je le 10 septembre 1946. Rien n'est changé pour l'essentiel, par rapport à mai : « L'exécutif demeure un simple mandataire de l'Assemblée. La seconde Chambre ne possède même pas de veto suspensif. Il n'y a pas de contrôle de la constitutionnalité des lois... Le président de la République ne dispose pas effectivement du droit de choisir le président du Conseil ou du droit de dissoudre la Chambre. Rien n'a été prévu pour qu'une mesure grave puisse être éventuellement différée de quelques mois ou sanctionnée par de nouvelles élections. Aucune institution dotée de pouvoirs réels n'est élevée au-dessus du jeu des partis, c'est-à-dire de la volonté de leurs états-majors. »

Et ma conclusion : « Pour le citoyen, l'abstention sera probablement le seul moyen de manifester son désir de sortir du provisoire et sa répugnance pour la Constitution qu'on lui offre. » Du même coup, un parti « révisionniste », le RPF, devait sortir de l'approbation de la Constitution par un tiers des électeurs inscrits.

Contre la Constitution voulue par le Général, les communistes s'allièrent aux autres partis, ils firent même de la surenchère : ils voulaient une Assemblée unique, toute-puissante, maîtresse du gouvernement qui serait son serviteur, l'exécuteur de ses volontés. Même une fois le parti communiste passé dans l'opposition, le schisme entre le Libérateur et les partis persista en toute clarté. Il fallut la guerre d'Algérie pour que le Général trouvât la conjoncture qu'il appelait de ses vœux depuis son retour en France : l'abdication de la République des députés devant un Législateur qui, une fois pour toutes, fonderait une République que l'on baptisera, faute de mieux, consulaire. Le parti de la fidélité, le MRP, s'il eût été fidèle jusqu'au bout, n'aurait probablement pas fait voter par une troisième Assemblée constituante la Constitution qui aurait répondu aux exigences du Général. Celui-ci, en effet, entendait avant tout que le président de la République, non responsable devant les Assemblées, détînt l'autorité supérieure. La Constitution de 1958 n'aurait été votée par aucune Assemblée au lendemain de la guerre.

Beaucoup d'amis de la presse et de l'Université m'ont interrogé sur mes expériences de journaliste au cours de ces trente-sept années. Je laisse de côté l'expérience de *Point de Vue* qui ne m'apprit rien, tant je restai en dehors de la communauté. A *Combat*, j'eus l'impression d'être cordialement accueilli ; je me souviens à peine de deux ou trois incidents. La répartition des éditoriaux devint un peu plus difficile quand Albert

Camus revint au journal dans l'espoir de le sauver. D'un autre côté, un des journalistes, à l'époque un des « petits, sans grade », aujourd'hui haut placé dans la hiérarchie des *free lance*, René Dabernat, me dépeignit à sa manière l'humeur autour de moi, l'irritation que suscitait chez certains la rapidité avec laquelle je rédigeais les éditoriaux, les commentaires, pas toujours indulgents, moins sur mes « papiers » que sur ma personne. Je ne le crois qu'à moitié. La rédaction de *Combat* me rappelait quelque peu la rue d'Ulm. Quand nous ne parlions pas de littérature ou de politique, nous parlions des uns et des autres. Je ne devais probablement pas différer de l'équipe à cet égard.

En 1947, quand la situation financière s'aggrava, je participai à de multiples réunions entre les rédacteurs ou entre la direction et les ouvriers d'imprimerie. L'administrateur, Jean Bloch-Michel, appartenait aussi à la catégorie des intellectuels-écrivains, non à celle des journalistes professionnels ou des hommes d'affaires. Grâce à ses études juridiques, il était plus qualifié que les autres pour l'administration du journal. Les ouvriers d'imprimerie discutaient avec lui (et avec Pia) âprement, selon leurs coutumes. Ils n'éprouvaient pas une sympathie particulière pour d'apprentis gestionnaires animés de sentiments socialisants ; ils élevaient, face à des intellectuels résistants, les mêmes revendications qu'ils auraient élevées face à un patron de combat. Je me souviens du mot d'un syndicaliste, à la fin d'une longue palabre : « Vivement un vrai patron ! »

Pourquoi le premier *Combat*, celui de Pia, de Camus, Ollivier, Grenier, Nadeau mourut-il aussi vite ? Nous en discutions entre nous. Tout le monde lit *Combat*, disait-on à Paris. A quoi je répondais : « Malheureusement, tout le monde ne représente que quarante mille personnes ! » Les journaux qui bénéficiaient d'un titre d'avant-guerre se détachèrent peu à peu du lot. *Combat* représentait par excellence un journal d'opinion, comme on disait avant 1939, et les journaux d'opinion n'atteignent jamais aux gros tirages. Si je m'en souviens bien, *Combat* tira, à un moment donné, jusqu'à près de 200 000. Le tirage baissa peu à peu au cours de l'année 1946. Pourquoi ? Certains rédacteurs mettaient en cause

Albert Ollivier dont le gaullisme s'accordait mal avec la sensibilité d'une clientèle de gauche (nous en jugions ainsi mais sans sondages d'opinion). Probablement d'autres s'en prenaient-ils à mes éditoriaux. Il y a trente-sept années comme aujourd'hui, mon diagnostic n'incriminait personne en particulier. Journal de la Résistance, *Combat* ne trouva pas sa place dans la presse d'un régime de partis.

En 1944-1945, la guerre continuait, la pénurie de papier réduisait les journaux à deux pages, une feuille avec un endroit et un envers. La qualité des textes, le climat d'unité de la Résistance attiraient une clientèle hétérogène, rassemblée par des circonstances transitoires. Après la fin des hostilités, à mesure que les Français retrouvaient le chemin des urnes, les clivages politiques se manifestaient de nouveau et, du coup, un journal inclassable s'exposait au danger mortel pour un quotidien : ne satisfaire pleinement aucune catégorie de ses lecteurs. D'une colonne à l'autre, les rédacteurs exprimaient des opinions contradictoires. L'épisode qui demeura symbolique fut celui du référendum sur le deuxième projet de Constitution.

Bien entendu, il existe une clientèle qui accepte une libre discussion entre les rédacteurs du même journal. Celui-ci s'efforce d'instruire et non d'endoctriner. En politique, à un moment d'incertitude, voire de drame, qui peut se vanter de détenir la vérité ? Présenter sa vérité comme *la* vérité, n'est-ce pas au fond peu honnête[1] ? Arguments respectables auxquels la plupart des lecteurs répondraient : « Nous n'avons pas besoin de notre journal habituel pour ne pas savoir quoi penser. Si le journaliste ne le sait pas davantage, qu'il se taise. » Il y a plus : après une expérience de trente années — 1947-1977 — au *Figaro*, je suis convaincu que nombre de lecteurs attendent de leur journal, autant que des informations, une sorte de sécurité, la confirmation de leurs propres jugements. Robert Lazurick, qui dirigea *l'Aurore* jusqu'à sa mort accidentelle, faisait volontiers un numéro sur la liberté de la presse : « Presque toute ma vie, disait-il, j'ai écrit dans des journaux " vendus "

---

1. Comment faire autrement ? m'objecta un ami.

— ce qui veut dire que des financiers ou des industriels possédaient l'entreprise et se montraient sourcilleux dès qu'il s'agissait des affaires qui les concernaient directement. Pour le reste, ils nous laissaient une paix royale. Maintenant, je dirige un journal qui ne dépend de personne sinon des lecteurs. Si j'écris ceci ou cela, ils menacent de se désabonner ou de ne plus l'acheter. » En d'autres termes, chaque journal se sent à demi prisonnier de sa clientèle ; Pierre Brisson arrêta la campagne de François Mauriac pour le sultan du Maroc, lorsque le nombre de lettres de protestation franchit le seuil de rupture. Grâce à sa position exceptionnelle, *le Monde* n'hésite pas à heurter, tour à tour, telle ou telle école de pensée [1].

Le *Combat* de Pia, au moins celui que j'ai connu de mars 1946 à l'arrivée de Smadja, combinait l'anticommunisme, l'anticolonialisme et un demi-gaullisme (ou, du moins, le gaullisme un jour sur deux). Trop gaulliste pour les socialistes, trop anticolonialiste pour les modérés, trop à gauche dans son vocabulaire et son style pour le MRP, il plaisait aux marginaux de tous les partis mais il cherchait vainement un centre, un noyau de fidèles. Oui, ces fidèles existaient, assez nombreux pour un journal d'opinion, non pour un journal national. Peut-être aurait-il malgré tout gagné la partie s'il avait été géré par des professionnels.

Dans les semaines qui précédèrent l'abandon de la première équipe, il fut question de chercher des soutiens financiers. Je conversai avec deux ou trois banquiers. Ils critiquaient la ligne du journal sur tel ou tel point, en particulier sur la question coloniale. Au reste, je doutai que l'équipe s'accommodât d'une direction que j'aurais partiellement au moins assumée. Bloch-Michel ne me permit pas de l'ignorer. Il disait probablement vrai, bien que ses sentiments à mon endroit fussent plus forts que ceux de beaucoup d'autres.

Quand Smadja et Claude Bourdet prirent possession de *Combat*, je pris contact avec Hubert Beuve-Méry et

---

1. Position exceptionnelle pour de multiples raisons : la magistrature qui lui est reconnue, la tribune libre qu'il offre à tous les hommes politiques, le rôle que lui accordent les enseignants et les étudiants.

Pierre Brisson. Je n'avais connu aucun des deux avant la guerre. J'avais entendu parler de la démission du premier qui quitta *le Temps* au moment de Munich. Quant à Brisson, je l'avais connu pendant les deux mois que je passai au ministère de l'Information. Une année de collaboration à *Combat* m'avait transformé, aux yeux du Paris politique, en journaliste ou en éditorialiste. Là encore, je dus choisir, non plus entre l'Université et la presse, mais entre *le Monde* et *le Figaro*.

Les conditions financières ne différaient guère. Le choix portait entre un journal du matin et un journal du soir, entre un journal historique, renouvelé depuis la guerre, et un journal de l'après-guerre. J'entretenais des relations cordiales avec Beuve-Méry et du reste, en 1947, les désaccords sur le neutralisme et l'atlantisme n'avaient pas encore déclenché un débat national. Il n'était pas évident que les deux journaux qui sollicitaient ma collaboration représenteraient, deux années plus tard, les pôles extrêmes de la pensée française non communiste.

Je suivis le conseil d'André Malraux ; vos relations avec Pierre Brisson seront plus faciles, me disait-il, qu'avec Beuve-Méry. Je pensais de même. Je voyais mal la place qui me serait donnée au *Monde*. Quelques convictions fortes animaient le directeur du *Figaro* : l'anticommunisme, la défense de la démocratie parlementaire, l'unité européenne. Ses convictions s'accordaient avec les miennes, je ne prévoyais donc pas de divergences graves entre la ligne du *Figaro* et mes propres opinions — prévisions dans l'ensemble confirmées par les événements, avec quelques exceptions : le RPF, la décolonisation, les mérites de la gestion économique d'Antoine Pinay.

Pierre Brisson, gaulliste à la Libération, rallié au gaullisme en 1958, s'opposa au RPF avec une sorte de passion. Il ne se résigna à l'indépendance de l'Algérie qu'au début des années 60, en suivant la politique du Général lui-même.

Au printemps de 1977, victime d'un accident cardiaque, sur un lit de l'hôpital Cochin, je reçus de Beuve-Méry une lettre qui me toucha profondément. Nous étions tous deux arrivés à un âge qui nous aide à regar-

der le passé avec détachement ; il évoquait ses rêves de
44-45, m'écrivait-il, et toujours avec nostalgie, « l'espoir
un instant caressé de vous voir partager l'aventure du
Monde après l'échec du premier *Combat*. Qu'en fût-il
advenu ? Toutes divergences ou querelles de boutique
mises à part, les difficultés éventuelles auraient été d'un
tout autre ordre que celles d'aujourd'hui ». Peut-être.
Je ne suis pas sûr que ma participation à l'aventure du
Monde aurait pu se prolonger. Mais, après tant de
controverses et d'années, ce signe d'amitié m'émut plus
que je n'oserais l'avouer.

IX

JOURNALISTE ET MILITANT

J'ai été sur le point d'écrire, en tête de cette page, *Dix années perdues*. Quand la guerre éclata, j'avais trente-quatre ans ; j'avais beaucoup travaillé depuis la fin du service militaire et je pouvais compter encore sur une douzaine d'années d'enrichissement intellectuel et peut-être d'invention. Les six années, de 1939 à 1945, me firent connaître d'autres personnes, d'autres événements, une autre manière de penser et de vivre. La majorité des universitaires ne sortent de leurs études que pour entrer dans l'enseignement. Univers de coton, peuplé d'enfants ou de jeunes gens, qui risque d'entretenir une sorte de puérilité. J'ai vu la politique en action de plus près que la plupart des politologues — et je m'en félicite — mais l'analyse politique *in vivo*, loin de favoriser la réflexion philosophique, la paralyse. Le philosophe, face aux députés et aux journalistes, éprouve le sentiment qu'il se fera moquer ou qu'il tombera dans le puits.

Les dix années où je fus un journaliste professionnel et non pas un professeur qui écrit dans les journaux, je les ai, en dernière analyse, choisies moi-même ; même de mon échec à la Sorbonne en 1948, je suis partiellement responsable puisque je donnai à nombre de mes futurs collègues l'impression que je tenais au *Figaro* plus qu'à la Sorbonne et que, contraint de renoncer à l'un ou à l'autre, je ne renoncerais pas au journalisme. Georges Davy interpréta de cette manière une phrase que j'aurais prononcée au cours de ma visite de candidature ; il la répéta à l'assemblée des professeurs, par malice ou par naïveté, et décida ainsi d'une élection serrée[1].

Je me souviens de mon entretien avec Le Senne, représentant typique du spiritualisme académique, homme courtois, de bonne volonté, nullement hostile à mon activité politique et au *Figaro*. Ce que vous faites, me dit-il, est honorable, nécessaire, et je ne vous en tiens pas rigueur mais le journalisme n'est pas, à mes yeux, convenable pour un professeur d'université. Celui-ci doit accepter une existence modeste, en dehors du tumulte, celle d'un clerc qui trouve dans l'exercice et la transmission de la pensée, dans la formation de disciples, le sens de sa vie et la plénitude de sa vocation. Vous n'appartenez plus à notre ordre[2]. Il ajouta, en toute franchise, qu'il voterait malgré tout pour moi parce que Georges Gurvitch, ne fût-ce qu'à cause de l'imperfection de son français, méritait moins encore d'occuper la chaire qu'Albert Bayet, lui aussi plus journaliste que professeur, venait de quitter.

Le Figaro où j'entrai au printemps de 1947, tout différent de celui que je quittai au printemps de 1977, était le journal de Pierre Brisson ; sous la IVᵉ République, il ne fut peut-être pas le plus prestigieux en dehors de France, mais il fut à coup sûr le plus influent sur la classe politique. Pierre Brisson détenait une influence, je dirais même une puissance sur les hommes politiques que Hubert Beuve-Méry n'acquit jamais. Paradoxe plus apparent que réel : *le Monde* fut, de manière permanente, un organe d'opposition, hostile à l'Alliance atlantique, au réarmement de l'Allemagne, mollement favorable à l'unification européenne ; il agit sur l'opi-

1. J'ai scrupule à évoquer des épisodes de la vie universitaire. En fait, il y avait trois candidats, G. Gurvitch, J. Stoetzel et moi ; J. Stoetzel spécifia qu'il ne se portait pas candidat contre moi mais les faveurs du directeur de la section de philosophie, J. Laporte, allaient à lui. Les bulletins qui s'étaient portés sur Stoetzel au premier tour auraient dû normalement se reporter sur moi. Les propos rapportés par Davy déplacèrent probablement les quelques voix qui assurèrent le succès de Gurvitch.

2. Je stylise certainement ses propos.

nion, en particulier sur la jeunesse. Plus anti-américain,
au moins en apparence, qu'antisoviétique, il devint la
bible d'une intelligentsia de gauche qui s'accommodait
d'une attitude critique, sans impact direct sur les événements. Les hommes politiques au pouvoir se résignaient
aux jugements de *Sirius*, aux décrets prononcés de haut
par l'incorruptible directeur. Pierre Brisson, parce qu'il
s'accordait dans l'ensemble avec la politique de la
IVe République, parce qu'il fréquentait les ministres et
les députés, inspirait plus de crainte. Éventuellement,
c'est lui qui convoquait les ministres. Il va de soi que
tout changea avec le retour du général de Gaulle au
pouvoir. *Le Figaro* qui avait combattu le RPF devint le
journal des ci-devant. Mais il faut rendre hommage à
P. Brisson, il ne regretta jamais son règne ; en bon Français, il se réjouit comme moi que le pays fût enfin gouverné décemment, lui aussi, à la longue, humilié par les
humiliations de la France qui faisait figure, à l'époque,
d'homme malade de l'Europe.

Frappé par mes articles à *Combat,* par des analyses
faites en passant au cours de déjeuners (par exemple je
lui avais dit, plusieurs mois à l'avance, que l'on devait
se préparer à un gouvernement qui ne comprendrait
plus de communistes), il insista amicalement auprès de
moi au printemps de 1947, et me convainquit d'écrire
un certain nombre d'articles chaque mois. Je fus payé à
la pige de son vivant.

Pierre Brisson vivait dans et pour son journal. Il
n'avait pas voulu rompre avec le propriétaire, Mme
Cotnaréanu, la première femme de Coty, qui, au
moment du divorce et du partage de la fortune, avait
reçu les actions du *Figaro.* Tout en reconnaissant les
droits du propriétaire, il entendait gérer le journal en
toute liberté. Sa formule (« en accord avec le capital
mais indépendant de lui »), Mme Cotnaréanu, ou plutôt son beau-frère qui dirigeait la firme Coty aux États-
Unis, la refusa, elle revendiqua le plein exercice des
droits du propriétaire, autrement dit un droit de regard
sur l'administration et même sur l'orientation politique
du journal. Pierre Brisson rejeta ces revendications en
s'appuyant sur le fait que l'autorisation de paraître
avait été accordée à lui personnellement et à son

équipe, et non pas à la société du *Figaro*. Une loi, appelée loi Brisson, votée par l'Assemblée nationale, concernait exclusivement *le Figaro* et réservait à ceux qui
avaient obtenu l'autorisation de paraître le droit
d'exploiter le titre. En 1947, le conflit durait encore, il
ne fut réglé qu'en 1949, par un compromis valable pour
vingt ans, dont Marcel Bleustein avait imaginé les
termes.

Une société fermière, dont les amis de P. Brisson possédaient le capital, exploitait le titre *le Figaro* ; Jean
Prouvost acquérait la moitié du capital de la société *le
Figaro* ; Pierre Brisson, avec 2,5 % du capital, présidait
les deux conseils d'administration. Règlement exceptionnel, plus vulnérable que le statut du *Monde*, mais
qui ne devait pas soulever de tempêtes tant que deux
conditions seraient réalisées : la prospérité du journal et
la présence de Pierre Brisson. Moins de vingt ans plus
tard, ce dernier mourut. Vingt-cinq ans plus tard,
l'autre condition ne sembla plus réalisée.

Avant la guerre, *le Figaro*, journal de petit tirage (environ 80 000) avec un passé éclatant et scandaleux[1], était
dirigé par Lucien Romier et Pierre Brisson. Ministre du
Maréchal en 1943, le premier mourut avant la fin des hostilités ; le second saborda son journal après l'occupation
de la zone libre par les Allemands et passa à la clandestinité. A la Libération, il obtint l'autorisation de reparaître
(refusée au *Temps* qui s'était sabordé deux jours plus
tard). A la faveur de la disparition des journaux d'avant-
guerre, *le Figaro* mondain et académique devint en quelques mois le journal national du matin. Pierre Brisson
tirait légitimement fierté de cette exceptionnelle réussite.
Il exerçait pleinement ses fonctions de directeur ; sur lui
et sa rédaction, les formules couraient : dictateur qui pré-
side à une aimable anarchie, ou despotisme tempéré par
l'anarchie de la rédaction. Il bénéficiait d'une autorité
incontestable et incontestée ; il prenait conseil d'André
Siegfried, il discutait avec François Mauriac ; les journalistes le reconnaissaient comme un des leurs.

---

1. Le directeur du journal avait été assassiné par la femme de Caillaux
en 1914. Le journal avait mené contre elle une campagne odieuse (publication de lettres privées). Mme Caillaux fut acquittée.

Parisien jusqu'au bout des ongles, il appartenait à une France du passé. Il ne parlait aucune langue en dehors du français et il ne connaissait pas l'étranger. Sa formation, son œuvre, strictement littéraires, ne le destinaient pas à orienter la ligne d'un journal national à vocation internationale en une période de bouleversements révolutionnaires. Par bonne chance, il adopta quelques positions qui, rétrospectivement, paraissent justes, sensées et que pourtant une bonne partie de l'intelligentsia, nombre d'hommes beaucoup plus versés que lui dans la grande politique, critiquèrent âprement : anticommunisme, réconciliation avec l'Allemagne, Alliance atlantique, unification européenne. Certes, il poussa parfois l'anticommunisme jusqu'à publier des documents quelque peu dérisoires. Au lendemain du vote de l'Assemblée contre la CED, il écrivit un éditorial d'une incroyable violence (« J'ai honte »).

J'eus la plus grande peine à le convaincre que le correspondant du *Figaro* aux États-Unis devait résider à Washington et non à New York. A la différence de Jean Prouvost qui offrait à Raymond Cartier un tour du monde tous les ans, l'idée ne lui vint jamais de me donner les moyens de voyager. Si je parvins à le faire, ce ne fut jamais pour le compte du *Figaro*, avec une seule exception : il m'offrit de « couvrir » la Conférence de San Francisco pour le traité de paix avec le Japon. Je lui expliquai maintes fois l'intérêt d'utiliser les sondages d'opinion, sans succès. Depuis lors, les sondages tiennent une place excessive, presque grotesque, dans les hebdomadaires aussi bien que dans les quotidiens. Bien plus, les journalistes ne commentent pas toujours avec pertinence les résultats des sondages. La remarque de bon sens devrait être répétée à chaque occasion : si l'on demande à quelqu'un ce qu'il fera dans quelques mois ou ce qu'il ferait dans telle conjoncture future, la réponse doit être accueillie avec une extrême prudence. Les scores de Ted Kennedy s'effondrèrent, presque du jour au lendemain, quand il déclara officiellement sa candidature. Tant qu'il n'était pas candidat, les personnes interrogées exprimaient leur insatisfaction de Carter en « préférant » Kennedy, sans prendre de risque. Dès qu'il fut question de voter « pour de bon », les électeurs se souvinrent de Chappaquiddik, inoubliable, impardonnable.

Quand P. Brisson mourut, en 1965, *le Figaro* glissait déjà sur la pente. La part de la publicité dans les recettes atteignait 85 % — ce qui créait une certaine vulnérabilité. Le nombre des lecteurs diminuait ; les chiffres du tirage dissimulaient quelque peu ce déclin grâce à des abonnements gratuits, aux distributions dans les hôtels. Avant tout, le journal ne s'était pas renouvelé. Il gardait encore une centaine de milliers d'abonnés ; la vieille clientèle du journal, celle du carnet mondain et des académiciens, demeurait fidèle dans son ensemble ; les morts n'étaient pas tous remplacés. La bourgeoisie des années 1960, formée dans l'après-guerre, lisait de temps à autre *le Figaro*, elle n'y trouvait pas tout ce qu'elle cherchait. Peu à peu *le Monde* avait pris la place du *Figaro* en tant que symbole de statut intellectuel, sinon social.

Comme la plupart de ceux qui aiment leur œuvre au point d'être incapables de l'imaginer sans eux, P. Brisson n'avait pas préparé sa succession. Quand il fit connaître à Jean Prouvost son intention de nommer L.G.-Robinet sous-directeur, il ajouta que son collaborateur de chaque jour ne devrait pas monter plus haut. Wladimir d'Ormesson m'écrivit plus tard que P. Brisson pensait que je serais le plus qualifié pour prendre la direction du *Figaro* s'il venait à disparaître. Mais il ne me l'avait jamais dit, pas davantage à son fils Jean-François. Je ne pense pas qu'en tout état de cause, j'aurais accepté la tâche ; pourtant, s'il m'avait écrit ou dit ce qu'il avait confié à Wladimir d'Ormesson, la situation eût été toute différente. Une des raisons qui me dissuadèrent de toute ambition en 1965, ce fut la résistance prévisible de l'état-major du journal (J.-F. Brisson excepté) et d'une fraction de la rédaction. La résistance eût été pour le moins réduite au silence si P. Brisson m'avait explicitement désigné comme le successeur.

Curieusement, ce Parisien qui jetait sur les hommes et les mœurs de la capitale un regard sans illusions refusa de songer même aux ambitions, au reste légitimes, de Jean Prouvost ; je lui en parlai maintes fois et il écartait mes inquiétudes d'un mot : « Prouvost ne s'intéresse pas au *Figaro*, il maintiendra le statut actuel. » Il me semblait inconcevable que Jean Prouvost, qui se voulait un journaliste avant d'être un capitaliste, consentît à n'avoir jamais son mot à dire dans un journal dont la moitié du capital lui appartenait. Après avoir refusé Jean Prouvost, *le Figaro* (la rédaction) accepta Robert Hersant. Dans cet absurde scénario, je ne nie pas ma part de responsabilité. Autre histoire.

En 1947, trois « grandes signatures » dominaient le journal, François Mauriac, André Siegfried, André François-Poncet. Avec le premier, aucune question de frontière ne se posait ; avec André Siegfried non plus — ce dernier ne discutait pas volontiers les problèmes économiques d'actualité, j'entends les problèmes d'inflation, de prix, de salaires qui exigeaient une référence à une théorie ou à un schème. Il n'avait probablement pas lu Keynes ; géographe de formation, il décrivait les pays et leurs paysages, il en analysait les ascensions et les déclins, il expliquait la crise de la Grande-Bretagne au XXe siècle ou la grande dépression à la manière d'un sociologue ou d'un ethnographe, sans utiliser les instruments des théories économiques. A. François-Poncet souhaitait — ce qui était compréhensible — conserver le monopole des relations internationales. Je ne consentis pas à en être exclu. Cette rivalité de compétence s'effaça d'elle-même : A. François-Poncet prit en Allemagne la place du général Kœnig (chef des autorités d'occupation, puis ambassadeur auprès de la République fédérale).

Avec Pierre Brisson, je n'eus jamais de querelle au cours des dix-huit années de ma collaboration au journal sous sa direction, mais mes prises de position ne s'accordèrent pas toujours avec la ligne du *Figaro*. Deux cas majeurs : au moment du RPF d'abord, à propos de la décolonisation ensuite. Mon adhésion au RPF n'entraîna pas ma conversion aux thèses du Général ; j'analysai les affaires économiques et diplomatiques dans mon style ordinaire, sans me rallier à l'orthodoxie ou à la propagande des gaullistes. C'est la polémique du *Rassemblement* et d'Albert Ollivier contre *le Figaro* qui mit en position délicate les collaborateurs du journal, adhérents du RPF, Claude Mauriac et moi. Le *Rassemblement* déterra du *Figaro* des années de guerre quelques textes embarrassants. Vers la fin de l'année 1940, un article qui engageait à coup sûr P. Brisson lui-même énumérait les réformes déjà appliquées ou mises en chantier parmi lesquelles figurait le statut des Juifs. Texte que je ne lus pas sans un pincement au cœur. La censure de Vichy interdisait probablement de critiquer le statut des Juifs, elle n'obligeait pas à en souligner les mérites [1].

Brisson était-il antisémite ? Certainement non. Le journal l'avait-il été ? En une certaine mesure, peut-être. Antisémitisme de salon, d'académie, fort éloigné de celui des hitlériens ou même de celui de Maurras que Brisson lui-même détestait et contre lequel il ne cessa pas de rompre des lances, en 1940-1942. Nous le savons aujourd'hui, le gouvernement de Vichy prit seul l'initia-

---

1. Le numéro du 19 décembre 1940 contenait une page entière sous le titre « Six mois d'Histoire de France. L'œuvre politique, économique et sociale du maréchal Pétain ». Le résumé de l'œuvre se divisait dans les paragraphes suivants : Réforme de l'État, Cours de justice, les fonctionnaires, la franc-maçonnerie et les sociétés secrètes, l'industrie nationale, contre le chômage, l'agriculture, le contrôle de la nationalité française, statuts professionnels, sociétés anonymes et Banque de France, politique économique et monétaire, protection de la race, réforme de l'enseignement, les héritages, la famille, discipline économique, le cinéma, l'assistance aux prisonniers, union des combattants, la jeunesse et les sports. Dans le chapitre « Contrôle de la nationalité française » les clauses principales du statut des Juifs sont résumées : « Les Juifs sont exclus de l'administration, de l'enseignement, de l'armée, de la presse, de la radio, des spectacles, sauf ceux qui ont rendu des services au pays. Les ressortissants étrangers de race juive peuvent être internés dans des camps spéciaux (18 octobre). Les droits politiques sont retirés aux Juifs indigènes d'Algérie. »
Sans doute ne s'agissait-il que d'un bilan. Mais Pierre Brisson signait P.B. un chapeau qui ne laisse pas de doute sur les sentiments qu'éprouvait à l'époque le directeur du *Figaro*.
« Le 17 juin 1940 le maréchal Pétain prenait le pouvoir. Nous avons jugé utile de dresser dans ce tableau la nomenclature des réformes accomplies depuis dix mois sous son inspiration. Toutes s'inspirent du sentiment réaliste des nécessités. Elles attestent une volonté d'assainissement et de relèvement moral dont la vigueur reste digne des épreuves les plus décisives de notre Histoire. Depuis cent quatre-vingts jours, s'exposant à toute heure, le Maréchal s'est voué, sans faiblir, au sauvetage du pays. Lui rendre hommage serait superflu. Il a compris que les conditions d'une entente avec le vainqueur seraient liées à une estime réciproque et que le premier gage de cet accord ne pouvait être que l'union spirituelle et la confiance de tous les Français. »

tive du statut des Juifs ; cette mesure suscita peu de protestations que pourtant le contexte n'interdisait pas.
Même des écrivains, comblés par la République et hostiles à l'occupant, écrivirent sur le sujet des Juifs des
pages qui finirent par me convaincre que l'antisémitisme — à la veille de la guerre et pendant celle-ci —
avait gagné des milieux plus étendus que je ne le
croyais à l'époque. Moins par générosité à l'égard de
Vichy que par confort intellectuel, pour ne pas admettre qu'une certaine France m'expulsait de la communauté nationale, j'imaginai à Londres que les hommes
du Maréchal avaient pris les devants, afin de prévenir
la pression allemande. Illusion consolatrice. Les lois de
Vichy rivalisaient avec celles de Nuremberg, pas moins
scolastiques dans leur recherche des ascendants, pas
moins rigoureuses dans leurs exclusions.

Pierre Brisson, tel que je le connus en 1945 ou 1946, ne
me parut nourrir, à l'endroit des Juifs, aucun sentiment
particulier de sympathie ou d'antipathie. Il avait toujours
compté des Juifs parmi ses amis, l'un d'entre eux lui consacra une biographie. En exil, je lus *le Figaro* et surtout les
pages littéraires dans lesquelles respirait un esprit de liberté,
de résistance. Polémique infatigable contre Maurras,
défense et illustration de la littérature française, critique
de textes des collaborateurs ; aucun lecteur ne pouvait s'y
tromper. Je rendis hommage au *Figaro* plusieurs fois dans
la France libre[1]. Je n'éprouvai aucun scrupule de conscience en me joignant à l'équipe Pierre Brisson. Le milieu
des *Annales*, d'Yvonne Sarcey et d'Adolphe Brisson,
étroitement lié à la République de la fin du siècle précédent, se situait au centre-droit ou gauche selon les temps.

En 1956, quand l'expédition de Suez aboutit à un
lamentable fiasco et que je critiquai l'entreprise elle-
même, il me reprocha mon attitude avec l'argument
classique : « Alors, vous qui êtes juif... » Je protestai
avec vigueur : « Je ne suis pas israélien mais français. »
En d'autres circonstances, un lecteur m'aurait reproché
de prendre position pour Israël.

1. Article du 15 juin 1941. « Culture et société », pp. 91-102 dans le livre
De la capitulation à l'insurrection nationale : « ... contre les menaces, *le
Figaro*, organe de l'intelligence en exil, s'honore de mener infatigablement
campagne ».

Entre 1947 et 1951 (ou 1953), P. Brisson mena la bataille contre le RPF. Dans nos débats, je plaidais que le retour au pouvoir du Général était inscrit à l'avance et que mieux valait un retour en douceur, légal plutôt que provoqué par une quelconque turbulence. Il ne croyait pas à la victoire du RPF et les événements lui donnèrent raison. En 1958, il accepta avec plus d'enthousiasme que moi l'accession du Général au pouvoir suprême à l'occasion d'une rébellion militaire.

Mes discussions avec Brisson sur la décolonisation, en particulier sur le Maroc et l'Algérie, ne nous éloignèrent pas l'un de l'autre. J'ai retrouvé une lettre qu'il m'écrivit à la suite de l'enquête de Thierry Maulnier qui présentait l'Algérie comme la Sibérie, ou le Middle West, ou la Californie de la France. Datée du 4 mai 1957, la lettre reflète à la fois la nature de nos relations et l'idée qu'il se faisait de moi ; lui du moins ne s'imaginait pas que, calculateur au cœur sec, je sacrifiais l'Algérie parce qu'elle coûtait trop cher : « La fin de l'enquête de Thierry Maulnier, cher ami, m'a fortement touché, la conclusion surtout. Il met de l'âme dans le problème et l'âme sans doute ne suffit pas mais sans âme rien ne se fait — et vous le savez mieux que personne, vous qui flambez parfois. Les calculs de politique pure, des calculs d'intérêt qui sont toujours faux, le facteur humain et passionnel les corrige, les dément, brouille les données inévitables. Imaginez le rapport d'expert sur les chances de Jeanne au départ de Domrémy ou même sur celles de Miltiade à Marathon ! Se régler sur l'exception est une folie, d'accord. Mais proscrire d'une détermination la foi, une certaine part de foi, c'est se priver de ce qu'il y a tout de même de meilleur dans l'homme. Ce n'est pas le procès de l'économiste que je fais ici. Vous n'êtes au fond pas plus économiste que moi — enfin c'est une façon de parler. Je ne me charge pas de vous relayer à la Sorbonne ! Mais dans votre rigueur et votre rapidité d'esprit, vous êtes absolutiste, un absolutiste enflammé. Pourquoi vous parler de tout cela, cher ami, au milieu de roses italiennes, dans ce coin plein de souvenirs et plein d'oubli ? N'accusez que mon amitié qui, pour être tout à fait sûre d'avoir raison, souhaiterait sans se l'avouer que vous me disiez : d'accord... »

Pierre Brisson croyait encore à la légende de quelques centaines d'Athéniens vainqueurs des hordes perses. Ce détail importe peu. Rien ne peut être accompli sans foi, bien sûr. Mais il existait aussi, de l'autre côté, une foi ; le pari, contre la probabilité des chiffres, ce sont les membres du groupe militaire du MPLA qui le firent, quand ils prirent l'initiative de la rébellion ; quelques centaines de combattants dressés contre un pouvoir apparemment solide. Les attentats de novembre 1954 enflammèrent de proche en proche l'Algérie, plus rapidement que les sept chefs historiques ne l'avaient espéré à l'avance. Même si je suivais Pierre Brisson, si j'en venais à la foi ou à l'âme, ma conclusion demeurait la même. Des millions de musulmans, au milieu du XXᵉ siècle, qui combattent pour leur indépendance, doivent l'emporter, sinon en courage du moins en patience, sur un peuple qui ne croit plus à sa mission civilisatrice et à son droit d'imposer sa souveraineté sur un peuple en quête de son identité.

En 1947 ou 1948, j'adhérai au RPF à la grande surprise, voire au scandale de ceux qui se souvenaient de « L'ombre des Bonaparte » et des propos, probablement plus vifs encore, que j'avais tenus à Londres. J'avais dénoncé un danger potentiel et je l'oubliais lorsqu'il se manifestait ? Pourquoi cette parenthèse de militantisme au milieu des trente-sept années, de 1945 à 1982, années non de spectateur pur mais en tout cas d'un spectateur non inféodé à un parti. Au même moment, Manès Sperber déplorait mon ralliement à un mouvement qui lui semblait peu démocratique, dans son style et dans ses objectifs, en dépit de ses professions de foi.

D'ordinaire, on expliquait cette incartade par mon amitié pour André Malraux. Lui-même le pensa. Il n'avait pas entièrement tort, mais je ne pense pas qu'il touchât l'essentiel, à savoir les souvenirs et les regrets de Londres d'une part, l'impuissance de la IVᵉ République de l'autre.

Que l'on me comprenne bien, je ne reniais pas mon

refus à souscrire à la légende gaulliste, à la légitimité acquise depuis le 18 juin 1940 et conservée dans l'exil de Colombey. Je ne regrettai pas de n'avoir pas exclu, jusqu'en novembre 1942, l'éventualité du départ du gouvernement de Vichy pour Alger — départ qui aurait pour le moins atténué les violences de l'épuration. En revanche, à partir du débarquement allié en Afrique du Nord, une fois l'insuffisance du général Giraud évidente, il était à la fois inévitable et souhaitable que le général de Gaulle assumât la fonction de chef du gouvernement provisoire. Que le Général n'eût nullement l'intention de se retirer de la politique, une fois la France libérée, qu'il conçût une République toute différente de la IIIᵉ, nous le pensions et nous ne nous trompions pas. Mais, sans se rallier au mouvement gaulliste, il convenait, dès la fin de 1943 au plus tard, de le regarder comme le responsable, indiscutable et provisoire, du destin national.

Le gaullisme de 1946 ou de 1947 ne ressemblait guère à celui de 1941 ou de 1942. En dehors du Général, probablement semblable à lui-même, le groupe qui entourait le chef et les troupes qui le suivaient ne me rappelaient pas les quelques dizaines de fidèles, confits en dévotion, qui entretinrent le culte de la personnalité dès 1940. A l'un des quelques rares dîners auxquels il me convia, à Londres, le Général lui-même commenta, sans méchanceté mais sans complaisance, la pauvreté de la France libre — non de la revue mais des Français à Londres. Il n'ignorait pas ce que je baptisais les « déclassés vers le haut ». A Paris, les gaullistes se confondaient avec des résistants. André Malraux, Édouard Corniglion-Molinier s'étaient joints à son « entourage », cette mystérieuse entité, par nature détestable puisque les péchés du chef retombent sur elle ou plutôt émanent d'elle.

Avec la politique recommandée par le Général, je n'étais pas d'accord sur plusieurs points importants, en particulier sur l'attitude à l'égard de l'Allemagne. Je garde un souvenir assez précis d'un débat passablement passionné avec Maurice Schumann sur les objectifs de la diplomatie française à l'égard de notre ex-ennemi héréditaire, rue de La Tour-Maubourg, chez les Domi-

nicains, en 1945. Les Russes — j'emploie pour une fois
cette expression parce que le Général en usa toujours
— avaient amputé le territoire allemand à l'est, en
annexant eux-mêmes la Prusse orientale et en donnant
à la Pologne les territoires à l'est de la ligne Oder-
Neisse. Les Français, pour maintenir l'équilibre (quel
équilibre ?), devaient en faire autant, détacher la rive
gauche du Rhin (sans l'annexer), instaurer une haute
autorité de la Ruhr qui en contrôlerait la production,
s'opposer à Berlin[1], puis, dans le cadre occidental, à
toutes les institutions qui annonceraient la reconstitution d'un Reich. Cette accumulation de garanties
me semblait quelque peu ridicule, inacceptable aux
Allemands, donc incompatible avec la réconciliation franco-allemande pour laquelle le Général plaidait en même temps. Maurice Schumann défendit les
thèses gaullistes avec la même ardeur, la même
éloquence que d'habitude. Je n'eus pas trop de peine à
convaincre la plus grande partie de l'auditoire, Étienne
Gilson en tête, que les ambitions françaises se heurteraient à un veto brutal des Anglo-Américains. Inquiétés
par l'avance soviétique et la soviétisation des pays libérés par l'Armée rouge, les vainqueurs de l'Ouest recons-
truiraient une Allemagne viable, capable d'élever un
barrage à la vague venue de l'Est. Maurice Schumann
répondit, sur un ton catégorique, que les gaullistes ne
subordonnaient pas leurs projets ou leur action au bon
vouloir de leurs alliés. Le débat fut tranché non par
l'éloquence mais par le rapport des forces. L'attitude
du Général, que magnifiait le porte-parole de la France
combattante, provoqua, non sans déboires, des crises
aiguës avec Londres à propos de la Syrie, avec Washington à propos de Stuttgart ou de la vallée d'Aoste.

Revenu en France, le Général, conformément à sa
philosophie, mit au premier rang la politique extérieure. Cette primauté de la diplomatie ne présente
guère d'originalité, elle avait été érigée en dogme et en

---

1. Les représentants des quatre pays occupants se réunissaient à Berlin.
Ils tentèrent de créer des administrations centrales dont l'autorité s'éten-
drait aux quatre zones. Le représentant français opposa son veto à toutes
ces tentatives. Peut-être servit-il, en ce cas, les intérêts de l'Occident tout
entier.

impératif catégorique par la pensée des historiens, surtout allemands, à la fin du siècle dernier. En un sens, je
l'accepterais, moi aussi, en fonction de cette vérité de bon
sens, *primum vivere*. La sécurité de la nation, l'indépendance de l'État : qui subordonnerait ces exigences fondamentales à un bien privé ou collectif, quel qu'il soit ? Mais
quand la primauté de la diplomatie se traduit en rectifica-
tions de frontières proprement insignifiantes, une grande
politique risque de se dégrader en chicanes de procédu-
rier. La reprise immédiate de l'alliance russe, au lendemain de la libération de la France, laissa paraître, pour la
première fois, une constante de la diplomatie gaulliste ou
plutôt de la conception du monde du Général. Celui-ci ne
voyait pas ou ne voulait pas voir l'Europe telle qu'elle sortait de la tempête, partagée en deux zones de civilisations
politiques opposées, puis en deux blocs militaires ; il a
presque toujours vitupéré, comme le faisaient volontiers
les Soviétiques, la politique des blocs. Comme s'il ignorait que la soviétisation de l'Europe orientale équivalait à
la formation d'un bloc communiste, donc impliquait, par
contrecoup, celle d'un bloc occidental ! Ajoutons qu'au
temps du RPF, entre 1948 et 1952, son antisoviétisme et
son anticommunisme dépassèrent en vigueur ceux des
partis gouvernementaux.

Si le Général était resté au pouvoir après 1946, aurait-il
souscrit à la politique anglo-américaine à laquelle les
ministres de la IVe, Georges Bidault en particulier,
consentirent, non sans grincements de dents ? Probablement le Général n'aurait-il pas pu refuser indéfiniment la
formation de la République de Bonn. Mais je doute que
sous son règne Jean Monnet eût eu la chance de convaincre des ministres et, par leur intermédiaire, de lancer le
pool charbon-acier et d'obtenir le vote de l'Assemblée en
faveur du traité de Rome. Les Français d'aujourd'hui
ont oublié que Jean Monnet et Robert Schuman frayè-
rent la voie à la réconciliation franco-allemande par
des institutions que le Général et les gaullistes combattirent. Par ces institutions, fondées sur l'égalité des
droits, ils rompaient non avec la fin — la réconciliation
franco-allemande — mais avec les moyens de la politique
gaulliste. Plus question de prendre modèle sur la politique russe et d'amputer le territoire que gardaient

les Allemands de l'Ouest. En 1958, les hommes de la IVᵉ République laissèrent un héritage de faits accomplis sur lesquels le Général ne pouvait revenir. Il compléta le Marché commun dont il n'aurait probablement pas lui-même pris l'initiative. La Ruse de la Raison nous fut favorable : le Général n'aurait pas signé les traités, la IVᵉ n'aurait probablement pas été capable de les appliquer.

Ce qui me rapprochait du RPF, ce n'était certes pas la politique allemande du Général, mais son refus du « régime des partis » (ou, de manière plus exacte, de la rechute de la démocratie restaurée dans les pratiques qui avaient entraîné la IIIᵉ à l'abîme). Durant la première phase de l'après-guerre, l'instauration du scrutin proportionnel avait favorisé les succès des trois grands partis, communiste, socialiste, MRP. En 1947, le tripartisme ne résista pas à des tensions intérieures et aux répercussions au-dedans des conflits entre les Soviétiques et les Américains. Bientôt les communistes devinrent intouchables. Les gouvernements de coalition ressemblèrent à ceux de la IIIᵉ. Le commentateur le plus résolument attaché à la démocratie ne pouvait pas ne pas mesurer le décalage entre les tâches de l'État et le pouvoir que possédaient les ministres, jamais assurés de leur avenir.

De tous les avatars du gaullisme, le RPF fut, par le fait des circonstances, à la fois le plus parlementaire et le plus résolument anticommuniste. C'est le général de Gaulle qui lança la formule : les troupes soviétiques « à deux étapes du Tour de France ». C'est lui aussi qui se présenta comme le plus radicalement opposé au communisme et à l'Union soviétique, cependant qu'à ses yeux, la « troisième force », les partis au pouvoir, tenait la place de Vichy entre les collaborateurs et les résistants (analyse certainement non valable).

En quoi consista mon activité de militant du RPF ? Dans une salle du 5ᵉ arrondissement, sous la présidence de Claude Mauriac, je donnai une conférence sur la situation internationale. Un petit groupe de normaliens avait décidé de m'empêcher de parler (je crus à tort qu'André Duval[1], le fils de mes chers amis Colette et

---

1. Il m'affirme qu'il ne faisait pas partie de ce groupe. Il avait raconté l'épisode à ses parents et j'avais cru à tort qu'il s'était joint aux chahuteurs.

Jean Duval se trouvait parmi eux). Ils y réussirent sans
grand-peine : en l'absence d'un service d'ordre, une
douzaine de garçons, résolus à interrompre l'orateur au
milieu de chacune de ses phrases, finissent par user la
patience de n'importe qui. Claude Mauriac me répétait
à mi-voix : « Continuez, continuez ». Au bout de trois
quarts d'heure ou d'une heure, le bureau, en accord
avec moi, capitula et leva la séance.

André Malraux, qui dirigeait la propagande du parti,
réagit comme il devait le faire ; il organisa une réunion
plus importante, avec un service d'ordre qui, d'ailleurs,
n'eut pas l'occasion d'intervenir. Les opposants, socialistes et communistes, firent savoir au bureau, à
l'avance, qu'ils ne troubleraient pas la réunion. Je sortais d'une maladie assez sérieuse et je n'étais pas,
d'après mes souvenirs, dans ma meilleure forme. Les
idées spécifiques du RPF n'inspiraient pas mes propos ;
André Malraux fut cependant satisfait de la revanche :
nous avions repris la parole et démontré que nous
avions la force d'imposer le respect à nos adversaires,
de tenir une réunion où et quand nous le voulions.
Mais il regretta, sincèrement, que le discours fût peu
imprégné d'idées proprement gaullistes. J'avais joué
davantage sur mes thèmes favoris, l'union de l'Occident
ou de l'Europe, que sur les thèmes propres du Général.

J'ai participé une autre fois à une grande réunion
organisée par le RPF dans une salle de la Mutualité,
que remplissaient plusieurs centaines de personnes.
Réunion des intellectuels du RPF, et pour les intellectuels. Public composé dans l'ensemble de sympathisants ou de curieux, les Gallimard au premier rang.
Pascal Pia parla le premier, sans soulever de tempête,
sans soulever même une brise. Jules Monnerot parla
ensuite ou plutôt lut un texte de qualité qui, écrit, trop
écrit, ne pouvait pas « passer » dans une telle enceinte.
Les interruptions fusèrent de tous les côtés, surtout
d'un petit groupe installé au coin d'un balcon, au premier étage. Je parlai après Monnerot et les interruptions reprirent. Par bonne chance, je pris à partie le
journal *Franc-Tireur*, peut-être même mon ami G. Altman, pour leur neutralisme. Je leur reprochai de ne pas
prendre position, de s'obstiner à ne pas choisir, face au

communisme qui appliquait le principe « qui n'est pas avec moi est contre moi ». Comme, à l'époque, *Franc-Tireur* servait de cible favorite à *l'Humanité*, je me tournai vers les interrupteurs et leur dis : « Je croyais gagner votre indulgence en attaquant *Franc-Tireur*. » Un immense éclat de rire secoua la salle. Et le calme revint, pour toute la soirée. Je crois avoir terminé sur une phrase de bravoure : l'aventure du gaullisme, c'est l'aventure de la France. A l'applaudimètre, je ne fus pas surclassé par les deux orateurs qui suivirent, Jacques Soustelle et André Malraux.

Régulière fut ma participation au *Comité d'Études* qui se réunissait chaque semaine. J'y rencontrais Gaston Palewski, Albin Chalandon, Georges Pompidou. Ce dernier me frappa par sa simplicité, son bon sens, son désintéressement[1]. Je m'entendis bien avec A. Chalandon (ou du moins, je le crus), qui évoquait volontiers, non sans regret, les circonstances qui l'avaient empêché d'entrer à l'École Normale Supérieure. Je n'ai gardé aucune note des travaux de ce comité d'études, travaux qui, d'après mes souvenirs, portaient le plus souvent sur des questions d'actualité, travaux déjà dépassés au moment même où ils s'achevaient.

Je fus nommé par le Général dans le *Conseil national*, composé de personnalités qui siégèrent à plusieurs reprises. Le Général y faisait chaque fois une analyse brillante de la conjoncture nationale et internationale. C'est à une réunion du *Conseil national*, à la mairie de Vincennes, en 1952, que se produisit la première scission : une fraction du groupe RPF à l'Assemblée avait voté pour Antoine Pinay, contre la volonté du Général. En tout état de cause, l'affaire était entendue dès les élections de 1951. Puisque les opposants de principe — communistes et gaullistes — ne composaient pas ensemble la majorité, les partis de la IVe République

---

1. A en juger sur ses Mémoires, je me trompais sur ses sentiments à mon endroit. Les erreurs de pronostic qu'il m'attribue se rapportent probablement à 1948-1949, à la réussite de la stabilisation économique sous le gouvernement Queuille. Je gagnai un pari avec Gaston Palewski : le général de Gaulle ne serait au pouvoir ni le premier janvier 1950, ni le premier janvier 1951. Jacques Soustelle ne croyait pas au succès des « apparentements » : je soutins vainement la thèse contraire.

sauvaient leur règne, contraints de s'entendre par la menace des deux oppositions.

Plus curieusement, je fus chargé, aux Assises nationales de Lille, en 1949, du rapport sur l'*association*, le mot dont usait le Général à l'époque pour désigner ce qui devint plus tard la participation. Le Général croyait sincèrement à une formule intermédiaire entre le capitalisme et le socialisme, entre la jungle de la compétition sauvage et la bureaucratie tentaculaire, entre la propriété individuelle des instruments de production et l'étatisation des entreprises. Entre ces deux régimes, il en envisageait un troisième, qui mettrait fin à la guerre des classes sans pour autant imposer à la société le carcan d'un État tout-puissant. De ce régime intermédiaire, il connaissait le titre, l'inspiration, la finalité, il en ignorait les moyens. Je fis de mon mieux pour concrétiser l'idée d'association et j'indiquai les directions possibles : participation à la gestion ou au profit. Il existait déjà, il y a trente ans, mais moins qu'aujourd'hui, des expériences plus ou moins réussies de participation des ouvriers à l'organisation du travail, des syndicats à la gestion des entreprises, des salariés aux bénéfices.

Je fis de mon mieux, mais je ne donnai pas à mes compagnons le sentiment que je communiais avec eux dans leur foi. Mon scepticisme me fut reproché, non sans quelque injustice. Que signifie « croire à l'association » ? Représente-t-elle une doctrine comparable au socialisme ou au libéralisme ? Se définit-elle par des réformes progressives ou par des institutions définies ? Si l'association devait rivaliser avec le socialisme, en effet, je n'étais pas au nombre des croyants. Une fois au pouvoir, les gaullistes ont fait voter, en onze années, tout au plus quelques lois qui favorisent l'une ou l'autre des modalités de participation que nous avions envisagées au temps du RPF.

En revanche, sur deux points, je méritais le reproche de scepticisme. Dans la France telle qu'elle était et telle qu'elle demeure, les réformes visant à modifier l'entreprise, l'unité productive par excellence, se heurtent le plus souvent à deux oppositions, à deux pouvoirs, d'une part les syndicats, en particulier les syndicats alliés au parti communiste, et d'autre part le patronat. Les premiers ne veulent pas apaiser la lutte de classes dans le cadre du capitalisme, les seconds se méfient des réformes imposées d'en haut, par l'autorité publique. Je n'étais pas hostile à une action incitatrice de l'État, je me méfiais de textes qui s'appliqueraient à toutes les entreprises sans le consentement préalable de ceux qui devraient les mettre en œuvre.

Ma deuxième réserve tenait à la phase que traversait l'économie française. Nous étions à la fin des années 1940. A la différence de maints économistes qui, hantés par le souvenir des années maudites, redoutaient à chaque occasion la rechute de l'économie française dans la stagnation, je penchais vers l'optimisme. En dépit de l'inflation et de l'instabilité ministérielle, la reconstruction, favorisée par le plan Marshall, allait bon train. Mais la reconstruction — ou peut-être fallait-il dire déjà la croissance — supposait un taux élevé d'investissement, donc un taux élevé de réinvestissement des profits des entreprises. La participation aux profits risquait tout à la fois de réduire les réinvestissements et de décevoir les bénéficiaires.

A l'époque, nul ne connaissait encore la thèse que popularisa, une quinzaine d'années plus tard, un polytechnicien, M. Loichot. Selon celui-ci, les profits réinvestis devaient être tenus en équité comme propriété des employés et mis au compte du capital. Si, chaque année, les fonds réinvestis constituent une augmentation de capital et sont attribués aux salariés, ceux-ci deviennent automatiquement, au bout d'un certain nombre d'années, propriétaires de leur entreprise. Le général de Gaulle, me dit-on, saisi d'enthousiasme, déclara : « Voici la participation que j'ai si longtemps cherchée. »

L'enthousiasme qu'éprouva aussi mon ami Louis Vallon me rappela une plaisanterie qu'affectionnait Léon Brunschvicg : « Il y a dans la famille Aron deux bons philosophes et deux bons joueurs de tennis et ils ne sont que trois. Un polytechnicien de mes amis ne trouva jamais la solution. » Dans une entreprise moderne, la valeur du capital, exprimée par le cours des actions, dépend avant tout de la capacité de produire et de vendre avec profit. On peut dire encore que l'entreprise est une machine à produire de la plus-value ou de la valeur ajoutée, la différence entre le total des dépenses et le total des ventes. Les réinvestissements annuels n'augmentent pas automatiquement la plus-value. Les réinvestissements servent, au-delà de l'amortissement, à la modernisation du matériel, ils ne garantissent pas, par eux-mêmes, une augmentation de la valeur du capital. Seul un polytechnicien, saisi par la foi, pouvait considérer que la valeur des profits réinvestis entraînait une augmentation égale de la valeur du capital.

Revenons au RPF. A Londres, avant la rupture de Labarthe avec le Général, celui-ci m'avait invité deux fois à dîner. De la première rencontre, je garde deux souvenirs : les compliments qu'il m'adressa pour mes articles de *la France libre* — compliments que l'on aurait pu dire banals, mais marqués par un mélange de courtoisie et de sérieux caractéristique de son approche, probablement à l'égard de tous ses visiteurs. Et au cours du dîner, il improvisa une analyse brillante du régime d'Occupation en France : la Wehrmacht qui souhaite une occupation de style traditionnel conforme au droit des gens, la Gestapo qui torture et les partisans, plus ou moins sincères, d'une coopération franco-allemande, comme Abetz. Ces trois groupes ensemble déterminent la condition des Français, la Gestapo étant destinée à une influence croissante à mesure que se développe la Résistance.

A ce même dîner — ou à un autre — la conversation vint sur le gouvernement de Vichy. Celui-ci se gardait alors d'aller jusqu'au bout de la collaboration, il s'efforçait d'obtenir des améliorations matérielles pour la population sans consentir à l'ennemi des avantages politiques, qui provoqueraient des réactions vives de Washington. A mots couverts, j'insinuai que, dans la conjoncture où ils se trouvaient, le Maréchal et ses conseillers ne pouvaient guère agir autrement. Le Général perçut le sens de mes propos et me fit sentir qu'il n'acceptait pas cette interprétation ou cette indulgence. Ce soir-là — ou un autre — il dit, plutôt en passant, au terme de son analyse, que les hommes de Vichy iraient jusqu'au bout de la collaboration. Je formulai une objection de bon sens : la flotte, l'Afrique du Nord constituaient un enjeu de la politique mondiale ; en même temps elles fournissaient à Vichy ses dernières armes, ses suprêmes arguments. Privé d'elles, le Maréchal se livrait au bon vouloir des occupants. Pourquoi le ferait-il de lui-même ? Il était visible, même dans ces conversations informelles, que le Général détestait le jeu de Vichy en tant que tel, comme s'il souhaitait que la situation fût parfaitement claire.

Une autre fois, c'était le soir où le *State Department* avait publié le communiqué fameux qui comprenait l'expression *the so-called free frenchmen*, les soi-disant Français libres. L'occasion en avait été la libération de Saint-Pierre et Miquelon par les bâtiments commandés par l'amiral Muselier. Le Général marchait de long en large dans son salon et répétait : « Ils sont bons, nos alliés », avec colère. Par sa manière d'interpeller les États-Unis, lui, incarnation de la France, s'élevait spontanément au même niveau que la première puissance du monde. Ce dialogue du Général avec lui-même reste fixé dans ma mémoire.

Pendant les années du RPF, je vis le Général plusieurs fois ; le récit de ces entretiens, à supposer que je sois capable de les reconstituer, n'ajouterait rien à la littérature consacrée au « héros historique ». Quand ma femme et moi, nous fûmes blessés, à la fin de 1950, par la mort de notre petite fille, née à Londres en 1944, nous reçûmes du Général une lettre de condoléances dont les termes et surtout le ton allaient au-delà des formules de circonstances ; je lui demandai une audience et dans la conversation que j'eus quelques jours plus tard avec lui, il me parla de sa fille Anne « qui n'avait jamais été normale ». Il s'exprima avec réserve, comme pour dissimuler les émotions, les souffrances qui l'attachaient à cette enfant, mais, simultanément, il laissait paraître sa sensibilité ou plutôt sa vulnérabilité. Il ne m'offrait pas sa compassion, mais, en évoquant sa propre épreuve, il se rapprochait de la mienne.

En cette même année 1950, celle de la guerre de Corée, je conversai assez longuement avec lui sur la situation mondiale et française. « Qu'allez-vous

faire ? » lui dis-je à un moment. « Que puis-je faire ? me
répondit-il, je n'ai pas de grenadiers et si j'en avais et
les utilisais, vous ne me suivriez pas. » Il commenta la
retraite précipitée de la VIIIᵉ armée du nord de la
Corée jusque vers le 38ᵉ parallèle. Il évoqua, à cette
occasion, la retraite que le général Eisenhower avait
ordonnée et qui aurait livré Strasbourg aux représailles
nazies si elle avait été exécutée. Les Américains, dit-il,
ont tendance à prendre de la distance bien au-delà des
nécessités.

Ces détails ne présentent qu'un intérêt limité, ils suggèrent ce que furent mes relations avec le Général lui-
même au cours des années du RPF. En 1951, je songeai
à figurer sur une liste du RPF à Paris ; quand Malraux
souleva la question dans les instances dirigeantes, les
premières places étaient depuis longtemps promises. Le
Général fit remarquer — et il avait pleinement raison
— que je ne lui avais jamais soufflé mot de mes intentions — velléités plutôt qu'intentions. Je supportais mal
ma vie de journaliste professionnel et d'enseignant
occasionnel ; la politique active m'apparut par instants
une issue, mais, dans la jungle, la velléité ne pardonne
pas. On veut ou on ne veut pas. Si l'on rêve, on rêvera
longtemps. Heureusement, je renonçai bientôt même à
rêver.

Je ne sortis pas du RPF, celui-ci cessa d'exister. J'en
tirai au moins la satisfaction de lui avoir donné plus
que je n'en avais reçu. En 1953, en vacances en Haute-
Marne, non loin de Colombey-les-Deux-Églises, je son-
nai à la grille de la propriété du Général, et, comme il
était absent, je laissai ma carte et mon adresse. Je reçus
de lui quelques jours plus tard une invitation. Ma
femme et moi, nous eûmes donc l'occasion d'entrer à la
Boisserie et d'en connaître les rites : le thé, puis le
Général m'entraîne dans son bureau, il me lit un passage de ses *Mémoires*, le portrait du Maréchal. Ensuite,
une promenade dans le parc. Il fit allusion à la conférence que j'avais prononcée sous sa présidence ; je me
souviens non pas des organisateurs de cette conférence,
mais des propos du Général après moi. J'avais, au
cours de la conférence qui traitait de la situation économique de la France, formulé une idée, au reste quelque

peu banale : les Français font de temps à autre une
révolution, jamais de réformes. Le Général m'avait corrigé de manière pertinente : « Les Français ne font de
réformes qu'à l'occasion d'une révolution. » Et il rappela les réformes accomplies au lendemain de la Libération.

Quand j'écrivis, en 1959, dans *Preuves*, un article intitulé « Adieu au gaullisme », le Général dit à Malraux,
m'a-t-on rapporté : « Il n'a jamais été gaulliste ». Il
avait raison. Je n'ai jamais été gaulliste à la manière de
Malraux, attaché au Général par une sorte de lien féo-
dal. Je ne l'ai pas été non plus à la manière de Maurice
Schumann, bien qu'il n'ait pas suivi le Général pendant
les années du RPF. Mes relations avec de Gaulle ont
toujours été ambiguës, y compris pendant les années du
RPF, pour des motifs à la fois obscurs et profonds.

L'intransigeance dont il se vante dans ses *Mémoires*
le poussait à la guerre contre Vichy et, par instants, à la
limite de la guerre avec ses alliés. C'est grâce à l'appui
de Churchill qu'il obtint des Anglo-Américains une
zone d'occupation en Allemagne dont Staline ne
jugeait pas la France digne ; c'est à Staline qu'il prodigua les bonnes manières dès son retour en France.
Vichy dressait l'opinion française contre nos alliés ; de
Gaulle aussi, à sa manière, dressait ses compagnons
contre les Anglo-Américains. A l'exception de la
période du RPF, le général de Gaulle ne cessa de livrer
des batailles diplomatiques contre les Anglais et les
Américains. Dans certaines de ces batailles, il défendit
effectivement l'intérêt français ; mais, quand il reprocha aux Anglo-Américains de débarquer en Afrique du
Nord, sans contingents de Français libres, il servait
l'intérêt de sa légitimité, non celui de la France. L'expérience de la Syrie avait prouvé que les troupes et officiers de Vichy se ralliaient plus volontiers aux Alliés
qu'au Général.

La visite à la Boisserie fut ma dernière conversation
avec le Général. Pour des raisons que j'ai peine à dégager moi-même, je n'eus plus aucun rapport, même par
écrit, avec lui jusqu'en 1958. Peut-être le relâchement
de mes liens avec Malraux influa-t-il inconsciemment
sur mon attitude à l'égard du Général. Peut-être, le RPF

disparu, avais-je le désir de prendre du recul après cette incursion dans la politique partisane. En 1955, j'étais revenu à l'Université et les dernières années de la IVᵉ furent bouleversées par les soubresauts de la décolonisation. Celui qui, parmi les gaullistes, était le plus proche de moi, en dehors de Malraux, Michel Debré, s'engagea dans une polémique excessive, non pas seulement contre la IVᵉ République, mais pour l'Algérie française. En 1957, je pris position en faveur de l'indépendance algérienne alors que la plupart des gaullistes défendaient la cause de l'Algérie française. Je ne confondis pas le Général avec ceux qui se réclamaient de lui. Je n'osai lui demander audience.

Certains de mes amis les plus chers préfèrent oublier mes années du RPF, déviation temporaire d'une carrière autrement rectiligne. D'autres s'efforcent d'oublier mon attitude à l'égard des événements de mai 1968. Dans les deux cas, je ne me résigne pas à m'avouer coupable sans au moins me défendre.

Le Général eut-il tort de créer le RPF ? A son retour en France, il se heurta aux partis dont il avait favorisé, pendant la Résistance, la reconstruction. Les premières élections marquèrent une poussée à gauche, comme il est de règle après une guerre. Le parti communiste et le parti socialiste, en dépit d'une hésitation de ce dernier, s'opposèrent aux idées constitutionnelles du Général. Pour lui-même et pour la France, il voulait un président fort, pierre angulaire de la République. Peut-être aurait-il gouverné le pays s'il avait accepté la fonction de président du Conseil des ministres, mais, bien qu'il fût parfaitement capable de l'emporter sur ses rivaux dans les tournois parlementaires, il n'envisagea pas un seul instant de se prêter à ces jeux, poisons et délices du régime des partis. Il incarnait la France, il ne devait pas gaspiller son capital de confiance publique en se dégradant en chef de parti.

La démission de 1946 ne fut jamais, dans la pensée du Général, un adieu à la politique ou un aveu de défaite. Il crut que les partis, incapables de gouverner le pays, paralysés par leurs querelles, se tourneraient vers lui, comme ils avaient appelé au secours Raymond Poincaré en 1926 et Gaston Doumergue en 1934. Calcul bientôt démenti par les événements. Mais le Général, en bon stratège, maintint deux fers au feu. En se retirant de sa propre initiative, il se mettait à l'écart des querelles de partis, il restait un recours national, il préservait sa légitimité, exilée mais non prescrite. Que devait-il faire ? Agé de cinquante-cinq ans, dans la force de l'âge, devait-il vivre à Colombey-les-deux-Églises sans autre activité que la rédaction de ses *Mémoires* ? Ou bien parler et écrire en *Older Statesman*, prodiguer ses conseils aux gestionnaires du pays, sans retour sur lui-même, sans considération de sa propre fortune ? A Colombey, il rongea son frein ; puisque les partis s'obstinaient à ne pas venir à lui, c'est lui qui irait vers eux, non pour corriger leurs défauts mais pour les aggraver et, du même coup, abréger l'inévitable agonie de la IVᵉ.

Descendait-il dans l'arène, désormais chef du parti à la manière de Léon Blum, de Maurice Thorez ou de Georges Bidault, il risquait de perdre l'aura du chef charismatique. Il n'ignorait pas le péril, aussi appelat-il son parti Rassemblement et lui assigna-t-il une mission nationale, la révision de la Constitution. S'il était resté au pouvoir au lieu de le quitter, il aurait livré cette bataille dans des circonstances autrement favorables. La première Constitution avait été rejetée sans que le Général sortît de son silence. La deuxième fut approuvée en dépit de la condamnation prononcée par le Libérateur, mais à une majorité très faible : les non et les abstentions délibérées constituaient ensemble la majorité. Le Général lança le Rassemblement alors que, à l'intérieur comme à l'extérieur, la tension entre les Soviétiques et les Occidentaux, entre les communistes et les autres partis atteignait à l'extrême.

Le général de Gaulle se trahissait-il lui-même, en 1948, lorsqu'il s'employait à créer la conjoncture dans laquelle les partis s'inclineraient devant lui et consentiraient à réformer les institutions ? Ce qu'il permit à ses « inconditionnels » de faire, dix ans plus tard, me parut beaucoup plus choquant. En 1947, il n'y eut ni complot ni bazooka ; le Rassemblement critiquait la Constitution que personne ne défendait, une pratique parlementaire qui ridiculisait le pays, avec un but clair : posséder un nombre suffisant de sièges à l'Assemblée nationale pour contraindre les partis à un compromis. Cette procédure eût été moins humiliante pour la République que la capitulation de l'Assemblée nationale en 1958 devant la sédition des forces armées et la menace des prétoriens.

En ce qui me concerne, j'ai toujours, même dans les années 30, défendu un régime libéral contre le communisme et les mouvements révolutionnaires de droite, mais j'ai souffert, comme tout patriote, de la décadence de la République et de la France au long des années maudites. Je ne me contredisais pas mes convictions permanentes en m'associant à une tentative de révision à froid. Quand la révision eut lieu à chaud, je ne pus guère ni m'associer, ni m'opposer : ceux qui amenaient le Général au pouvoir, en majorité voués au salut de l'Algérie française, m'avaient moralement exclu parce que je plaidais pour le droit des Algériens à l'indépendance. Certes, il m'avait été rapporté que le Général, en privé, me donnait raison contre Soustelle. Mais, à ce moment, toute velléité de prendre part à l'action politique s'était définitivement évaporée. Tout compte fait, je n'ai pas honte d'avoir « milité » dans le RPF sans en être fier pour autant.

Militant du RPF de 1948 à 1952, je fus aussi, avant et après, militant de l'unité et de la Communauté européennes. Réunions publiques, colloques, séminaires d'études, ils furent trop nombreux pendant les années de la guerre froide et les années suivantes pour que je me les remémore tous.

C'est aussi pendant mes années de journalisme et de militantisme que j'eus la chance de sortir de l'hexagone, non pas seulement pour visiter fréquemment les autres pays de la Communauté européenne, mais pour traverser l'Atlantique plus d'une fois et aussi pour passer quelques semaines au Japon ou en Inde. Malgré tout, je puis dire que je fus un *columnist* ou un commentateur en chambre.

Pour dire vrai, je pris plaisir à ces activités parapolitiques, non sans parfois un sentiment de futilité. Peut-être le sentiment est-il plus fort aujourd'hui qu'à la fin des années 40 et au début des années 50. Dans les années qui suivirent la guerre, jusqu'à la mort de Staline, nous livrions une bataille réelle dont l'esprit ou le cœur des hommes constituait l'enjeu.

Aujourd'hui, ces activités de militant me rappellent le *Congrès pour la liberté de la culture* dont je ne puis pas ne pas évoquer le rôle, l'influence et finalement le scandale. Nous pensions que le Congrès était financé par des fondations américaines. Le *New York Times,* dans une enquête sur la CIA, le mentionna parmi les organisations financées par cette fameuse Agency, les fondations ne servant que de couverture. A partir de là, je m'éloignai du Congrès qui, sous un autre nom, et avec des subventions de la *Ford Foundation,* survécut quelques années.

Deux questions se posent à nous, Denis de Rougemont, Manès Sperber, Pierre Emmanuel et tous les autres qui travaillèrent d'une manière ou d'une autre dans le cadre du Congrès : aurions-nous dû savoir ou du moins deviner ? Si nous avions connu l'origine de l'argent, aurions-nous refusé toute collaboration ? A la première question, j'incline à répondre que nous avons manqué de curiosité, que de multiples signes auraient dû nous alerter. Mais le financement par ces fondations était plausible et, en tout état de cause, quand je participais à des colloques ou que j'écrivais des articles pour *Preuves,* j'y disais ou écrivais ce que je pensais. Je n'étais pas rétribué par le Congrès, celui-ci me donnait l'occasion de défendre et illustrer des idées qui, à l'époque, avaient besoin de défenseurs.

Il reste la deuxième question : aurions-nous toléré le financement de la CIA, si nous l'avions connu ? Probablement non, bien que ce refus eût été, en dernière analyse, déraisonnable. J'écrivis nombre d'articles dans *Preuves* ; je m'y exprimai avec la même liberté que dans toute autre revue. *Encounter,* créée par le Congrès, demeure en Grande-Bretagne la première, la meilleure revue mensuelle en anglais. Ni l'une ni l'autre de ces revues n'auraient prospéré, si elles étaient apparues comme des instruments des services secrets des États-

Unis. Le Congrès ne pouvait accomplir sa tâche — et il l'accomplit — que par le camouflage ou même, si l'on veut, le mensonge par omission. Ce mensonge ne cesse de peser sur mes souvenirs du Congrès, bien que je songe encore volontiers au colloque de Rhodes, à celui de Rheinfelden, et, bien plus tard, quand le Congrès avait changé de nom et ne recevait plus rien de la CIA, à celui de Venise [1].

Curieusement aujourd'hui, des intellectuels qui n'eurent rien à voir avec le Congrès l'évoquent sans hostilité, parfois l'approuvent explicitement, quitte à trouver là prétexte pour s'opposer à une organisation analogue, créée récemment par Mme Midge Decter, femme du rédacteur en chef de *Commentary*, Norman Podhoretz. J'ai accepté [2], non sans hésitation, la présidence d'honneur de cette organisation (Committee for the Free World) qui est née dans un contexte tout autre. En 1950, quand le Congrès naquit à Berlin, il fallait mobiliser une résistance intellectuelle bien plus que des armes contre l'Union soviétique. En 1982, en France tout au moins, la haute intelligentsia et les plus connus de la jeune génération ne sont tentés ni par le soviétisme ni même par le progressisme des compagnons de route d'il y a trente, vingt ou seulement dix ans. Certes le marxisme ou une vision vaguement marxiste du monde continuent, en France, de dominer l'esprit de la majorité des enseignants, du premier et du second degré. Les plus nombreux, ou, en tout cas, les plus activistes des maîtres-assistants dans les universités n'ont pas abjuré des convictions plus ou moins marxistes. Qui a vécu les vingt années qui suivirent la dernière guerre mesure la distance franchie.

Laissons à d'autres le soin d'établir un bilan du Congrès. Je ne regrette pas d'y avoir participé, parce qu'il exerça une influence non négligeable sur les intellectuels européens. En ce qui me concerne, je garde surtout le souvenir de quelques personnes. Michaël Josselson, d'origine estonienne, fut le créateur du

---

1. Les deux derniers ont fait l'objet de publications. Le dernier, sous le titre « L'histoire entre l'ethnologie et la futurologie », n'avait pas la moindre connexion avec les problèmes politiques.
2. Je le regrette aujourd'hui.

Congrès, l'intermédiaire entre la CIA et les intellectuels. Il nous a trompés, pourrions-nous dire, et il l'aurait reconnu si nous avions discuté du fond avec lui. Probablement aurait-il ajouté : comment faire autrement ? Je garde pour lui considération, estime. Il croyait à ce qu'il fit. Il en vécut aussi, mais son exceptionnelle intelligence lui aurait permis de trouver ailleurs un métier. Il était plus et autre chose qu'un agent de services secrets. Intellectuel doué du sens de l'action, il porte la double responsabilité de la réussite du Congrès et du mensonge originel. Quand il se retira, il entreprit d'écrire un livre sur un des généraux russes adversaires de Napoléon pendant la campagne de Russie, Barclay de Tolly. Il mourut il y a quelques années d'une maladie de cœur dont il souffrait depuis longtemps.

C'est dans le cadre du Congrès que je rencontrai maintes fois G.F. Kennan. Dans un autre chapitre, je raconte notre dialogue à la suite des *Reith Lectures*. Je l'avais rencontré pour la première fois à Princeton, en 1950, à un colloque sur la France dont l'initiative revenait à E. Mead Earle. Nous eûmes toujours des relations personnelles, à la fois excellentes et superficielles. Il estima en moi, à moins que je ne me trompe tout à fait, la vitalité intellectuelle, le goût de la controverse et aussi l'art de faciliter le dialogue entre des hommes venus d'horizons différents. A Rheinfelden, je passai plusieurs jours avec lui et j'appréciai sa courtoisie, son savoir, son absence totale de vanité ou de prétention. Réservé, à la limite de la froideur, moraliste en profondeur, « élitiste » peut-être sans le savoir, il aima de moins en moins l'Amérique de plus en plus populiste. Son évolution, de l'article signé M.X jusqu'à ses positions actuelles, s'explique probablement par son détachement croissant par rapport à son propre pays. Son article de *Foreign Affairs* exerça une influence durable sur la diplomatie des États-Unis et posa les fondements de la doctrine de l'« endiguement ». Depuis il ne cesse de se repentir de sa *finest hour,* d'expier son rôle historique. J'écrivis en 1978 une réponse à G.F. Kennan dernière manière [1] : l'occasion ne me fut pas donnée, jusqu'à présent, d'en discuter avec lui.

_____

1. Dans *Commentaire,* nº 2, été 1978.

R. Oppenheimer prit part aussi à certaines réunions, par exemple à la Conférence de Berlin, en 1960, pour le dixième anniversaire de la création du Congrès. Il impressionnait par le contraste entre la pureté de ses yeux bleus et le frémissement nerveux de chacun de ses gestes, de ses propos. Dévoré par un feu intérieur ou par les batailles qu'il livrait avec lui-même, il tendait à prendre n'importe quel épisode de l'existence non pas au sérieux, mais au tragique. Je le revois dans sa chambre, avec sa femme, discutant avec moi des derniers entretiens — comme angoissé par leur possible banalité. Avec lui non plus, je ne dépassai pas la première phase de l'amitié. Au contraire de Kennan, il établissait une distance non par sa rigueur, mais par les déchirements personnels qu'il laissait entrevoir. Père de la bombe atomique, hostile à la fabrication de la bombe H, mis en cause pour son passé et ses imprudences, il portait un fardeau que même un homme moins écorché que lui aurait difficilement soutenu.

De tous les grands intellectuels que je connus grâce au Congrès, Michael Polanyi demeure au premier rang de mon admiration, de mon affection. Étrange carrière : sortant des sciences « dures », physico-chimiste du plus haut niveau, destiné à recevoir un prix Nobel, il décida un jour d'abandonner ses recherches et d'obtenir de son université la transformation de sa chaire. Il devint philosophe. Le monde avait davantage besoin de sagesse que de savoir. L'homme doit se connaître lui-même plus encore qu'accumuler des connaissances supplémentaires. Il écrivit des ouvrages sur la liberté dans l'économie et dans la recherche scientifique. Il écrivit surtout un beau livre, un grand livre : *Personal knowledge*, admiré par quelques-uns, ignoré ou méconnu par la plupart. Sa théorie de la connaissance, qui contenait, implicite, une philosophie, peut-être même une conclusion religieuse, se trouvait en marge de toutes les écoles anglo-américaines de son temps, logiques ou analytiques. Sa représentation des niveaux de réalité, son antiréductionnisme, le sens qu'il donnait à l'engagement personnel dans l'acceptation d'une vérité conduisaient, entre les lignes, le lecteur vers la croyance — croyance en l'esprit, peut-être en l'Esprit

Saint. J'entendis d'Isaiah Berlin une remarque ironique
sur l'itinéraire de Polanyi. Étranges, ces Hongrois, dit-
il, voici un grand savant qui renonce au prix Nobel
pour écrire une médiocre philosophie. A supposer que
cette philosophie soit médiocre — ce qui reste à démontrer —, ce jugement néglige une dimension, peut-être
essentielle, la dimension personnelle.

M. Polanyi abandonna la recherche scientifique pour
mieux s'accomplir lui-même et pour servir les autres
hommes. La défense de la liberté, celle des savants et
aussi des simples citoyens, importait plus, pour lui et
pour tous, qu'une découverte scientifique qu'un autre
ferait tôt ou tard à sa place. Son propre accomplissement n'était pas suspendu à la reconnaissance des spécialistes, qu'ils fussent chimistes ou philosophes, il ne
dépendait que de la reconnaissance de sa conscience,
de sa voix intérieure ; ce qui rendait le contact avec
Michael apaisant et enrichissant tout à la fois, c'était
précisément la présence de l'esprit que nous discer-
nions en lui. Bien entendu, sa gentillesse, son affabilité
ne se démentaient jamais. Mais d'autres hommes supérieurs manifestent de pareilles qualités. Chez lui, quelque chose s'y ajoutait. Sa gentillesse ne s'adressait
jamais à un homme quelconque, elle s'adressait à un
homme unique qui se sentait compris en son identité.
Nos conversations furent relativement nombreuses et je
crois qu'une amitié s'était nouée entre nous. Pour le
recueil d'hommages, à l'occasion de son 70e anniversaire, j'écrivis une étude intitulée « Max Weber et
Michael Polanyi ». Je crois qu'elle lui fit plaisir ; il me
remercia d'une lettre que je conserve précieusement.
Notre dernière conversation eut lieu à Oxford, le lendemain du jour où un doctorat *honoris causa* me fut
conféré par l'Université. J'avais prononcé une très
médiocre conférence après avoir reçu le diplôme (sans
texte, j'avais improvisé en anglais). Mme Polanyi, digne
de lui par son intelligence et par sa bonté, me complimenta de ma conférence. Michael ne se joignit pas à sa
femme ; sa véracité n'autorisait pas, surtout à l'égard
d'un ami, la complaisance. Il me parla de ce que le
monde devait chercher, sinon trouver. Je crois qu'il dit :
Dieu. Il n'a jamais, autant que je sache, écrit ce mot.

Un écrivain anglais[1], dans un livre sur les compagnons de route du communisme, esquisse une comparaison entre le *Congrès pour la Liberté de la culture* et les organisations d'intellectuels créées et manipulées par le PC. Des deux côtés, la présidence de personnalités prestigieuses, ici K. Jaspers, là Joliot-Curie ou, avant la guerre, André Gide, des écrivains ou des savants engagés et des militants de parti. Les similitudes formelles dissimulent les différences radicales. Nous n'avons jamais, au Congrès, défendu systématiquement la diplomatie ou la société américaines. En 1955, à Milan, une controverse s'instaura parmi nous entre certains, qui soulignaient et exaltaient presque les réussites économiques du soviétisme, et ceux qui mettaient en doute les statistiques triomphales. Nous écrivions dans *Preuves* comme nous écrivions dans une autre revue. Nous avions, en effet, quelque chose de commun, le refus du communisme. Mais l'anticommunisme pluraliste qui englobait des sociaux-démocrates à une extrémité, des conservateurs à une autre, différait en nature du prosoviétisme des organisations d'intellectuels condamnés à farder la vérité (pour user d'une litote).

Revenons à mon activité de journaliste au *Figaro*. Comparé aux *columnists* américains[2], j'ai relativement peu voyagé, même au cours des dix années de journalisme professionnel. Une seule fois, je l'ai dit, Pierre Brisson me demanda de « couvrir », sur place, la conférence de San Francisco sur le traité de paix avec le Japon, en 1951. L'issue de la pseudo-bataille diplomatique ne faisait de doute pour personne. Tous les États, à l'exception des satellites de l'Union soviétique, suivaient en ce temps les États-Unis. Les représentants soviétiques ne se faisaient aucune illusion. Les journaux américains étalaient sur toute la largeur de la première page (« six colonnes à la une ») : « 100 contre 3. » Les journalistes se demandaient les uns aux autres : pourquoi les Soviétiques ont-ils cherché ici une défaite ? A un correspondant du *New York Times*, je

1. David Caute, *les Compagnons de route*.
2. A l'exception de Walter Lippmann.

répondis à demi sérieusement : « Parce qu'ils n'ont pas oublié les leçons de Lénine dans *la Maladie infantile du communisme.* » Mon interlocuteur me demanda, sans sourire, s'il pourrait dénicher quelque part, à Washington, ce précieux ouvrage.

Je me débrouillai honorablement de cette épreuve inédite de *reporter.* La difficulté majeure tenait à ma quasi-incapacité d'user de la machine à écrire. Mon ami Nicolas Chatelain, correspondant permanent à Washington, me donna un coup de main avec son habituelle gentillesse. Pour dire vrai, le vol de San Francisco à Dallas me demeure plus présent que les trois jours de la Conférence. L'appareil qui ramenait vers Washington une partie de la délégation française fut pris dans une tempête qui nous transforma, pendant quelques heures, en épaves humaines, trop malades pour avoir peur. Une exception pourtant : Jacques et Laurence de Bourbon-Busset, serrés l'un contre l'autre, résistèrent aux mouvements fous du fétu qui, par miracle, s'obstinait à tenir en l'air.

L'année précédente, en octobre-novembre 1950, j'avais, pour la première fois, mis le pied sur la terre du Nouveau Monde. Voyage mixte de journaliste et de professeur. J'avais reçu de l'*Institute for Advanced Study,* de Princeton (dirigé par J.R. Oppenheimer), une invitation pour plusieurs semaines. Pierre Brisson me convainquit de ne pas abandonner aussi longtemps le journal et m'offrit un séjour plus court aux États-Unis. Je passai quelques jours à Princeton, mais la plus grande partie du temps à Washington, d'abord chez James Burnham, l'auteur de la *Managerial Revolution,* puis chez mon camarade de lycée, Léonard Rist, qui travaillait à la Banque mondiale.

Je rencontrai, à cette occasion, nombre de journalistes : Walter Lippmann, Joseph Alsop et d'autres. Ai-je beaucoup appris ? J'ai peine à répondre. J'acquis une sorte de familiarité avec cette ville étrange, absorbée de manière quasi obsessionnelle par la politique, qui bourdonne à chaque instant de rumeurs, dans laquelle des dizaines de milliers de personnes depuis le président jusqu'au plus simple journaliste — après tout Nixon a été renversé par deux jeunes reporters — foui-

nent, intriguent, papotent, curieux du destin des séna-
teurs ou des rois lointains ; cité provinciale désormais
rattachée par des fils innombrables à tous les coins du
monde.

C'est de l'entretien avec Dean Acheson que je retiens
le souvenir le plus vif. La conversation eut lieu au
début de novembre 1950 alors que les mauvaises nouvelles au sujet de la « end the war offensive[1] » com-
mençaient d'affluer. Le secrétaire d'État me dit que ni
le comité des chefs d'état-major ni lui-même n'approuvaient la décision de MacArthur. Mais, ajoutait-il, nous
n'y pouvons rien. C'est une tradition des États-Unis de
laisser une large liberté d'action au commandant d'un
théâtre d'opérations (il ne me rappela pas que le comité
des chefs d'état-major n'avait guère été favorable au
débarquement d'Imchon). Il ne doutait pas que l'intervention des forces américaines en Corée eût préservé le
système des alliances américaines : la confiance dans
les engagements de Washington n'aurait pas résisté à la
destruction de la République de Corée par les chars de
Kim Il Sung. Pour le reste, il s'attendait à une défaite et
à la retraite de la VIIIe armée.

Mon voyage de 1953 au Japon, à Hong Kong, en
Inde et en Indochine m'instruisit tout autrement. Pour
la première fois, j'observai directement, et non par les
livres, des cultures qui diffèrent de la nôtre tout autrement que la culture allemande de la culture française.
Dans ma leçon inaugurale au Collège de France, je pris
pour exemple de l'*autre* qui nous guérit de la naïveté
ethnocentrique, les nazis. J'avais tort : les nazis constituaient un cas pathologique de notre civilisation. A
Tokyo, Calcutta, New Delhi, ici les caractères d'écriture et là les vêtements nous jettent aux yeux l'évidence
de l'étranger ; ce qui me frappa aussi et, plus d'une fois,
créa en moi un malaise, c'est la mince pellicule d'occi-
dentalisation, qui risque de nous dissimuler la réalité
authentique.

A Tokyo, ceux qui composaient la branche japonaise
du *Congrès pour la liberté de la culture* parlaient le plus

_____

1. Le nom donné par MacArthur à l'offensive qui devait donner la victoire finale.

souvent le langage des Occidentaux, discutaient de politique en adoptant le vocabulaire américain. Avec les étudiants japonais, mes conversations portèrent souvent sur la démocratie, sur ce qu'elle exigeait. Le Premier ministre de l'époque, Yoshida Shigeru, qui me reçut assez longuement, m'expliqua avec élégance à quel point la hiérarchie traditionnelle, le sentiment de sécurité et l'instruction que l'ancien donnait au jeune, s'accordaient avec le vrai sens de la démocratie. Ainsi le Premier japonais traduisait-il en mots neufs les valeurs traditionnelles de son pays. Ce qui m'indispose le plus en Inde, ce fut d'entendre de la bouche d'un quelconque « homme saint » les propos conventionnels sur « l'impérialisme américain ». A New Delhi, je fis connaissance de l'ambassadeur de France pour lequel j'éprouvai immédiatement sympathie et respect, le comte Ostrorog, Polonais d'origine et homme de qualité au meilleur sens du terme. De ma demi-heure avec le Pandit Nehru, je ne tirai rien ou presque, bien que je fusse, comme tout un chacun, impressionné par une personnalité à laquelle l'Histoire réserva une destinée hors du commun.

Au Japon, l'Occident était représenté, selon les secteurs, par des Américains, des Allemands ou des Français. En 1953, l'influence américaine dominait en général, mais peut-être la littérature française était-elle mieux connue que toute autre. Parfois, dans une université, c'est en allemand que je causai avec un philosophe de formation phénoménologique ou heideggerienne. Dans l'Inde, en revanche, l'Occident se confond avec l'Angleterre ou les États-Unis. Je ne pouvais me défendre d'admirer la préservation de la culture japonaise en profondeur, dans la famille, dans les manières, dans les croyances, sans que cette continuité ralentît si peu que ce fût l'adoption de la technique ou de l'économie modernes, nécessaires à l'ambition du Japon, guéri des rêves militaires. Puisqu'il renonçait au premier rang par la puissance, l'Empire du Soleil levant s'élèverait au plus haut dans les arts de la paix.

Les conversations avec les intellectuels japonais ne me dépaysaient pas. En ce temps, leurs réactions à la prédominance américaine éveillaient en moi un senti-

ment de déjà-vu ou de déjà-entendu. Le style décon-
tracté des relations interpersonnelles des Américains
contraste avec le quasi-ritualisme de ces mêmes relations dans le Japon éternel. Certes, les petits Japonais
se conduisaient, ici ou là, comme des petits Américains
et s'exerçaient au base-ball. Dans mes voyages postérieurs, j'eus l'impression que la tradition tendait à
l'emporter sur l'influence extérieure, et je m'interrogeai
sur le sens des révoltes d'étudiants qui, au cours des
années 60, revêtirent une exceptionnelle brutalité.

En Inde, à cette époque au moins, les foules et leur
misère frappaient le voyageur au visage, dès son arrivée. Je débarquai à Calcutta, venant de Hong Kong, et
durant les premiers jours, je me demandai comment les
privilégiés s'accoutumaient au malheur des autres, aux
corps étendus sur les trottoirs pendant la nuit, aux
quartiers misérables peuplés de centaines de milliers
d'hommes, de femmes, d'enfants dépourvus de tout. A
ma honte, je me rendis compte qu'au bout de quelques
jours, moi non plus je ne voyais plus l'intolérable. Je
découvris, par accident, une règle des mendiants qui
m'échappait. En sortant d'un temple, je donnai à un
enfant quelques pièces de monnaie. En quelques
secondes, je fus entouré d'une meute hurlante de jeunes
Indiens qui réclamaient leur dû. Tant que je ne donnais
à personne, aucun ne protestait ; dès que j'eus donné à
un seul, tous les autres se jugèrent en droit de réclamer
à leur tour. Les compagnons qui m'expliquèrent le sens
de l'incident sortaient de la *London School of Economics*
et m'exposaient des idées fabiennes, socialisantes, qui
juraient avec le contexte indien et avec leur propre
conduite plutôt imposée que choisie.

Par mes séjours au Japon, peut-être n'ai-je rien ou presque appris que je n'eusse pu apprendre dans les livres.
Les conversations, les paysages, les monuments, les foules,
tous les souvenirs que nous gardons, les expériences qui
nous ont enrichis, créent en nous une illusion de familiarité. Ce que nous savions auparavant, nous le savons autrement. Nous ne sommes plus tentés de reprendre la question de Montesquieu : « Comment peut-on être persan ? »
Que ne paierait un latiniste pour vivre, ne fût-ce qu'un
jour, dans la Rome impériale au début de notre ère ?

Mes voyages (mises à part mes fréquentes visites aux États-Unis) ont-ils beaucoup servi « l'analyste en chambre » ? Je n'en suis pas sûr. Pour l'essentiel, je ne dispose pas d'autres informations que celles de mes lecteurs, celles qu'eux et moi trouvons dans les dépêches. Tout dépend donc de la connaissance de la conjoncture dans laquelle a lieu l'événement. Par exemple, en 1973, lors du franchissement du canal de Suez par l'armée égyptienne, certains de mes camarades du *Figaro* se laissèrent intoxiquer par les Israéliens de l'ambassade. Roger Massip intitula son article « Le piège », suggérant que les Égyptiens étaient tombés dans un piège tendu par les astucieux Israéliens. Le lendemain — ce que je ne faisais pour ainsi dire jamais —, j'écrivis un éditorial où je m'opposai directement à R. Massip. J'étais convaincu que les Israéliens s'étaient laissé surprendre. Pourquoi ? Je savais — et tout le monde aurait dû le savoir — qu'il n'y avait que quelques centaines de soldats sur la ligne Barlev et que le canal de Suez ne constitue pas un obstacle difficile à franchir. Comment les six cents soldats du Tsahal, étirés sur des centaines de kilomètres, pouvaient-ils empêcher une armée de franchir le Canal ? Quant à réduire la tête de pont égyptienne, comment les Israéliens y parviendraient-ils dans l'immédiat puisqu'ils n'étaient pas encore mobilisés ? L'armée israélienne, en temps de paix peu nombreuse (30 000 hommes environ à l'époque), divisée entre trois fronts, ne pouvait pas prendre immédiatement l'initiative contre l'ennemi principal, l'armée égyptienne. Je me trompai partiellement, puisque les Israéliens jetèrent contre la tête de pont, sans avoir concentré leurs forces, une brigade motorisée qui fut détruite. Je m'étais trompé, parce que je ne pensais pas que le commandement commettrait une telle erreur, victime de sa sous-estimation de l'adversaire.

En une autre conjoncture, ma réflexion solitaire me servit mieux que les rumeurs de Washington. Quand tomba la dépêche annonçant le franchissement du 38e parallèle par les divisions nord-coréennes, j'eus immédiatement la conviction que l'équipe Truman ne laisserait pas disparaître une république formée sous l'égide des Nations Unies, où stationnaient encore des troupes américaines. L'événement coréen — qui, en France ou en Europe, se souciait de la Corée ? — jetait un défi à la République américaine. De la réponse au défi dépendrait le jugement du monde sur les États-Unis : acceptaient-ils le fardeau impérial ? Je ne doutai guère de la réponse, je la laissai entendre et je l'approuvai à l'avance dans un article du 27 juin intitulé « Épreuve de force [1] », tandis que J.-J. Servan-Schreiber télégraphiait de Washington au *Monde* : « L'Amérique ne fera pas la guerre pour la Corée comme elle n'a pas fait la guerre quand le bombardier américain s'est abattu au-dessus de la Baltique... » Mon article insistait à juste titre sur les engagements pris par les États-Unis à l'égard de la Corée du Sud : « ... la sécurité et la prospérité de la Corée du Sud sont la meilleure base de confiance pour tous les peuples d'Asie » (déclaration de Truman) ; « ... j'espère que les journées que je viens de passer ici seront une preuve de plus que la Corée n'est pas abandonnée » (J.F. Dulles, une semaine avant l'agression). J.-J. Servan-Schreiber donnait pour acquise la non-intervention militaire des États-Unis et en concluait que « toute la politique étrangère de l'Amérique doit être entièrement redéfinie et clarifiée ». Il avait raison : si les États-Unis n'étaient pas venus au secours de la Corée du Sud, ils auraient dû redéfinir toute leur politique étrangère — ce qui m'autorisait à prévoir la décision prise effectivement par Truman, dont doutait l'observateur sur place.

Au Proche-Orient, en deux circonstances, je mesurai les chances et les risques de la prévision par raisonnement. Au printemps de 1956, lors de mon premier voyage en Israël, invité par l'université de Jérusalem, je donnai une conférence sur la crise israélo-arabe. Les incidents militaires se multipliaient aux frontières : attaques de feddayin, représailles de l'armée israélienne. Tout le monde craignait ou espérait, attendait en tout cas, d'importantes opérations militaires. Ces opérations, disais-je, les grandes puissances les arrêteraient au bout de quelques jours.

Quand vinrent les questions, le Pr Akzin me

---

1. Le lecteur trouvera dans le chapitre suivant des extraits de cet article

demanda combien de jours les grandes puissances accorderaient aux belligérants avant de leur enjoindre de suspendre les hostilités, voire de les y contraindre. Je répondis trois jours au minimum, huit ou neuf au maximum. La nationalisation du canal de Suez modifia le contexte de la guerre israélo-égyptienne, mais, en gros, les grandes puissances, les États-Unis en particulier, se conduisirent comme je l'avais prévu. Sans mérite particulier : à l'époque, en 1956, les États-Unis dominaient le système international et usaient de leur puissance pour imposer ou interdire certaines pratiques : en particulier, ils condamnaient et prévenaient, dans la mesure du possible, le recours aux armes.

Dix années plus tard, en 1966, je me trouvai de nouveau en Israël, invité par l'*Institut de Défense nationale,* géré par l'armée pour donner à des officiers un complément de formation stratégique et politique. T. Schelling, H. Kissinger, H. Kahn m'avaient précédé à cette tribune. Ma visite coïncidait avec l'anniversaire de la création de l'État, anniversaire célébré chaque année par un défilé militaire. Après le défilé, je déjeunai avec quelques-uns des généraux. J'engageai une conversation avec le général Weizmann qui commandait à l'époque l'aviation et devait quitter l'armée une année plus tard. Je lui rapportai les questions et mes réponses à l'université, dix ans auparavant : « Si vous êtes si bon aux pronostics, dites-moi ce qui se passera dans les prochaines années. » Je lui répondis dans les termes suivants : « Raisonnablement, Nasser ne devrait pas déclencher une autre bataille avant une modification sensible du rapport des forces. Pour l'instant, une fraction de l'armée égyptienne est embourbée au Sud-Yémen. Israël ne devrait donc pas, si les événements obéissent à la logique, affronter de périls au cours des prochaines années. — *So, we will have a dull life* », répondit le chef de l'aviation, aujourd'hui « colombe » (il participa aux négociations avec Sadate). L'année suivante eut lieu la guerre des Six Jours ; Nasser s'était conduit de manière « déraisonnable ». Ses conseillers militaires lui avaient dissimulé la vulnérabilité de l'aviation égyptienne et lui-même avait surestimé ses moyens militaires et politiques. Pour ma part, j'avais sous-estimé le risque d'accident en une conjoncture explosive comme celle du Proche-Orient.

Une autre erreur, moins excusable, me reste à la mémoire. Les opérations militaires entre Chinois et Indiens, aux frontières de l'Himalaya, en 1962, ne pouvaient, en aucun cas, s'amplifier en une véritable guerre comme je le pensai un moment. Aucun de ces deux États n'y avait intérêt ni n'en avait les moyens. Bien plus, si j'avais étudié la tradition militaire et diplomatique de l'Empire chinois, j'aurais immédiatement saisi la nature des hostilités, de la « leçon » infligée par la Chine, et je n'aurais pas douté de l'arrêt prochain des hostilités au lieu d'envisager une avance des troupes chinoises[1]. Du coup, je décidai d'étudier la tradition diplomatique et militaire de l'Empire du Milieu.

Il va de soi que l'analyse de la politique, intérieure ou extérieure, n'a pas pour mission, dans un journal quotidien, de prévoir le cours des événements, même à très court terme. Elle doit faire comprendre l'événement en l'insérant dans un ensemble plus vaste : éclairer une décision américaine par la conception des dirigeants de Washington, par les diverses contraintes et pressions auxquelles ils sont soumis, ou bien expliquer l'intervention soviétique en Tchécoslovaquie par le système soviétique, la vision du monde, le code de conduite des hommes du Kremlin. La prophétie nietzschéenne — de grandes guerres se livreront au XXe siècle pour la domination du monde au nom de philosophies rivales — se confirme devant nos yeux, depuis plus d'un demi-siècle. Les analystes de la politique mondiale, et plus encore les hommes d'État français, se trompèrent durant les années 30, parce qu'ils s'obstinaient à voir l'Europe au centre de l'univers, à considérer le IIIe Reich comme une modalité, à peine originale, de l'Empire wilhelmien, à ne pas croire que l'Union soviétique différait en nature de la Russie tsariste. Les journalistes d'aujourd'hui apprennent, dans les écoles de journalisme, des talents, des trucs, des techniques que n'importe qui apprend en quelques mois sur le tas. En revanche, ces écoles n'enseignent pas l'essentiel :

1. Dans un article du *Figaro* du 21 novembre 1962.

l'histoire et la culture des peuples, la théorie et la pratique de Lénine et de Staline, le fonctionnement de la Constitution américaine. Si la lecture du journal est la prière du matin de l'homme moderne, selon la formule de Hegel, alors le journaliste se trouve investi d'une tâche *weltgeschichtlich*[1], à un niveau inférieur. Il doit insérer l'événement dans le réseau planétaire et du même coup lui donner son sens et sa portée.

Golo Mann me rappela, alors que je m'enfonçais dans le journalisme avec mauvaise conscience, que Max Weber avait tancé ses collègues *Ordinarius* pour rabattre leur superbe : il leur avait rappelé ou peut-être appris qu'ils ne seraient pas tous capables de remplacer au pied levé les éditorialistes ou même les simples commentateurs. Le mépris du professeur en tant que tel à l'égard du journaliste en tant que tel me paraît en effet injustifié ou, pour mieux dire, ridicule. Les érudits ne sont pas tous intelligents ; même les économistes professionnels ne parviennent pas toujours à analyser une situation ou à exposer une thèse en quatre feuillets. Celui qui peut le plus ne peut pas toujours le moins. Certes une copie d'agrégation de philosophie requiert davantage de culture qu'un éditorial du *Monde* ou du *Figaro*, mais l'agrégé ne devient pas toujours un bon éditorialiste. Il reste que le journaliste moyen se sent d'ordinaire « snobé » par l'universitaire, même s'il adopte parfois à son égard une attitude de supériorité. Quand je dis un jour à Lazareff que, dégoûté par la politique de la IVᵉ République, je voulais rentrer à l'*Alma mater,* il me regarda comme si je me trouvais au bord du suicide et murmura : « Oh, non, ne fais pas cela. »

Avant la guerre, Roger Martin du Gard, qui me voulait du bien, me laissa entendre que je possédais les qualités nécessaires au journalisme politique. Je lui laissai entendre, en retour, que la philosophie valait mieux que le journalisme. Il n'insista pas, mais songeant à la

1. Qui le met en rapport avec l'histoire du monde.

condition médiocre ou obscure du professeur, probablement préférait-il pour moi — et pour Suzanne —
une autre place dans la société.

Bien entendu, une fois dans la place, j'ambitionnai
comme tout un chacun — un peu plus que tout un chacun — le prix d'excellence. Ni à *Combat* ni au *Figaro*, je
ne pus le décrocher puisqu'il revenait en droit et en fait
à Albert Camus ou à François Mauriac, l'un et l'autre
doués d'un talent littéraire que je ne possédais pas et
qui, du reste, s'accordait malaisément avec les rigueurs
de l'analyse économique ou diplomatique. Cependant,
les satisfactions d'amour-propre ne me manquèrent
pas. Je dirais même que la tentation de ce métier tient,
pour une part, aux éloges immédiats qui récompensent
un article bien au-delà de ses mérites, alors que le livre,
le plus souvent, fraie péniblement sa voie parmi
d'innombrables concurrents.

Un ministre de la IVe (Petsche) me dit, dans une
conversation privée : « Vous êtes, à ma connaissance, le
seul qui ait acquis une influence politique exclusivement par la plume. » Influence douteuse en fait, diffuse, peu mesurable. Pierre Lazareff, avec qui j'entretenais des relations cordiales quoique intermittentes,
m'envoya, le 25 février 1960, ce petit mot : « Cher Raymond, je n'écris jamais — c'est une mauvaise habitude
qui vient du manque de temps — pour dire « bravo » à
l'auteur d'un article que j'apprécie. Sans cela, je t'écrirais après la publication de chacun de tes articles. Mais
celui de ce matin est si pertinent, si utile, correspond
tant à ce que je pressens des vrais dangers qui nous
menacent que je ne puis résister au désir de te le dire. Il
faut sans cesse tirer sur cette cloche. Lutte idéologique,
oui, mais dans la liberté ou sans cela — comme je l'ai
dit à la radio à M. Adjoubei — on remplacera la
« guerre froide » par une « paix froide » qui sera la
même chose mais plus dangereuse car elle fera moins
peur. Heureusement qu'il y a Raymond Aron. Je le dis
comme je le pense et je t'embrasse. » W. Baumgartner
me dit plus d'une fois qu'il prévoyait, presque à tout
coup, le sujet que je traiterais dans l'article économique
de la semaine, qu'il lisait régulièrement. Il prenait plaisir à certaines de mes analyses et formules. Par exem-

ple : « Le soviétisme, c'est l'électrification et le blé du Middle West. »

Ces satisfactions à fleur de peau, au bout de peu d'années, me laissèrent inquiet, amer. Il se peut que j'aie progressé entre mon entrée au *Figaro* en 1947 et le moment de mon départ en 1977. Il se peut aussi que le feu se soit peu à peu éteint et que l'expérience ait étouffé l'imagination. Ce qui, à mes yeux, compromet le métier de journaliste, c'est la possibilité d'y exceller immédiatement et la difficulté d'y progresser, à la différence de celui de l'écrivain ou du savant. Certes le journaliste est contraint, lui aussi, de se renouveler, quoi qu'il en ait, de ne pas se laisser prendre de vitesse par les événements, de ne pas s'accrocher à une représentation du monde qui, déjà, appartient au passé.

Il m'a toujours manqué le goût de la nouvelle, caractéristique du journaliste. J'admirais en Pierre Lazareff, animateur hors pair, un talent, une manière d'être qui me sont parfaitement étrangers. A quoi bon, sinon pour faire sensation, l'impatience d'obtenir une information quelques heures avant les autres ? Si celle-ci est importante, on aura toujours le temps d'y réfléchir ; si elle ne l'est pas, à quoi bon s'exciter ?

Étais-je suspect de regarder de haut les professionnels ? Peut-être mais, en ce cas, à tort. Pourquoi aurais-je méprisé globalement ces hommes et ces femmes, je suis tenté de dire ces garçons et ces filles, tant ils me paraissaient jeunes pour ainsi dire par profession. A l'intérieur des rédactions que j'ai fréquentées, certains me plurent, d'autres moins ; certains m'aimaient bien, d'autres non. Quand je dirigeai la toute petite équipe du *Figaro* chargée de l'économie, les rédacteurs ne se plaignaient pas de nos entretiens hebdomadaires. Avec Roger Massip, qui dirigeait la rubrique de politique étrangère, les occasions de froissement risquaient de surgir chaque jour : notre collaboration fut sans nuages. Ceux qui, au *Figaro,* me supportaient le plus mal, M. Gabilly ou J. Griot, n'avaient, je crois, rien à me reprocher sinon d'être ce que je suis.

X

LE PARTAGE DE L'EUROPE

Je m'étais fait, dès le lendemain de la capitulation du IIIᵉ Reich, une vue d'ensemble de la conjoncture européenne, sinon planétaire. Je surprenais souvent mes interlocuteurs, à *Point de Vue,* en affirmant que l'Allemagne demeurerait divisée pendant au moins une génération. Vingt ans plus tard je repris encore volontiers le même pari. Bien plus, le danger allemand, tel que les Français l'avaient connu entre 1870 et 1945, appartenait au passé. État du milieu, le Reich, quand il tenait la première place en Europe, se sentait encerclé et, simultanément, suspendait une menace sur le voisin de l'Est comme sur celui de l'Ouest. Menace réelle puisqu'à n'en pas douter il l'emportait aisément sur chacun de ses voisins séparés. L'alliance de revers s'imposait à la France pour équilibrer la puissance germanique. Mais, du même coup, l'alliance franco-russe d'abord, puis la grande alliance des Anglo-Américains et des Russes étouffèrent le Reich, le IIᵉ ou le IIIᵉ, d'un cercle d'acier. L'Allemagne d'après 1945, amputée à l'est, un fragment de son peuple soumis à un régime soviétique, ne possédait plus de ressources supérieures à celles de son voisin slave : l'Union soviétique, maîtresse des pays qui la séparaient auparavant de l'Allemagne ; pas davantage elle ne surclassait désormais, comme elle l'avait fait en 1940, la France ou l'alliance franco-anglaise ; bien plus, l'alliance de l'Ouest incluait désormais les États-Unis. L'Allemagne croupion de l'Ouest ne faisait plus le poids face au géant du Nouveau Monde.

Pour le court terme, au moins une vingtaine d'années, l'Allemagne de l'Ouest appartiendrait nécessairement, que les Français le voulussent ou non, au même camp que la France, camp occidental ou démocratique. Français et Allemands, inévitablement, subiraient ou assumeraient un destin commun. Les arguments de la raison se heurtaient aux émotions du cœur. Ai-je écrit pendant la guerre quelques textes que l'on peut baptiser anti-allemands et non pas seulement anti-hitlériens ? Peu nombreux en tout cas. J'ai écrit peut-être aussi des articles qui, après coup, me semblent dérisoires, qui envisageaient des précautions contre le « danger allemand » du passé. Mais, dès la Libération, en tout cas dès la fin de la guerre, le partage de l'Europe, le rideau de fer, l'extension de la Pologne jusqu'à la ligne Oder-Neisse me débarrassèrent une fois pour toutes des images du passé. Le rêve de ma jeunesse — la réconciliation franco-allemande —, la ruse de la Raison nous en donnait une deuxième occasion : celle-là, il ne fallait pas la manquer. Quand je revins pour la première fois en Allemagne, en 1946, je détestai le régime d'occupation et j'eus honte des « bombardements de zone », contraires aux lois de la guerre, qui avaient réduit en ruines des villes entières sans une efficacité militaire à la mesure des pertes infligées à la population.

Je fis en 1946 une conférence à l'université de Francfort, entourée de gravats, à demi épargnée au milieu d'une population mal nourrie. J'y rencontrai Hans Mayer qui n'était pas encore passé à l'Est (et que je retrouvai, il y a quelques années, revenu à l'Ouest). Ce qui me frappa le plus, ce sont les regards de haine qui se concentrèrent sur moi, à une gare, alors que, pour prendre mon billet, je passai devant la queue des Allemands en usant du privilège de l'occupant. Quelques années plus tard, à Tunis, je détestai, avec la même spontanéité, le régime colonial, bien que celui-ci ne fût pas un des pires.

A partir de cette analyse, primitive mais fondamentale, je fus systématiquement favorable aux mesures dont les Américains et les Anglais prirent l'initiative, création de la bizone, puis de la trizone, fin des déman-

tèlements, création de la République fédérale allemande, réarmement de la République de Bonn, égalité
des droits. L'évolution s'est déroulée telle que je la prévoyais et la souhaitais (sans que la résistance française
eût fait beaucoup de mal). Il n'en est pas moins légitime
de se demander si j'avais raison de pousser à la roue, si
les choses auraient pu se passer autrement.

Que l'on se souvienne des conceptions du général de
Gaulle en 1945-1947 : les vetos qu'opposa le représentant de la France, à Berlin, à toutes les mesures qui tendaient à la création d'une administration unique pour
les quatre zones, les déclarations publiques en
1947 pour condamner la décision prise par les Trois de
créer la trizone, et, au-delà, la République fédérale allemande. Encore à cette date, le Général rejetait l'idée
même d'un Reich : il souhaitait une fédération qui ras-
semblerait des Länder. Il s'accrochait à une thèse de
Bainville et de Maurras, qui, dans la conjoncture des
années d'après-guerre, me semblait anachronique, pour
ne pas dire davantage. Le Général raisonnait, au moins
en apparence, comme si l'Allemagne demeurait le per-
turbateur potentiel alors que, de toute évidence, le rôle
était repris, pour une période indéterminée, par l'Union
soviétique.

Je trouve, dans une conférence de presse du 12 novembre 1947, l'expression des thèses du Général à
propos de l'Allemagne, à l'occasion d'un discours du
général Marshall, secrétaire d'État des États-Unis.
J'en détache les passages les plus importants : « C'est
la reconstruction économique de l'Europe qui est
aujourd'hui la première préoccupation de ceux qui veulent bâtir le monde dans des conditions qui lui permettent de vivre et peut-être de rester en paix. A ce point
de vue, la France ne conçoit pas que ce qui constituait
naguère l'Allemagne n'entre pas dans la coopération
économique qu'il s'agit de bâtir. Il est tout à fait certain
que la France n'a jamais pensé à exclure, par esprit de
vengeance, ceux qui sont allemands, de l'économie
européenne. Mais cela n'empêche pas que la France,
après ce qui lui est arrivé plusieurs fois et qui a failli la
faire mourir, la France se doit à elle-même et doit aux
autres que l'Allemagne ne reparaisse jamais comme

une menace. Les Allemands doivent renaître comme des hommes associés à l'effort commun de l'humanité pour sa reconstruction et spécialement à l'effort commun de l'Europe, mais jamais plus ils ne doivent retrouver les moyens de redevenir une menace. Pour que l'Allemagne ne redevienne pas une menace, la France propose un moyen pratique, éprouvé par l'Histoire et répondant à la nature des choses : l'Allemagne ne doit pas redevenir le Reich, c'est-à-dire une puissance unifiée, centralisée autour d'une force et nécessairement amenée à l'expansion par tous les moyens. *Nous ne voulons pas de Reich.* »

Le Général envisageait les deux éventualités : l'accord des Alliés sur la reconstruction d'*une* Allemagne et l'absence d'accord. Mais, dans les deux cas, le refus du Reich demeurait le même impératif suprême : « Si l'Allemagne doit rester coupée en deux, c'est sous cette forme également que doit être organisée l'Allemagne occidentale. » En quoi consiste cette forme ? « L'avenir de l'Allemagne tel que nous l'envisageons, nous, ce n'est pas le Reich, c'est une Allemagne reconstruite à partir des États allemands. Nous ne voyons en outre aucun inconvénient à une fédération de ces États dans laquelle chacun jouira de ses droits naguère écrasés par le Reich. Cette fédération, avec un « contrôle interallié pour empêcher les bêtises », spécialement un contrôle dans la Ruhr, et avec des conditions de fournitures, en particulier de charbon, cette fédération peut très bien être l'avenir de l'Allemagne. Avec les États de cette même fédération la France n'aurait aucune difficulté à conclure des traités économiques : c'est la nature même des choses. » Les traités économiques seraient-ils signés avec les États ou avec leur fédération ? En tout cas, le Général invitait la France à ne pas « abandonner les gages qu'elle tient dans les mains », autrement dit à ne pas consentir à la fusion des trois zones d'occupation tant que subsistait le risque de résurrection du Reich.

La conception du Général rappelle évidemment celle de Jacques Bainville et de l'Action française, mais la notion même « plus jamais de Reich » demeure équivoque : si les États allemands concluent entre eux une fédération, en quoi cette fédération diffère-t-elle d'un Reich qui, en dépit de la résonance historique du mot, n'impliquait rien de plus, en 1946 ou en 1947, que la formation d'un État allemand ?

Le Général prenait très au sérieux le refus du Reich ; André Malraux aussi qui me disait, de temps à autre : « ils — les hommes de la IVe — vont tout lâcher ». Le Général n'en démordait pas, comme en fait foi la déclaration qu'il fit publier le 9 juin 1948 en réponse aux recommandations de la Conférence de Londres sur l'avenir des zones occidentales d'occupation, autrement dit la formation de la trizone qui devint l'année suivante la République fédérale d'Allemagne.

Le Général prévoyait justement que les Russes bâtiraient eux aussi, à leur manière, un État allemand. Mais la rivalité entre les deux États allemands lui paraissait lourde de risques mortels pour la paix et pour la France[1] : « Une seule question dominera l'Allemagne et l'Europe : « Lequel des deux Reich va faire l'unité », puisqu'il est conclu et proclamé que « l'unité est l'avenir de l'Allemagne » ? On peut prévoir quelle concurrence dans le nationalisme se déchaînera, à partir de là, entre Berlin et Francfort, et quelle atmosphère internationale va en résulter. Si les secousses qui menacent de se produire entre les Allemands et entre les puissances, par suite de la rivalité des deux Reich, n'amènent pas bientôt la guerre, on peut, du moins, deviner lequel des deux camps allemands sera assez dur et rigide au-dedans, assez puissamment soutenu du dehors, pour gagner finalement la partie. On peut même imaginer qu'un jour l'unité allemande, réalisée une fois de plus autour de la Prusse — mais cette fois d'une Prusse totalitaire, liée corps et âme à la Russie soviétique ainsi qu'aux États « populaires » de l'Europe centrale et balkanique — apparaîtrait à la lassitude, à l'insularité ou à l'illusion des Anglo-Saxons, comme la solution d'« apaisement ».

La Ruhr intégrée à l'Allemagne, pas de garanties pour les réparations, formules vagues sur la durée de l'occupation militaire : « la France se trouverait en état

1. Déclaration du 9 juin 1948.

de danger permanent ». Et, un peu plus loin : « nous sommes au bord d'un abîme ». Après le réquisitoire, les objectifs : « Plus de Reich ! Parce que le Reich constitue automatiquement un mobile et un instrument pour les instincts dominateurs de l'Allemagne, *a fortiori* lorsque ces instincts pourraient être tentés de s'unir à d'autres. » Une fois de plus, le Général insistait, avec plus de force encore, sur *des* États allemands « dont chacun aurait ses institutions, son caractère, sa souveraineté, pouvant se fédérer entre eux et entrant dans un groupement européen où ils trouveraient le cadre et les moyens de leur développement... » La souveraineté des États allemands et la notion de fédération semblent contradictoires, selon le sens ordinaire de ces mots. En conclusion, le Général recommandait le refus des accords de Londres et la reprise des négociations.

Je n'acceptai ni le réquisitoire ni les recommandations. Convaincu que la séparation des deux Allemagnes, l'une soviétique, l'autre occidentale, durerait, les revendications de sécurité à l'égard d'une Allemagne amputée et divisée me semblaient inactuelles ; face à la seule Allemagne de l'Ouest, quelque peu ridicules. Quant aux prévisions de la victoire inévitable de l'Allemagne de l'Est sur celle de l'Ouest, je les rejetai à l'époque et les événements les ont démenties jusqu'à présent. Quand le général de Gaulle revint au pouvoir en 1958, il eut l'intelligence d'oublier ses conceptions, dépassées par les événements.

En 1949, la République fédérale allemande fut proclamée, la Loi fondamentale *(das Grundgesetz)* ayant été finalement approuvée par les autorités occupantes. Dans ses discours et déclarations de 1949, le général de Gaulle maintint ses critiques et ses thèses. Cependant la discussion du pacte de l'Atlantique prit le pas sur celle de la reconstitution du Reich. Aux États-Unis, celui qui passait pour le plus prestigieux des commentateurs politiques, dénonçait la politique américaine en Europe. Walter Lippmann refusait une politique fondée sur l'hypothèse de deux Allemagnes, l'une soviétique, l'autre occidentale, et il affirmait, avec une incroyable assurance, que les Allemands n'accepteraient jamais que leur territoire fût divisé en deux.

La lecture, trente ans plus tard, des articles de Walter Lippmann rédigés au printemps de 1949 donne une leçon de prudence à ceux qui acceptent l'ingrate mission de réagir aux événements et d'en dégager immédiatement la signification, avant que les suites s'en développent.

Citons quelques extraits de ces articles à la fois pour restituer les débats de l'époque et pour situer ma propre position. Dans le *New York Herald Tribune* du 15 avril 1949, il décrète, avec quelque arrogance intellectuelle, que l'arrangement militaire conclu à Washington équivaut à la cessation de l'occupation militaire : « Tout cela montre qu'autogouvernement et occupation militaire sont comme l'huile et l'eau : ils ne peuvent pas se mélanger. Nous ne pouvons pas nous attendre à une République fédérale allemande gouvernant l'Allemagne occidentale tant que nous l'occupons. Nous devons prévoir que l'Assemblée et les partis que nous avons autorisés à organiser le gouvernement allemand mettront fin à l'occupation et négocieront le règlement avec l'Allemagne de l'Est si nous sommes incapables nous-mêmes de négocier ce règlement. » W. Lippmann allait encore plus loin : l'arrangement militaire ne serait même pas une solution temporaire.

Dix jours plus tard, W. Lippmann décrète sur le même ton : « Le fait fondamental que nous préférons ne pas reconnaître est que les Allemands ne croient pas à notre conception d'un État allemand occidental... Si nous leur imposons cet État, ils l'utiliseront au mieux, usant de la machine gouvernementale pour liquider ou annuler notre contrôle et établir leurs propres termes d'un règlement avec l'Allemagne orientale et le gouvernement soviétique... Si nous n'avons pas de possibilité d'un règlement allemand avec l'accord des quatre puissances, les Russes possèdent une autre politique, négocier le règlement directement avec les Allemands. » Le mois suivant, W. Lippmann allait encore plus loin dans l'invention. Comme la République fédérale allemande, en dépit des prophéties du maître à penser, s'obstinait à naître, le commentateur, impavide, trouva dans son imagination les causes secrètes, inavouées, d'une réalité incompatible avec la représentation qu'il s'en faisait.

« Les délibérations parlementaires à Bonn ne deviennent intelligibles qu'à la condition de comprendre qu'elles sont accompagnées par des discussions clandestines entre l'Allemagne occidentale et l'Allemagne orientale qui est en contact avec les Soviétiques. Elles sont intelligibles seulement si nous abandonnons l'idée que l'objectif majeur des Russes est de répandre le communisme et si nous lui substituons le souvenir que les ententes russo-allemandes ont été fondées dans le passé et peuvent l'être dans l'avenir non sur l'idéologie mais sur l'intérêt national. » Terminons ces citations sur une phrase de l'article du 20 mai 1949 : « La Constitution de Bonn est manifestement un document ambigu en vue de négociations avec les Russes... »

Pourquoi un homme aussi cultivé, aussi intelligent, pouvait-il se tromper à ce point ? Pourquoi, afin de soutenir jusqu'au bout ses erreurs, supposait-il des négociations secrètes entre Ulbricht et Adenauer, éventualité que, à l'époque, quiconque connaissant si peu que ce fût les deux hommes tenait pour strictement impossible ? La raison me paraît simple : Lippmann se refusait à voir les faits et les hommes, parce que ni les uns ni les autres ne s'accordaient avec sa conception globale de l'Histoire, avec sa thèse de la primauté de la nation sur l'idéologie. De même, nous qui reconnaissions la force du lien idéologique dans le communisme, nous avons commis une erreur comparable, de sens contraire : nous avons tardé à percevoir le schisme soviéto-chinois ou nous en avons sous-estimé la gravité.

Dans le cas de W. Lippmann, son obstination dans l'erreur demeure aujourd'hui encore presque incroyable. Il suffisait de visiter l'Allemagne pour échapper à certaines aberrations. En 1950, je donnai à Francfort un discours aux étudiants allemands, à l'occasion de la visite du chancelier (je l'ai déjà mentionné). Je développai la thèse que le partage de l'Allemagne ne se séparait pas de celui de l'Europe elle-même et que le premier durerait aussi longtemps que le second. Le lendemain, commentant avec bienveillance mon discours, la *Frankfurter Allgemeine* me reprochait de prêter aux Allemands de l'Ouest le souci obsessionnel de leurs compatriotes de l'Est. La défaite avait été à ce point totale, les conditions de vie demeuraient à ce point difficiles que les Allemands de l'Ouest songeaient plus à la reconstruction de leur pays qu'à une réunification qu'ils jugeaient provisoirement exclue. Il se peut que nombre d'Allemands aient assisté avec scepticisme à l'instauration d'une République, à l'ombre des armées d'occupation. Mais aucun d'entre eux ou presque ne songeait à des conversations secrètes entre le secrétaire du parti ouvrier unifié de l'Allemagne de l'Est et le chancelier Adenauer, président du parti démocrate-chrétien. Il se peut que la présence, à la tête de ce parti, d'un Rhénan, peu sensible à la tradition prussienne, ait facilité la formation de la RFA où les catholiques équilibraient à peu de chose près les protestants. De toute façon, une fois le désaccord des Quatre sur l'Allemagne acquis, que pouvaient faire les Anglo-Américains sinon ce qu'ils firent, construire une Allemagne occidentale ? Celle-ci, aujourd'hui encore, trente ans plus tard, demeure fidèle à l'Alliance atlantique et ne sacrifie pas sa liberté à l'espoir de la réunification, bien que la social-démocratie, à l'origine hostile à la fondation de la RFA, soit sensible de nouveau à la tentation de l'Est.

Je connais des fonctionnaires français qui discutèrent avec les Russes en 1945-1946 et qui continuent à croire que la rupture n'était pas inévitable. D'autres historiens insistent sur la responsabilité des Français qui opposèrent un veto à toutes les mesures qui auraient mis en application le principe, affirmé à Yalta et à Potsdam, à savoir une administration centrale, à Berlin, qui aurait coiffé les quatre zones d'occupation. Les Français, à coup sûr, facilitèrent la tâche des Soviétiques ; mais les faits ne laissent guère de doute. Les Soviétiques amenèrent avec eux les communistes allemands destinés à gouverner le pays ; ils s'employèrent immédiatement à créer des faits accomplis. Deux d'entre eux revêtaient une valeur symbolique et politique : l'unification des partis socialiste et communiste d'une part, la collectivisation agraire d'autre part. La première mesure annonçait la disparition du pluralisme partisan, même si, en droit et sur le papier, les partis non communistes survivaient ; la deuxième inaugurait l'ordre social de type soviétique. Rien de pareil ne se produisit dans la zone soviétique en Autriche ; c'est pourquoi j'ai toujours cru à la réunification de l'Autriche et jamais à celle de l'Allemagne.

C'est en 1947 que le gouvernement français se résigna ou se rallia à la politique anglo-américaine à l'égard de l'Allemagne et participa à la création de la trizone et de la République de Bonn. Il semble curieux, avec le recul, que la décision française ait été provoquée par le refus de Staline d'accéder aux revendications françaises au sujet de la Sarre, à savoir le rattachement du bassin charbonnier à l'économie française (qui s'intéresse aujourd'hui à la Sarre ?). Peut-être G. Bidault saisit-il cette occasion de sortir la France de l'impasse dans laquelle le général de Gaulle l'avait engagée : à la longue, la France ne gagnait rien à paralyser la reconstruction de l'Allemagne en exigeant des mesures de précaution ou de punition qu'elle ne gardait aucune chance d'imposer.

Le premier grand débat de l'après-guerre se déclencha à propos du pacte de l'Atlantique Nord et de la neutralité. Les deux questions se rattachaient l'une à l'autre mais ne se confondaient pas. Le refus du pacte de l'Atlantique Nord n'impliquait pas la neutralité. Le débat sur la neutralité (ou le neutralisme) se déroula, non sans confusion, entre Étienne Gilson et *le Figaro* (moi-même inclus), entre Hubert Beuve-Méry et Pierre Brisson.

Les survivants de l'après-guerre se souviennent de « l'affaire Gilson », dont je n'ai connu que certains aspects et dans laquelle je fus impliqué, contre mon gré. Tenons-nous-en d'abord aux textes. E. Gilson publia dans *le Monde* plusieurs articles dont je retiens trois, le premier daté du 25 décembre 1948, intitulé « Un peuple juste », le deuxième, du 2 mars 1949, intitulé « L'alternative », un troisième , du 6-7 mars 1949, intitulé « L'équivoque ». Dans le premier, il attaquait vigoureusement la presse américaine, la manière dont elle traitait la France. Les Américains se plaisent à couvrir leurs décisions d'opportunité par des arguments moraux. Ainsi à propos de la Chine : « Il n'en est que plus curieux de voir journaux et revues procéder en ce moment à une exécution morale de la Chine et prouver qu'il est juste de laisser ces barbares aux prises avec d'autres barbares. Il ne suffit pas que ce soit une cause perdue, on veut que ce soit une mauvaise cause. On ne se contente pas de dire, comme il serait si simple, que l'affaire ne peut plus être sauvée, on s'acharne à prouver qu'elle ne mérite pas de l'être, surtout si, comme il arrive, on se sent pour quelque chose dans l'état où elle est. » Des commentaires analogues auraient été pertinents au cours de la dernière phase de la guerre du Vietnam.

E. Gilson détectait, dans la presse américaine, les premiers signes d'un « lâchage » de cette sorte à l'égard de la France ou de l'Europe. « On pourrait nous lâcher parce que nous sommes inutilisables mais, puisqu'on commence à nous prouver que nous sommes coupables, c'est le signe certain qu'on se prépare à nous lâcher. » Pour conclure, le philosophe exprimait, lui aussi, le ressentiment français : « En 1914, en 1939, nous avons été en première ligne. Nous sommes même assez corrompus pour ne pas désirer qu'on nous refasse le coup de 1939 ; s'il doit y avoir demain une guerre mondiale américaine, l'extrême pointe d'avant-garde ne saurait être ni française, ni anglaise, ni moins encore allemande. C'est le tour des États-Unis. »

Ressentiments et conclusion parfaitement compréhensibles, mais les États-Unis bénéficient d'une géographie qu'ils doivent à la nature, non à la ruse ou à l'égoïsme. Pas davantage ils ne portent la responsabilité de la guerre de 1914 : les Européens eux-mêmes se sont lancés dans la guerre dont les États-Unis ont déterminé l'issue par leur intervention mais à laquelle ils n'étaient ni moralement ni politiquement tenus de participer. Faut-il leur reprocher d'être arrivés aussi tard ou se souvenir que, sans eux, nous aurions perdu la guerre ? En 1939, Hitler ne menaçait pas les États-Unis comme il menaçait la France et la Grande-Bretagne. Il n'y a pas eu de « coup de 1939 ». La question, en 1949, se posait de la même manière : la menace soviétique pèse-t-elle d'abord sur les Européens ou d'abord sur les États-Unis ?

Le deuxième article portait sur le pacte de l'Atlantique lui-même et exprimait clairement l'objection qui fut utilisée par tous les adversaires du traité : les États-Unis honorent leurs engagements mais pas au-delà de leurs engagements. Or, les formules utilisées, suffisamment vagues pour être acceptables au Sénat américain, n'auraient aucune valeur, ni en elles-mêmes, ni pour les Soviétiques : « Quand M. Vandenberg dangereusement naïf assure que la simple reconnaissance formelle d'une « communauté d'intérêt en cas d'attaque armée contre la communauté atlantique » serait une assurance précieuse contre la guerre, il s'illusionne s'il croit que les Russes ne comprendront pas aussi bien que nous le sens de cet article. »

A partir de là, la conclusion : « Nous n'avons d'autre choix qu'entre un engagement, non point moral mais militaire, des États-Unis avec toutes les précisions qu'il requiert ; ou bien, si les États-Unis refusent de se battre en Europe, ce qui est leur droit, notre refus de nous sacrifier pour les États-Unis, ce qui est le nôtre. » Un an après la signature du pacte, l'engagement moral s'était transformé en un engagement militaire par la création de l'OTAN. De toute manière, l'expression de Gilson « les États-Unis achètent notre sang avec des dollars » m'apparaissait exorbitante. L'Europe se sentait, à tort ou à raison, menacée par l'Union soviétique ; c'est elle qui demandait la protection des États-Unis. Aurait-il suffi de rompre les liens avec les États-Unis pour assurer notre sécurité ?

Le troisième article, du 6-7 mars 1949, revenait sur le contenu exact du traité. Le Sénat ne veut pas que les États-Unis soient contraints par le traité à répliquer militairement à une agression militaire dans la région de l'Atlantique Nord. Gilson reprenait l'idée centrale que l'on trouvait un peu partout dans les propos et les écrits des hommes d'État ou des commentateurs : nous ne voulons pas d'une troisième invasion de l'Occident « au prix de laquelle les deux précédentes apparaîtraient comme des parties de plaisir ».

Bien plus qu'Étienne Gilson, c'est bien entendu Hubert Beuve-Méry qui symbolisa la doctrine de la neutralité ou — ce qui serait peut-être plus exact —

l'opposition au pacte de l'Atlantique, plus généralement à l'adhésion de la France au bloc anglo-américain. L'origine de notre différend remonte à la fin de la guerre. Les modalités de l'occupation soviétique en Europe de l'Est, zone allemande incluse, me convainquirent immédiatement que les troupes soviétiques resteraient sur la ligne de démarcation à moins qu'elles n'en fussent refoulées (ce qui me paraissait improbable). H. Beuve-Méry, dès le lendemain de l'écrasement du IIIe Reich, redouta ce que moi-même j'annonçais, à savoir la récupération par chacun des deux Grands d'un des morceaux de l'Allemagne. Avant même la fin des hostilités en Europe, les textes de H. Beuve-Méry, rédigés pendant l'Occupation et reproduits dans *Réflexions politiques 1932-1952,* laissent paraître la philosophie qui inspira les prises de position diplomatiques.

On trouve, dans ce recueil, un rapport rédigé non par H. Beuve-Méry mais par un de ses amis qui avait fait l'aller et retour entre la France occupée et Alger. J'extrais de ce rapport les lignes suivantes : « Les Américains constituent un véritable danger pour la France. C'est un danger bien différent de celui dont nous menace l'Allemagne ou dont pourraient éventuellement nous menacer les Russes. Il est d'ordre économique et d'ordre moral. Les Américains peuvent nous empêcher de faire une révolution nécessaire et leur nationalisme n'a même pas la grandeur tragique du matérialisme totalitaire. S'ils conservent un véritable culte pour l'idée de liberté, ils n'éprouvent pas un instant le besoin de se libérer des servitudes qu'entraîne leur capitalisme. Il semble que l'abus de bien-être ait diminué chez eux la puissance vitale de façon inquiétante. » Hubert Beuve-Méry commentait ce rapport par les lignes suivantes : « Je n'ai rien à ajouter à ce témoignage qui laisse percer en filigrane les linéaments de la politique future : la nécessité d'une révolution intérieure qui intègre aux éléments valables de la révolution nationaliste et de la révolution communiste, la nécessité de vastes organisations internationales de type fédéral permettant le libre épanouissement de chaque groupe, la marche difficile, semée d'embûches et de déceptions de toutes sortes, vers une plus grande liberté en même temps que vers une plus grande unité, le lent avènement de l'humanisme du XXᵉ siècle. » Cette conception, d'inspiration démocrate-chrétienne, proche de celle d'*Esprit*, plutôt idéologique qu'historique, condamnait le directeur du *Monde* à une opposition quasi permanente, parce que les événements suivaient un tout autre cours : le partage de l'Allemagne entraînait celui de l'Europe et rendait caduque l'idée de neutralité.

Dès le 19 octobre 1945, dans l'hebdomadaire *Temps présent*, H. Beuve-Méry formulait, en pleine clarté, l'objectif qu'il fixait à la France et, si l'on peut dire, à l'Europe : « L'organisation d'une entente occidentale d'importance comparable aux États-Unis et à l'Union soviétique, située géographiquement, économiquement, politiquement à mi-chemin de ces deux puissants partenaires, pari normalement logique, souhaitable, profitable à tous. *A une condition* cependant : que la nouvelle organisation soit aussi indépendante de Washington que de Moscou. » Contre l'union atlantique, dont H. Beuve-Méry observait bientôt la formation progressive, il éleva trois objections majeures : il n'aimait pas les États-Unis et leur régime économique, en particulier « les contradictions et l'impuissance du capitalisme libéral qui ont définitivement dégoûté certains éléments nombreux en Europe ». En deuxième lieu, il redoutait pour l'unité de la France le choix en faveur d'un des camps. « La division de l'Europe soumet la France à un effort d'écartèlement qui exclut, en fait, toute vraie reconstruction. » « La France ne peut ni ne doit opter pour le capitalisme américain dont elle reconnaît les défauts et auquel l'avenir réserve sans doute les déboires qui ont mis mal en point le capitalisme européen. » Enfin, il pensait que l'adhésion de la France à l'un des camps accroîtrait les dangers de guerre. « Il se peut que l'Europe n'ait pas finalement le moyen d'empêcher la guerre, mais elle est à peu près sûre de la précipiter si elle se laisse glisser dans un camp ou dans un autre [1]. »

---

1. Cette phrase, avec le recul de plus de trente-cinq années, apparaît encore plus aberrante qu'à l'époque où elle fut écrite.

Dès 1948, H. Beuve-Méry ne se faisait plus guère d'illusions : « Il y a peu de chances que l'Europe reste vraiment européenne. Il y en a beaucoup au contraire qu'elle s'américanise rapidement par le fait des Américains sans doute, de leur activité, de leur richesse, de leur puissance, mais aussi et plus encore par le fait des Européens, si souvent empressés à solliciter ce qu'ils devraient et pourraient combattre... » Un peu plus loin : « Les libertés que confère le dollar sont précieuses... Les religions, l'histoire, le goût du bien-être et celui de la liberté poussent vers l'Amérique l'Occident menacé... » En dernière analyse, tant qu'à choisir, le directeur du *Monde* choisissait l'Occident bien que son allergie aux États-Unis l'incitât à critiquer peut-être plus souvent les turpitudes du capitalisme américain que les cruautés du totalitarisme soviétique. Il ne s'interdisait pas de qualifier de « professionnels de l'anticommunisme » ceux qui rappelaient les crimes de Staline, que Khrouchtchev dénonça à son tour quelques années plus tard.

En 1949, les événements avaient évolué en sens contraire des conceptions de H. Beuve-Méry. La neutralité de l'Europe semble impossible. L'idée ne s'en glisse pas moins, ici et là, dans les commentaires sur le pacte de l'Atlantique, signé le jour du premier anniversaire du plan Marshall. H. Beuve-Méry jugeait le pacte de l'Atlantique tout à la fois provocateur à l'égard de l'Union soviétique et équivoque dans sa formulation puisqu'il ne garantissait pas l'intervention immédiate des forces américaines en Europe : « Le pacte de l'Atlantique était lui aussi une erreur. Nier à la fois qu'il dût déboucher rapidement sur le réarmement allemand et inquiéter fortement les Russes tout en leur fournissant un magnifique terrain de propagande n'était rien de moins que le refus de l'évidence. » (13 décembre 1949).

Je répondis plusieurs fois à E. Gilson et à H. Beuve-Méry mais, dans l'ensemble, sur le ton de l'honnête controverse sans excès de polémique : d'abord dans des articles du *Figaro* (21-12-48 ; 21-2-49 ; 23-2-49 ; 21-3-49 ; 17-2-50) ; puis dans des articles de la revue *Liberté de l'Esprit* (avril 1949 et septembre 1950).

A l'origine, en 1948 et 1949, je compris mal la passion déchaînée contre le pacte de l'Atlantique. J'avais encore moins compris l'hostilité au plan Marshall — du moins de la part de Français nullement attirés par le stalinisme. Aussi fus-je tenté, avant la signature du traité, d'en réduire la portée, non par stratégie mais par conviction : « Dans l'immédiat, la situation ne sera pas essentiellement modifiée. Personne n'ignorait, surtout à Moscou, qu'une agression militaire contre l'Europe occidentale déclencherait une intervention militaire des États-Unis ; la présence des contingents américains en Allemagne donnait par elle-même cette garantie. » Je rappelai l'erreur commise par les Américains après la victoire, un désarmement immédiat. Le plan Marshall favorisait et accélérait le relèvement de l'Europe occidentale ; le pacte de l'Atlantique Nord accomplissait une fonction analogue : permettre un réarmement limité en Europe occidentale en vue de négociations avec l'Union soviétique. Je ne conseillai pas un réarmement « illimité » : « Il ne faut ni acculer les prophètes d'une religion conquérante, maîtres d'un vaste empire, au désespoir, ni par faiblesse éveiller en eux la tentation. » Je conclus cet article par la formule aujourd'hui surprenante : « Comme le plan Marshall, le Pacte atlantique n'a d'autre fin dernière que de se rendre lui-même inutile. » En trois ans, le plan Marshall se rendit lui-même inutile. Plus de trente ans après, le pacte de l'Atlantique survit, affaibli mais nécessaire.

En 1949, l'article d'E. Gilson, que j'ai résumé plus haut, déclencha un de ces grands débats dont les Français demeurent friands. Je m'efforçai de fonder en raison mes propres opinions dans l'article de *Liberté de l'Esprit* que les rédacteurs gaullistes de la revue hésitèrent à publier et que le Général lui-même, après l'avoir lu, approuva au moins partiellement.

Ai-je contribué, par cet article, à persuader le général de Gaulle de ne pas prendre position contre le pacte de l'Atlantique ? Il se peut, à s'en tenir au récit de Claude Mauriac dans son livre *Un autre De Gaulle, journal 1944-1954.*

Le 17 mars 1949, Claude Mauriac parle au Général de « l'article que m'a adressé Raymond Aron pour le numéro 3 sur le Pacte atlantique dont je lui explique en quelques mots l'essentiel, car je crains qu'il ne soit en opposition avec sa politique et celle du RPF. Il s'agit d'une critique assez violente des deux articles d'Étienne Gilson qui accusait les Américains de vouloir acheter avec des dollars le sang français. Il reprochait au Pacte atlantique de ne donner aux Français aucune garantie sur le moment et le lieu de l'intervention américaine en cas d'invasion russe en Europe occidentale.

« — Mais, c'est évidemment M. Gilson qui a raison, s'écrie le Général ; il faut bien comprendre ceci : c'est que l'Amérique est un pays essentiellement isolationniste pour cette simple raison qu'elle est une île. Elle ne s'est jamais sentie solidaire de l'Europe dont il est, ma foi, vrai qu'elle est séparée par une grande étendue d'eau. Dans la guerre de 1914, comme dans celle de 1940, ce n'est certes pas parce que Paris était menacé ou occupé que les Américains sont intervenus. Et si Londres avait été occupée en 1940, elle l'aurait certes déploré, comme elle déplorerait que Paris fût occupé et, cette fois-ci, par les armées soviétiques, mais ce ne serait pas pour délivrer Londres ou Paris que l'Amérique ferait la guerre. Elle choisirait son heure en prenant tout son temps. De même, dans le Pacte atlantique, se sont-ils bien gardés de dire quand et où les armées américaines interviendraient. Le fond de la question, c'est qu'avec les armes actuelles les Américains estiment inutile de se déranger et qu'ils feront relativement tranquillement la guerre, sans bouger de chez eux, avec leurs forteresses volantes, leurs fusées, etc. Que Paris et la France soient occupés par les Soviets, leur apparaîtra certes comme un événement très regrettable mais qui, à lui seul, ne justifierait pas un débarquement américain. »

Quelques jours plus tard, Claude Mauriac était persuadé que le Général allait lui opposer les plus grandes objections « quant à l'opportunité de faire paraître ce texte dans *Liberté de l'Esprit* sous sa forme actuelle. Aussi ai-je été étonné des mots par lesquels le Général m'a accueilli :

« — Eh bien, il n'est pas mal du tout, cet article.

« La vérité est que le Général semble avoir en quelques jours profondément modifié sa conception du Pacte atlantique.

« Lorsqu'il m'annonça qu'il allait m'expliquer de quoi il était question, je me dis qu'il avait sans doute oublié qu'il avait fait longuement connaître son point de vue et que j'allais à peu de chose près entendre le même discours. Mais il n'en fut rien.

« — Il est certain, et Raymond Aron a eu raison de mettre l'accent sur ce point, que ce pacte, même sans engagement précis, est de nature à faire réfléchir Staline. Je ne dis pas qu'il soit désormais assuré qu'il n'interviendra pas mais enfin, il sait maintenant que s'il occupe l'Europe occidentale, il aura la guerre. Or, nous pouvons être persuadés que si un tel pacte avait existé en 1939, Hitler ne se serait probablement pas lancé dans l'aventure polonaise. Évidemment, il aurait été souhaitable qu'Aron insiste sur le fait qu'une France forte rendrait les chances de guerre moins grandes encore. C'est l'intérêt de Queuille et de son équipe de nous faire croire que le Pacte sous sa forme actuelle suffit à tout. Il n'empêche qu'un tel Pacte vaut mieux que pas de Pacte du tout et c'est là que Raymond Aron a très bien fait de dénoncer la faiblesse de l'argumentation de Gilson. »

A la fin de la conversation, le Général conclut : « Vous savez maintenant ce que je pense de la question. Vous êtes libre, naturellement, de publier ou pas l'article, mais je ne voulais pas que Raymond Aron pût croire que je désapprouvais sa position. »

Le Général ne souhaitait pas apparaître, à mes yeux, comme un censeur. Il ne voulait pas que mon article fût refusé parce qu'il ne s'accordait pas avec sa position. Mais il faut ajouter que la première tirade contre le pacte de l'Atlantique et l'isolationnisme américain était à ce point éloignée de la réalité que le Général n'aurait probablement pas maintenu de telles insanités si son interlocuteur lui avait opposé des objections de bon sens. En tout état de cause, il accepta le pacte de l'Atlantique tout en déplorant la rédaction du Traité. Dix ans plus tard, il pensait tout autrement sur la rédaction.

Le débat me paraissait légitime et, comme le dit H.

Beuve-Méry dans une conférence de 1951, des hommes en profondeur proches les uns des autres pouvaient différer sur les moyens les meilleurs d'atteindre leurs fins communes. « Quant aux anticommunistes, ils ont tendance à approuver le pacte pour la simple raison que les communistes le condamnent. Aussi est-il heureux qu'un philosophe catholique ait, par un article retentissant, ouvert le vrai débat. Je ne suis d'accord sur aucun point avec M. Gilson, je tiens certaines de ses expressions pour insensées. Malgré tout, je me suis réjoui qu'un écrivain ait le courage, au milieu de cette conspiration du silence, d'exprimer publiquement ses inquiétudes et ses doutes. »

Une des objections majeures d'E. Gilson, je l'ai indiqué plus haut, portait sur la rédaction du traité. Il ne jugeait pas les termes assez précis, assez contraignants pour les États-Unis. (Le général de Gaulle avait formulé des critiques de même sorte.) Ma réponse consistait à mettre en doute l'importance de la formulation exacte des obligations des signataires. Tant que les troupes américaines seraient stationnées en Allemagne, la garantie dépendrait davantage de ce fait que des textes. Le pacte de l'Atlantique ne modifierait ni le comportement des Américains ni celui des Soviétiques : « Je pense, pour mon compte, que le pacte de l'Atlantique Nord ne modifie pas sensiblement la situation de fait. L'Europe occidentale sera protégée demain par la force américaine, comme elle l'est aujourd'hui. Le pacte de l'Atlantique n'apprendra rien à Staline qu'il ne sache déjà, à savoir qu'une agression militaire sur le Vieux Continent constituerait, selon toute probabilité, un *casus belli.* Plus l'engagement d'assistance mutuelle sera rédigé en termes précis, plus il impliquera l'automatisme d'intervention, plus il fera impression sur les réalistes du Kremlin ; nous ferons volontiers cette concession à la thèse de M. Gilson, mais l'essentiel n'est pas là et ne saurait être inscrit dans les textes. La présence américaine, symbolisée par quelques contingents en Allemagne, la puissance industrielle et atomique, au loin, voilà, pour l'heure, la garantie de la sécurité française. Cette sécurité sera maintenue demain dans la mesure où, sur place, la preuve continuera d'apparaître de la présence américaine, où, de l'autre côté de l'Atlantique, les forces virtuelles resteront supérieures à celles de l'agresseur éventuel. »

Cela dit, je reconnaissais que le pacte de l'Atlantique ne garantissait pas la protection contre l'invasion en cas de guerre. Quelle autre politique nous donnerait une telle garantie ? Gilson évoquait la neutralité armée ; mais l'Europe occidentale n'était pas armée, et serait moins capable encore de s'armer si elle refusait l'aide des États-Unis. Elle ne provoquait pas l'ire ou l'hostilité de l'Union soviétique parce qu'elle se liait aux États-Unis par le pacte de l'Atlantique. Elle déplaisait au Kremlin parce que les pays de l'Est, soviétisés à l'ombre de l'armée dite rouge, regardaient vers elle.

Un an plus tard, en septembre 1950, je repris le dialogue mais sur un ton moins amène, parce que les adversaires du pacte de l'Atlantique ne nous épargnaient pas non plus. Deux arguments dominaient l'article intitulé « Imposture de la neutralité[1] ». Le premier consistait à substituer à la vision du monde que suggéraient les partisans de la neutralité une autre représentation : « L'Union soviétique concentre sa propagande contre les États-Unis parce que ceux-ci constituent, à ses yeux, l'ennemi principal. Les États-Unis abattus, nul obstacle ne se dresserait plus sur le chemin de la domination mondiale. Mais les ambitions soviétiques visent autant et, pour l'instant, bien davantage l'Allemagne, la France ou l'Italie. Quand les agents, conscients ou inconscients, du stalinisme nous suggèrent que l'hostilité que le Kremlin manifeste à la France ou à l'Italie disparaîtrait ou s'atténuerait le jour où ces pays auraient rompu le pacte de l'Atlantique, ils mentent. Staline dénonce le plan Marshall, le pacte de l'Atlantique, toutes les formes de la solidarité entre l'Ancien et le Nouveau Monde parce qu'il y voit non une menace ou une provocation, mais une résistance à ses entreprises de conquête. En revanche, que les États-Unis se désintéressent de l'Europe, que celle-ci, divisée et impuissante, se trouve seule face à l'empire soviétique, et le moment serait proche où elle succomberait à l'infiltration, au désespoir et au chantage. »

---

1. *Liberté de l'Esprit,* septembre 1950.

Le deuxième argument se dégageait d'une comparaison entre les deux Grands : « On commence par dresser une image d'Épinal, les deux géants face à face, on continue par des comparaisons entre les deux barbaries, entre les deux matérialismes. La troisième force, l'Europe, devient le foyer de culture également menacé par le NKVD et par le Coca-Cola... L'Occident n'est pas pour nous l'Ange de Lumière luttant contre le démon des Ténèbres... Quand, intellectuel français, je me déclare solidaire de la lutte des États-Unis contre l'entreprise stalinienne, je n'entends pas approuver du même coup tous les traits de la civilisation américaine... De l'autre côté on déifie Staline. Grâce à Dieu, chacun de nous garde le droit d'exprimer son opinion sur le génie de Truman. »

Laissons ces discussions, malheureusement pas toutes dépassées. Quels sentiments animaient E. Gilson, H. Beuve-Méry ? Chez le premier, je perçus un sentiment fort, légitime, intelligible, la révolte contre l'injustice du sort : de guerre en guerre, les États-Unis se renforcent cependant que les Européens s'affaiblissent. La France a supporté le fardeau le plus lourd en 1914-1918, la Grande-Bretagne en 1939-1945 : au tour des États-Unis de livrer la IIIe si elle doit éclater. Jusqu'à présent, les souhaits d'E. Gilson ont été exaucés. C'est la République américaine qui, parmi les États d'Occident, a consacré à la défense nationale le pourcentage le plus élevé de son produit national, c'est elle qui a combattu en Corée et au Vietnam. C'est elle encore qui jouerait le premier rôle dans l'hypothèse de la grande guerre. Ce que les hommes ne peuvent pas changer, c'est la géographie. En 1949 ou en 1950, l'Europe, contiguë à l'imperium soviétique, semblait la plus menacée, inévitablement occupée en cas d'hostilités. Gilson s'imaginait conjurer le sort en exigeant, noir sur blanc, un engagement américain soustrait à toute espèce de doute. Or un engagement, quel qu'il fût, n'assurait pas une protection efficace contre l'armée soviétique. La neutralité ne constituait pas une meilleure protection.

L'autre sentiment, visible dans les textes de Beuve-Méry que j'ai cités, je le qualifierai sinon d'anti-américanisme, du moins d'antipathie à l'égard de la société américaine telle qu'il l'imaginait sans la connaître. Démocrate-chrétien, longtemps en poste dans l'Europe centrale, il se hérissait à l'idée de la civilisation mercantile, symbolisée et répandue par la République américaine.

Que reste-t-il des débats sur l'Alliance atlantique ? Personne ne se souvient de la fureur avec laquelle le texte du traité a été commenté, contesté, critiqué parce qu'il n'impliquait pas des engagements assez précis. Peut-être les gaullistes m'accorderaient-ils quelque prescience quand j'écrivis, le 23 mars 1949, les lignes suivantes : « Une formule rigide ne nous aurait rien apporté de plus dans l'immédiat, sans nous mettre à l'abri d'un imprévisible et improbable retournement d'opinion aux États-Unis. Bien plus, l'absence d'automaticité peut, dans certaines éventualités, nous laisser le temps de la réflexion et le choix de la tactique. » Depuis que la France a quitté l'OTAN, elle se félicite que le texte du traité n'ait pas répondu à toutes les demandes du général de Gaulle à l'époque.

Je n'ai pas retrouvé de polémique contre H. Beuve-Méry signée de moi. Au reste, les articles réunis par lui dans *Réflexions politiques* ne témoignent pas de l'étrange passion qui inspirait ceux d'Étienne Gilson. Ainsi, dans l'article du 25 juin 1949, je lis : « Aussi bien, est-ce moins la légitimité du Pacte atlantique qui prête à discussion que son opportunité, ses modalités et, en tout cas, les tapages et maladresses dont il a été l'occasion. » Il reconnaît que « le pacte oriental est constitué depuis longtemps » et il craint que le pacte de l'Atlantique n'apparaisse comme une provocation. Pourquoi, en ce cas, ne pas déployer ses efforts pour éclairer les bonnes gens ? Quelques lignes plus loin, il écrit : « En attendant, après comme avant le pacte, la plus sûre garantie de paix reste dans la volonté des Européens de ne plus se laisser « staliniser » par persuasion et dans la menace que fait peser sur l'agresseur éventuel la puissance des États-Unis. » On ne saurait mieux dire et je n'écrivais pas autre chose dans *le Figaro*. Au bout du compte, le pacte de l'Atlantique disait explicitement ce qui, dans l'immédiat, allait de soi. Il consacrait la présence américaine en Europe et en promettait la perpétuation.

Dans une conférence prononcée le 8 mai 1951, Beuve-Méry analysait la neutralité active et l'atlantisme dans des termes tels que les deux attitudes se rapprochaient singulièrement. Par exemple : « L'Amérique doit savoir qu'elle est perdue à plus ou moins brève échéance si l'Europe est sacrifiée. L'Europe doit savoir que l'Amérique a été depuis six ans et demeure sa principale et presque son unique protection contre l'invasion. Le débat entre elles ne doit donc pas porter sur le but qui est largement commun, mais sur le partage des tâches et le choix des moyens. De ce point de vue, on peut estimer qu'il eût mieux valu ne pas signer le Pacte atlantique tel qu'il a été conçu et rédigé. Aujourd'hui, il existe, il a commencé de fonctionner, et s'en retirer pourrait fort bien accroître encore le désordre et servir l'adversaire éventuel. Mais il ne doit pas être impossible pour les Européens de garder avec le Pacte atlantique l'essentiel des attitudes qu'ils auraient dû prendre sans lui. » L'alliance était donc acceptée et n'excluait pas l'effort des Européens de s'unir et d'affirmer leur culture propre. « Les atlantistes qui cherchent à développer au maximum l'Alliance atlantique en invoquant l'efficacité et sans esquiver la part de sacrifices, sont proches des neutres actifs, qui mettent l'accent sur le particularisme européen. »

Aux articles d'E. Gilson, j'avais répondu courtoisement, peut-être vivement, mais sans mettre en cause d'aucune manière l'homme et ses intentions. Plusieurs mois plus tard « l'affaire Gilson » éclata. Au cours de mon séjour aux États-Unis (à l'automne de 1950), je reçus de Waldemar Gurian, professeur à l'université Notre-Dame (catholique), une lettre dans laquelle il m'exprimait ses regrets que je ne pusse donner la conférence promise. Il ajoutait qu' « Étienne Gilson qui est en ce moment à Notre-Dame a raconté que *vous êtes un agent payé par les États-Unis.* Il y a des témoins qui vous confirmeront cette accusation... » La lettre me surprit plus qu'elle ne m'émut. W. Gurian n'avait pas entendu lui-même ces propos et, dans le climat de la guerre froide, toutes les formes de polémique devenaient possibles. Aussi bien, quelques semaines plus tard, la mort de ma petite Emmanuelle réduisit à ses exactes proportions ces débats d'intellectuels.

Dans le numéro du 27 janvier 1951, *le Figaro littéraire* publia une lettre ouverte à Étienne Gilson du même Waldemar Gurian. Il lui reprochait d'avoir « propagé le sombre évangile du défaitisme », d'avoir « accusé de la manière la plus catégorique d'être à la solde des Américains un écrivain et savant français bien connu et parmi les plus respectés... Je sais pertinemment que vos efforts ne tendent pas à favoriser l'expansion communiste. Vous la croyez simplement inévitable par suite de la répartition actuelle des forces en présence. Mais vos affirmations sur le manque d'aide américaine et le sombre avenir réservé à l'Europe, votre prédiction que la France ne se battra pas, tout cela ne peut que servir la cause du communisme mondial, même contre votre gré... » Comme Étienne Gilson, entre-temps, avait pris sa retraite du Collège de France pour se consacrer à l'Institut d'Études philosophiques médiévales qu'il dirigeait à Toronto, il fut accusé de fuir la France pour se mettre en sécurité de l'autre côté de l'Atlantique. L'assemblée des professeurs lui refusa l'honorariat qui, d'ordinaire, est accordé automatiquement.

E. Gilson répondit dans une lettre publiée le 17 février 1951 dans *le Figaro littéraire*. Il corrigeait un certain nombre d'erreurs de son procureur. Ses conférences à Notre-Dame portaient sur Duns Scot et non sur la politique actuelle. Il n'avait rien écrit ni rien dit en public sur le « neutralisme » et se déclarait victime d'une campagne de diffamation, nourrie par « un milieu heureusement restreint mais virulent aux États-Unis contre tout catholique un peu connu qui ne tient pas la guerre contre la Russie pour un devoir sacré, au sens strictement religieux du mot. Puisque « Dieu le veut », plus une politique rend une guerre inévitable, plus cette politique est chrétienne ». Enfin, il précisait ce qu'avait été sa pensée en 1949-1950 : « ... [il] pense dans son cœur qu'on *aurait pu*, à un certain moment, relever la France et même la faire réarmer, sans la lier à une politique extérieure dont elle n'a pas encore les moyens et qui peut d'un jour à l'autre la plonger dans une guerre pour laquelle elle n'est pas prête... »

La polémique se poursuivit entre W. Gurian et E. Gilson sur les propos que celui-ci aurait tenus en privé

— ces propos que l'accusateur n'avait pas entendus lui-même. Ce dernier en appela aux collègues qui lui avaient rapporté le contenu de ces conversations. Le principal témoin, J. Corbett, ne démentit pas, pour l'essentiel, la version des propos, mais il dénonça avec violence le procédé de W. Gurian, responsable d'avoir lancé une campagne publique contre E. Gilson à propos d'opinions exprimées dans un groupe d'amis (*le Figaro littéraire,* 21 avril 1951). Le président de l'Institut médiéval de l'Université de Notre-Dame prit position sans réserve pour E. Gilson et contre W. Gurian.

La polémique se termina par une lettre de E. Gilson dans *le Monde* (22-2-51) et une réponse finale du 8 mars 1951 à une réplique du 4-5 mars 1951 de W. Gurian. Je n'avais et n'ai toujours rien à voir avec une part de cette querelle entre catholiques. La lettre ouverte de W. Gurian, reproduite par *le Figaro littéraire*, était-elle inspirée par un groupe de catholiques « bellicistes », rappelés à l'ordre ensuite par la hiérarchie ? Je n'en sais rien. W. Gurian a-t-il eu tort de donner à des conversations entre amis un retentissement hors de proportion avec leur importance ? A coup sûr.

E. Gilson a-t-il pris sa retraite du Collège de France parce qu'il redoutait une guerre prochaine et s'attendait à une nouvelle occupation ? Je n'en sais rien et nul ne peut l'affirmer puisqu'il avait le droit, entre ses deux activités d'enseignement, l'une au Collège de France et l'autre à l'université de Toronto, de choisir la deuxième.

Tout cela dit, des amis, proches de lui et de moi, ne faisaient pas mystère du sombre pessimisme du philosophe et des paroles — boutades ou non — qu'ils entendirent de sa bouche. Il annonçait la prochaine arrivée des chars soviétiques qui ne se heurteraient à aucune résistance sérieuse en France, abandonnée une fois de plus par les Américains ; ceux-ci, peut-être, la libéreraient ensuite, mais que resterait-il de la France si les élites étaient décimées ? En bref, comme bien d'autres, il crut à la guerre, dans l'atmosphère de quasi-panique provoquée par la campagne de Corée. Il cessa d'ailleurs de plaider pour la neutralité (il refusa le mot neutralisme) à partir d'août 1950, jugeant que les dés étaient jetés et que l'atlantisme l'emportait ; dans sa pre-

mière lettre au *Figaro littéraire*, il évoquait la politique
« qui peut d'un jour à l'autre nous plonger dans la
guerre ».

En ce qui concerne la prétendue accusation d'E. Gilson contre moi, j'ai peine à y croire. Nous avions peu
de relations, mais nous faisions partie, tous deux, de
l'étroite corporation des professeurs de philosophie :
même en désaccord politique, nous ne manquions pas
aux règles de la politesse et de la controverse. Il avait
assisté, en 1945, chez les Dominicains de la rue de La
Tour-Maubourg, à un débat entre Maurice Schumann
et moi : il m'avait donné raison et complimenté. Plusieurs années plus tard, après la crise de la neutralité, il
me dit spontanément qu'il ne prenait *le Figaro* que pour
lire mes articles. W. Gurian avait rapporté avec légèreté
des propos qu'il n'avait pas entendus et que Gilson a
toujours démentis.

J'ai retrouvé une lettre, datée du 15 juillet 1950,
d'Alexandre Koyré, qui se tenait en dehors de toute
politique et qui respectait et admirait l'incomparable
historien de la philosophie médiévale. « Je vous écris
tout d'abord pour vous féliciter d'avoir réagi contre la
propagande défaitiste du *Monde* et de notre maître Gilson qui nous convie, en somme, à une non-résistance et
à une reddition sans phrases — ou — dans l'honneur
— à Staline. Je crois même que vous devriez réagir
d'une manière plus nette et crever le stupide ballon du
neutralisme. Je ne fais pas à Gilson l'injure de croire
qu'il puisse un instant admettre la possibilité d'une
neutralisation armée de la « France seule ». Quant à la
« neutralité » désarmée, je pense que ces messieurs du
Monde savent bien ce que cela veut dire : occupation et
russification. Ou germanisation si c'est la République
populaire allemande qui serait chargée de l'opération.
Qu'ils estiment l'occupation inévitable en tout état de
cause et, de ce fait, une occupation sans guerre préférable à une occupation après défaite, qu'ils le disent. Gilson d'ailleurs le dit — la politique de notre armée ne
peut être que reddition. C'est son droit de le penser.
Tout homme a droit au suicide et tout pays a droit à la
répudiation de son indépendance et de son existence —
il se peut que la France en soit là. Mais il faudrait

qu'on le dise ouvertement. Gilson et *le Monde* sont-ils devenus chrétiens-progressistes ? » Je cite cette lettre afin de restituer, aux lecteurs pour lesquels la guerre froide appartient à l'Histoire, le climat de ces années de désarroi.

Dans une lettre d'André Malraux de la même période (juillet 1950) je lis : « Bainville a raison *mais* ce n'est pas vrai, aujourd'hui, pour tous et il y a des gens qui pensent (vous et moi par exemple) que ce ne sont pas les symptômes d'agonie qui manquent. Étrange pays qui croit assez à la guerre pour stocker des sardines (c'est la principale occupation des Parisiens ici[1]) mais pas assez pour s'occuper de la défense. Vos articles sur la situation, celui qui commençait par Churchill et le suivant étaient excellents. J'espère que vous vous faites injurier. »

Le débat sur le pacte de l'Atlantique prit un tour et un ton tout autres à partir du mois de juin 1950, qui vit le déclenchement de la campagne coréenne. Peut-être le pacte aurait-il entraîné, en tout état de cause, le réarmement de l'Allemagne occidentale ; la guerre chaude en Asie réduisit, pour le moins, le délai entre la reconstruction et le réarmement de l'ex-ennemi. Le débat diplomatique s'amplifia, il engloba la politique mondiale des États-Unis, les rapports entre l'Asie et l'Europe.

Avant même que la décision du président Truman fût connue, je pris position en faveur d'une intervention militaire des États-Unis en Corée, et même d'une intervention immédiate. Dans mon style ordinaire, j'énumérai d'abord les arguments de sens contraire : « On dira que les troupes de la Corée du Nord s'en prennent non à un pays voisin mais à une autre partie d'un même pays. » Je ne me présentai pas en témoin de moralité de la République du Sud, encore que des élections libres y eussent été tenues. « Que le régime de Syngman Rhee soit « réactionnaire », il se peut, mais celui du chancelier Adenauer reçoit le même éloge ou la même injure

_____
1. A. Malraux se trouvait à Concarneau.

de la part des Allemands de l'Est, tout régime anticommuniste ayant droit aux mêmes attaques. Tout cela dit, il ne s'agit pas d'un procès devant le tribunal de la conscience universelle[1], chargé d'établir le bilan des mérites et des démérites des deux États de la Corée, mais d'une épreuve de force. »

Je ne niai pas que la Corée du Sud fût difficile à défendre du jour où un parti communiste s'était emparé de la Cité interdite à Pékin, mais les raisons politiques de sauver la Corée du Sud me paraissaient impérieuses : « Si la Corée du Sud était occupée en quelques jours et si les autorités américaines n'intervenaient pas ou se bornaient à obtenir des décisions vaines au Conseil de Sécurité, les États-Unis achèveraient de perdre la face. La conviction que la force est de l'autre côté, déjà si répandue en Extrême-Orient, deviendra générale. » Je ne mésestimai pas la gravité du choix : « ou bien intervenir dans une guerre civile en un pays lointain, proche des bases ennemies, ou bien subir une humiliation qui achèverait de décourager les hommes et les pays alliés ». Ma conclusion ne laissait aucun doute sur mon jugement : « Un de nos confrères terminait son article par une formule qui résume parfaitement la diplomatie française de 1933 à 1939 : « Il est urgent d'attendre ». On espère que la diplomatie américaine prendra le contre-pied de cette formule ; il est urgent d'agir. En tolérant une telle forme d'agression en 1950, on appellerait en 1952 ou 1953 une agression qui, elle, ne laisserait aucune chance à la paix. » Dans la conversation que j'eus avec le secrétaire d'État Dean Acheson, en décembre de la même année, ce dernier justifia le conseil qu'il avait donné à H. Truman par les mêmes arguments que je développai dans cet article.

Le temps écoulé et les informations depuis lors acquises inclinent-ils à réviser l'analyse ? Nous savons aujourd'hui, de manière presque certaine, que les Chinois ignoraient tout de l'entreprise conçue par Kim Il Sung. Staline, à coup sûr, n'ignorait pas le projet de ce dernier, mais probablement l'a-t-il autorisé plutôt qu'il ne l'a suggéré ou provoqué. De même, nous savons

1. Cette phrase choqua Pierre Brisson.

aujourd'hui que les Chinois sont entrés dans la guerre avec regret, après avoir par deux fois mis en garde le gouvernement de Washington contre une avance des troupes américaines vers le Yallou[1]. Nous avons eu tous tendance à prêter à l'épisode une signification mondiale qu'il n'avait pas, dans l'esprit des acteurs, au point de départ.

Certes, dès cette époque, je n'ignorais pas les divergences probables entre les Soviétiques et les Chinois. La méthode employée par les Soviétiques pour imposer, aux Nations Unies, la reconnaissance de la République populaire de Chine semblait de nature à produire le résultat contraire. Je regrettais que, pour des raisons militaires, les États-Unis fussent amenés à défendre Formose et, du même coup, à ne pas établir de relations normales avec Pékin, à maintenir la fiction d'une Chine représentée par le gouvernement nationaliste, chassé du continent. Spéculations qui, toutes, furent démenties par l'ironie de l'Histoire. En apparence, les États-Unis acculaient la Chine de Mao à l'alliance avec Moscou. Or, dès 1960, les Soviétiques retiraient leurs techniciens de Chine et laissaient, abandonnés, les cent soixante projets industriels qu'ils avaient commencés.

Communistes mis à part, l'intervention américaine ne fut pas sévèrement critiquée en France[2], au moins dans l'immédiat. Ce qui relança le débat sur la neutralité ou lui donna une âpreté nouvelle, ce fut la volonté américaine du réarmement européen et, partant, la crainte d'un « bellicisme » des États-Unis le jour où le réarmement leur aurait assuré une incontestable supériorité. Les adversaires du pacte de l'Atlantique qui déploraient la veille que le texte ne fût pas assez contraignant, exprimèrent le lendemain la crainte d'être entraînés par l'impétuosité américaine dans une guerre qui ne les concernerait pas.

Jusqu'au 25 juin 1950, la formule que j'avais mise en

_____

1. Je renvoie le lecteur à mon livre, *République impériale, les États-Unis dans le monde, 1945-1972* (Calmann-Lévy, 1973).
2. On reprocha cependant à Dean Acheson d'avoir encouragé l'agression en ne mentionnant pas la Corée du Sud parmi les positions américaines en Asie qui seraient défendues.

titre du premier chapitre du livre *le Grand Schisme,* « paix impossible, guerre improbable », demeura l'idée directrice de mes commentaires. Après le 25 juin, pendant quelques mois — et je l'écrivis dans le livre suivant, *les Guerres en chaîne* — je redoutai que la guerre devînt moins improbable (selon les jours, selon mon humeur, j'évaluais d'autre manière l'improbabilité). Je n'ai jamais, à la différence de quelques commentateurs américains, interprété l'épisode coréen comme la première étape d'un plan global de conquête, conçu en commun par Staline et Mao. La réplique américaine réfutait un des arguments utilisés par les adversaires du pacte de l'Atlantique : en Corée les Américains honoraient leurs engagements, au-delà des promesses consignées noir sur blanc. Les revers militaires des Américains, durant les premières semaines, puis en novembre à la suite de l'intervention des « volontaires » chinois, contribuèrent au défaitisme, par instants à la panique en Europe.

La presse d'Allemagne orientale et d'Union soviétique menaçait le chancelier Adenauer du sort qui frappait Syngman Rhee. Les autorités communistes de la République démocratique allemande avaient déjà organisé une police qui, encasernée, ressemblait à une armée. L'inégalité de force entre les deux armées coréennes, au nord et au sud, imposait une comparaison entre les deux « polices » de l'est et de l'ouest de l'Allemagne. Simultanément, se trouvaient posées les trois questions du réarmement américain, européen, allemand.

L'argument en faveur du réarmement américain s'imposait sans peine à tous les Français, communistes mis à part. Les États-Unis possédaient seulement, en 1950, quelques bombes atomiques (très peu) et l'expérience suggérait qu'une menace nucléaire ne suffisait pas à dissuader de n'importe quelle agression un petit État communiste étroitement lié à Moscou. Après la science-fiction qui décrivait la paix par la terreur et la disparition des gros bataillons, l'Histoire surprit une fois de plus les acteurs. Cinq années après la fin de la grande guerre, les GI combattaient, à des milliers de kilomètres de leur patrie, contre l'armée d'un demipays, équipée par leur ex-allié. Les dirigeants de Washington tirèrent de l'événement une leçon valable : ils avaient vécu dans l'illusion. Quelques bombes atomiques et le potentiel industriel américain ne suffisaient pas à sauvegarder la paix à travers le monde. Les États-Unis découvraient leur rôle impérial et ses obligations. Ils devaient renoncer à leur tradition : le minimum de forces militaires en temps de paix, un effort de mobilisation totale dès que la guerre est déclenchée. La paix belliqueuse, les obligations internationales, héritées pour partie de l'empire britannique, condamnaient la République américaine à maintenir en permanence un appareil militaire substantiel.

La question du réarmement européen souleva d'autres controverses. Le relèvement économique des pays européens ne devait-il pas recevoir la priorité ? Un réarmement massif paralyserait la reconstruction ; un réarmement symbolique ne modifierait pas le déroulement de la guerre éventuelle. Certains critiques reprenaient la thèse qui avait été celle du sénateur Taft ; au lieu d'un traité d'assistance mutuelle, les États-Unis se déclareraient unilatéralement garants de la sécurité européenne. Du coup, sous la protection américaine, les Européens mèneraient à bien leur relèvement avant de se donner les moyens de se défendre. La thèse de R. Taft, soutenue par certains adversaires du pacte de l'Atlantique, perdit toute audience après juin 1950 : à la lumière de la campagne coréenne, l'objection majeure contre le pacte — les États-Unis pourraient éventuellement nous libérer mais non nous épargner l'occupation — portait encore davantage contre la solution Taft.

De même que les gouvernements européens avaient pris l'initiative du pacte de l'Atlantique ou, du moins, avaient demandé aux dirigeants de Washington un traité de cet ordre, ils souhaitèrent, autant que les Américains, l'OTAN, autrement dit l'organisation du traité de l'Atlantique Nord, le commandement intégré inclus. La question du réarmement européen était posée et, du même coup, celui de la République fédérale allemande.

A l'automne de 1950, Dean Acheson lança le projet du réarmement de la RFA à un moment où les troupes américaines combattaient durement l'armée nord-coréenne, équipée par l'Union soviétique. Les gouvernants français, René Pleven et Robert Schuman, face à cet impératif, s'ingénièrent à éluder le *oui* ou le *non* catégorique. Ils jugeaient à juste titre que l'opinion française n'accepterait pas la reconstitution d'une Wehrmacht, défaite cinq ans auparavant par une coalition écrasante. D'un autre côté, ils hésitaient à refuser une mesure qui répondait à la logique de la conjoncture, et non pas à une foucade des dirigeants américains. La proposition d'armée européenne, accueillie d'abord avec soupçon à Washington, fut adoptée par la diplomatie commune des Occidentaux, à tel point que J. F. Dulles menaça la France, en 1954, d'une « révision déchirante » si l'Assemblée nationale refusait de ratifier le traité de la CED, ratifié déjà par les parlements de nos partenaires.

L'entreprise d'unification européenne, dont Jean Monnet fut l'inspirateur et l'infatigable artisan, avait été lancée en mai 1950, avant le déclenchement de la campagne de Corée, dans un climat tout autre que celui du mois de septembre de la même année, quand le réarmement de l'Allemagne fut mis à l'ordre du jour. Je garde un souvenir précis de l'exposé fait par Étienne Hirsch à quelques journalistes. Aucune allusion à la menace soviétique, à la défense de l'Europe occidentale : le collaborateur de Jean Monnet mettait l'accent sur la rivalité russo-américaine qui risquait de conduire le monde à une guerre, si les Européens ne s'interposaient pas entre les deux géants, entraînés par la passion dans une course à l'abîme. E. Hirsch n'évoquait ni une troisième force ni à proprement parler la neutralité : la construction de l'Europe servirait de tampon entre les deux Grands plutôt que de renforcement de l'un des camps. Il s'exprimait apparemment avec sincérité ; la présentation du projet devait, à coup sûr, apaiser des oppositions prévisibles, elle mettait en lumière une des fonctions possibles de l'œuvre projetée.

L'idée et la propagande européennes ne naquirent pas avec le pool charbon-acier. Le plan Marshall avait obligé les Européens, Allemands inclus, à travailler en commun, à s'accorder sur la répartition des capitaux que les États-Unis leur donnaient ou prêtaient. Là

conférence de La Haye, en 1948, qui fut à l'origine de
l'Assemblée européenne, réunit une galerie impressionnante d'hommes d'État, d'avant et d'après-guerre.
Quelques détails me restent présents à l'esprit.

Le matin, je me promenai dans les rues de la ville et
j'aperçus Édouard Daladier, seul, oublié ou ignoré par
les membres de la Conférence, lui qui, en 1938-1939,
assumait les responsabilités suprêmes. J'allai vers lui et
j'entamai la conversation. Il fut sensible au geste d'un
journaliste qu'il connaissait à peine et qui, à cette date,
représentait surtout *le Figaro*. Les hommes de la guerre,
Winston Churchill, Paul Reynaud, prirent part aux
débats avec une apparente passion. Paul Reynaud
plaida en faveur de l'élection de l'Assemblée européenne au suffrage universel ; les Britanniques, Duncan
Sandys en tête, répliquèrent que, même dans une
assemblée sans responsabilité, ils se refusaient à la
démagogie, ils ne recommanderaient pas une mesure
qu'ils tenaient pour irréalisable. Paul Reynaud, impavide, mena la bataille jusqu'au bout, et fut, bien
entendu, mis en minorité. Le dernier jour, un petit
groupe d'inspiration fédéraliste se refusa à voter pour
la motion finale. W. Churchill intervint, sur un ton
presque pathétique, afin que se rétablît l'unanimité.

Je suivis ces débats sans y participer, incapable de
me mobiliser dans ces tournois d'éloquence. Nous
n'étions mandatés par personne ; ceux même qui
avaient été délégués par un mouvement ou par un parti,
ne représentaient qu'eux-mêmes. Majorité et minorité,
dans les commissions, ne signifiaient rien. La Conférence tout entière relevait de la propagande, au sens
noble du terme, de l'art de la persuasion non clandestine.

C'était le printemps de l'Europe unie, rêvée et toute
proche, les moins portés à l'utopie s'abandonnaient à
de glorieuses espérances. Qui se rappelle la brochure de
Michel Debré en faveur de la République européenne,
brochure qui contenait les articles d'une Constitution ?
Celle-ci prévoyait une présidence des États-Unis
d'Europe qui, de toute évidence, reviendrait au général
de Gaulle. Conviction sincère ou surenchère d'opposant ? Dans le petit livre que Michel Debré avait rédigé

en collaboration avec E. Monick pendant la Résistance, l'unité atlantique tenait la première place.

Par quels détours cet avocat d'une République européenne devint-il le procureur contre une communauté qui ne concernait que le charbon et l'acier et ne comportait qu'une faible dose de transfert de souveraineté ? La brochure de 1950 laisse le lecteur d'aujourd'hui interdit : elle dénonçait les retards de l'unification européenne et en rejetait la responsabilité sur les hommes au pouvoir. Faut-il dire que le noir devenait blanc et le blanc noir selon que le Général fût ou non au pouvoir ? Passionné, enclin à pousser ses opinions du moment à l'extrême, M. Debré n'hésita pas à concevoir une République fédérale des États européens, quitte à reculer ensuite devant l'amputation de la souveraineté nationale et à subordonner à son jacobinisme ses velléités atlantiques et européennes [1].

Le pool charbon-acier fut ratifié par l'Assemblée nationale, sans être approuvé par les députés RPF, mais le général de Gaulle n'avait pas alerté l'opinion comme il le fit dans deux circonstances, à l'occasion de la déclaration finale de la Conférence de Londres qui annonçait la formation de la trizone, donc de la République fédérale allemande, une deuxième fois à l'occasion du traité créant une communauté européenne de défense ou, selon le terme courant, une armée européenne.

Jean Monnet et René Pleven ne souhaitaient pas lier à l'entreprise d'unification européenne le réarmement allemand. Ils y furent amenés par les circonstances, dans l'espoir tout à la fois de retarder la décision sur le réarmement de la RFA et de trouver dans les partisans

---

1. Dans une déclaration du 17 août 1950, le général de Gaulle s'exprimait ainsi : « Nous avons à rassembler l'Europe. L'actuel Conseil de Strasbourg ne le fera pas, lui qui n'a pas de mandat européen valable. Il y faut comme base une entente pratique franco-allemande, car sur notre vieux continent, c'est là que sont pour l'essentiel les réelles possibilités stratégiques et économiques. Il y faut aussi des institutions européennes procédant du vote direct des citoyens de l'Europe et disposant dans les domaines de l'économie et de la défense, de la part de souveraineté qui leur sera déléguée par les États participants. Il y faut, enfin, un système de défense commun dont il appartient normalement à la France de tracer le plan et de désigner le chef, tout de même que cette prééminence revient aux États-Unis sur le théâtre du Pacifique, à l'Angleterre sur celui d'Orient... »

de l'unité européenne un renfort de députés susceptibles de ratifier à l'Assemblée le réarmement allemand. Ils se trompèrent : aux adversaires de ce réarmement s'ajoutèrent les adversaires d'une organisation supranationale, qui enlevait à l'État français la responsabilité exclusive de ses forces armées et subordonnait les forces « européennes » aux ordres d'un général américain.

Personnellement, dès le 22 novembre 1952, je mis en garde mes amis du « parti européen ». Je jugeai inévitable le réarmement de l'Allemagne, mais la méthode choisie prêtait à d'évidentes critiques. Faute de gouvernement européen, cette armée obéirait à un commandement non européen, en fait américain. Comment la France pouvait-elle entretenir simultanément des divisions soumises au commissariat européen et des divisions destinées à l'outre-mer et relevant de la responsabilité exclusive de l'État français ? A force de précautions pour empêcher la reconstitution d'une armée allemande, la Communauté européenne de défense parviendrait-elle jamais à s'unir en un tout cohérent, capable de combattre ?

En privé, dans les conversations, je tenais un langage plus brutal. De toute évidence, le réarmement allemand, imposé par le contexte diplomatique, pouvait s'insérer ou bien dans le cadre européen ou bien dans le cadre atlantique. A mes amis américains, je répétais qu'au lieu de s'engager sans réserve pour la CED, ils devraient dire ouvertement qu'il appartenait aux Européens eux-mêmes de choisir entre la CED et l'intégration de l'armée allemande dans l'OTAN. La première de ces deux solutions avait toutes les chances d'être rejetée par la coalition des adversaires de l'Europe supranationale et des adversaires du réarmement allemand. La deuxième serait peut-être aussi rejetée si elle était présentée avant l'autre à l'Assemblée nationale ; elle serait acceptée par résignation si la CED avait été écartée auparavant par les députés.

Les Européens de stricte observance s'étonnèrent de ma froideur ; l'un d'eux me dit que mes prises de position étaient finalement imprévisibles. Le réquisitoire prononcé par le général de Gaulle, le 25 février 1953, contre la CED ne pouvait pas ne pas impressionner les simples citoyens comme les députés : « Pour qu'il y ait l'armée européenne, c'est-à-dire l'armée de l'Europe, il faut d'abord que l'Europe existe, en tant qu'entité politique, économique, financière, administrative et, par-dessus tout, morale, que cette entité soit assez vivante, établie, reconnue pour obtenir le loyalisme congénital de ses sujets, pour avoir une politique qui lui soit propre et pour que, le cas échéant, des millions d'hommes veuillent mourir pour elle. Est-ce le cas ? Pas un homme sérieux n'oserait répondre oui. » Et le général de Gaulle rappelait tout ce qu'il avait accompli pendant la dernière guerre grâce à l'autorité maintenue par le gouvernement sur ses forces armées : « Kœnig n'aurait pas été à Bir-Hakeim, Juin n'aurait pas joué en Italie le rôle que l'on sait, Leclerc n'aurait pas pris le Fezzan et n'aurait pas été lancé, quand il le fallait, sur Paris, de Lattre n'aurait pas défendu l'Alsace, ni passé le Rhin et le Danube, Larminat n'aurait pas réduit les poches de l'Atlantique, Doyen ne se serait pas assuré de Tende et de La Brigue, le corps expéditionnaire ne serait jamais parti pour l'Indochine... »

Le débat sur la CED se poursuivit pendant plus de deux années, entre le moment où le texte du traité fut connu et le vote de l'Assemblée nationale qui écarta même la discussion sur le fond du projet. A l'appel pathétique d'Édouard Herriot à demi paralysé, une majorité vota une question préalable. La CED fut enterrée sans que ses partisans eussent l'occasion de plaider leur cause.

Le Figaro, à l'instigation de Pierre Brisson lui-même, prit la tête de la croisade pour l'unité européenne, la CED, les idées de Jean Monnet. Personnellement j'entretins avec ce dernier d'excellentes relations, mais je ne lui dissimulai pas mes objections contre la CED, projet d'une armée européenne, qui serait probablement inefficace et qui, dans l'immédiat, divisait la majorité atlantique. J'avais dit un jour à Robert Schuman, précisément à propos de la CED : « Vous ne voulez pas des Allemands comme alliés, vous les acceptez comme compatriotes. » Un peu surpris par cette formule, il hésita un instant et répondit finalement : « Pourquoi pas ? »

Ce grand débat — un de plus — ranima les passions antigermaniques de certains Français. Les souvenirs historiques, depuis Arminius jusqu'à Hitler en passant par Bismarck, remontèrent à la surface. Les gaullistes, Jacques Soustelle et Michel Debré en tête, menèrent une campagne furieuse contre la CED. Le premier, je crois, tint des réunions publiques avec les communistes. Le deuxième trouva la formule de polémique la plus frappante : la CED refait l'armée allemande et défait l'armée française.

Le débat servit pour ainsi dire de catharsis, il purifia les Français de leurs « humeurs peccantes », des ressentiments accumulés au cours du siècle d'hostilités contre « l'ennemi héréditaire ». Quand les Assemblées votèrent en faveur de la création d'une armée allemande, intégrée dans l'OTAN, ni dans la classe politique ni dans l'opinion publique le débat ne se prolongea. Les Français avaient finalement préféré la reconstitution d'une armée allemande à la fusion de l'armée française dans une armée européenne. Auraient-ils fait ce choix si les deux branches de l'alternative lui avaient été présentées simultanément ou dans l'ordre inverse ?

Que reste-t-il du débat des années 50 qui puisse intéresser les Français des années 80 ? La discussion, en dehors du problème de l'armée européenne, portait sur le « danger allemand », à terme sinon dans l'immédiat. Sous des formes diverses, le même argument revenait : à la différence des autres États d'Europe occidentale, la République fédérale allemande demeure un État « revendicateur » et non pas satisfait ou comblé : revendication de l'unité d'une part, revendication des territoires annexés par la Pologne à l'est de la ligne Oder-Neisse. A l'occasion de la campagne contre la CED, Jacques Soustelle découvrit et souligna les origines polonaises de Breslau, ville germanisée depuis des siècles et redevenue Wroclaw après 1945.

Selon un premier scénario, tout aussi invraisemblable aujourd'hui qu'il y a vingt-cinq ans, la RFA entraînerait la France dans un conflit déclenché à seule fin de recouvrer ce qu'elle avait perdu en 1945. L'Allemagne de l'Ouest, même quelque peu réarmée, ne remontait pas au niveau des grandes puissances, encore moins à celui des superpuissances. L'idée que la République de Bonn, telle qu'elle apparaissait en 1954 (ou telle qu'elle apparaît en 1982), pût se lancer dans une reconquête par les armes ne méritait pas d'être prise au sérieux.

Un autre scénario, en revanche, appelait la réflexion. Le rapprochement de la RFA avec Moscou dans l'intérêt national des Allemands ne constituait pas, en 1953, un danger immédiat, mais, à terme, il ne manquait pas de plausibilité. De qui, sinon de Moscou, les gouvernants de Bonn pouvaient-ils espérer une amélioration des rapports entre les deux États allemands ? Les adversaires de la CED présentaient l'argument sous la forme la plus invraisemblable ; un nouvel accord de Rapallo ou un nouveau pacte germano-soviétique, un nouveau partage de la Pologne. A quoi j'objectai que la soviétisation d'un tiers des Allemands, en RDA, assurait à Moscou tout à la fois une protection contre une attaque venant de l'ouest et une base d'offensive en direction de l'ouest d'une valeur incomparable. Le Kremlin, à moins d'y être contraint, ne sacrifierait pas Pankow, pas plus que Bonn ses libertés. Certains historiens pensent qu'au lendemain de la mort de Staline, Béria et d'autres membres du *politburo* avaient envisagé une Allemagne unifiée et neutralisée. En 1982, la RFA, sans déserter l'Alliance atlantique, hésite à déplaire aux Soviétiques qui tiennent entre leurs mains des millions d'otages. Ajoutons que le réarmement de 1955 n'influa d'aucune manière, ni dans un sens ni dans l'autre, sur la diplomatie de Bonn ou de Moscou.

La querelle sur le pacte de l'Atlantique et le réarmement de l'Europe, RFA incluse, se termina en 1954-1955, alors que la guerre d'Indochine et les troubles d'Afrique du Nord occupaient le devant de la scène. Pierre Mendès France eut le mérite de négocier les accords de Genève à l'ombre de Diên Biên Phu et, après le rejet de la CED, de mettre en train la solution de remplacement.

J'ai parcouru les articles que j'ai publiés dans *le Figaro* pendant les mois du gouvernement PMF pour confirmer ou infirmer la légende selon laquelle je l'aurais âprement critiqué. En fait, sur l'essentiel, je lui donnai raison. Pierre Brisson prit la plume pour approuver le voyage spectaculaire de Pierre Mendès France à Tunis, qui annonçait l'autonomie interne. Moi-même je ne cessai d'approuver l'orientation « libérale » de la politique inaugurée à l'égard des protectorats d'Afrique du Nord. Quand les accords de Genève furent signés, mon article eut pour titre « Un pari bien gagné » et j'y félicitai PMF des résultats obtenus. Les clauses de l'accord, en fonction de la conjoncture militaire et politique, ne pouvaient pas être meilleures[1]. Bien plus, le 28 octobre 1954, je jugeai que la responsabilité de PMF dans le rejet de la CED était limitée et j'approuvai les démarches faites par le gouvernement pour obtenir de l'Assemblée l'approbation de la formule de remplacement, à savoir la formation d'une armée allemande dans le cadre de l'OTAN.

Mes réserves ou mes critiques portèrent sur le pari des trente jours (ou bien l'accord sera conclu à Genève dans les trente jours qui viennent, ou bien je reviens devant vous pour me retirer ou pour envoyer en Indochine les soldats du contingent). Ce pari, sans lequel PMF n'aurait peut-être pas été investi par l'Assemblée, comportait des périls évidents : l'existence du gouvernement français dépendait dès lors des Nord-Vietnamiens ou plutôt des Soviétiques et des Chinois. Si PMF gagnait son pari, il devenait suspect aux yeux du Parti atlantique ou européen : les Soviétiques auraient assuré son succès afin qu'il liquidât la CED. Le fait est que, surtout après le rejet de la CED, il perdit la confiance d'Adenauer, des « monnettistes », du MRP. Je lui ai reproché aussi, sur le moment, de se tenir en dehors du débat prévu à l'Assemblée sur la CED. Critique quelque peu injuste que j'atténuai bientôt en écrivant le 3 septembre 1954 : « La CED était moribonde quand PMF est devenu président du Conseil, il aurait probablement pu la sauver s'il l'avait fermement voulu... » Je

---

1. Dans ses *Mémoires*, Khrouchtchev affirme qu'il fut agréablement surpris par les propositions de PMF. Il n'espérait pas tant. Cette version des événements ne me convainc pas.

ne suis pas sûr aujourd'hui qu'il aurait pu sauver la CED, même s'il l'avait voulu. Mais les attaques des « Européens » contre lui, lorsqu'il tenta d'arracher aux Cinq quelques révisions supplémentaires, ruinèrent les dernières chances. Les partisans les plus résolus de Mendès France se comptaient parmi les adversaires de la CED et même du réarmement de l'Allemagne. On ne pouvait lui demander de combattre sans réserve pour un traité qu'il n'approuvait probablement pas au fond de lui-même. Un autre reproche que je lui adressai, ce fut de privilégier les relations avec la Grande-Bretagne aux dépens des rapports avec la RFA.

L'article intitulé « L'échec des rassemblements », après la chute de PMF, ne témoigne certes pas d'hostilité à l'égard de l'homme ou de l'homme d'État : « PMF a rendu des services au pays : il a conclu l'armistice en Indochine auquel aspirait la nation entière, il a pris l'initiative de négociations avec le Néo-Destour — initiative courageuse sur laquelle on ne peut plus revenir et qui marque la seule voie d'avenir. Mais sur les sujets qui, au même titre que l'Afrique, dominent notre destin — relations avec l'Est, politique européenne —, on ne sait s'il avait à l'avance des idées arrêtées, on ne sait pas après expérience quelles sont ses intentions profondes. » Je n'ai jamais rendu un pareil hommage à aucun autre président du Conseil de la IVᵉ République. J'expliquai ensuite qu'il avait été victime d'un « amalgame politico-passionnel » : « Autour de lui s'étaient ralliés tous les opposants — qui voulaient les uns la paix en Indochine, d'autres des réformes en Afrique du Nord, d'autres une négociation avec Moscou, d'autres la liquidation de l'intégration européenne, d'autres encore davantage de gouvernement et d'autorité. Il n'y a aucun lien raisonnable entre ces divers souhaits. Un atlantiste n'a pas plus de raison d'approuver la déposition de l'ancien sultan du Maroc qu'un neutraliste. » Après avoir présenté PMF en victime de sa majorité hétéroclite, je conclus « qu'il serait lamentable qu'il n'eût plus d'autre occasion de manifester les dons exceptionnels que personne ne lui conteste »... PMF n'eut plus d'autre occasion, mais par sa faute et non par la faute de ses adversaires. Il n'accepta jamais le retour du général de Gaulle au pouvoir par un quasi-coup d'État et il n'accepta jamais la Constitution de la Ve. *Le Figaro* n'y fut pour rien, moi non plus.

En 1955, l'évolution commencée en 1948 par le plan Marshall ou en 1949 par le traité de l'Atlantique Nord aboutit à son terme : une Allemagne, redevenue souveraine et armée, appartenait à l'OTAN cependant que, de l'autre côté, s'organisait officiellement, conformément au pacte de Varsovie, l'unité des armées des pays de l'Europe orientale sous la direction politique et militaire de l'Union soviétique... Vingt-sept ans plus tard, les deux blocs continuent de se faire face. Avons-nous laissé passer des occasions ? La politique que j'ai soutenue de mon mieux était-elle la seule, la meilleure possible ?

Il existe aujourd'hui encore des nostalgiques de la CED. En refusant *leur* armée, l'armée européenne, les Européens ont choisi l'armée américaine, la protection par les États-Unis, et, du même coup, ils ont aliéné pour longtemps leur autonomie. A l'époque, le débat ne prenait pas cette signification puisque la CED, conçue par Jean Monnet et René Pleven, servait, tout à la fois, à différer le réarmement de l'Allemagne et à le rendre acceptable à l'opinion française. Par-dessus le marché, les « monnettistes » y voyaient un moyen de relancer l'idée européenne, illustrée quelques mois plus tôt par le pool charbon-acier. La CED succomba à la coalition de ceux qui refusaient le réarmement de la RFA et de ceux qui détestaient l'armée européenne. A cette époque, les troupes françaises guerroyaient encore en Indochine ; les révoltes algérienne et marocaine allaient, à leur tour, éclater. Comment créer une communauté avec l'armée allemande si le gros de la nôtre se trouvait en dehors de la métropole ?

Je n'ignore pas la réponse des partisans de la CED, par exemple Hervé Alphand qui, par formation et par tempérament, n'était certes pas enclin aux utopies. Le détail des textes importait moins que l'idée, le principe, le projet. L'expérience aurait peu à peu corrigé les textes. Les dimensions d'un détachement allemand homogène n'auraient pas été longtemps limitées par les clauses du traité ; les exigences de l'efficacité l'auraient emporté sur les compromis des diplomates. Sur le papier, la CED se présentait comme une fraction de l'armée atlantique, elle-même sous commandement américain. Rétrospectivement, peut-on imaginer que la CED aurait été le germe d'une défense européenne, peu à peu libérée du commandement américain ? Aujourd'hui encore, j'ai peine à croire que l'échec de la CED marque une date historique, une abdication européenne, le consentement à la protection américaine pour une durée indéfinie.

Sur la cristallisation des deux blocs militaires en Europe, je me sens moins assuré. Je voudrais d'abord évoquer une discussion qui eut lieu en janvier 1958, organisée par le *Congrès pour la liberté de la culture,* à laquelle prirent part, selon les *Mémoires* de G. Kennan[1], Denis Healey, Joseph Alsop, Sidney Hook, Richard Löwenthal, Carlo Schmid, Denis de Rougemont et moi. Je me souviens de cette table ronde mais je m'en tiens à la version qu'en donne G. Kennan qui disposait à coup sûr du compte rendu de la séance.

G. Kennan avait prononcé à la BBC les *Reith Lectures,* conférences annuelles confiées à une personnalité de haut niveau. Il y avait plaidé une cause hérétique, à savoir le retrait des troupes américaines d'Allemagne à la condition d'une évacuation semblable de l'Europe orientale par les troupes soviétiques. Le désengagement simultané des Américains et des Soviétiques constituait le cœur de ces conférences. La thèse s'accompagnait d'autres propositions, elles aussi contestables : les Européens ne chercheraient pas à se doter d'un appareil militaire comparable à celui de l'Union soviétique ; ils se prépareraient à une résistance et à la guérilla qui dissuaderait les Soviétiques de toute velléité d'agression.

Selon le résumé de Kennan dans ses *Mémoires,* j'élevai deux objections majeures. La situation, dis-je, est effectivement anormale ou absurde, mais clairement

---

1. Voir note en fin de chapitre, p. 392.

délimitée : chacun sait où se trouve la ligne de démarcation. Quand quelque chose bouge de l'autre côté du rideau de fer, rien ne se passe de notre côté. Un partage net de l'Europe est considéré, à tort ou à raison, comme moins dangereux que tout autre arrangement. En d'autres termes, une situation équivoque créerait plus de dangers que cette situation anormale.

G. Kennan, qui, à l'époque, appartenait encore au service diplomatique, déplorait l'hypocrisie des hommes d'État qui, à Bonn ou à Washington, prétendaient avoir pour but l'unification de l'Allemagne alors qu'en fait ils s'accommodaient volontiers du *statu quo.* L'indignation de Kennan me stupéfie, aujourd'hui encore. Les hommes d'État occidentaux ne disposaient d'aucun moyen pour contraindre les Soviétiques à tolérer des élections libres sur le territoire de la RDA. Simultanément, ils ne jugeaient ni utile, ni nécessaire d'accepter légalement ou politiquement le *statu quo,* à savoir la présence des troupes soviétiques à deux cent cinquante kilomètres du Rhin. Ils refusaient par principe le partage de l'Allemagne et de l'Europe, sans ignorer que ce refus contribuait à le maintenir. Quelques années plus tard, quand le général de Gaulle s'efforça de rompre avec cet immobilisme, j'écrivis que le *statu quo* serait déstabilisé du jour où il serait reconnu. Les conséquences de la *Ostpolitik* et des accords d'Helsinki confirment cette analyse. Les Allemands, le chancelier Schmidt tournent leurs regards vers l'est depuis que le statut territorial de l'Europe, issu de la guerre, a été solennellement accepté.

Dans la discussion avec Kennan, je me contentai de dire qu'il s'agissait de choisir entre les risques — les risques du partage et les risques d'une politique qui tendrait à surmonter l'actuel partage. J'ajoutai que mon évaluation des risques me laissait « pour une fois, par accident et avec grand regret, du côté des hommes d'État » et non du côté de Kennan.

La deuxième objection concernait la portée du retrait des troupes soviétiques, contrepartie du retrait des troupes américaines. Il me paraissait évident, après l'expérience de la Révolution hongroise, en 1956, que les troupes soviétiques n'hésiteraient pas à rentrer dans les pays socialistes qu'elles auraient évacués, si le régime conforme à leur idéologie se trouvait en péril. « Je ne fus pas impressionné par cet argument contre mes conférences, écrit G. Kennan, parce que, personnellement, je n'aurais pas tenu pour acceptable un accord sur le désengagement qui n'aurait pas donné des assurances contre de tels événements et les sanctions qu'ils auraient impliquées, mais je dois aujourd'hui, rétrospectivement, accorder à Aron le crédit d'une très remarquable intuition prophétique car, en présentant son argument, il offrit, dix années avant l'événement, une formulation classique de la doctrine de Brejnev, affirmée publiquement par Brejnev lui-même sous le coup des tensions de la crise tchécoslovaque de 1968. Les Russes, dit Aron, ont formulé une nouvelle doctrine, que j'appellerais une *Sainte-Alliance*. Elle consiste dans le droit d'apporter une « aide désintéressée » à n'importe quel gouvernement communiste menacé par la « contre-révolution ». Mes propos de 1958 ne méritaient pas toutes les louanges dont Kennan les honora. Après l'expérience de Hongrie, il n'était pas besoin d'une intuition prophétique *(prophetic insight)* pour prévoir que le Kremlin réoccuperait un pays dit socialiste, même auparavant évacué, si la révolte, baptisée par définition contre-révolutionnaire, risquait d'abattre ou de désoviétiser le régime. Ce qui me frappe, c'est la confiance de Kennan dans un accord russo-américain de désengagement. L'accord ne serait jamais officiellement violé, puisqu'il se trouverait toujours un « gouvernement ouvrier-paysan » qui appellerait au secours les alliés du pacte de Varsovie.

Tout cela dit, les *Reith Lectures,* relues aujourd'hui, posent encore une question qui concerne l'ensemble de la politique américaine de 1949 à 1955 — politique d'ailleurs inspirée à l'origine par les Européens eux-mêmes. De l'Alliance atlantique on en vint logiquement à l'organisation de la défense européenne, puis au réarmement de la RFA, donc finalement à la cristallisation des deux blocs militaires et au maintien du partage de l'Allemagne et de l'Europe. Une autre politique était-elle possible et quand le choix a-t-il été fait de manière irréversible ?

Reportons-nous par la pensée à 1949, la date de la signature du pacte de l'Atlantique Nord : l'Europe de l'Ouest, composée d'États vaincus ou épuisés, constituait un vide. L'Union soviétique, elle aussi, avait subi d'énormes pertes pendant la guerre, elle ne devait pas, selon la raison, prendre le risque d'une grande guerre contre les États-Unis, le seul des belligérants sorti non pas seulement intact mais renforcé de l'épreuve. A l'époque ces raisonnements, en eux-mêmes convaincants, ne dissipaient pas tous les doutes. Les Soviétiques avaient imposé leur autorité et leur régime à tous les pays de l'Europe orientale : s'ils ne rencontraient pas de résistance, pourquoi s'arrêteraient-ils d'eux-mêmes ? Une garantie unilatérale que les États-Unis auraient accordée à l'Europe occidentale dans une déclaration solennelle, authentifiée par le Congrès, n'aurait-elle pas suffi à rassurer les Européens et à dissuader les Soviétiques de toute agression ? Objection rétrospective et peu convaincante. Que l'on se rappelle les articles d'Étienne Gilson, les discours du général de Gaulle : les obligations des signataires du pacte de l'Atlantique Nord, des États-Unis en particulier, n'étaient pas assez clairement consignées dans le texte. Qu'auraient dit les critiques du pacte si une déclaration solennelle avait pris la place du traité ?

Ajoutons à ces spéculations sur le passé une remarque de bon sens, trop souvent oubliée : la politique du plan Marshall et du pacte de l'Atlantique fut un succès éclatant pour les Européens de l'Ouest. Même la France, en dépit des guerres coloniales, participa au relèvement spectaculaire du Vieux Continent. Dira-t-on que cette politique sacrifia les Européens de l'Est et les abandonna à leur sort ? La passivité des Occidentaux en 1956, au moment de la révolution hongroise, n'est pas imputable au pacte de l'Atlantique, mais au refus des dirigeants américains d'intervenir. L'expédition franco-anglaise de Suez, déclenchée alors même que les Hongrois offraient le premier exemple d'une révolution antitotalitaire, ne facilitait pas la diplomatie américaine. Mais, selon toute probabilité, cette dernière n'eût pas été différente, si les Franco-Anglais ne s'étaient pas lancés dans leur absurde équipée. Dès 1956, en dépit du bavardage sur la « libération » en lieu et place de « l'endiguement », les dirigeants des États-Unis n'envisageaient pas de recourir aux moyens militaires pour soutenir les dissidents ou les insurgés dressés contre un régime soviétique à l'est de l'Europe. Comme à la fin des guerres de religion, la carte politique se confondait avec la carte idéologique : à l'est d'une ligne de démarcation régnait le marxisme-léninisme, à l'ouest l'idée démocratico-libérale.

J'ai choisi pour date charnière 1955 — à savoir la formation des deux coalitions militaires ; j'aurais pu retenir l'année 1956 : la révolte des Hongrois et l'expédition franco-anglaise, la connivence soviéto-américaine, au moins en apparence, chacun des deux Grands rappelant à l'ordre ses alliés. Les Hongrois perdaient tout espoir de se libérer par la force, la Grande-Bretagne toute illusion d'appartenir encore au nombre des grandes puissances.

Plus d'un quart de siècle plus tard, les Occidentaux regrettent-ils les décisions prises entre 1949 et 1955 qui modelèrent le monde dans lequel nous vivons encore ? S'ils se rappellent les « trente glorieuses », les années d'une expansion économique sans précédent, pourquoi s'accuseraient-ils d'aveuglement ? Trente années de réussite justifient les décisions politiques. L'état de l'Alliance atlantique ou de l'Occident, un quart de siècle après la cristallisation des deux blocs militaires en Europe, ne condamne pas l'œuvre des bâtisseurs, Truman, Acheson, Eisenhower, de l'autre côté de l'Atlantique, Jean Monnet, Robert Schuman, Adenauer, de Gasperi chez nous.

On peut reprocher aux Américains de n'avoir rien tenté pour « libérer » l'Europe orientale quand ils disposaient d'une évidente supériorité militaire, mais les Européens, à l'époque, redoutaient le bellicisme et non la passivité de leur protecteur. Pour le reste, les événements qui nourrissent l'actuel pessimisme ne découlent en rien des choix faits pendant la guerre froide. Ni la guerre du Vietnam, ni Watergate, ni le surarmement soviétique, ni le relâchement de l'effort américain de défense n'étaient impliqués par le plan Marshall, le pacte de l'Atlantique Nord ou le réarmement de la RFA.

Immédiatement après les *Reith Lectures,* je reçus de G. F. Kennan une lettre très amicale dont j'extrais quelques passages (la lettre était écrite à la main, probablement l'a-t-il oubliée).

« Je viens de recevoir du Congrès votre réponse aux *Reith Lectures* et je me hâte de vous écrire pour vous dire à quel point je vous en sais gré *(deeply appreciative).* De toutes les réactions à mes conférences, la vôtre est la plus réfléchie, la plus raisonnable et la plus pénétrante ; vous seul, parmi mes amis et connaissances, avez compris l'esprit dans lequel ces conférences furent données ; vous avez discuté de la manière dont je souhaitais qu'elles le fussent.

« Il ne me semble pas que les Russes auraient davantage à gagner que l'Occident d'un retrait mutuel. Certainement pas politiquement et, en ce qui concerne les forces militaires, ils sont, après tout, les plus forts.

« Il me semble qu'il devrait être entendu, en tant que part de l'accord, que toute rentrée des forces armées d'un côté ou de l'autre dans une portion des territoires évacués rendrait à l'autre ses droits antérieurs de mise en place militaire, comme elle se trouve aujourd'hui. Je suppose, par suite, qu'une intervention militaire soviétique en Pologne ou en Hongrie aurait pour conséquence un retour immédiat des États-Unis en Allemagne de l'Ouest.

« Il me semble que beaucoup de gens, en Occident, ont méconnu à quel point les Russes, en prenant les décisions qu'ils prirent en Hongrie, ont été influencés par trois facteurs :

1. La présence et la proximité des troupes américaines en Europe.

2. Le danger que les Hongrois non seulement quittent le pacte de Varsovie mais finissent par demander à être admis dans l'Alliance atlantique.

3. Le fait que eux, les Russes, occupaient déjà effectivement le pays, sur une base légale dont l'origine n'avait jamais été mise en question par les puissances occidentales ; de telle sorte que la menace de quitter le pacte de Varsovie leur apparut comme un défi direct et ouvert à leurs droits d'occupation et à leur prestige politique et militaire.

« Tous ces facteurs pourraient tout au moins être grandement atténués par un accord mutuel de retrait ; et on pourrait penser que les Russes, qui ont plus qu'assez de certains de leurs protégés européens de l'Est *(pretty thoroughly fed up)*, adopteraient éventuellement une attitude plus détendue à l'égard d'événements dans cette partie du monde. »

Kennan avoue ensuite qu'il a donné une idée fausse de l'organisation militaire qu'il envisageait pour les Européens de l'Ouest ; il ne s'agissait pas de remplacer des armées régulières par des troupes de guérilla. Il recommandait d'ajouter aux troupes régulières des préparatifs d'une résistance populaire.

Un passage de cette lettre me frappait et me frappe : les Russes seraient *fed up with some of the Eastern European* protégés. En l'absence des troupes américaines en Europe, les Soviétiques ne seraient pas au même degré soucieux de l'orthodoxie de leurs satellites. A ce point se manifeste un désaccord fondamental entre la vision de Kennan et la mienne. Je crois que les dirigeants soviétiques demeurent marxistes-léninistes et que, de ce fait, leur diplomatie ne peut pas ne pas être expansionniste. Il va de soi que la dissidence de la Hongrie (1956) ou de la Tchécoslovaquie (1968) ou de la Pologne (1980) est d'autant moins acceptable pour le Kremlin que le dispositif militaire de l'alliance de Varsovie est en question, mais imaginer qu'en l'absence de troupes américaines en Europe, les Soviétiques s'accommoderaient des hérésies de leurs protégés, c'est leur prêter un état d'esprit *(fed-up)* qui me paraît contradictoire avec tout ce que nous savons des oligarques de Moscou.

XI

LES GUERRES DU XXᵉ SIÈCLE

En dépit de mon choix du journalisme, en 1944-1945, je ne renonçai pas à l'enseignement : quelques cours à l'École nationale d'administration et à l'Institut d'Études politiques, des conférences dans des universités étrangères, en particulier à Manchester et à Tübingen, témoignaient de regrets et de nostalgie. Je m'efforçai, durant cette décennie d'exil ou de divertissement, de ne pas perdre le contact avec la littérature philosophique et sociologique. Mais les événements aussi bien que mon métier mobilisaient mes passions. La reconstruction de la France et de l'Europe, au milieu du tumulte des propagandes, prenait dans mon esprit la première place. Aussi, je ne parvins pas à séparer radicalement d'un côté les articles du *Figaro* et, de l'autre, les ouvrages « scientifiques », je m'abandonnai à la facilité : j'écrivis deux livres, *le Grand Schisme* et *les Guerres en chaîne*, tentative d'une sorte de philosophie immédiate de l'histoire-se-faisant qui devait servir de cadre et de fondement à mes commentaires quotidiens ou hebdomadaires et à mes prises de position.

Je ne relis pas (ou plutôt je ne parcours pas) ces livres sans mauvaise humeur. Je me demande pourquoi je me laissai entraîner vers cette sorte de littérature, à vrai dire moins abondante à l'époque qu'aujourd'hui. Si *le Grand Schisme*, paru en 1948, eut du succès dans les milieux intellectuels ou politiques, c'est parce qu'il dessinait, à grands traits, tout à la fois la carte de la politique mondiale et celle de la politique française. Un

critique, Roger Caillois, écrivit que *le Grand Schisme*
contenait trois livres ou les éléments de trois livres :
l'un sur la rivalité planétaire des deux Grands, un
deuxième sur la dégradation du marxisme en soviétisme, un troisième sur la crise de la démocratie française. En un sens, la construction de l'ouvrage contenait par elle-même un enseignement : c'est à la lumière
de la conjoncture diplomatique et du schisme idéologique que la situation de la politique française s'éclairait.
Je voulais faire comprendre aux Français, séparés pendant quatre années du monde extérieur, que l'hexagone
appartenait à un ensemble, l'Europe occidentale, et que
celle-ci, à son tour, appartenait à ce qu'André Malraux
appelait la civilisation atlantique : participation à l'histoire mondiale qui différait en nature du rôle de grande
puissance que la France avait joué dans le concert européen, mais qui ne réduisait pas pour autant notre diplomatie à l'insignifiance. L'Europe ne pouvait pas plus se
passer de la France que de l'Allemagne, ou, pour mieux
dire, elle ne pouvait pas se passer de ces deux pays,
relevés et réconciliés.

La formule « paix impossible — guerre improbable »
fit mouche ; elle demeure vraie bien que nombre
d'hommes d'États occidentaux n'en saisissent toujours
pas le sens ; ou plutôt, à la faveur de la « détente », ils
en méconnaissent la vérité durable. Je me risque à me
citer : « Il n'y a plus de concert européen, il n'y a plus
qu'un concert mondial » (p. 14) ; « L'élargissement de
la scène politique a modifié l'échelle de la puissance.
Telle nation, grande dans le cadre européen, devient
petite dans le cadre mondial » (p. 15) ; « L'Allemagne,
même si l'on suppose qu'elle ait, d'ici à quelques
années, relevé ses ruines et rétabli son unité, figure déjà
dans une classe inférieure. » Par là même, je fondai en
raison la politique de réconciliation avec l'Allemagne
pour laquelle je plaidais dans mes articles.

Dans un champ diplomatique étendu aux limites de
la planète, la diplomatie devient totale : « La notion
traditionnelle de paix impliquait la limitation de la
diplomatie au double sens : limitation des enjeux des
conflits entre États, limitation des moyens employés
lorsque les canons faisaient silence. Aujourd'hui, tout

est mis en question, régime économique, système politique, convictions spirituelles, survivance ou disparition d'une classe dirigeante. Sans qu'un coup de feu soit tiré, un pays risque, par le triomphe du parti communiste, de connaître les épreuves de la défaite... Les véritables frontières désormais sont celles qui, en plein cœur des peuples jadis unis, séparent le parti américain du parti russe. La carte électorale se confond avec la carte stratégique » (p. 19). Formule simplificatrice d'une situation plus complexe déjà il y a trente ans, mais qui garde une vérité partielle : c'est à l'intérieur des États, et pas toujours par les bulletins de vote, que se livre la lutte entre le communisme et ses ennemis. Et cette lutte se prolonge dans le monde entier, bien que certaines régions du monde semblent stabilisées (l'Europe par exemple), bien que les conflits entre les États et à l'intérieur des pays ne se ramènent pas tous à la rivalité des deux Grands. En Europe, en 1947-1948, le duel des Grands absorbait pour ainsi dire tous les autres.

La « paix impossible » ne tient pas seulement à la diplomatie totale : « Avec ou sans Internationale, avec ou sans Kominform, les partis communistes représentent une conspiration permanente, destinée à ouvrir la voie à l'impérialisme russo-soviétique. Objectifs illimités et guerre permanente : par ces deux traits, l'impérialisme de Moscou se définit comme essentiellement soviétique et non russe. Tant que le peuple russe sera enfermé dans la prison du mensonge et du NKVD, tant qu'il subira les contraintes et les privations des garnisons assiégées, la guerre froide connaîtra peut-être des alternances, elle ne laissera pas d'espoir à la paix. »

En contrepartie ou en complément, j'ajoutai : « L'absence de paix n'est pas la guerre. Une source d'énergie, jusqu'alors inconnue ou inemployée, ouvre normalement une époque de l'art militaire et, du même coup, de la civilisation tout entière. Mais entre l'essai et la mise au point de l'arme nouvelle, du temps s'écoule... Personne ne sait si la bombe atomique est ou quand elle sera l'arme absolue, celle qui, à elle seule, contraint l'ennemi à la capitulation. Ainsi s'explique l'équilibre actuel dont la précarité n'exclut pas la durée » (p. 29).

Staline, un autre Hitler ? « L'idéologie national-socialiste devait mourir avec son fondateur, l'idée communiste a précédé celui qui en est provisoirement l'interprète le plus puissant, sinon le plus autorisé, et elle lui survivra. L'impérialisme de Staline n'est pas moins démesuré que celui de Hitler, il est moins impatient » (p. 31).

Les deux dernières parties du livre, « le Schisme français » et « Réformes », suscitèrent davantage de controverses proprement partisanes, parce que je me réclamais explicitement du RPF, autrement dit du gaullisme. Maurice Duverger, dans un article du *Monde*, s'efforça de démontrer qu'en profondeur, je n'étais pas un véritable gaulliste — en quoi il ne se trompait pas. J'avais, dans ma préface, déclaré que le livre était celui d'un partisan et non d'un savant. Duverger me répondit qu'il tenait *le Grand Schisme* pour une œuvre de science, une sorte de manuel de sociologie politique contemporaine et que « chez Aron, l'homme de parti n'est pas à la hauteur du savant : cet excellent sociologue est un mauvais partisan... Il ne lui manque pas seulement la mauvaise foi, mais la foi tout court ».

Critique ou louange ? Je ne sais. Ai-je jamais ambitionné les vertus d'un bon partisan ! Cela dit, avec le recul, peut-on dire que les événements aient confirmé l'objection majeure de M. Duverger ? Un gaullisme démocratique est-il possible ? demandait-il. A ses yeux, mon livre entier tendait à prouver la possibilité d'un gaullisme modéré, possibilité que lui niait. Il avait raison sur un point : si le style bien plus que le programme définit la vraie nature d'un mouvement politique, un abîme ne séparait-il pas le gaullisme du général de Gaulle de celui du *Grand Schisme* ? Peut-être, mais par définition le style du chef charismatique ne ressemble pas à celui de l'analyste. Comme le RPF a échoué, la controverse demeure ouverte. Mais, en 1958, le gaullisme arriva au pouvoir avec le général de Gaulle sans le RPF et le régime ressembla au gaullisme modéré que le politologue jugeait impossible à l'avance, condamné à l'ascension vers les extrêmes de l'autoritarisme.

Vers la fin du livre, à la dernière page du chapitre intitulé « La Réforme intellectuelle », j'écrivais : « Au-delà de la crise [1948-1950], on redécouvrira les données simples du problème français. La France ne se pliera pas à un régime autoritaire qui, à notre époque, dégénère plus ou moins en régime totalitaire[1] mais elle ne se relèvera pas si elle s'abandonne à la confusion d'un pluralisme impuissant. Restauration de l'État, stabilité du pouvoir exécutif, limitation des organismes professionnels, amélioration de la technique administrative et de la compétence économique, toutes ces réformes jointes, dont aucune n'est spectaculaire et aucune ne se suffit à elle-même, nous rapprocheraient de l'objectif, régime d'autorité modéré[2]. L'État serait fort, mais non illimité. Partis et syndicats seraient libres, mais non tout-puissants. Le parlement légiférerait et contrôlerait, il renoncerait à gouverner. L'économie serait orientée mais non dirigée. » La Vᵉ République, jusqu'en 1981, ressemble à cette « utopie ». La victoire du RPF aurait-elle abouti à un résultat équivalent ? On ne le saura jamais. Il reste que nous pouvions, en 1948, envisager un gaullisme modéré qui aurait pu succéder à la IVᵉ République qui, « sous sa forme actuelle... capable de durer, n'est pas capable d'innover ». Ajoutons que la Constitution de 1958, révisée en 1962, beaucoup plus radicale que celle que j'envisageais, entraîna pour ainsi dire d'elle-même certaines des réformes sociales et économiques que je souhaitais. Une fois le Général au pouvoir, personne n'exprima la crainte d'un parti unique.

Comme je l'avais fait, mais avec plus d'inquiétude, dans *la France libre* à Londres, je ne refusai pas la comparaison avec le bonapartisme : « Il est vrai que le RPF appartient au genre des mouvements bonapartistes qui, depuis Napoléon Iᵉʳ jusqu'à Boulanger en passant par Napoléon III, ont surgi en France au cours du siècle précédent, quand ce pays était las du chaos parlementaire et que la restauration monarchique était exclue.

---

1. Cette formule exigerait de multiples réserves et nuances.
2. Dans le livre, j'avais écrit ou un typographe m'avait fait écrire modérée. En fait, c'est le régime, dans ma pensée, qui devait être modéré.

Cette fois encore, le rassemblement se fait autour d'un homme dont l'itinéraire politique a passé de la gauche à la droite, qui restaura la République avant de rallier des troupes en majorité de droite. Mais, par rapport au bonapartisme du siècle précédent, le RPF se singularise d'abord par la personnalité de son chef. Le général de Gaulle a été une première fois au pouvoir. S'il a commis des erreurs, si sa gestion économique n'a été ni meilleure, ni pire que celle de ses successeurs, il a montré autant de souci de la légalité que de l'autorité. Il n'a guère le goût des parlementaires et de leur subtilité, il n'a pas davantage celui du pouvoir sans limites et sans règles. Le régime auquel il songe se rapprocherait de la démocratie présidentielle plus que du despotisme. »

A. Fabre-Luce me reprocha un ralliement hypocrite à un fascisme camouflé, reproche que je crois pour le moins excessif. Un passage du livre résume et simplifie ma pensée sur ce point décisif de l'histoire de notre temps : « Contre la menace du totalitarisme communiste, les fascistes n'ont trouvé d'autre solution que celle d'un totalitarisme anticommuniste. Au mythe de la libération prolétarienne, ils ont opposé celui de la grandeur nationale. A force de rêves impériaux, ils ont précipité le monde dans un déluge de sang et ruiné l'Europe qu'ils prétendaient unir. Même s'ils en avaient le désir, les gaullistes seraient bien incapables de refaire du fascisme parce que les peuples ne sont plus sensibles à l'exaltation nationale. Mais la question reste posée. A travers toute l'Europe occidentale on s'est demandé, en 1945 et 1946 : peut-on gouverner avec les communistes ? En 1947, peut-on gouverner sans eux ? En 1948, on se demande : comment gouverner contre eux ? »

Le général de Gaulle et ses successeurs ont gouverné en apparence contre les communistes, mais non sans manifester, en contrepartie, une certaine complaisance à l'égard de l'Union soviétique, complaisance accentuée par des bouffées d'anti-américanisme. Dans le même temps d'ailleurs, les communistes perdaient la guerre froide, du moins la guerre idéologique, en Europe occidentale.

Le Grand Schisme parut en 1948, donc avant la rupture finale de la Grande Alliance contre le IIIᵉ Reich, avant la querelle du pacte de l'Atlantique et du neutralisme. *Le Monde* consacra au livre, sous la signature de Maurice Duverger, un article à ce point élogieux [1] qu'il me stupéfia sans apaiser mes doutes sur les mérites de ce genre, philosophico-journalistique : « ... tous les problèmes essentiels qui tourmentent les hommes du temps — politiques, sociaux, économiques — sont ici posés en termes clairs et dépouillés : l'enchevêtrement des causes et des conséquences est débrouillé avec une lucidité presque douloureuse à force de rigueur. On aimerait qu'une opinion publique, aveuglée par des slogans contradictoires dans leurs termes mais identiques dans leur stupidité, se mît à pratiquer régulièrement cette somme politique de notre temps dont l'usage lui serait une véritable cure de désintoxication. »

Je me permets de citer des extraits de deux autres lettres parce qu'elles viennent de deux princes de l'esprit, qui y expriment deux réactions antagonistes de l'intelligentsia française. D'une grande lettre d'Alexandre Koyré, dont l'autorité morale égalait l'autorité intellectuelle, je tire un passage : « Merci de votre *Grand Schisme* que nous avons lu tous deux... avec le plus grand intérêt et plaisir. Plaisir tout intellectuel, car l'analyse de la situation européenne, et surtout française, que vous présentez n'est pas très plaisante. Et l'on peut se demander si la bataille n'est pas perdue d'avance (pour l'Europe), si en face de l'Europe soviétique — car on ne peut pas ne pas voir que dans vingt ans tous les satellites deviendront parties intégrantes de l'URSS ; c'est en contrecarrant ce plan que Dimitrov est tombé dans l'hérésie et que Tito est allé au schisme — unie par une volonté inflexible, possédant une continuité de vues et des réserves inépuisables d'hommes et de matières premières, notre pauvre " Europe ", divisée, hésitante, minée de l'intérieur par la 5ᵉ colonne communiste, paralysée par la guerre, la rivalité des États petits et grands (moyens) qui la composent, la mollesse et la stupidité de ses " élites ", a encore quelque chance... J'ai été enchanté de vous voir dire quelques vérités à

1. Pour le savant et non pour le partisan.

nos amis d'*Esprit* et des *Temps modernes*. Au cher Merleau-Ponty qui veut le tout tout de suite na! et à tous ces imbéciles ou si l'on veut " belles âmes " (" schöne Seelen ") dont *l'Heure du choix*[1] nous offre un choix significatif... » Suivait une analyse des motifs des intellectuels qui adhèrent au PC ou l'accompagnent : « C'est un gros avantage d'appartenir à une Église triomphante, à une Église qui peut distribuer et le salut et les prébendes. Quant au reste... L'homme est un animal religieux, et, Aristote nonobstant, il ne déteste rien de plus que la pensée. Comme l'a dit notre ami Joliot-Curie à un de mes amis : " C'est si bien d'être du parti, on n'a plus besoin de penser... " N'est-il pas vrai, en outre, que Dieu ou le Weltgeist ou l'histoire est du côté de Staline (Dieu est toujours du côté des gros bataillons) puisqu'il s'ingénie, depuis 1918, à le sauver et à le promouvoir par les moyens les plus dialectiques ? »

Lucien Febvre m'écrivit sans avoir encore lu le livre, me dit-il, parce qu'une phrase de la page 8 l'avait frappé et meurtri : « L'influence américaine n'implique ni assimilation ni domination impériale, dites-vous. Hélas ! nous, " culture française ", qui sommes si fort attaqués, combattus, pourchassés, par " l'influence américaine ", comme nous voudrions pouvoir nous associer à votre acte, faut-il dire de foi ou d'espérance ?

« Voilà trois ans que, dans toutes les réunions internationales qu'organise l'Unesco, nous sommes contraints de nous opposer, nous Français, aux volontés brutales de " nos amis américains " dans le domaine de la science, de la culture et de l'éducation. Voilà trois ans que nous nous heurtons à la politique la plus suivie et la plus systématique d'écrasement de notre langue et de nos idées... Certes, je tiens le manichéisme dont vous parlez pour *le* grand danger, qui menace le monde aujourd'hui. Mais pour lutter contre lui, efficacement, il faut regarder bien droit les deux périls. Ils se valent finalement. Et il faut lutter contre eux du même cœur quand on est français et conscient de ce qu'est la France. Je le dis sans préjugé politique... Et je reste.

---

1. Recueil d'études récemment paru, signées par L. Aveline, G. Friedmann, etc.

convaincu, hélas, que ce n'est pas sur un seul, mais sur
deux fronts que nous devons lutter pour sauver dans le
monde un peu de liberté spirituelle et d'intelligence critique, s'il en est encore temps. »

Venant d'une personnalité telle que Lucien Febvre,
d'un homme marqué, au début de sa vie, par l'anarchisme proudhonien de la Fédération jurassienne
(Bakounine-Kropotkine), très exactement le contraire
d'un stalinien, la formule, « les deux périls se valent
finalement », prend toute sa signification, sa valeur
symbolique. Le « conformisme américain » et le « stalinisme » apparaissaient à nombre de Français presque
équivalents. La pratique de l'Unesco, dans les premières années d'après-guerre (j'assistai une seule fois,
en 1950, à une Assemblée générale), devait, à coup sûr,
éveiller et nourrir l'anti-américanisme. Un intellectuel
ressentait avec douleur le recul de la langue et de la
culture françaises — recul inévitable, même en
l'absence de « l'impérialisme américain ». La réaction
de Lucien Febvre reflétait l'état d'esprit d'une fraction
importante de l'intelligentsia ; réaction superficielle ou
conviction profonde ? Après tout, c'est aux États-Unis
que la plupart de nos savants se sont recyclés après la
guerre. Cette même année, le coup de Prague et le plan
Marshall interdirent ou auraient dû interdire la mise en
parallèle des deux Grands ou les deux Frònts.

En dehors de ces deux lettres qui posaient toutes
deux un problème vital — l'un, diplomatique, l'autre,
culturel —, je reçus peut-être plus de lettres ou de
comptes rendus élogieux que pour aucun autre de mes
livres. Je m'interroge encore sur les causes de ces
louanges excessives. Pour une part les mérites du livre à
l'époque le condamnaient à ne pas durer. « Une somme
politique » en 347 pages, « un livre magistral d'un philosophe et d'un journaliste », ces formules de comptes
rendus définissent peut-être l'ambition inconsciente de
l'ouvrage. En 1948, la synthèse répondait à une curiosité du public qui comprenait mal les conséquences de
la Seconde Guerre mondiale. Aujourd'hui, il existe, sur
tous ces thèmes dont je traitai, une énorme littérature
qui refoule mon essai vers le livre d'actualité.

Dans la préface du *Grand Schisme*, j'écrivis : « On

n'y trouvera ni la théorie des guerres du XXe siècle, ni celle des régimes totalitaires, ni celle des démocraties parlementaires, ni celle de l'évolution capitaliste. » J'ajoutai que j'espérais élaborer ailleurs ces théories avec plus de rigueur. Je le tentai, en effet, quelques années plus tard ; le livre *les Guerres en chaîne*, paru en 1951, contenait une esquisse des théories que j'annonçai en 1948.

Les deux premières parties, intitulées « De Sarajevo à Hiroshima » et « Carrefour de l'Histoire », tendent à une interprétation philosophique, dans le style d'Auguste Comte ou de Cournot, des cinquante années écoulées du XXe siècle. Comment la guerre de 1914, commencée comme tant d'autres guerres européennes, est-elle devenue hyperbolique, selon l'expression de G. Ferrero ? La « surprise technique » prit au dépourvu les responsables, civils et militaires. La société moderne, à l'époque bourgeoise et libérale, se mobilisa tout entière sous la direction de l'État afin d'entretenir, des années durant, des millions de soldats en armes et en munitions. De 1914 à 1918, l'Europe découvrit peu à peu la guerre totale et la guerre de matériel. Après leur échec sur la Marne, les Allemands s'enfoncèrent dans le sol. Les tranchées, l'équilibre des forces prolongèrent une lutte impitoyable ; sous un déluge d'acier, des hommes mouraient par milliers pour quelques kilomètres ou quelques centaines de mètres.

La Seconde Guerre s'amplifia par un tout autre processus. De 1939 à 1945, les victoires initiales de Hitler provoquèrent l'extension planétaire des combats. En 1918, les chars d'assaut avaient contribué aux succès des Alliés. En 1945, la bombe atomique provoqua la capitulation du Japon. Différentes dans leur déroulement, dans leur style stratégique et tactique, les deux guerres du XXe siècle aboutirent l'une et l'autre à la démesure, à l'écrasement du vaincu et, par leur effet cumulé, à une nouvelle carte du monde.

La Première Guerre, comparée par A. Toynbee et A. Thibaudet à la guerre du Péloponnèse, ébranla la structure de la République des États européens. La deuxième mit fin, définitivement, à la prédominance de l'Europe. Les États périphériques accédèrent au pre-

404   *La tentation de la politique*

mier rang. L'un d'eux se réclame d'une idéologie du
XIXᵉ siècle, élaborée par un intellectuel allemand, issu
d'une famille juive convertie. L'autre demeure fidèle à
la philosophie des Lumières, dans sa version anglo-
américaine. L'Union soviétique et les États-Unis reven-
diquent l'héritage européen. Le choc devient inévitable
entre les deux États qui ont remporté ensemble la victoire sur le cadavre des nations du Vieux Continent,
alors même que la mise au point d'une arme de destruction massive modifie en profondeur l'essence de la
guerre et les relations entre les États.

Les autres parties du livre traitaient du présent et des
perspectives d'avenir. Je m'efforçai d'analyser ce qui
allait venir, selon une méthode inspirée de celle que
j'employai pour éclairer la première moitié du siècle.
La tentative était ambitieuse et presque irréalisable. En
regardant vers le passé, j'avais distingué, autant que
possible, la part de la nécessité et celle des accidents.
Reportée sur l'avenir, la même distinction aboutissait à
des points d'interrogation. La question majeure était
posée dans le chapitre XIX : la guerre froide, préparation
ou substitut de la guerre totale ? Je penchai vers la
thèse du « substitut », celle qui est jusqu'à présent
confirmée. Malheureusement, je ne me contentai pas
d'analyser les conventions de la guerre froide, la stratégie défensive de l'Occident, je consacrai plus d'une centaine de pages à l'Europe, à ses chances de se relever,
de se défendre, de s'unir. Et mes analyses abusaient des
nuances et décevaient les lecteurs tant j'insistai sur
l'incertitude de l'avenir.

Enfin j'ajoutai, à la fin du livre, des chapitres, dont
un (« Le totalitarisme ») fut estimé par Hannah Arendt
et peut-être inspiré par elle, qui grossirent encore le
volume de l'ouvrage. Ces chapitres, sous le titre
« L'enjeu », accentuaient le sentiment d'une juxtaposition
d'essais dont ni l'ordre ni la cohérence n'apparaissent clairement. Aussi je souscris aujourd'hui sans trop
de réserve aux critiques de mon ami Manès Sperber
dans une lettre et à celles de Maurice Duverger dans un
article du *Monde*. « Entre nous, ce n'est pas un livre
mais des articles groupés d'après un système chronolo-
gique qui est ici mal choisi, en contradiction même avec

vos thèses fondamentales[1]. De là les répétitions qui
autrement ne vous caractérisent pas du tout... Vous
êtes, mon cher ami, presque aussi arrogant que moi,
mais cette fois-ci vous vous êtes décidément sous-
estimé, vous vous êtes plié aux nécessités du journalisme quand vous aviez à dire des choses que des journalistes, dans le meilleur cas, apprennent mais jamais
n'enseignent... » Sévérité compensée par un bilan plus
indulgent : « 497 pages, 250 notamment dans la première partie et dans la deuxième section de la troisième
partie (Impuissance de l'Europe) parmi les meilleures
pages, in denen eine Epoche ihrer selbstbewusst wird[2].
P. 247 : Brillant journalisme, le meilleur d'aujourd'hui,
mais évidemment répétitif, trop insistant. »

L'article de Maurice Duverger, qui m'avait à l'époque irrité, me paraît aujourd'hui largement justifié :
« La technique des *Guerres en chaîne* fait penser à celle
des *Nymphéas*. L'effort désespéré de Claude Monet
pour rendre toutes les nuances de la lumière, pour analyser ses mille irisations, pour peindre tous ses reflets
même les plus ténus, aboutit à un brouillard doré où les
traits essentiels des choses s'estompent, se dissolvent,
s'effacent. La volonté constante de Raymond Aron
d'atténuer toute affirmation primitive et ainsi de suite,
par une série de lacets intellectuels, entraîne parfois des
résultats analogues[3]. » Je laisse de côté les éloges qu'en
contrepartie il décerne à certains chapitres du livre.

Aux États-Unis *les Guerres en chaîne* a remporté un
certain succès de public et non pas seulement d'estime.
A mon extrême surprise, j'appris à l'automne 1980
qu'un éditeur américain se proposait de rééditer le livre
sous le titre *The Century of Total War*, titre peut-être
plus topique que le titre français. Henri Gouhier m'écrivit avec l'amitié qu'il m'a toujours témoignée : « *Les
Guerres en chaîne* me semblent être l'illustration
concrète de l'*Introduction à la philosophie de l'histoire*.
Les pages sur Nécessité et accidents et les derniers ali-
néas de l'ouvrage font le raccord... », et encore :

1. Je ne suis pas d'accord avec cette critique.
2. Dans lesquelles une époque prend conscience d'elle-même.
3. 21-22 octobre 1951.

« J'avais appris en lisant Comte tout ce qu'il y a sous les mots "analyse historique". C'est ce que j'ai retrouvé dans vos pages, avec une intelligence non prévenue par la loi des trois états. »

La théorie esquissée de notre guerre de trente ans s'opposait à la théorie léniniste formulée dans *l'Impérialisme, stade suprême du capitalisme.* Mais cette opposition ne constituait ni le centre ni la finalité de la première partie intitulée « De Sarajevo à Hiroshima ». Je m'efforçai d'illustrer, sur un cas précis, des idées que j'avais développées, dans l'*Introduction à la philosophie de l'histoire*, au sujet du déterminisme historique. C'est dans le mouvement même de l'analyse que se dégageait progressivement la réfutation du léninisme. Les deux guerres du XXᵉ siècle ont été marquées par la nature des sociétés qui les ont menées et qu'elles ont transformées, mais ni la cause profonde, ni le détonateur, ni l'enjeu de ces guerres ne résident dans les rivalités économiques des grands pays capitalistes.

Aussi bien dans la première que dans la deuxième partie, je mis en lumière le caractère accidentel des événements tels qu'ils se sont passés, à leurs dates, sous leurs formes, dans leurs détails. Simultanément, je dégageai les « causes profondes » ou les « données globales » qui rendaient probables, mais non inévitables, à une date non déterminée à l'avance, des événements comparables à ceux qui effectivement ont eu lieu. « Raté diplomatique », le déclenchement de la Première Guerre qu'aucun des principaux acteurs n'a voulue consciemment et directement ; « surprise technique », la prolongation des hostilités dont les états-majors, des deux côtés, attendaient la conclusion en quelques mois. La supériorité temporaire de la défensive sur l'offensive, les fronts fixes, la mobilisation de l'industrie et de la population entière rendirent possible la guerre hyperbolique dont sortirent les révolutions et l'épuisement de tous les peuples européens.

« Si l'on veut penser les deux guerres comme éléments d'un seul et même ensemble, comme épisodes d'une seule lutte, on se référera non à la seule " Allemagne éternelle " mais à ce tragique enchaînement de causes et d'effets, au dynamisme de la violence. Toutes les théories " monistes ", celles qui accusent la nation allemande et celles qui incriminent le capitalisme, sont puériles. Elles sont, dans l'ordre historique, comparables aux mythologies qui tenaient lieu de science physique, au temps où les hommes étaient incapables de comprendre la mécanique des forces naturelles... Histoire au sens plein du terme dont on dessine rétrospectivement les lignes maîtresses, sans être en droit de proclamer que l'aboutissement effectif ait été à l'avance prévisible, impliqué par les forces majeures de notre temps. Un conflit local, par le jeu de la diplomatie d'équilibre, s'est transformé en guerre européenne, et celle-ci, par suite de l'industrie, de la démocratie, et de l'égalité approximative des forces aux prises, s'est amplifiée en guerre hyperbolique ; celle-ci à son tour a fini par user le maillon le plus faible de la chaîne européenne. La Révolution a fait irruption en Russie, les trônes d'Europe et les derniers empires multinationaux se sont écroulés. Flanquée d'une Russie bolchevique, l'Europe des démocraties bourgeoises et des nations indépendantes a tenté de revenir au monde d'avant 1914 qu'elle s'obstinait à tenir pour normal. La crise de 1929 fit sauter l'ordre, péniblement rétabli, des monnaies et des économies. Le chômage ouvrit les écluses et un mouvement révolutionnaire emporta vers la frénésie les masses allemandes. Dès lors, l'Europe, travaillée par les conflits des trois idéologies en même temps que par les rivalités traditionnelles des puissances, glissa rapidement vers la catastrophe. Commencée en 1939 par l'alliance germano-soviétique et le partage de la Pologne, la guerre fit, cette fois, le tour de la planète, ranimant et élargissant la guerre qui, depuis 1931 ou 1937, sévissait en Chine. Lorsque l'incendie, au bout de six ans, s'éteignit, la terre était brûlée en Europe et en Asie. Ici et là, les deux vrais vainqueurs, à peine apaisé le fracas de la première bombe atomique, ceignaient leurs reins en vue de l'explication finale. Si claire est cette histoire qu'on s'étonne, après coup, de ne pas l'avoir reconnue plus tôt. Bien plutôt faut-il aujourd'hui lutter contre une illusion rétrospective de fatalité. Il y eut, au cours de ces trente années, des moments où le destin fut, pour ainsi dire, en suspens et où se dessinaient des lignes tout autres d'évolution. Il s'en fallut de quelques corps d'armée que l'issue de la bataille de la Marne fût différente. Une victoire décisive de l'Allemagne à l'ouest aurait probablement raccourci la durée de la guerre, quelle qu'eût été la politique de la Russie et de la Grande-Bretagne après l'écrasement de la France. L'Europe eût ignoré, encore une fois, les virtualités de la guerre hyperbolique, comme elle les avait ignorées en 1870-1871.

« Plus nettement encore, une paix de compromis, intervenue avant la Révolution russe, aurait témoigné d'une double clairvoyance : les Allemands auraient reconnu qu'ils ne pouvaient pas, avec la seule Autriche-Hongrie, vaincre militairement le reste de l'Europe, et les Alliés qu'ils ne pouvaient pas réduire l'Allemagne à merci. Le glissement de la Première à la Seconde Guerre mondiale n'était pas non plus fatal. Il fallut, pour en arriver là, une conjonction presque incroyable de sottise et de mauvaise chance. En retard d'un siècle, les Britanniques évoquèrent l'ombre de Napoléon, parce qu'un Poincaré défendait avec hargne les droits de la France et se montrait indifférent aux conséquences économiques des sanctions. La diplomatie française fut à la fois tatillonne et brutale à l'égard de la République de Weimar, alors que la générosité, la reconstruction en commun de l'Europe divisée auraient été peut-être payantes. Elle fut faible et résignée face à une Allemagne qui n'aurait compris que la force et la résolution de s'en servir. Après l'arrivée au pouvoir de Hitler, il y eut encore des occasions de détourner le destin. En mars 1936, une réplique militaire à l'entrée des troupes allemandes en Rhénanie aurait au moins ralenti l'allure des événements, peut-être même provoqué la chute de Hitler. Il se peut, mais on en doute, que la résistance franco-britannique, en 1938, aurait décidé les conspirateurs antihitlériens (qui comprenaient certains chefs de l'armée) à l'action. Durant la guerre, les Anglo-Américains auraient pu maintenir ou reprendre le contact avec l'opposition à Hitler, tenter de vaincre l'Allemagne sans la détruire, ne pas pousser la guerre jusqu'au point où l'anéantissement du vaincu rend inévitable le choc entre les Alliés. Épargner un ennemi quand on n'est pas sûr de son allié a toujours été la leçon d'une honorable sagesse machiavélienne. »

J'esquissai, dans le même style, la conjonction des séries historiques (expression que j'empruntai à Cournot) qui aboutit au *Carrefour de l'Histoire* : « La constellation présente se situe au point de rencontre de trois séries. La première aboutit à l'unité planétaire et à la structure bipolaire du champ diplomatique ; la deuxième à la diffusion, en Asie et en Europe, d'une religion séculière dont un des deux géants se donne pour la métropole ; la dernière à la mise au point des armes de destruction massive, à la guerre totale qu'animent à la fois la science moderne et les fureurs primitives ; le franc-tireur et la bombe atomique apparaissent comme les formes extrêmes de la violence illimitée. » J'ajoutai que chacune de ces séries comporte simultanément une part de logique et une part de hasard — interprétation qui me condamnait au style Claude Monet, pour reprendre l'expression de Duverger. Catégorique sur les forces profondes, je me sens toujours partagé et incertain quand j'en viens à spéculer sur le cours des événements, prochains ou lointains.

André Kaan me posa par écrit des questions proprement philosophiques sur l'interprétation du déterminisme historique. Questions qui éclairent la disparité entre la rétrospection et la prospective. Je cite quelques passages de cette lettre parce qu'ils méritent de l'être et aussi pour évoquer une des figures les plus pures de ma génération. Petit, apparemment frêle, maladif, maladroit de geste et de parole, André, résistant, fut pris par la Gestapo et déporté dans un camp de concentration. Son frère aîné, lui aussi résistant actif, avait connu le même sort. André survécut alors que son frère mourut du typhus, au lendemain de la victoire alliée. L'un et l'autre, étrangers aux calculs de la politique, animés par le sens moral, sans l'ombre d'une pensée égoïste ou basse, incarnaient le type-idéal du philosophe au combat. André, que je connus mieux que son frère, me donna l'impression d'une sorte de sainteté. Je le cite : « Il me semble qu'un des résultats de ton livre que je découvre et auquel peut-être tu ne souscrirais pas est qu'on ne peut répondre de la même manière à la question de la nécessité historique selon qu'on l'envisage du point de vue réel ou du point de vue formel. Pour le premier il est hors de conteste qu'aucune nécessité n'est saisissable à la pensée positive ou même simplement raisonnable et que le but ou la fin de l'Histoire, si tant est que ces mots aient un sens, est aussi loin de nous qu'au premier jour. En revanche, on ne peut se défendre de l'impression que la modalité des conflits à partir d'un moment relativement ancien s'est trouvée orientée vers le dénouement de la guerre totale en vertu d'une nécessité inéluctable. Si, comme tu le dis, la bataille de la Marne l'a fait mûrir et qu'une issue inverse aurait pu la retarder, les velléités de résistance à outrance du gouvernement de la défense nationale auraient pu l'avancer de quelques décades. » André Kaan semble, dans ce passage, limiter la contingence à l'échéance, autrement dit à la date où cette tendance inévitablement aboutit à son terme.

Il refuse ensuite que la contingence résulte de la pluralité des séries historiques. Assurément, les deux séries du progrès technique et de la démocratisation des sociétés occidentales sont indépendantes : « ... Cela dit, il reste que cette indépendance des causes ne saurait garantir la contingence des résultats si les deux séries causales agissent dans le même sens et si l'une des deux peut amener isolément la même issue que les deux conjuguées. En fait, le progrès technique semble bien avoir une autonomie suffisante pour qu'on puisse prévoir son orientation et affirmer son irréversibilité d'ensemble. D'autre part, les deux séries se renforcent... En bref, il résulterait de ton livre qu'en dépit de la contingence de chacun des événements particuliers qui rend incertains la date et le degré des résultats, le mouvement vers l'extension qualitative et quantitative des conflits internationaux obéit à une nécessité d'ensemble... Ce sur quoi je demande ton accord, c'est qu'au début du XXᵉ siècle les facteurs capables de limiter l'emploi de la violence pouvaient raisonnablement être considérés comme des survivances, promises à une élimination plus ou moins rapide. »

Dans la dernière partie de sa lettre, André Kaan se tournait vers l'avenir : « Projetées vers l'avenir, les incertitudes mettent en question la possibilité éventuelle de limiter la guerre totale. Là encore, je crains de trouver une opposition entre la réponse affirmative, inspirée de ma conscience philosophique, et les données réelles de la constellation présente. » Et André formulait clairement des inquiétudes soulevées par mon livre. « Peut-on mettre une volonté absolue au service d'une vérité relative ?... Je me demande si notre temps, en recevant toujours plus de socialisme dans son cours, ne diminue pas encore l'espérance et la foi dans la cause de la liberté... En fait, la possibilité idéale de dissocier le socialisme, en tant qu'ensemble de techniques économiques, de la religion séculière est vérifiée par l'opposition de la Grande-Bretagne et des Soviets. Je crains cependant que la séduction du totalitarisme pour les esprits attachés à la doctrine socialiste n'ait des causes profondes dans l'inspiration idéologique et passionnelle de celle-ci. »

Pas de pluralisme des valeurs, écrivait-il, sans pluralisme des hiérarchies sociales. Et en conclusion : « Tandis que le prolétariat malheureux, révolté par l'inégalité, appelle un univers d'esclaves, des philosophes unissent, d'une façon inintelligible pour moi, la revendication de choix existentiels indéfiniment multiples au refus de l'aliénation comme si celle-ci ne résultait pas de ceux-là... En tout cas, aussi longtemps que le socialisme oublie qu'il procède du primat de la société sur l'État, les partis socialistes resteront entravés par un complexe d'infériorité dans leur lutte contre le communisme. »

Ces remarques pertinentes rappellent, de quelque manière, la cause majeure des défauts du livre telle que je l'ai analysée un peu plus haut. La même distinction entre les séries causales et la contingence des événements pouvait-elle commander les perspectives aussi bien que les rétrospections ? Était-ce possible ? En tout cas, je n'y parvins pas et les critiques s'attachèrent non à l'ensemble mais à certains chapitres, chacun d'eux faisant son choix. Maurice Duverger mettait à part les chapitres sur les transformations du communisme, sur l'évolution du travaillisme et le développement du socialisme national, « analyses absolument remarqua-

bles » ; Manès Sperber réservait ses faveurs à la partie
consacrée à « l'impuissance de l'Europe ». Je ne suis
d'accord ni avec l'un ni avec l'autre. A mes yeux, les
deux premiers chapitres, « La surprise technique » et
« Le dynamisme de la guerre », l'emportent de loin sur
les autres. Un bon lecteur s'accorda avec moi, Jean
Duval.

Presque au même moment, j'écrivis, pour le *Bulletin
of atomic scientists,* un article intitulé : « Un demi-siècle
de guerres limitées. » L'ascension aux extrêmes aboutissait à la guerre froide et à la rivalité des deux Grands,
du même coup à l'interrogation historique : l'arme
nucléaire, l'innovation qu'évoquait André Kaan dans
sa lettre, ne crée-t-elle pas au moins la chance d'une
rupture, de la retombée de la violence paroxystique à la
violence limitée ? Retombée d'ailleurs qui, en contrepartie, diffuse et perpétue la violence. La paix traditionnelle disparaît en même temps que la guerre totale.

La philosophie de l'histoire qui inspire les deux
livres oscille entre Marx (peut-être plutôt Saint-Simon)
et Spengler. Bien que les guerres aient été déclenchées
par les passions nationales — celles qui déchiraient la
double monarchie, celles qui enflammaient les masses
germaniques et Hitler lui-même —, ce sont les forces de
production, à la faveur de la mobilisation de l'industrie,
qui entretinrent le monstre guerrier entre 1914 et 1918,
ce sont elles encore qui assurèrent aux États-Unis
l'hégémonie mondiale après l'écroulement des empires
nippon et hitlérien. C'est la science elle-même, fondement de la technique, qui introduisit une phase nouvelle des rapports entre les États.

Le thème de la *technicisation* de la planète appartient
aussi bien à Saint-Simon et à Marx qu'à Spengler et à
Heidegger. Ce qui était en question au lendemain de la
guerre, et qui le demeure aujourd'hui, c'est l'avenir que
porte en elle la révolution technique, le sort qu'elle
réserve à l'Occident. Dans la pensée de Marx, la
science constitue en elle-même une force de production ; une fois le capitalisme détruit par ses propres

contradictions, elle créera une société humaine d'où l'exploitation de l'homme par l'homme aura disparu. Dans la pensée de Spengler, le triomphe de la technique entraînera la prolifération des villes et de la démocratie, des masses ou des esclaves et, du même coup, la désintégration des formes culturelles. Je ne m'accordais avec aucune de ces deux philosophies que je confrontais, trente années plus tard, dans le *Plaidoyer pour l'Europe décadente.* Ni l'optimisme rationaliste de l'un ni le pessimisme stoïque de l'autre : une philosophie ouverte qui avoue humblement les limites de notre savoir, échappe à l'orgueil prométhéen et au fatalisme biologique, ne s'achève ni sur une certitude de victoire ni sur un cri de désespoir.

Dans les dernières lignes du chapitre consacré à l'avenir de l'Europe, je prévoyais la fin des empires européens : « Le manque d'espace crée pour les collectivités un péril comparable à celui du manque d'oxygène pour les humains. L'Europe occidentale, tant que l'armée russe sera établie à quelque deux cents kilomètres du Rhin, se sentira menacée d'étouffement... Qu'il s'agisse de progrès économique ou d'échanges spirituels, les tâches ne manquent pas aux Occidentaux, minorité de privilégiés qui dispose de moyens de production et de connaissances techniques largement supérieurs à ceux du reste de l'humanité... Les Européens n'ont nul besoin de domination coloniale et de zones d'influence pour maintenir leur présence et poursuivre leur fonction historique... L'Europe devrait craindre moins l'effondrement des empires que l'hostilité de leurs anciens maîtres, des pays devenus indépendants. »

De manière plus brutale, je condamnai la politique française en Indochine : « Nous avons provoqué (ou nous n'avons pas su éviter) ce que nous aurions dû craindre par-dessus tout : une guerre interminable contre une résistance indochinoise dirigée par les communistes, mais ralliant le plus grand nombre de nationalistes. Dès l'origine, nous avions le choix entre deux méthodes : ou bien accorder franchement à Hô Chi Minh l'essentiel de ses revendications, à savoir l'indépendance de l'Indochine, l'Union des trois Ky, avec un rattachement plus ou moins vague à l'Union française, ou bien, si nous jugions impossible de traiter avec Hô Chi Minh, susciter un gouvernement national auquel nous aurions accordé, pour l'essentiel, ce que nous aurions refusé à un agent stalinien. Au lieu de choisir résolument une politique et de nous y tenir, nous avons hésité. Nous avons reconnu Hô Chi Minh pour le chef de la résistance nationale, en 1946, nous avons négocié avec lui, nous l'avons reçu solennellement. Mais, tout en lui donnant par là même un prestige supplémentaire, nous avons en apparence joué un double jeu. Nous aurions dû souhaiter une Indochine indépendante et amie... Il se peut que cet objectif ait été dès l'origine inaccessible, l'Indochine indépendante serait peut-être devenue communiste. Au point de vue de la France même, cet aboutissement nous aurait coûté moins cher que la guerre. » Un peu plus loin : « La France, sans moyens de défendre son propre territoire, gaspille ses ressources en une aventure que justifie à la rigueur la diplomatie mondiale de l'anticommunisme mais non l'intérêt propre du pays. »

A Londres, je m'exprimais sans retenue sur l'avenir de l'Indochine : je souhaitais que la France accordât l'indépendance aux trois pays de la péninsule. A *Combat*, au moment où éclata la guerre (16 décembre 1946), mon article que j'ai cité dans un autre chapitre ne laissait guère de doute sur mes sentiments.

A partir de 1949, et surtout de la campagne coréenne, la France se trouvait piégée. Hier critiquée par les Américains, elle recevait soudain leur appui. Nous nous étions engagés à l'égard des États associés et de Bao Daï. A moins d'un choc, d'une défaite militaire, nous ne pouvions pas abandonner les troupes vietnamiennes que nous avions nous-mêmes créées, organisées, armées. Dès 1950, à partir des défaites aux frontières, les gouvernants de la IVe République ne se faisaient plus d'illusion. Ils cherchaient l'occasion de la retraite. Quand ils envoyèrent De Lattre de Tassigny en Indochine, ils espéraient de lui un rapport qui leur permettrait un retournement ou, tout au moins, une inflexion de leur politique.

Le général de Gaulle ne facilitait pas la tâche des responsables. Il avait nommé gouverneur d'Indochine Thierry d'Argenlieu, le prêtre-amiral, l'homme qui s'en prit aux généraux qui ne « voulaient pas se battre » et qui forma le gouvernement de la Cochinchine sur l'ordre du gouvernement de Paris alors même qu'à Fontainebleau, G. Bidault négociait avec Hô Chi Minh. Dans sa conférence de presse du 14 novembre 1949, le Général disait : « La France doit rester en Indochine. Elle doit y rester pour l'Indochine, car sans la présence et le concours de la France, l'indépendance, la sécurité, le développement de l'Indochine seraient compromis. D'ailleurs, plus le temps passe, mieux on s'aperçoit que les événements d'Indochine ne sont qu'une partie d'un tout. En réalité, il s'agit de savoir si l'Asie va rester libre. Du moment qu'il est utile que le monde libre coopère avec l'Asie libre, je ne vois pas pourquoi la France ne coopérerait pas avec l'Indochine. »

Le 16 mars 1950, il revendiqua la responsabilité et l'honneur d'avoir envoyé dès 1945 un corps expéditionnaire en Indochine. Sans l'armée française, c'est Hô Chi Minh qui l'emporterait et « l'Indochine d'Hô Chi Minh ne serait que subordonnée au système eurasien que l'on sait. Il faut donc que la France et l'armée française restent en Indochine. Pour cela, il faut qu'elles aient les moyens d'agir ». Il ajoutait même que c'est grâce à l'envoi des soldats français en Indochine que « l'Union française commence à prendre corps dans les esprits à travers le monde ».

L'année suivante, le 22 juin 1951, il énuméra quatre solutions militaires : « On peut s'en aller. On peut se limiter à tenir quelques môles. Ce sont là des solutions de défaite. Quant à moi, je ne les accepte pas. » La troisième solution était celle de la IVᵉ République. La dernière serait d' « envoyer des forces nouvelles au point de vue des effectifs et au point de vue du matériel... A cette double condition, nous pourrons trancher définitivement la question militaire en Indochine ». Le général de Gaulle croyait-il à la solution militaire ? Quelle illusion en ce cas !

Certes, je n'ai jamais hésité à tenir des propos en contradiction avec les thèses du Général sur tous les sujets, en particulier sur l'Allemagne. J'aurais d'autant moins hésité à prendre parti pour la « solution Hô Chi Minh » qu'André Malraux, en 1946, quand je travaillais avec lui au ministère de l'Information, ne cessait de me répéter : « Il faudrait dix ans et un demi-million d'hommes pour rétablir l'autorité française. » Le général Leclerc de Hauteclocque partageait cette opinion. Encore A. Malraux se trompait-il par optimisme : il aurait fallu beaucoup plus que dix ans ; la démonstration fut faite. Je ne l'ai du reste jamais entendu prêcher la guerre en Indochine. Il s'en tirait par des formules, incontestables et faciles : « Si le gouvernement choisit la guerre, qu'il donne du moins au corps expéditionnaire les moyens matériels nécessaires. »

Durant les mêmes années, je songeais déjà au livre qui devint *Paix et guerre entre les nations* et j'écrivis plusieurs articles qui traitaient de la théorie ou de la méthode des relations internationales : « Les tensions et les guerres du point de vue de la sociologie historique », « De l'analyse des constellations diplomatiques », « Des comparaisons historiques », « De la paix sans victoire », « En quête d'une doctrine de la politique étrangère », « A l'âge atomique, peut-on limiter la guerre[1] ? »

Quelques idées servirent pour ainsi dire de transition entre les analyses historiques développées dans *le Grand Schisme* et *les Guerres en chaîne,* et les considérations abstraites ou générales qui aboutirent à *Paix et Guerre.*

Une première idée, qui se retrouve dans plusieurs de ces études, constituait, à l'origine, une réponse à une thèse proclamée par des experts ou prétendus tels de l'Unesco : « la guerre commence dans l'esprit des hommes[2] » ; ou encore à un texte signé par un groupe d'experts sur la possibilité d'éliminer la guerre. Je soutins contre les psychologues, psychanalystes, marxistes ou antimarxistes que la recherche doit prendre pour point de départ la guerre comme « conflit armé entre deux unités politiques indépendantes par le moyen de forces militaires organisées dans la poursuite d'une

---

1. Tous ces articles ont été réunis dans *Études politiques* (Gallimard).
2. Proposition en un sens évidente, mais qui suggérait faussement que l'action psychologique, l'éducation pourraient éliminer les guerres.

politique tribale ou nationale », phénomène spécifique, qui se retrouve dans toutes les civilisations, sous des formes multiples mais toujours reconnaissables. En d'autres termes, je plaidai pour une sociologie historique.

J'énumérai les six questions auxquelles doit répondre l'analyse d'une constellation diplomatique. Les trois premières, qui constituent une première catégorie, doivent être présentes à l'esprit des hommes d'État : quel est le champ diplomatique ? Quelle est la configuration des relations de puissance à l'intérieur de ce champ ? Quelle est la technique de guerre à laquelle les gouvernants se réfèrent plus ou moins clairement pour estimer l'importance des positions ou des relations ?

La première question m'était évidemment suggérée par l'expérience de la première moitié du siècle. Les hommes d'État ou les chefs militaires qui entraînèrent les peuples dans la grande guerre de 1914-1918 ne se représentaient pas les États-Unis comme un des acteurs, voire l'acteur décisif du drame. Grande puissance dans un champ limité à l'Europe et à ses dépendances, la France cesse de l'être dans un champ étendu à la planète entière.

La deuxième question sortait de la bipolarité du champ diplomatique postérieur à la destruction du IIIᵉ Reich et de la « sphère » nipponne de « coprospérité ». Le concert européen du xixᵉ siècle ou du xxᵉ avant 1914 se fondait sur la pluralité de grandes puissances, de force comparable, dont les alliances changeantes prévenaient l'ascension d'un « empire universel ». Le souvenir du concert européen me servait de type-idéal d'une certaine configuration des relations de force. L'écart entre les États-Unis et l'Union soviétique d'une part, et toutes les autres unités politiques d'autre part, caractérisait un autre type de configuration, celui de la bipolarité.

L'extension du champ diplomatique dépend tout à la fois de la dimension des États et de la technique militaire. Les moyens de mouvement ou de transport rendirent possible l'intervention décisive des États-Unis en Europe dès 1917-1918. MacKinder avait déjà été frappé par les deux premières guerres du xxᵉ siècle, en Afrique du Sud et en Mandchourie. A dix milliers de kilomètres, au bout d'une seule voie ferrée, la Russie tsariste avait ravitaillé une armée au combat ; de même l'Angleterre, grâce à la maîtrise des mers, avait entretenu un corps expéditionnaire très loin de la métropole. La bombe nucléaire, novation révolutionnaire de l'armement, quelle transformation entraînait-elle dans les relations internationales ?

A ces trois questions — essentiellement stratégico-politiques — j'ajoutai trois questions idéologico-politiques : jusqu'à quel point les États aux prises se reconnaissent-ils les uns les autres de telle sorte que les frontières seulement, et non l'existence des États eux-mêmes, constituent l'enjeu de la lutte ? Quelle est la relation entre le jeu de la politique intérieure et les décisions des hommes d'État ? Quel sens ceux-ci donnent-ils à la paix, à la guerre, aux relations entre États ?

La première de ces interrogations visait l'alternative des guerres impériales et des guerres nationales. Clausewitz écrivit qu'avant Napoléon les souverains ne croyaient pas à la possibilité de grandes conquêtes en Europe. Avec Napoléon, avec Hitler, l'existence même de certains États devenait l'enjeu des guerres. La non-reconnaissance des États se produit dans diverses circonstances : quand le vainqueur vise à soumettre les vaincus à sa souveraineté, quand il tient une population pour indigne de l'indépendance, enfin quand les belligérants jugent mutuellement leurs régimes et leurs idéologies incompatibles et se donnent donc pour objectif d'éliminer le régime et l'idéologie de l'ennemi.

La deuxième question renvoie à une étude de politique intérieure. Le président des États-Unis ne dirige pas l'action extérieure de son pays à la manière dont le *politburo* du parti communiste dirige celle de l'Union soviétique. La sociologie américaine a multiplié les études sur le jeu des lobbies, des groupes de pression, de la presse et du Congrès, jeu qui limite la liberté de manœuvre du président et de ses conseillers (sans compter la rivalité entre les diverses organisations étatiques qui ont leur mot à dire dans la détermination des choix diplomatiques).

La dernière question m'était inspirée également par

la conjoncture. Les marxistes-léninistes du Kremlin ne désignent pas les événements par les mots dont usent les dirigeants de Washington. Selon Moscou, l'instauration du régime fidéliste à Cuba marque une étape de la libération des peuples victimes de l'impérialisme américain. La diplomatie soviétique s'inspire d'une théorie et d'une pratique révolutionnaires, s'insère dans une vision globale de l'Histoire. La diplomatie américaine combine un idéalisme juridico-moral avec un réalisme souvent inconscient de lui-même.

Quelques années plus tard, je repris ces six questions dans une étude intitulée « Analyse des constellations diplomatiques » et je les utilisai pour débrouiller la conjoncture d'après-guerre. En particulier, je distinguai les diverses formes de non-reconnaissance. Au début des années 50, les Occidentaux ne reconnaissaient pas la RDA, les Etats-Unis ne reconnaissaient même pas l'annexion des États baltes. Pour l'Union soviétique, la République de Corée n'existait pas ; pour les Occidentaux, c'est la République populaire de Corée qui n'existait pas. L'examen des techniques diplomatiques que j'ajoutai à la troisième question conduisit aux modalités nouvelles des relations entre États : Nations unies, GATT, etc., de même que l'examen des techniques des armements conduisit aux conséquences historiques des armes nucléaires. La problématique de H. Delbrück demeure plus actuelle que jamais : l'histoire des guerres ne se comprend que dans le cadre de l'histoire des relations politiques.

Dans toute conjoncture, on discerne *les relations de puissance* — limites du champ, structure des forces, technique militaire — et le *sens idéologique* du commerce, pacifique ou belliqueux, entre les États, sens qui résulte tout à la fois des liens entre politique intérieure et politique extérieure, de la reconnaissance ou non-reconnaissance mutuelle des États et de la philosophie de la diplomatie que professent les divers États. Relations de puissance d'un côté, sens idéologique de l'autre, tels sont les deux aspects d'une constellation interétatique. Quand tous les États donnent le même sens à la diplomatie, celle-ci tend vers un type historique : la diplomatie idéologiquement neutre, qui met en relations et aux prises des États qui ne cherchent pas à se déstabiliser l'un l'autre par l'intérieur. La diplomatie religieuse ou révolutionnaire l'emporte dans les époques où les conflits entre partis ou confessions recoupent ou compliquent les conflits entre États. Après les guerres de religion, l'Europe chercha et trouva un refuge dans la diplomatie des cabinets et la subordination des Églises et des croyances à la raison d'État. Après les guerres de la Révolution, elle revint une fois de plus à une sorte de légitimité étatique, support d'une diplomatie traditionnelle. Depuis 1917, l'Europe est entrée dans une nouvelle phase idéologique dont elle n'est pas encore sortie, et elle y a entraîné le monde entier. Je découvris, dans une thèse de doctorat, soutenue à Genève, les concepts que je cherchais pour désigner les deux types de relations internationales : *système homogène,* celui dans lequel les États se réclament du même principe de légitimité, *système hétérogène* celui dans lequel les États se fondent sur des principes antagonistes de légitimité et, par suite, obéissent à des considérations idéologiques ou religieuses, en dehors des calculs de puissance. L'auteur de cette thèse, M. Papaligouras, servit comme ministre, il y a quelques années, dans un ministère présidé par C. Karamanlis.

Les deux guerres du XXe siècle m'avaient aussi amené à réfléchir sur la guerre hyperbolique, selon l'expression de G. Ferrero, sur la volonté de combattre jusqu'au bout afin d'imposer une paix dictée, mais pas nécessairement carthaginoise. Aussi la guerre de Corée me parut-elle un tournant : pour la première fois dans leur histoire, les États-Unis renonçaient à une victoire d'anéantissement. Après un demi-siècle de guerres totales, s'ouvrait le demi-siècle de guerres limitées (titre d'un article que je publiai dans le *Bulletin of atomist scientists*).

L'article intitulé « De la guerre sans victoire », publié à l'automne de 1951, après l'intervention chinoise et la stabilisation des fronts à proximité de la ligne de démarcation tracée en 1945, prévoyait un compromis, sans vainqueur ni vaincu. La relecture de l'analyse ne me paraît pas entièrement dépourvue d'intérêt. Du côté de Washington, « la paix négociée constitue l'objectif minimum que doit se fixer une grande puis

sance. Quel qu'en soit le coût, la bataille doit être pour-
suivie jusqu'au moment où l'ennemi cédera, c'est-à-dire
renoncera à l'ambition de vaincre décisivement ».
Qu'en est-il de l'autre côté ? « Logiquement, donc, les
Sino-Soviétiques devraient mettre fin à la guerre de
Corée dès que les hommes du Kremlin auront jugé la
Chine suffisamment affaiblie et docile. » Dès ce
moment, je ne croyais pas à une entente parfaite entre
l'Union soviétique et la Chine populaire. J'ajoute que
cet article avait été rédigé avant l'initiative de Malik [1]
qui aboutit aux pourparlers de Pan Mun Jon.

Dès lors qu'aucun des deux belligérants ne se donne
pour objectif une victoire décisive, une paix — ou un
cessez-le-feu — négociée devient inévitable. Et le compromis possible se ramène au maintien des deux
Corées : « En l'état actuel des choses et des esprits, il
semble donc que le retour au *statu quo ante* doive être
l'issue dérisoire, absurde, d'une guerre qui aura duré
plus d'un an. » Elle dura en fait deux années de plus ;
les Américains ayant arrêté leurs opérations dès le
moment où commencèrent les pourparlers, les Sino-
Soviétiques, pour des raisons encore aujourd'hui obscures, refusèrent de céder sur la question des prisonniers : ces derniers n'auraient pas la possibilité de choisir entre le sud et le nord de la Corée, entre Pékin et
Taiwan. Ils cédèrent quelques semaines après la mort
de Staline — ce qui suggère au moins une interprétation.

L'aboutissement de la campagne de Corée devenait,
dans ma pensée, le symbole du conflit Est-Ouest considéré globalement : « La guerre froide équivaut à une
guerre limitée où chacun des deux camps n'emploie
qu'une partie des moyens disponibles, mais où l'un vise
une victoire totale et l'autre une victoire partielle. En
Corée, le camp occidental a remporté la sorte de victoire à laquelle il aspire dans le troisième conflit mondial. L'Occident ne veut détruire ni l'Union soviétique
ni le régime stalinien, il veut que l'Union soviétique
renonce à son entreprise d'expansion mondiale. »
Avais-je raison ? Bien entendu, j'avais raison de ne pas

1. Représentant soviétique aux Nations unies.

plaider en faveur d'une stratégie belliqueuse, mais les États-Unis, à l'époque de leur évidente supériorité, devaient-ils se contenter de la partie nulle ? Se résigner au partage de l'Europe ? Ne peut-on dire que Staline, en simulant la volonté de conquérir l'Europe occidentale, laissa aux États-Unis l'illusion de remporter une victoire par la stabilisation des démocraties libérales à l'ouest de la ligne de démarcation, alors qu'il atteignait, lui, son but : stabiliser les démocraties populaires imposées aux pays occupés par l'Armée rouge ?

Je voudrais dire un mot sur les deux autres articles qui font suite à la campagne de Corée et à la « Paix sans Victoire ». Dans un article de *Preuves* (1953), j'interrogeai : « A l'Age atomique, peut-on limiter la guerre ? » Je plaidai en faveur de la limitation géographique des conflits, en faveur aussi de la modération des hommes d'État. Pour éviter l'ascension aux extrêmes, il faut avant tout que les chefs de guerre, les hommes d'État ne se donnent pas des buts qu'ils ne peuvent atteindre que par l'écrasement de l'ennemi. J'en vins au cas de la guerre générale : là encore, la limitation ne devait pas être exclue à l'avance. Certes, « une guerre, en Europe, *une guerre générale entre les deux camps, ne pourra pas ne pas être atomique.* Mais il n'en résulte pas que les belligérants jetteront, l'un sur l'autre, tous leurs moyens de destruction. » Rationnellement, chacun s'efforcera de détruire les instruments de représailles de l'autre. L'abondance atomique, la diversité des usages militaires de l'explosif atomique, le développement des fusées obligent à concevoir la prolongation de cette bataille initiale, sans modifier l'idée qui nous paraît essentielle. « A partir du moment où les deux camps ont une capacité égale de bombardements atomiques des villes, la raison leur commande à tous de s'abstenir. L'égalité atomique devrait faire à nouveau des armées ennemies l'objectif n° 1. » Le raisonnement n'a rien perdu de sa valeur. Peut-être même a-t-il gagné en force de conviction. Or, curieusement, les Américains, en 1970, adoptèrent la doctrine de *mutual assured destruction*. En d'autres termes, ils réduisirent pour ainsi dire la dissuasion à la capacité de chacun des deux Grands de détruire les villes de l'autre. Dissuasion singulièrement faible contre toute attaque autre qu'une attaque nucléaire visant son propre territoire. Les Américains furent amenés à cette doctrine par le postulat que je critiquai déjà dans cet article : tout franchissement du seuil nucléaire irait nécessairement à l'extrême de la guerre nucléaire totale.

Peut-être le titre d'un article paru dans le *Bulletin of Atomic scientists* résume-t-il mon interprétation, à cette époque : « Un demi-siècle de guerres limitées. » Il n'énumère pas les moyens de limiter les guerres, même celles où certaines armes nucléaires sont employées. Il se concentre sur le changement des rapports entre les deux Grands. Après avoir développé, pour un public américain, les raisons passablement claires pour lesquelles les Soviétiques ne pouvaient pas accepter le plan Baruch-Lilienthal d'internationaliser cette arme en même temps que l'industrie atomique, je m'interrogeai sur les conséquences de l'égalité, actuelle ou prochaine, des deux Grands en fait d'armes nucléaires et de vecteurs. La dissuasion résumée par la formule : « Arrête ou je te réduis en poussière » impressionne davantage l'agresseur présumé que l'autre formule : « Arrête ou nous allons mourir ensemble. » En 1956, les États-Unis disposaient encore d'une supériorité substantielle au niveau de ce que l'on appelle aujourd'hui « la balance centrale » ; mais j'anticipai sur la situation et je discutai les implications de la doctrine appelée aujourd'hui *mutual assured destruction*. Chacun des deux belligérants conserve, après une première attaque de l'autre, des instruments de représailles suffisants pour infliger à l'agresseur des destructions, sinon égales, du moins du même ordre de grandeur que celles qu'il a lui-même subies. A partir de là, je posai la question : quelles sont les positions qui ne peuvent être défendues que par la menace de représailles nucléaires ? Quelles sont celles qui doivent être défendues localement parce que l'adversaire ne prendra pas au sérieux la menace nucléaire ? J'en vins ensuite à deux controverses qui devinrent de plus en plus courantes. Convient-il de maintenir la dissuasion sous sa forme extrême, primitive, ou bien, tout au contraire, faut-il graduer la dissuasion (c'est-à-dire la menace) et la proportionner à l'importance de l'enjeu ? Je plaidai en faveur de la gradation de la menace en fonction de l'importance de l'enjeu, en faveur aussi du renforcement des forces conventionnelles, là où la dissuasion par la menace de représailles massives demeure peu plausible.

La conclusion reflète assez exactement la conjoncture. Les armes thermonucléaires n'ont pas la seule fonction de se neutraliser mutuellement, elles servent aussi à prévenir les agressions dans les régions de particulière importance. Elles ne sont pas un instrument diplomatique utilisable en tout temps et en tout lieu. Pour la prochaine période historique, tout au moins, l'observateur politique ne s'accorde pas entièrement avec les physiciens qui déplorent que ces armes monstrueuses aient été mises par les savants à la disposition des hommes politiques. Certes, on ne peut pas exclure qu'une erreur ou une folie déclenche une guerre dont les horreurs dépasseraient de loin celles de toutes les guerres du passé. Mais, pour l'avenir prévisible, il est probable, disais-je, que la guerre générale et totale n'aura pas lieu.

Les coups de feu de Sarajevo déclenchèrent un processus en chaîne qui se termina avec les bombardements atomiques de Hiroshima et de Nagasaki. N'assistons-nous pas à un processus de sens contraire ? Une tendance à limiter les conflits dans l'espace et à renoncer à la victoire absolue par l'emploi de toutes les armes ? Toutes ces guerres limitées ensemble comportent un enjeu illimité et risquent toujours de provoquer une explosion suicidaire.

J'oscillai entre la méditation sur la première moitié du siècle et la réflexion prospective sur la seconde moitié. Une fois revenu à l'Université, je tentai d'unir, en un seul ouvrage, les leçons d'un passé récent, l'analyse du présent et les conseils aux acteurs. Spectateur mais engagé, je devais conclure sur une théorie de l'action.

XII

« L'OPIUM DES INTELLECTUELS »

L'installation permanente de l'armée russe au centre de l'Europe aurait frappé de stupeur les Britanniques et les Français au siècle dernier. Karl Marx aurait dénoncé avec plus de virulence encore l'impérialisme des tsars et la passivité lâche des Occidentaux. La réaction lente et modérée des Américains et des Européens, la formation du pacte de l'Atlantique Nord, exigée par la seule mécanique des forces, n'eût guère été moins nécessaire face à un régime traditionnel. Comme la Russie, était devenue l'Union des républiques socialistes soviétiques, le débat diplomatique prit une tout autre ampleur. Étions-nous menacés par l'Armée rouge, par le « spectre qui hante l'Europe », le communisme, ou par l'irrésistible ascension de l'économie socialiste ?

Relire les articles ou livres de la période de la guerre froide, signés des auteurs les plus responsables, éveille des sentiments ambigus : pourquoi des esprits de qualité ont-ils déraisonné à propos de l'Union soviétique, alors même qu'ils n'adhéraient ni au marxisme ni au marxisme-léninisme ? La raison, le bon sens, la simple vérité que 2 et 2 font 4, toutes ces instances de contrôle sont-elles à ce point fragiles, vulnérables, même en l'absence de passions idéologiques ?

Je me souviens d'un chroniqueur de l'économie, au *Figaro,* éclairé, proche de la pratique, qui commenta sérieusement l'éventualité prochaine du pain gratuit en Union soviétique. Pourquoi n'a-t-il pas songé — sans même évoquer la misère de l'agriculture soviétique —

que le pain, donc le blé, gratuit, serait gaspillé en nourriture pour les animaux et deviendrait bientôt rare ? Je
ne dirais pas que la peur guidait leur plume. Bien plutôt, je dirais que ces analystes de circonstance voulaient
inconsciemment témoigner de leur liberté d'esprit, de
leur sens « progressiste ». Ils tenaient à reconnaître les
vertus, l'efficacité d'une organisation sociale, qu'ils
refusaient par ailleurs pour d'autres raisons.

Les polémiques entre les progressistes et les atlantistes tournaient autour des mérites ou démérites respectifs du régime soviétique et de la démocratie américaine. Sur ce sujet, les textes abondent et nous n'avons
que l'embarras du choix. Je ne citerai pas des communistes — ils faisaient leur devoir — mais des hommes
qui ne le furent jamais et qui, aujourd'hui, se trouvent
du même côté que moi.

Je lis dans *les Temps modernes* de janvier 1950, à propos de la discussion à l'ONU sur le travail forcé : « ...
Dans aucun pays du monde, la dignité du travail n'est
plus respectée que dans l'Union soviétique. Le travail
forcé n'y existe pas, car l'exploitation de l'homme par
l'homme est depuis longtemps abolie. Les travailleurs
jouissent du fruit de leur propre travail et ne sont pas
obligés de dépendre de quelques exploiteurs capitalistes. Le travail forcé est propre au système capitaliste,
car, dans les pays capitalistes, les travailleurs sont traités comme des esclaves par leurs maîtres capitalistes...
Les représentants de la France et du Liban n'ont pas
compris que, sous le régime soviétique, les travailleurs
peuvent être amenés à travailler sans qu'il leur soit
imposé une discipline rigide. Dans l'Union soviétique,
chacun éprouve le désir de travailler et les héros du travail sont placés sur le même plan que les héros de la
guerre... » A un autre endroit : « Les diverses mesures
inhumaines appliquées dans les prisons des États-Unis
à la population nègre de ce pays contrastent singulièrement avec les dispositions équitables et raisonnables du
Code du travail collectif de l'Union soviétique ; ce code
a été rédigé dans un esprit plus humanitaire que répres-

sif et son but est de transformer les criminels en citoyens respectueux des lois. » Ce texte est signé de Roger Stéphane[1].

En avril 1953, je lis dans *Esprit :* « Notre combat a le même sens qu'en 1938, en 1940, en 1942, celui que désignait Mounier au lendemain de Munich : *l'Europe contre les hégémonies;* l'Europe contre l'hégémonie raciste allemande, aujourd'hui l'Europe contre la double hégémonie des blocs, et d'abord notre Europe d'Occident contre l'hégémonie américaine et son relais allemand... » J.-M. Domenach ne maintiendrait évidemment pas aujourd'hui cette assimilation.

Sous la signature d'Albert Béguin on lisait : « On préconise un anticommunisme qui camoufle opportunément une fin de non-savoir opposée aux revendications de justice sociale, machiavéliquement mises au compte d'un subterfuge d'inspiration soviétique » et, un peu plus loin, évoquant les ouvriers français et italiens, il reconnaît que la « rigide orthodoxie stalinienne revêtue comme un uniforme par un travailleur d'Occident donne à ses gestes et à sa personne une raideur qui n'était pas le fait des hommes de vieille civilisation ». Mais comment lui en faire grief alors que « notre vieille civilisation ne lui offre rien dont, dans la situation française, il puisse nourrir son être » ?

Les partisans de l'Alliance atlantique devenaient, sous la plume des progressistes, catholiques ou non, de nouveaux collaborateurs (à supposer qu'ils ne fussent pas d'anciens collaborateurs). Le pacte de l'Atlantique, le réarmement de l'Allemagne signifiaient la guerre. Albert Béguin jugeait ridicule la réponse d'un professeur américain selon lequel les États-Unis, en favorisant le plan Marshall, « avaient sapé de gaieté de cœur leur propre suprématie ». Vingt ans plus tard, les États-Unis ressentaient en effet la concurrence européenne (et japonaise plus encore).

Voici, dans *Libération,* le 22 juin 1953, un article de Jean-Paul Sartre s'adressant aux Américains : « Sur un

---

1. J'ajoute que Roger Stéphane s'est libéré rapidement de ces aberrations, qu'il a pris une part honorable au débat français sur la décolonisation. Je le cite précisément parce que ce texte ne lui ressemble pas.

point, vous aurez gain de cause, nous ne voulons de mal à personne : le mépris et l'horreur que vous nous inspirez, nous refusons d'en faire de la haine. Mais vous n'arriverez pas à nous faire prendre l'exécution des Rosenberg pour un " regrettable incident ", ni même pour une erreur judiciaire. C'est un lynchage légal qui couvre de sang tout un peuple et qui dénonce une fois pour toutes et avec éclat la faillite du Pacte atlantique et votre incapacité à assumer le *leadership* du monde occidental... Mais si vous cédiez à votre folie criminelle, cette même folie demain pourrait nous jeter pêle-mêle dans une guerre d'extermination... Et qu'est-ce que c'est que ce pays dont les chefs sont forcés de commettre des crimes rituels pour qu'on leur pardonne d'arrêter une guerre... Vous rappelez-vous Nuremberg et votre théorie de la responsabilité collective ? Eh bien, c'est à vous aujourd'hui qu'il faut l'appliquer. Vous êtes collectivement responsables de la mort des Rosenberg, les uns pour avoir provoqué le meurtre, les autres pour l'avoir laissé commettre, vous avez toléré que les États-Unis soient le berceau d'un nouveau fascisme ; en vain vous répondrez que ce seul meurtre n'est pas comparable aux hécatombes hitlériennes ; le fascisme ne se définit pas par le nombre de ses victimes, mais par sa manière de les tuer... En tuant les Rosenberg, vous avez tout simplement essayé d'arrêter les progrès de la science par un sacrifice humain. Magie, chasse aux sorcières, autodafé, sacrifices : nous y sommes, votre pays est malade de la peur... En attendant, ne vous étonnez pas si nous crions d'un bout à l'autre de l'Europe : attention, l'Amérique a la rage. Tranchons tous les liens qui nous rattachent à elle, sinon nous serons à notre tour mordus et enragés. » Bien que postérieur à la mort de Staline, ce texte appartient à la littérature hyperstalinienne. Rien n'y manque, y compris le meurtre rituel. Les Américains tiennent dans la démonologie sartrienne la place que les Juifs tenaient dans la démonologie hitlérienne.

Plus extraordinaires encore nous apparaissent aujourd'hui quelques remarques de mon ami Alfred Sauvy (le texte de Sartre n'appartient pas à la littérature « normale ») qui se rapportent pour la plupart à l'Union soviétique ou plutôt à son avenir. Dans *le Pouvoir et l'opinion* (1949), voici comment il présentait les rapports de l'État à son peuple : « Aucun besoin de travestir la vérité, d'inventer des faits imaginaires, il suffit de sélectionner, de tamiser comme un verre de couleur... Les raisons de ce black-out soviétique ne sont pas seulement sentimentales : dans l'impossibilité d'assurer dans l'immédiat un niveau d'existence aussi élevé que celui des pays capitalistes occidentaux, les dirigeants ont résolu d'approcher ce niveau par les voies les plus rapides. Et cette rapidité même oblige à imposer des privations supplémentaires. » Privations pour accélérer l'accumulation du capital, l'idée était courante ; en revanche, la formule « tamiser » la vérité sans la travestir pour définir la politique stalinienne d'information, mon vieux professeur de rhétorique l'aurait qualifiée de « rencontrée ».

Il est cruel, je l'avoue, de reproduire certaines phrases : « De même que les biens d'équipement priment aujourd'hui le bien-être pour assurer le bien-être de demain, de même les vacances de la vérité sont nécessaires, pendant la période ingrate, pour faire éclater demain la pleine vérité... Vu sous cet angle, le communisme est un immense essai de vérité à terme et de liberté à crédit... Dans tel ou tel pays où le communisme s'est introduit par la violence, l'opinion entière sera communiste dans une génération ; annoncer qu'elle l'est dès maintenant n'est qu'une anticipation. » On attend encore le dénouement des opérations à terme de vérité et de liberté.

Quelques années plus tard, dans *le Monde* (30 et 31 octobre 1952), il mettait en garde les Européens contre les progrès de l'économie soviétique. Et il avait raison de le faire. En 1952 la croissance de l'économie française s'essoufflait ; les Soviétiques consacraient à l'investissement une part considérable du produit national. Nous pouvions en effet craindre qu'à force d'investissements la production soviétique dépassât celle des Européens. Mais Alfred Sauvy commettait une grave imprudence quand il écrivait : « Personnellement nous croyons le niveau de vie de l'ouvrier soviétique encore inférieur actuellement à celui des Français, mais la différence est peut-être moins grande qu'on ne le croit et diminue régulièrement. Dans quelques années, l'écart pourra avoir changé de sens. Qu'arrivera-t-il alors si le rideau de fer s'ouvre à des caravanes de touristes ouvriers, employés ou intellectuels ? Faudra-t-il le fermer de notre côté ? » En fait, le niveau de vie des travailleurs soviétiques demeurait en 1952 inférieur à celui de 1928.

Je répondis dans un article du 8 novembre 1954, non à Sauvy mais à ceux qui brandissaient la « prétendue menace de la prospérité soviétique ». Premier argument : l'antisoviétisme n'est pas fonction du niveau de vie ; la Turquie et la Corée, plus pauvres que l'Union soviétique, lui sont plus hostiles que les Occidentaux. Deuxième argument : le niveau de vie, mesuré par la quantité et la qualité de la nourriture disponible, est considérablement inférieur dans la patrie du socialisme à celui des Français. En URSS, on néglige l'équipement général du pays, le système des communications, les industries de transformation. « On n'a pas le droit de se donner par la pensée le même taux de croissance avec une autre répartition des investissements ; on n'a pas le droit de passer de l'égalité du revenu par tête à l'égalité du niveau de vie. Il serait mauvais de confondre la capacité de produire charbon, acier et chars d'assaut... avec la capacité de satisfaire les besoins des hommes... »

Troisième argument : supposons qu'en effet le niveau de vie en Union soviétique se rapproche du niveau de vie européen. De deux choses l'une : ou bien le rideau de fer restera abaissé, en ce cas, quel changement ? La propagande ne gagnera rien à rétrécir la distance entre la réalité et le verbe. « Le grand mensonge a une force percutante que n'a pas la vérité. » Ou bien le rideau de fer est relevé, les Soviétiques se promènent librement en France et les Français en Union soviétique. Le jour où l'Union soviétique s'ouvrirait, la guerre froide serait finie et la paix possible.

Conclusion : ceux qui imaginent pour le proche avenir la France ou l'Occident abaissant à leur tour le rideau de fer sont victimes du délire statistique. De ces victimes du délire statistique, je ne puis pas ne pas citer en première ligne l'auteur du livre intitulé *Révolution, dernière chance de la France,* publié en 1954, donc après la mort de Staline et la période extrême de la guerre froide. Ainsi que A. Sauvy, M. Lauré présente le soviétisme non comme un modèle, mais comme une menace : « S'il est vrai, comme nous nous en rendons compte, que le niveau de vie russe qui augmente de près de 10 % par an doive atteindre le nôtre vers la fin de l'année 1960, puis le dépasser rapidement, notre protection la plus efficace contre l'expansion du communisme disparaîtra[1]. » En 1954, au lendemain de la mort de Staline, le niveau de vie de la population demeurait inférieur à celui de 1928, avant la collectivisation agraire. Un quart de siècle après ce livre, le niveau de vie de la population soviétique se situe entre le tiers et la moitié du niveau de vie français dans la mesure où ces comparaisons grossières présentent un sens. M. Lauré, un des hommes les plus intelligents de France, considérait que l'augmentation du pouvoir d'achat en URSS représentait un danger proche pour la France. En bon polytechnicien, il calculait. Sur un revenu net de 100 après impôt, un Occidental en épargne 10 ; un Soviétique 15[2] et l'État en impose 15 de plus sous forme d'épargne collective ; de plus 10 encore doivent être soustraits du revenu net pour l'effort militaire supplémentaire. Sur un revenu net potentiel de 100, un citoyen soviétique ne dispose donc pour sa consommation que de 65 (contre 90 pour l'Occidental). A égalité de production par habitant, le niveau de vie soviétique sera inférieur de 28 % à celui de l'Occidental. Pour atteindre à l'égalité du niveau de vie avec les Occidentaux, les Soviétiques doivent les dépasser de 38,5 %. Résultat qui sera obtenu en cinq années puisque la production augmente de 10 % par an et par habitant en Union soviétique alors que ce même taux de croissance en Europe occidentale ne dépasserait pas 2 %. L'avantage pris par l'Union soviétique chaque année serait de 7 % (1 % d'augmentation supplémentaire de population). « C'est donc vers les années 1962 ou 1963 que le niveau de vie du citoyen soviétique égalera le niveau de vie occidental, *en supposant que l'URSS continue encore à cette époque à soutenir le même effort d'équipement*

---

1. *Révolution, dernière chance de la France*, Paris, PUF, 1954, p. 48.
2. Qu'en savait-il ?

et le même effort militaire qu'actuellement» (p. 66).

Pourquoi des calculs apparemment précis aboutissent-ils à des résultats que l'expérience ridiculise ? Tout d'abord, M. Lauré supposait le niveau de vie du Soviétique en 1953 beaucoup plus élevé qu'il ne l'était. Il prenait ensuite pour point de départ la production par tête et il acceptait les chiffres officiels sans les critiquer ; il ne connaissait apparemment pas les critiques américaines des statistiques soviétiques. Il surestimait, en l'évaluant à 65 %, la part du produit national qui revenait finalement au consommateur soviétique. Même si l'augmentation annuelle de la production nationale s'élevait à 10 %, au cours des années de l'immédiat après-guerre, Lauré ne tenait compte ni de la nature des produits, ni des particularités du régime. Les tracteurs sortaient par centaines de milliers des usines et entraient dans la comptabilité de la production nationale, mais s'ils tombaient massivement en panne, quelle contribution apportaient-ils à l'effort des producteurs ? La croissance de la production tenait avant tout à l'énormité des investissements et à l'expansion de l'industrie lourde. Le charbon et l'acier ne se transformeraient pas sur commande en biens de consommation, même industriels.

Enfin, et c'était là l'erreur cardinale, M. Lauré affirmait que, dans le secteur industriel, l'accroissement de la productivité s'est maintenu, abstraction faite de la période de guerre et de l'après-guerre, à un rythme extraordinairement rapide : 10 % au moins par an (contre 3 % aux États-Unis et 1,5 % environ en France sur longue période). Or il se trompait sur le taux français d'élévation de la productivité qui, dans les années d'après-guerre, était de 4 à 5 %. Il se trompait tout autant sur le taux soviétique. L'accroissement de la production industrielle a été réalisé grâce à l'accumulation des investissements et au gonflement de la main-d'œuvre. La productivité par tête, dans l'industrie, a progressé, au cours des premiers plans quinquennaux, grâce à la modernisation de l'appareil[1].

1. A la même époque, un autre polytechnicien, Maurice Allais, étudiait le même problème de la production et de la productivité soviétiques. Ses conclusions, pour l'essentiel, étaient correctes et sans commune mesure avec celles de M. Lauré.

Certes, M. Lauré ne niait pas que la rapidité du progrès soviétique tînt aussi au retard initial de la Russie sur les pays occidentaux et il admettait que l'allure se ralentirait avant même que la productivité russe eût atteint la productivité américaine. Malgré tout, sur l'essentiel, il se faisait des illusions : à propos de l'agriculture, il observait « la promptitude et la facilité avec lesquelles le gouvernement de l'URSS met au service du développement du niveau de vie les moyens dirigistes extrêmement puissants qui ont fait leurs preuves à l'occasion du développement de l'industrie lourde ». Et il ajoutait : « ... une augmentation massive de la production agricole, dans toute la mesure où cette production dépend des hommes, est certaine pour le proche avenir... » Il y eut en effet une certaine progression dans les années qui suivirent la mort de Staline, mais à partir d'un niveau extraordinairement bas. Nous savons ce qu'il en est encore aujourd'hui.

En d'autres termes, il raisonnait sur des chiffres faux et méconnaissait les vices inhérents au régime. Il se représentait les ouvriers attachés au régime par un idéal communautaire et il ne voyait de salut, pour la France, que dans le surgissement de valeurs nouvelles, de valeurs communautaires, qui cicatriseraient les blessures du corps français, déchiré par les souvenirs et les idéologies.

Maurice Lauré ne me reprochera pas de citer ces vieux textes parce qu'il sait l'admiration que je porte à l' « inventeur » de la taxe à la valeur ajoutée. Si un prince de l'esprit, il y a un quart de siècle, pouvait commettre des bourdes pareilles, les jeunes d'aujourd'hui imaginent aisément quelles insanités peuplaient les journaux dits d'opinion.

Le débat proprement idéologique valait-il beaucoup mieux ? Au lecteur d'en juger. Je ne voudrais pas reprendre la controverse — ce qui serait ridicule et déplaisant puisque les interlocuteurs ont disparu — mais rafraîchir mes propres souvenirs et, du même coup, faire comprendre ces querelles, peut-être typiques des Trissotin du XXᵉ siècle, à ceux qui n'ont pas vécu ces événements ni connu ces acteurs.

La première surprise, en 1945 je crois, qui me révéla la distance qui me séparait désormais de J.-P. Sartre et de M. Merleau-Ponty, me vint d'un article dans *le Figaro* ou *le Figaro littéraire ;* Merleau-Ponty y traitait de Sartre et de l'existentialisme, et notait, en passant, que les dissentiments avec le communisme relevaient des « querelles de famille ». Ils apprirent bientôt ce que signifient les « querelles de famille » avec les staliniens. Ma première controverse avec Merleau-Ponty eut pour objet *Humanisme et Terreur* (je laisse de côté le dialogue qui suivit, au Collège de Philosophie que présidait Jean Wahl, ma conférence intitulée « Marxisme et existentialisme »).

L'essai de Merleau-Ponty, publié en 1947, me heurta ou, pour mieux dire, m'indigna sur le moment. Les procès de Moscou tels que Koestler les avait présentés dans *le Zéro et l'Infini* constituaient le centre, l'objet ou l'occasion de l'essai. Roubachov tendait à se confondre avec Boukharine et ce dernier devenait un existentialiste. Je n'ai jamais lu sans irritation les lignes suivantes : « ... Il y a autant d' " existentialisme " — au sens de paradoxe, division, angoisse et résolution — dans le *compte rendu sténographique des débats de Moscou* que dans tous les ouvrages de Koestler. » Curieusement, les procès s'appellent Débats comme si Vychinski et Boukharine discutaient, en professeurs de philosophie, la part respective de nécessité et d'accident, de rationalité et de hasard dans le cours de l'histoire. Auteur et lecteur finissent par oublier que les procès sont fabriqués à l'avance, les rôles distribués et que tous, juges et accusés, récitent des discours écrits à l'avance. Je me sentais proche du paysan du Danube, dont la réaction naturelle fut exprimée par N. S. Khrouchtchev dans son fameux discours du XXᵉ Congrès : « Pourquoi les accusés ont-ils avoué des crimes qu'ils n'avaient pas commis s'ils n'ont été torturés ? » Peut-être Merleau-Ponty le savait-il, mais peut-être ce philosophe pensait-il aussi que ces éléments matériels n'enlevaient rien à l'intérêt du *débat* sur la responsabilité de l'opposant.

Le livre me choquait encore par la réfutation, infatigable et inutile, d'une thèse que ses contradicteurs ne soutenaient pas. Merleau-Ponty rejetait le manichéisme de la propagande anticommuniste. De tous les côtés, il existe de la violence et le monde libre ou libéral ne s'oppose pas au monde communiste comme la vérité au mensonge, la loi à la violence, le respect des consciences à la propagande. Soit, mais une fois acceptée la thèse que tous les combats sont, à un degré ou à un autre, douteux, il reste à distinguer les degrés. Si toute politique étrangère comporte une dimension de ruse et de violence, il n'en résulte pas qu'il n'y ait pas de différence morale entre d'un côté celle de Hitler ou de Staline et, de l'autre, celle de Roosevelt ou de Churchill. Quand Merleau-Ponty écrit, comme s'il s'agissait d'une vérité évidente, que « la civilisation morale et matérielle de l'Angleterre suppose l'exploitation des colonies », il tranche légèrement un procès encore ouvert. L'Angleterre a perdu son empire, sans perdre sa civilisation morale. Le respect de la loi sert, éventuellement, à justifier la répression policière de grèves en Amérique, mais certainement pas « le développement de l'empire américain dans le Moyen-Orient ».

De même, j'acceptais sans peine que l'entremêlement de la rationalité et des accidents laissât une marge aux décisions des individus et, par suite, exposât les hommes aux démentis, voire aux condamnations de l'Histoire. Les acteurs, parfois, ne se reconnaissent plus dans les conséquences, dans la signification même de leurs actes. Leur opposition au pouvoir établi apparaît rétrospectivement trahison si elle a favorisé la cause des ennemis. Ce qui me choquait, ce n'était pas cette dialectique, au bout du compte banale. Tout opposant peut *post eventum* sembler un traître. Mais toute décision historique doit être jugée en tenant compte du moment, du contexte dans lequel elle a été prise ; si l'historien a le droit, le devoir de prendre en considération les suites involontaires ou imprévisibles d'une décision, ces suites ne doivent pas fonder le jugement du moraliste, moins encore le verdict d'un tribunal.

Enfin, la philosophie de l'histoire de Merleau-Ponty m'apparaissait, d'un côté, classique (rationalité et

hasard), de l'autre, presque puérile : « Considéré de
près, le marxisme n'est pas une hypothèse quelconque,
remplaçable demain par une autre, c'est le simple
énoncé des conditions sans lesquelles il n'y aura pas
d'humanité au sens d'une relation réciproque entre les
hommes ni de rationalité dans l'histoire. En ce sens, ce
n'est pas une philosophie de l'histoire, c'est *la* philosophie de l'Histoire et y renoncer c'est faire une croix
sur la Raison historique. Après quoi, il n'y a plus que rêve-
ries ou aventures[1]. »

Merleau-Ponty fondait sa position d'a-communisme
ou d'attentisme sur le doute : « ... La construction des
bases socialistes de l'économie s'accompagne d'une
régression de l'idéologie prolétarienne et, pour des raisons qui tiennent au cours des choses — révolution
dans un seul pays, stagnation révolutionnaire et pour-
rissement de l'Histoire dans le reste du monde —,
l'URSS n'est pas la montée au grand jour de l'Histoire
du prolétariat tel que Marx l'avait défini. » Il allait plus
loin encore : « Il y a peut-être encore une dialectique,
mais au regard d'un Dieu qui saurait l'Histoire universelle. Un homme situé dans son temps... ne voit pas au
pouvoir le prolétaire comme " homme de l'Histoire universelle " ... »

Retraduite en langage ordinaire, la pensée de Merleau-Ponty ne péchait pas par un excès de subtilité. La
base économique du socialisme se construisait dans le
bruit et la fureur ; l'homme universel, le prolétariat au
pouvoir se faisait attendre. Si l'Histoire démentait définitivement le marxisme, la Raison historique disparaîtrait avec lui. Il ne resterait plus que la puissance des
uns et la résignation des autres : « Replacées dans les
perspectives de cette unique philosophie, les " sagesses
historiques " apparaissent comme des échecs. » Mais
combien de temps faut-il attendre et, à la manière des
théologiens, faire confiance au Jugement dernier, à un
avenir inconnu ?

Quelques années plus tard, Maurice Merleau-Ponty
se lassa d'attendre l'harmonie entre l'histoire réelle et la
vision marxiste. L'agression de la Corée du Nord

---

1. *Ibid.*, p. 165.

l'amena à réviser le diagnostic qu'il portait sur la conjoncture. Je tâcherai de faire un résumé de l'autocritique à laquelle Merleau-Ponty se soumit honnêtement.

Le reproche majeur qu'il s'adresse à lui-même porte sur une des idées que j'avais le plus vivement critiquées, à savoir la valeur absolue attribuée au marxisme en tant que philosophie de l'Histoire par excellence, seule susceptible de conférer un sens au devenir humain, critère suprahistorique pour ainsi dire puisque « comparées au marxisme toutes les sagesses historiques apparaissent comme des échecs ». Or Merleau-Ponty découvre que sa démarche antérieure elle-même ne s'accorde pas avec le marxisme. Comment conserver à celui-ci sa vérité négative et lui refuser sa vérité d'action sans sortir d'un cadre par lui fixé ? « Dire, comme nous l'avions fait, que le marxisme reste vrai à titre de critique ou de négation, sans l'être comme action ou positivement, c'était nous placer hors de l'action et en particulier hors du marxisme, le justifier pour des raisons qui ne sont pas les siennes, finalement organiser l'équivoque. » On ne peut pas garder la critique et abandonner l'action : « Il est donc bien impossible de couper en deux le communisme, de lui donner raison dans ce qu'il nie et tort dans ce qu'il affirme car concrètement, dans sa manière de nier, sa manière d'affirmer est déjà présente. » Vient enfin la confession décisive. Il rappelle les pages dans lesquelles il identifiait l'échec éventuel du marxisme à l'échec de la philosophie de l'Histoire elle-même, et il juge son marxisme de la veille dans les termes suivants : « Ce marxisme qui reste vrai quoi qu'il fasse, qui se passe de preuves et de vérifications, ce n'était pas la philosophie de l'Histoire, c'était Kant sous un déguisement et c'est encore Kant que nous avons finalement trouvé dans le concept de la révolution comme action absolue. » Je vois bien en quel sens Merleau-Ponty juge rétrospectivement kantienne sa philosophie de la veille, qui rapportait l'histoire à un absolu, le prolétariat, classe universelle, vérité en action ; mais Kant lui-même, dans sa philosophie de l'Histoire, dans l'Idée de la Raison, ne commettait pas les erreurs de Merleau-Ponty dans *Humanisme et terreur*.

Une fois l'absolu prolétarien écarté, Merleau-Ponty retrouvait des propositions sociologiques passablement classiques. Toute révolution élimine une classe dirigeante et en élève une autre. La démocratie pour le peuple, qui serait en même temps dictature vers l'extérieur, contre les ennemis du peuple, n'est qu'une vue de l'esprit. Comme il est difficile de trouver un chemin entre la social-démocratie et la dictature du prolétariat, « toute révolution est dans le relatif et il n'y a que des progrès ». « Le propre d'une révolution est de se croire absolue et de ne l'être pas justement parce qu'elle le croit ». « Le prolétariat tchèque est-il plus heureux aujourd'hui qu'avant la guerre ? »

Merleau-Ponty risquait même l'expression de « nouveau libéralisme ». « Si l'on parle de libéralisme, c'est en ce sens que l'action communiste, les mouvements révolutionnaires ne sont admis que comme utile menace, comme continuel rappel à l'ordre, que l'on ne croit pas à la solution du problème social par le pouvoir de la classe ouvrière ou de ses représentants. Que l'on n'attend de progrès que d'une action qui soit consciente et se *confronte* avec le jugement d'une opposition. » Avec ce libéralisme, j'avais d'autant moins de querelle qu'il ne différait pas substantiellement du mien (quoi qu'il en dît), et j'aurais volontiers souscrit à la formule : « Le Parlement est la seule institution connue qui garantisse un minimum d'opposition et de vérité. »

Entre *Humanisme et terreur* et *les Aventures de la dialectique,* Merleau-Ponty franchit une longue distance et, sans tomber d'accord avec moi, il s'était rapproché de mes positions. Officiellement, sa révision se réduisait à être passé du préjugé favorable accordé à l'Union soviétique à l'a-communisme avec une neutralité authentique, sans aucune trace de cryptocommunisme. Les tares du capitalisme demeuraient, lui continuait à les dénoncer, mais il admettait que la critique unilatérale de ces tares tendait à glisser vers une forme de cryptocommunisme. La guerre de Corée avait réduit encore la marge entre communisme et non-communisme. « L'attentisme marxiste n'était plus en nous que rêverie, et rêverie lourde. » En bref, pour critiquer l'anticommunisme, il allait manifester clairement une totale indépendance par rapport au communisme. Le refus d'un choix devient choix d'un double refus.

Le livre de M. Merleau-Ponty parut presque en même temps que *l'Opium des Intellectuels*. Parfois il fut mis dans le même sac et exécuté dans le même style par des écrivains communistes de l'époque (Claude Roy par exemple). Merleau-Ponty et moi-même ne rompîmes jamais et, en revanche, Sartre répliqua, par la plume de Simone de Beauvoir, à son ami. Pour une part, en effet, leur rupture fut provoquée par des dissentiments sur l'attitude à adopter face au parti communiste et, du même coup, à l'Union soviétique. Pour une autre part, et peut-être plus grande, elle tint à une controverse essentiellement philosophique sur les relations entre la classe et le parti — relations qui impliquaient la dialectique du vécu et du construit, de l'expérience ouvrière et de l'action politique. Je reviendrai plus loin sur cette controverse philosophique, après l'analyse des prises de position politiques.

Comme je le fis remarquer dans un article de 1956[1], « on a le sentiment d'une sorte de ballet ou de chassé-croisé. La " gauche nouvelle " de Merleau-Ponty de 1955 ressemble au *Rassemblement démocratique révolutionnaire* de Jean-Paul Sartre de 1948. L'attentisme marxiste du premier se rapproche du procommunisme du second plus que de l'a-communisme exposé dans *les Aventures de la dialectique*. En bref, Merleau-Ponty accordait au parti communiste un préjugé favorable quand il écrivait *Humanisme et terreur* et le lui refusait dans *les Aventures*. Inversement, J.-P. Sartre tançait sévèrement le PC dans les entretiens avec David Rousset pour se rapprocher de lui dans « Les communistes et la paix ».

Ce sont les entretiens de Sartre et de Rousset qui mirent publiquement fin à notre amitié de jeunesse. Merleau-Ponty, après avoir lu les propos qui me

---

1. J'écrivis, dans *Preuves*, après *l'Opium des Intellectuels*, deux articles qui répondaient à ceux des critiques que je prenais au sérieux : « Aventures et mésaventures de la dialectique » et « Le fanatisme, la prudence et la foi ».

visaient, fit observer à Sartre que ces attaques, de toute
évidence, entraînaient la rupture entre nous deux. Sartre aurait répondu à peu près : « Oui, mais il ne reste
rien à sauver. » Peut-être avait-il raison.

Un premier incident nous avait opposés. Sous le gouvernement Ramadier, Sartre avait obtenu une émission
à la radio ; il conversait librement avec quelques-uns de
ses amis. Dans une de ses premières émissions, il parla
du général de Gaulle. Un de ses interlocuteurs compara
longuement le général de Gaulle à Hitler (« les pau-
pières lourdes... »). Bien entendu, la comparaison fit
scandale. Le soir, je fus invité à rencontrer à la radio
J.-P. Sartre et ses contradicteurs. Je me trouvai au
milieu de gaullistes excités, Henri Torrès, le général de
Bénouville qui accablaient Sartre de reproches violents,
plus ou moins injurieux. Je restai silencieux, ne pouvant donner raison à Sartre ni moins encore me joindre
aux « imprécateurs ». J'appris quelques semaines plus
tard que Sartre ne me pardonnait pas mon « silence »,
alors que lui se trouvait seul au milieu d'ennemis.

Dans son dialogue avec Simone de Beauvoir, en 1974,
il raconte cette même scène, telle qu'il l'a vécue : « Aron,
c'est toute l'histoire du gaullisme et d'un dialogue à la
radio ; nous avions une heure à la radio, chaque semaine,
pour discuter sur la situation politique, et nous avions été
très violents contre de Gaulle. Des gaullistes ont voulu
me répondre face à face, en particulier Bénouville, et puis
un autre dont j'ai oublié le nom. Alors je me suis rendu à
la radio, nous ne devions pas nous rencontrer avant que le
dialogue ne commence. Aron est venu, je pense que je
l'avais choisi pour arbitrer entre nous, étant convaincu,
d'ailleurs, qu'il prendrait mon parti ; Aron n'a pas fait
mine de me voir ; il s'est joint aux autres ; je concevais
qu'il voie les autres mais non qu'il me laissât tomber.
C'est à partir de là que j'ai compris qu'Aron était contre
moi ; sur le plan politique, j'ai considéré comme une rupture sa solidarité avec les gaullistes contre moi. Il y a toujours eu une forte raison qui a provoqué mes brouilles,
mais, finalement, c'est toujours moi qui ai pris la décision
de me brouiller [1]. »

---

1. *La Cérémonie des Adieux*, p. 354, Gallimard.

Reprenons quelques points : « Nous avons été très violents contre le général de Gaulle. » C'est peu dire : ils avaient longuement comparé le général de Gaulle à Hitler, avec des rapprochements physiques. Pouvais-je l'approuver par amitié pour lui ? Quelques mois plus tôt, en son absence, je l'avais défendu contre Gabriel Marcel qui lui reprochait de comparer l'occupation française en Indochine à l'occupation nazie en France. L'invitation, d'après mes souvenirs, vint de la radio et non de lui personnellement, mais peu importe : quand j'arrivai, Bénouville et Torrès multipliaient les invectives contre Sartre, déclarant que l'on ne pouvait pas discuter avec celui qui s'abaissait à des attaques pareilles. Aux invectives Sartre ne répondait pas : il n'a jamais aimé le face à face.

Certes, j'aurais pu trouver le moyen de me conduire autrement, de lui témoigner mon amitié sans me solidariser avec son émission de la veille. Je me souviens de cette courte scène comme d'un moment insupportable : d'un côté des gaullistes pour lesquels je n'éprouvai aucune sympathie et, de l'autre, Sartre impavide sous les injures, et moi-même silencieux. Chacun est parti de son côté.

Cela dit, Sartre a raison, l'amitié se mourait d'elle-même, inexorablement. Notre amitié, au cours des deux dernières années de l'École, se nourrissait de connivence intellectuelle d'une part, de camaraderie estudiantine de l'autre. La première composante s'en alla avec le temps, et aussi la deuxième, pour des raisons que son dialogue de 1974 avec Simone de Beauvoir permet de mieux comprendre. Après l'École, il préféra les amitiés féminines ; les conversations entre hommes lui parurent pauvres et bientôt ennuyeuses. Nous discutâmes de philosophie tant que nous n'écrivîmes pas de livres. Sartre lut l'*Introduction à la Philosophie de l'Histoire*, il me dit l'avoir relu avant d'écrire *l'Être et le Néant*, mais il n'entama pas avec moi un dialogue sur l'*Introduction*, pas plus qu'il ne m'invita à critiquer son propre *Opus*. Une fois au moins, j'abordai le thème du Néant et les deux sens différents du concept qu'il ne distingue pas, le néant selon l'acception ordinaire, le non-être, d'un côté, le pour-soi ou la conscience que l'on peut appeler néant par opposition à la densité, à l'immobilité des choses, de l'autre. Il répondit que les deux sens se rejoignaient en dernière analyse. Ni entretiens politiques, parce que nous vivions dans des univers différents, ni entretiens philosophiques, puisqu'il ne prenait plus plaisir à la controverse : il aurait pu rester, comme entre Desanti et Clavel, le rien ou l'essentiel, le plaisir de se retrouver ensemble, même si l'on n'a rien à se dire ; ce bonheur ne nous fut jamais donné.

Quand j'appris que nous étions « brouillés », je montai un jour chez lui, avec Manès Sperber, et je tentai de justifier mon attitude et surtout de réduire l'importance de l'épisode. Il se rendit, sans trop de bonne grâce, à mes explications. « Entendu, nous allons déjeuner ensemble un de ces jours », fut la conclusion rituelle de la conversation. Le déjeuner n'eut pas lieu. J'entrai dans le RPF et lui créa avec David Rousset le Rassemblement démocratique révolutionnaire. Les deux compères me prêtaient dans leurs *Entretiens sur la Politique*[1] des opinions que je n'avais jamais professées. Par exemple, « l'utopie d'Aron est de croire que le développement technique entraîne nécessairement une émancipation sociale ». L'exemple de l'Union soviétique m'aurait guéri de cette illusion, si jamais je l'avais prise au sérieux. Sartre, lui, me prêtait en les caricaturant des opinions qu'il empruntait non à mes écrits mais à des conversations. Je lui répondis dans *Liberté de l'Esprit* et je ne juge pas nécessaire de reprendre ce débat.

Plus grave encore à ses yeux que mon « cynisme, même pas intelligent », était mon acceptation « fataliste » de la guerre : « Il serait romantique de croire que la paix est encore possible. Du coup, en déclarant la guerre fatale, on contribue à la hâter... » J'avais, dans *le Grand Schisme*, affirmé exactement le contraire. C'était la première occasion, ce ne fut pas la dernière, dans laquelle Sartre éprouva le besoin de définir sa propre attitude politique en dénonçant la mienne. Je n'avais pas pris au sérieux, il est vrai, le Rassemblement démocratique révolutionnaire, alors que la « nouvelle gauche » de Merleau-Ponty, en 1955, n'était pas

1. Gallimard, 1948.

dépourvue de quelque pertinence. Au sens ordinaire de ces mots, démocratie et révolution se contredisent[1]. L'idée même de prêcher en France une révolution prolétarienne, différente de celle que symbolisait le parti communiste, relevait moins du « romantisme révolutionnaire » (dont j'avais accusé Rousset et Sartre) que de la naïveté ou de l'ignorance. Au reste, le RDR connut le destin que l'histoire lui assignait à l'avance.

Une dernière remarque : Rousset et Sartre prenaient leurs distances par rapport aux Soviétiques et aux démocraties populaires : « Nous ne sommes pas avec les républiques populaires. Nous ne sommes pas avec eux pour des raisons précises et, en particulier, parce que nous ne croyons pas que ces régimes satisfassent aux intérêts élémentaires des travailleurs. Je suis sûr qu'une bonne partie de la stratégie cégétiste dans la grève est beaucoup plus commandée par des fins militaires lointaines que par des objectifs sociaux évidents.[2] »

Le RDR subit des attaques de tous les côtés, communistes, gaullistes, sans même bénéficier du soutien des partis modérés au pouvoir. Merleau-Ponty, j'en garde un souvenir précis, se demanda sérieusement un jour si ce groupuscule pourrait apparaître demain comme l'origine d'un grand mouvement, comparable aux bolcheviks qui, eux aussi, furent au début baptisés un groupuscule. Entre 1948 et 1955, j'écrivis quelques articles, plus ou moins réussis, les uns de polémique, les autres d'analyse, la plupart réunis dans le recueil *Polémiques*. L'un d'entre eux, « Histoire et politique », originellement paru dans la *Revue de Métaphysique et de Morale*, échappe le mieux à l'usure du temps et à l'épuisement des débats entre intellectuels.

L'Opium des Intellectuels, à la différence du recueil

---

1. Un de mes cours à l'École Normale d'administration avait ce titre, « Démocratie et Révolution ».
2. *Entretiens sur la Politique*, J.-P. Sartre, David Rousset, Gérard Rosenthal. Le passage cité est de D. Rousset.

précédent, conserve pour moi une signification. Je le rédigeai entre 1952 et 1954, lentement, non sans efforts. Peut-être victime de la facilité journalistique, mais surtout blessé par des malheurs personnels ; entre 1951 et 1955, je cherchai un refuge dans une activité incessante, multiple, fuite dans le divertissement studieux, à supposer que cette conjonction de mots ne soit pas en elle-même contradictoire. J'eus l'impression, peut-être l'illusion de m'être guéri, sauvé grâce à *l'Opium des Intellectuels*. Les attaques dont ce livre fut l'objet me laissèrent presque indifférent. J'étais sorti de la nuit, peut-être parviendrais-je à me réconcilier avec la vie.

Des trois parties du livre, la première qui traitait des « trois mythes », ceux de la « gauche », de la « révolution », du « prolétariat », visait au cœur les thèmes favoris d'intellectuels nombreux, au-delà des progressistes ou des paramarxistes que je visais de préférence. Je ne niais pas que l'on pût distinguer, dans l'Assemblée, une droite et une gauche. Ce que je niais, c'est qu'il existât une gauche éternelle, la même à travers la diversité des conjonctures historiques, animée par les mêmes valeurs, unie dans les mêmes aspirations. En France, le mythe de « l'unité de la gauche » compense et camoufle les querelles inexpiables qui, depuis la grande Révolution, dressèrent les uns contre les autres Jacobins et Girondins, libéraux bourgeois et socialistes, socialistes et communistes. Idéologiquement, la gauche n'a jamais été homogène, tantôt anti-étatique, tantôt organisatrice, tantôt égalitaire. Certains la veulent peut-être à la fois libérale, organisatrice et égalitaire, avec la croyance naïve que ces objectifs s'harmonisent aisément.

Que certaines idées, par exemple le nationalisme, aient passé d'un camp à l'autre, l'historien en convient volontiers. Qu'il existe une gauche pessimiste, celle par exemple d'Alain, qui plaide pour la résistance des citoyens à tous les pouvoirs, qui ne fait jamais confiance à la sagesse des maîtres, comment en douter ? Si ce libéralisme du soupçon appartient à la gauche, qu'a-t-il de commun avec l'étatisme des planificateurs, impatients de soumettre les puissants ou les riches au contrôle du pouvoir et inconscients du devoir de contrôler les contrôleurs ?

De même, à propos de la révolution et du prolétariat, je m'efforçai de ramener la poésie idéologique à la prose de la réalité. La classe ouvrière constitue-t-elle « l'intersubjectivité authentique » ? Peut-elle devenir la classe dirigeante ? Est-elle libérée lorsqu'un parti exerce un pouvoir absolu en son nom mais en la dépouillant des instruments de la relative et partielle libération, conquise dans la démocratie capitaliste ? Pourquoi la révolution en tant que telle constitue-t-elle un bien ? « Le mythe de la révolution sert de refuge à la pensée utopique, il devient l'intercesseur mystérieux, imprévisible, entre le réel et l'idéal. La violence elle-même attire, fascine plutôt qu'elle ne repousse. Le travaillisme et la " société scandinave sans classes " n'ont jamais joui auprès de la gauche européenne, surtout française, du prestige qu'a gardé la Révolution russe, en dépit de la guerre civile, des horreurs de la collectivisation et de la grande purge. Faut-il dire *en dépit* ou *à cause* ? »

Sans m'instaurer arbitre du débat entre Camus d'un côté, Sartre et *les Temps modernes* de l'autre, je repris sur un point décisif la thèse ou plutôt l'interpellation de Camus : « Oui ou non, reconnaissez-vous dans le régime soviétique l'accomplissement du projet révolutionnaire ? » A quoi Jeanson (interprète de Sartre, je suppose) répondit : « ... le mouvement stalinien, à travers le monde, ne nous paraît pas authentiquement révolutionnaire et il rassemble, en particulier chez nous, la grande majorité du prolétariat ; nous sommes donc à la fois *contre lui* puisque nous en critiquons les méthodes et *pour lui* parce que nous ignorons si la révolution authentique n'est pas une pure chimère, s'il ne faut pas justement que l'entreprise révolutionnaire passe d'abord par ces chemins-là avant de pouvoir instituer quelque ordre social plus humain... » Étrange réponse : l'homme historique, conscient de sa condition, ne peut pas ignorer qu'il s'engage sans connaître les conséquences ultimes de son action ou du mouvement historique auquel il se rallie ; éluder la décision à l'égard de l'Union soviétique ou combiner le oui et le non, c'est violer, de toute évidence, l'impératif de l'engagement.

Sur un ton quelque peu arrogant, je donnai raison à

Camus sur le point essentiel de sa polémique avec Sartre et le sartrisme : « Sur les points où elle soulève la colère des *Temps modernes*, la pensée de Camus apparaît banale et raisonnable. Si la révolte nous découvre la solidarité avec les malheureux et les impératifs de la pitié, les révolutionnaires de type stalinien trahissent, en effet, l'esprit de révolte. Convaincus d'obéir aux lois de l'Histoire et d'œuvrer pour une fin à la fois inéluctable et bienfaisante, ils deviennent à leur tour, sans mauvaise conscience, bourreaux et tyrans. »

Sartre ne répondit pas non plus nettement à l'interpellation de Camus ; il usa d'un style proche de celui de Francis Jeanson. Lui aussi se refusait tout à la fois à la rupture et à l'adhésion. Il se voulait critique du mouvement stalinien, mais proche de lui. Après la répression de la révolution hongroise encore, Sartre ne voyait pas d'incarnation du projet révolutionnaire et socialiste en dehors du mouvement communiste. Jeanson, en passant, envisageait la possibilité que la révolution authentique fût une pure chimère, mais il ne retenait pas cette éventualité ou, en tout cas, n'en tirait aucune conséquence. Il s'en tenait à l'hypothèse qui, au moins jusqu'en 1970, servit de principe à la pensée de Sartre : peut-être le projet révolutionnaire doit-il passer par ces chemins pour aboutir à la fin de la préhistoire ou, du moins, à une société préférable à celle qu'il combat. Raisonnement que Merleau-Ponty condamnait en le qualifiant de théologique : le jugement dernier de l'Histoire déterminera les mérites et démérites des acteurs d'aujourd'hui.

La deuxième partie du livre portait sur « L'idolâtrie de l'Histoire ». Dans un premier chapitre, j'analysai les rapports entre les « hommes d'Église » et les « hommes de foi », en d'autres termes entre les communistes qui, eux, acceptent l'orthodoxie du parti, et les paracommunistes, tel Merleau-Ponty dans *Humanisme et terreur*, ou les chrétiens progressistes (les prêtres-ouvriers), qui conservent les principaux articles de la foi (la mission du prolétariat, le salut par le prolétariat) sans souscrire à la lettre de l'orthodoxie du parti. Les deux chapitres suivants, inspirés par l'*Introduction à la Philosophie de l'Histoire*, discutaient les deux versions du marxisme, plus généralement les deux modes d'interprétation du passé : d'une part le sens du passé, depuis celui d'une action humaine jusqu'à celui du devenir de l'humanité ; de l'autre le déterminisme qui gouvernerait le cours des événements et qui permettrait de prévoir l'aboutissement inévitable des luttes des classes et des nations.

La dernière partie, essai plus aventureux que les autres, tentait une comparaison entre les intellectuels des différents pays, leurs attitudes à l'égard de la patrie, les débats caractéristiques de chacune de ces *intelligentsia*. Je ne définissais pas, par décret, la catégorie d'intellectuel ; selon les pays et les moments, la catégorie englobe tous ou presque tous les non-manuels ou bien, de manière restrictive, les hommes voués à la création ou à la diffusion de la pensée, de la culture. Dans les pays en voie de développement, tous les diplômés appartiennent à l'intelligentsia (ainsi se répandit ce terme dans la Russie des tsars au siècle dernier). Dans les pays industrialisés, les métiers non manuels se multiplient, mais les employés de statut inférieur, que l'on aurait appelés en d'autres temps des scribes, ne passent plus pour des intellectuels. *Experts* et *lettrés* constituent l'intelligentsia en Union soviétique, par exemple. En Occident, peut-être avons-nous tendance à restreindre encore l'extension de la catégorie ; n'importe quel instituteur ou enseignant de collège mérite-t-il le qualificatif d'intellectuel ? N'exigeons-nous pas de lui qu'il pense son existence et son action ?

En ce qui concerne les intellectuels français, je leur attribuai un penchant à transfigurer les problèmes propres à notre pays en débat universel. Pour des raisons historiques et sociales, une fraction substantielle des ouvriers (entre un tiers et une moitié d'entre eux) vote pour le PC. Du coup, le PC ne se sépare plus du prolétariat et Sartre, Merleau-Ponty, Lefort dissertent indéfiniment sur le lien entre la classe et le parti, le droit de celui-ci de se donner pour le représentant de celle-là. Débat qui risque de glisser vers la scolastique ou la

théologie, dès qu'il décolle de la réalité. En Grande-
Bretagne, de toute évidence, les quelques milliers de
militants du PC ne représentent pas la classe ouvrière
anglaise ; en France, le PC représente une fraction de la
classe ouvrière française sans que l'adversaire du parti
soit pour autant celui des ouvriers. L'expérience de
l'Europe orientale aurait dû dissiper les nuées et ramener les philosophes à la banale réalité : les cadres du
parti deviennent, après la prise du pouvoir, l'élite politique du régime dit prolétarien. Merleau-Ponty viola un
tabou quand il poussa l'audace jusqu'à se demander si
les ouvriers tchèques ne regrettaient pas leur « servitude » sous le capitalisme et leurs syndicats.

L'Opium des Intellectuels, un des nombreux livres
consacrés par un intellectuel à la condition de la catégorie à laquelle il appartient, fit quelque bruit. Le rapprochement avec *la Trahison des Clercs* vint sous la
plume de plusieurs critiques soit pour l'écraser sous le
monument de Julien Benda, soit, tout au contraire,
pour l'honorer en lui donnant sa place dans une glorieuse lignée.
  La critique, d'une certaine manière, révéla la permanence des deux blocs. Avec peu d'exceptions, ceux qui
se voulaient de gauche me traitèrent sans ménagement ;
ceux qui s'acceptaient de droite louèrent la polémique
contre les « mandarins ». Entre les deux blocs,
l'Express s'abstint de prendre parti ; il résuma en une
page les idées majeures du livre. Le chapeau était
rédigé en ces termes : « Par l'actualité des problèmes
soulevés, le brillant de certaines analyses et la personnalité de l'auteur, le nouveau livre de Raymond Aron,
l'Opium des Intellectuels, constitue une œuvre politique
qu'il est nécessaire de signaler à l'attention de nos lecteurs. Nous donnons donc ici une synthèse des thèmes
essentiels du livre que nous exposons avec une rigoureuse objectivité. Nous ne sommes pas en accord avec
l'auteur sur bien des points. Par exemple en ce qui
concerne ce qu'il appelle " le mythe de la gauche ",
Raymond Aron fait une critique intéressante des intel-

lectuels progressistes, mais en quoi justifie-t-il son procès de la gauche ? L'impossibilité où il se trouve de définir d'ailleurs cette notion de gauche nous paraît révélatrice. » L'objection de *l'Express* me paraît encore aujourd'hui dérisoire. Comment définir la gauche tant que Staline et le PC en font partie ? Les quelques phrases tirées du livre étaient bien choisies : « La mythologie de la gauche est la compensation fictive des échecs successifs de 1789 et de 1848... Gauche, révolution, prolétariat, concepts à la mode, sont des répliques tardives des grands mythes qui animaient naguère l'optimisme politique, progrès, raison, peuple... L'unité de la gauche est moins le reflet que le camouflage de la réalité politique. »

Parmi les « neutres » figuraient aussi des catholiques. Lucien Guissard, dans *la Croix*, écrivit : « Nous comptons les coups ; nous n'avons pas à prendre parti, mais bien plutôt à discerner chrétiennement des valeurs qui ne pourront s'exprimer que dans une pratique plus tard. L'essai de Raymond Aron est plus qu'une œuvre de polémique, bien qu'il n'évacue pas toujours les faiblesses de la polémique. C'est un des livres importants de l'année. »

L'article publié par mon ami Dubarle, dans *la Vie intellectuelle* (août-septembre 1955), ne se bornait pas à compter les coups : le Père se sentit interpellé par le livre, par les quelques pages consacrées aux prêtres-ouvriers, aux catholiques progressistes. Le critique de *la Croix* avait préféré ne pas entendre la question que j'adressais aux chrétiens. Le Père Dubarle, lui, saisit l'essentiel ou, du moins, l'essentiel pour lui et les catholiques.

En un article nuancé, il me donnait raison dans une première partie et donnait ensuite, dans une deuxième partie, partiellement raison à ceux auxquels je donnais tort. Citons d'abord le jugement généreux : « Essai de critique, *l'Opium des Intellectuels* est, n'en déplaise à ceux qu'il irrite, un essai réussi. Il faut donner gain de cause à son auteur quand celui-ci montre qu'analysées de son point de vue — d'ailleurs parfaitement raisonnable et certainement trop négligé par beaucoup d'intellectuels de ces derniers temps —, les idéologies dites

" de gauche " s'avèrent révéler beaucoup de mythologie et passablement de mystification... A coup sûr encore, " prolétariat ", " révolution " (encore que tant que de réels écrasements humains, tant qu'une pratique de " réaction " subsistent, ce mot est un terme authentique qu'il serait trop commode en vérité de laisser prescrire) sont devenus les symboles d'une chanson de geste idéologique bien plus qu'ils ne sont restés les catégories d'une pragmatique européenne sérieuse. A coup sûr enfin l'histoire, la réelle et concrète histoire qui se laisse reconnaître à hauteur d'expérience et de raison humaines, n'est pas ce substitut séculier de la divinité qui a fasciné de son rêve tant d'âmes contemporaines... »

Deux remarques sur le texte : « ... les idéologies dites " de gauche " recèlent-elles beaucoup de mythologie et de mystification », à mon point de vue ou bien en soi et donc aussi au point de vue du Père Dubarle ? En introduisant *« à son point de vue »* (même en le qualifiant de raisonnable), il laisse le doute (inutile) sur sa propre pensée alors que le mot *s'avèrent*, pour un homme qui maîtrise la langue, suggère la vérité des analyses et des critiques qui résultent de *« son point de vue »*. La parenthèse sur le prolétariat et la révolution témoigne d'une curieuse prudence, sinon d'une insinuation : je n'ai évidemment pas nié « les réels écrasements humains » mais, pour reprendre l'expression excellente du Père Dubarle, montré la métamorphose de ces mots en « symboles d'une chanson de geste idéologique ».

Plus intéressante, ambiguë, obscure me paraît l'interpellation du Père Dubarle à l'auteur de *l'Opium des Intellectuels* après la réponse des chrétiens à son interpellation. Il admet que l'histoire n'est pas le substitut de la divinité, qu'il y a incompatibilité entre la foi chrétienne et la foi marxiste. La liberté du prolétariat telle que la conçoivent les marxistes ne se confond pas — ou plutôt n'a rien de commun — avec la Cité de Dieu. Rien de commun ? A ce point commence le dialogue. La séparation radicale que j'établissais entre l'histoire profane et l'histoire sacrée, au premier abord à ce point évidente que la démonstration en paraissait triviale, ne fausse-t-elle pas, en dernière analyse, la complexité de la condition historique d'un chrétien ? « Pour la conscience croyante, l'histoire chrétienne est faite d'un réel commerce entre l'éternel et le temporel. » De ce commerce que l'incroyant ignore mais dont il ne nie pas l'importance au point de vue chrétien, le Père Dubarle ne déduit pas l'autorité supérieure de l'Église dans les affaires humaines, mais le chrétien « rappelle sans cesse l'urgence d'un certain consentement à voir l'éternité et le divin exercer quelque emprise sur la pâte temporelle ». « On entrevoit ainsi la part vraisemblablement inéluctable de polémique qui s'attache au destin humain d'un fait spirituel comme l'est le christianisme... La reconnaissance de l'inévitable complexion, ambiguë si l'on préfère, du divin et du temporel que le christianisme introduit dans l'histoire peut y aider mieux que des discriminations raides, soucieuses de donner une logique à toute chose et même au scepticisme. »

La conclusion du Père Dubarle comporte alors une interrogation et une rectification : « Un chrétien pourrait donc poser à M. Aron la question de savoir s'il peut accepter qu'une prédication religieuse de l'éternité veuille conférer du même coup, bien entendu de façon subalterne et relative, une signification humainement importante au devenir temporel du genre humain ? » A cette question, je ne vois pas de difficulté à répondre : de toute évidence, le chrétien ne se désintéresse pas du devenir temporel du genre humain. Il ne manque pas, depuis deux mille ans, de théologies de l'histoire et je ne sais quelle théologie de l'histoire retient le Père Dubarle. Le pape, l'Église, les orthodoxes, les protestants ne se désintéressent pas du devenir temporel ; leur prédication s'inspire des principes moraux de la doctrine chrétienne, mais elle ne s'identifie à aucun parti, surtout pas à une philosophie du devenir temporel qui prétend enseigner la vérité suprême d'un destin humain privé de tout commerce avec l'éternel.

J'appelle rectification la mise en question de la critique, quelques pages auparavant appelée presque triviale, du chrétien progressiste : « Le christianisme n'est pas religion séculière, il comporte un certain effort séculier et, à ce niveau, l'acceptation d'une partie histo-

rique. » Partie historique ? Qu'est-ce à dire ? La phrase
suivante élucide la formule : la partie historique est-elle
compatible avec le refus de la fin de l'Histoire ? Par
l'intermédiaire du concept de partie historique, le Père
Dubarle réintroduit la fin de l'Histoire sans que l'on
sache si cette fin relève du profane ou du sacré.

La réhabilitation du chrétien progressiste suit :
« M. Aron voit dans le chrétien progressiste un homme
de l'éternel suborné par la religion séculière. Il n'a pas
complètement tort. Mais le chrétien progressiste a été
aussi le chrétien qui a pris comme il a pu, mal, nous en
conviendrons volontiers, le risque d'une partie temporelle qu'il lui semblait devoir engager... (je passe une
phrase encore plus obscure)... Une demande est ainsi
faite à l'esprit humain, dont le marxisme a tiré parti et
que trop rapidement, certes, mais sans s'y méprendre
tout à fait, le christianisme du chrétien progressiste a
cru pouvoir assimiler et satisfaire. » La demande est
celle d'une fin de l'Histoire, à la fois temporelle et
sacrée, celle aussi d'un projet de sens qui s'impose à
notre conscience.

La discussion du Père Dubarle, elle, ne pèche pas par
une excessive « raideur » des discriminations. Les chrétiens progressistes se sont trompés, mais ils avaient raison dans leur quête. Ils se sont engagés à la légère dans
une partie historique, mais le chrétien doit jouer une
partie historique. Quand je songe que cette « partie historique » faisait des chrétiens progressistes les alliés ou
les agents d'un des despotismes les plus cruels de l'histoire, je me souviens d'une formule de Julien Benda
que je cite de mémoire : la pire trahison du clerc, c'est
la bêtise. Disons : l'aveuglement.

La conclusion du Père Dubarle se rapproche de celle
d'un de mes interlocuteurs [1], à la discussion sur *l'Opium
des Intellectuels* organisée par les Intellectuels catholiques : la croyance au royaume de Dieu sur la terre
appartient, selon lui, au christianisme. Il ne reste qu'un
pas à franchir pour retourner à la position des prêtres-
ouvriers ou de certains d'entre eux. Je citai dans
l'Opium des Intellectuels un texte du livre *les Événements*

---

1. Le Père Lenoble.

et la Foi 1940-1952 : « Si des ouvriers venaient un jour nous parler de religion, voire solliciter le baptême, nous commencerions, je crois, par leur demander s'ils ont réfléchi aux causes de la misère ouvrière et s'ils participent au combat que leurs camarades mènent pour le bien de tous. » Je commentai ce texte par les mots suivants : « Le dernier pas est franchi : on subordonne l'évangélisation à la révolution. Les progressistes ont été " marxisés " alors qu'ils croyaient christianiser les ouvriers. »

Toute la gauche, au-delà de *l'Express*, tira à boulets rouges contre *l'Opium*, au premier rang Maurice Duverger. Son article dans *le Monde* tranche sur ses comptes rendus de mes deux livres précédents que j'ai commentés dans un autre chapitre. Cette fois, il s'exprime en adversaire et ne se contente pas de discuter les idées, il s'en prend à l'auteur dès le titre même de son article : « Opium des Intellectuels ou trahison des Clercs ».

Prenons d'abord la partie analytique ou polémique du texte. Elle use de deux arguments majeurs, au reste contradictoires. Le premier compare les croyances des marxistes ou des progressistes à celles d'un chrétien. Du même coup, la réfutation des mythes de la gauche ne mord pas sur les esprits parce que la foi résiste, invulnérable aux objections de la raison : « La réfutation aronienne du marxisme ressemble un peu aux réfutations rationalistes de la religion, si prisées aux alentours de 1900 : M. Aron serait-il un Loisy du communisme ? Sa puissance dialectique impressionne mais ne convainc pas. Cette admirable machine intellectuelle tourne parfaitement rond, mais elle tourne à vide, sans embrayer sur le réel. Pas plus que Loisy n'atteignait l'essentiel de la religion, M. Aron ne touche à l'essentiel du marxisme. » En forgeant le concept de religion séculière, j'avouai implicitement que les adhésions d'intellectuels de haut niveau au marxisme ou au fascisme relèvent des sentiments plus que de la pensée rationnelle. Je ne me suis jamais abandonné à l'illusion que ma « puissance dialectique » ébranlerait la foi des croyants. Mais les croyants rationalisent leur foi, ils la présentent comme rationnelle, voire scientifique. Comme le disait Pareto, la réfutation des *dérivations* ne frappe pas à mort les *résidus,* elle peut, à la longue, les affaiblir[1].

Au reste, immédiatement après, M. Duverger découvre le fondement *rationnel* du progressisme des intellectuels : « Ce que M. Aron démolit — fort justement d'ailleurs —, c'est une sorte d'intégrisme marxiste ; mais on n'en a pas fini avec le christianisme parce qu'on a réfuté le *Syllabus* ou dénoncé l'Inquisition. » L'attaque de M. Duverger change de terrain : j'aurais manqué la véritable cible, non plus tant les émotions ou les passions des intellectuels que « la signification permanente du marxisme... Le marxisme fournit à l'heure actuelle la seule théorie d'ensemble de cette injustice. L'inégalité des conditions qui repose moins sur l'inégalité des aptitudes ou des efforts que sur des privilèges héréditaires résultant de la propriété privée des moyens de production. »

Nous voici donc sur le terrain des faits et des raisonnements. Il ne s'agit plus de reprocher au critique des dogmes et du Syllabus la futilité des controverses théologiques. Si les intellectuels penchent vers le progressisme ou le marxisme, c'est que « l'intellectuel — et spécialement l'intellectuel français — n'estime pas que son métier consiste seulement à comprendre, il doit juger et agir dans le sens de son jugement. Il se croit toujours plus ou moins investi sinon d'une mission, du moins de responsabilités. Constatant le fait de l'injustice sociale, il pense que son devoir est de combattre cette injustice. Sa tendance naturelle le porte du côté des faibles contre les forts, des victimes contre les bourreaux, des opprimés contre les oppresseurs. Là réside l'explication fondamentale de l'attirance à gauche : car la gauche est le parti des faibles, des opprimés et des victimes. » Malheureusement, continue M. Duverger, « l'oppression n'est pas à sens unique », « la police politique, les systèmes totalitaires, les camps de déportation existent mais l'injustice sociale, la domination capitaliste, le colonialisme existent aussi ». Que faire ?

Quelle démarche recommande le professeur de

---

1. Quelques intellectuels ex-communistes affirment que *l'Opium* les avait ébranlés.

morale aux intellectuels désireux d'accomplir leur mission ? En simplifiant, il leur recommande de balayer devant leur porte. Il s'agit, dans chaque cas, de déterminer l'attitude la plus efficace. Dénoncer à longueur de journée les camps de concentration « ne hâte pas d'une seule minute la libération des déportés (mais peut, dans un certain contexte, aggraver la tension entre les blocs qui tend à perpétuer l'existence des camps et les souffrances des déportés). Dénoncer au contraire sans relâche l'injustice sociale et la domination capitaliste en France peut aider dans une certaine mesure à y mettre fin ». Cette fois, M. Duverger se trompe, à supposer qu'il ne mente pas. Les protestations de l'Occident ont sauvé nombre de Soviétiques persécutés. Dans la compétition entre les deux régimes, telle qu'elle se déroulait à l'époque, il y a un quart de siècle, et telle qu'elle se prolonge, à peine différente aujourd'hui, les intellectuels de l'Occident ne doivent pas taire les défauts des démocraties libérales, mais moins encore taire la perversité intrinsèque des régimes totalitaires.

L'article se terminait sur « le pathétique profond du livre de M. Aron », à savoir ma propre trahison de clerc. Je détesterais les intellectuels de gauche parce que je ne suis plus des leurs : « En accablant ceux qui n'ont pas suivi la même évolution, c'est lui qu'il cherche à justifier : il faut qu'ils soient pécheurs pour qu'il soit innocent. Mais c'est d'abord à ses propres yeux qu'il tente cette justification. Plus que ses lecteurs, c'est lui-même qu'il voudrait convaincre. S'il ne réussit pas à leur égard, c'est essentiellement parce qu'il a échoué à son propre égard... » Avant de discuter cette psychanalyse je ne résiste pas à la tentation de citer le billet de *Rayon Z*, à savoir André Frossard, qui aimait mon livre : « Plutôt que de tenter une analyse et une réfutation de *l'Opium des Intellectuels*, M. Duverger dans *le Monde* se contente de faire à l'auteur un procès d'intention : sous la dialectique de ce livre magistral, Raymond Aron n'aura fait que dissimuler son dépit de ne pas appartenir à la cohorte para-céleste de ces intellectuels de gauche que l'on trouve toujours, paraît-il, du côté des faibles, des victimes et des opprimés. Cela fut vrai durant la demi-terreur de 1945, où les intellectuels de gauche se jetèrent par dizaines sous les roues des charrettes de l'épuration afin d'arrêter le cours des représailles du résistant prétendu sur le vichyste présumé. Ce fut vrai encore sous le régime de Staline dont les Russes d'aujourd'hui vomissent le souvenir avec un visible soulagement et que nos intellectuels de gauche n'entouraient de feinte vénération que par le noble souci de ne point compromettre les dernières chances des innombrables opprimés politiques enchaînés par l'Ogre dans ses garde-manger concentrationnaires. Car M. Duverger enseigne avec Jean-Paul Sartre que le service des *victimes* et des *opprimés* exige que l'on se taise sur les camps russes et que l'on dénonce au contraire sans relâche la domination du capitalisme sur la France ; l'amour de la vérité requiert, on le voit, la pratique du mensonge par omission. Ainsi, au café du Commerce, le Machiavel de la belote hebdomadaire défausse sa dame pour sauver son valet. C'est follement intelligent, moral et le reste. Malheureusement, l'homme de gauche authentique se reconnaît, ou se reconnaissait, du moins avant que M. Duverger ne s'en fît le député, à ce signe qu'il était incapable de ce genre d'habileté tactique. Ou je me trompe fort, ou M. Duverger arrive de l'extrême droite ; mais il est bien seul à croire qu'il touche enfin à la gauche ; il n'a pas fait le quart du chemin. »

Avais-je mauvaise conscience, en 1954, lorsque j'écrivis *l'Opium des Intellectuels*? L'autopsychanalyse n'emporte pas plus la conviction que la psychanalyse pratiquée par un critique malveillant. Le lecteur, librement, me croira ou ne me croira pas : les attaques de cet ordre ne me touchaient pas, en dépit de ma susceptibilité. Pour une raison simple : je ne tirais aucun profit de mes prises de position intellectuelles ou politiques. Au contraire : les louanges mêlées d'excommunication de *Rivarol* ou d'*Aspects de la France*, même les compliments de Gabriel Marcel ou de Pierre-Henri Simon, n'équilibraient pas, dans le monde intellectuel, les philippiques de Maurice Nadeau, de Jean Pouillon (dans *les Temps modernes*), d'un quelconque rédacteur de *France-Observateur*. Mon évolution avait été déterminée par les événements et par ma réflexion. Je me sentais fidèle à moi-même et à ma jeunesse.

Je citerai encore un passage de l'article de J. Pouillon dans *les Temps modernes*. A en croire ce critique, la voie réformiste pour laquelle je plaidais n'existait pas en France ; les réformes nécessaires pour transformer la condition des Français, les dirigeants du pays les refuseraient : « Il (Aron) peut opposer la " libération réelle " à la libération " idéelle ", la réalité au mirage mais où est le mirage ? Ces réformes, qui les propose et les entreprend ? Où voit-on cette action pacifique qui devrait transformer notre condition ? Le problème est sans doute de savoir comment la mener, mais s'il se pose, c'est bien parce que les dirigeants de ce pays dont Aron aimerait être la conscience ne veulent pas le résoudre. Il est leur bouffon, non leur conseiller, et il ne se meut que dans l'imaginaire. En fait, une entreprise sérieuse de renouvellement économique aurait des conséquences, sociales et politiques, d'une telle ampleur que seuls les partisans d'un changement révolutionnaire pourraient les accepter. C'est pourquoi travailler pour l'unité de la gauche, ce n'est pas s'évader dans le rêve, c'est revenir à la réalité. »

A cette date, le relèvement de l'économie française était déjà visible aux observateurs de bonne foi. Jean Pouillon reprenait la thèse favorite de J.-P. Sartre[1] : le malthusianisme des capitalistes français, leur refus de la croissance parce que celle-ci mettrait en péril leur pouvoir et leurs privilèges. Nous savons aujourd'hui ce qu'il en fut. Il suffit de comparer honnêtement la condition de l'ouvrier soviétique à celle de l'ouvrier français pour savoir ce que signifie la « libération idéelle » et la « libération réelle ». Je ne pense pas que, pour autant, Jean Pouillon et *les Temps modernes* consentiraient à reconnaître leurs erreurs, leur ignorance et leur mauvaise foi d'hier, à la différence des vrais communistes qui, dégrisés, firent amende honorable et, pour la plupart, comprirent qu'ils devaient combattre le parti dès lors qu'ils le voyaient tel qu'il est. Face à une doctrine totale, à une religion séculière à prétention universelle, deux attitudes et deux seulement me paraissent

---

1. Il l'avait empruntée à Alfred Sauvy sans bien comprendre la pensée de celui-ci.

décentes : l'adhésion ou le refus ; la participation sans adhésion, le compagnonnage sans les contraintes du militantisme, en bref la conduite du compagnon de route me répugnait intellectuellement. Les ex-communistes, en grand nombre, tirèrent les leçons de leur aveuglement ; les progressistes, dans le style de J.-P. Sartre ou de Jean Pouillon, oscillèrent entre diverses positions plus ou moins proches du PC, sans jamais aucune chance de penser droit et de regretter leurs insanités.

De tous mes livres, c'est le seul dont l'accueil, dans la presse, obéit rigidement à des considérations politiques ou plutôt partisanes. *L'Express,* par sa quasi-neutralité, marquait la ligne de séparation. P. H. Simon, démocrate-chrétien plutôt de gauche (selon le vocabulaire consacré), m'approuva, dans *Carrefour* (22 juin 1955) : « Si Aron, pour sa part, incline au réformisme, c'est sans doute par réalisme, mais davantage, m'a-t-il semblé, par scrupule d'humanité — comme Camus aux derniers chapitres de *l'Homme révolté*, et nul doute que l'intelligentsia ne développe contre lui les mêmes griefs que contre Camus : inefficacité, collaboration honteuse à la défense capitaliste. A ce point, la question devient technique : il s'agit de savoir si, oui ou non, les voies de la libération réelle peuvent émanciper les masses, bloquer leur paupérisation, créer un ordre juste à moindres frais que le mythe de la dictature du prolétariat. En tout cas, au plan de la morale, impossible de ne pas approuver Raymond Aron quand il écrit : " La politique n'a pas encore découvert le secret d'éviter la violence. Mais la violence devient plus inhumaine encore quand elle se croit au service de la vérité à la fois historique et absolue. " »

L'accusation la plus courante, même parmi les critiques favorables, portait sur mon « scepticisme », sur le caractère totalement négatif du livre. Pour une part, il s'agit d'un malentendu, imputable à la conclusion du livre que je me risque à reproduire : « La critique du fanatisme enseigne-t-elle la foi raisonnable ou le scepticisme ? On ne cesse pas d'aimer Dieu quand on renonce à convertir les païens et les Juifs par les armes et qu'on ne répète plus : " Hors de l'Église point de salut. " Cessera-t-on de vouloir une société moins injuste et un sort commun moins cruel si l'on refuse de transfigurer une classe, une technique d'action, un système idéologique ? La comparaison, il est vrai, ne vaut pas sans réserves. L'expérience religieuse gagne en authenticité à mesure que l'on distingue mieux entre vertu morale et obéissance à l'Église. Les religions séculières se dissolvent en opinions, dès que l'on renonce au dogme. Pourtant l'homme qui n'attend de changement miraculeux ni d'une Révolution ni d'un plan n'est pas tenu de se résigner à l'injustifiable. Il ne donne pas son âme à une humanité abstraite, à un parti tyrannique, à une scolastique absurde, parce qu'il aime des personnes, participe à des communautés vivantes, respecte la vérité.

« Peut-être en sera-t-il autrement. Peut-être l'intellectuel se désintéressera-t-il de la politique le jour où il en découvrira les limites. Acceptons avec joie cette promesse incertaine. Nous ne sommes pas menacés par l'indifférence. Les hommes ne sont pas sur le point de manquer d'occasions et de motifs de s'entre-tuer. Si la tolérance naît du doute, qu'on enseigne à douter des modèles et des utopies, à récuser les prophètes de salut, les annonciateurs de catastrophes. Appelons de nos vœux la venue des sceptiques s'ils doivent éteindre le fanatisme. »

La dernière phrase fut séparée du contexte. Or, à mes yeux, le scepticisme ne signifiait pas la perte de toute foi ou l'indifférence à la chose publique : je souhaitais que les hommes de pensée, une fois libérés de la religion séculière, ne fussent plus enclins à justifier l'injustifiable. J'avouais que, peut-être, ils se désintéresseraient de la politique s'ils en discernaient les limites. Dans notre monde, où pullulent les occasions ou les motifs de s'entre-tuer, le doute sur les modèles ou les utopies promet au moins de réduire le nombre des hommes impatients de tuer leurs semblables au nom de leur foi.

Même une fois dissipé le malentendu, le livre ne tombait-il pas sous la critique banale : vous détruisez, qu'est-ce que vous construisez ?

Je suis tenté de revenir au dialogue avec le Père

Dubarle. Voici, selon lui, ce que j'appellerais de mes
vœux : « Une fin de l'âge idéologique, un usage raisonnable du progrès technique en vue de constituer un
monde humain présentement viable, où la liberté soit
aussi universellement réelle que possible, quitte à se
montrer passablement prosaïque. A ses yeux, c'est probablement l'homme en qui les passions de l'esprit se
sont amorties qui est le mieux à même de bien user de
l'histoire et d'engager heureusement l'action politique.
Par là même, la critique avait abouti à supprimer quelque chose de valable sous couleur d'en redresser les
accomplissements déraisonnables. »

Je pense, en effet, que l'organisation de la vie sociale
sur cette terre se révèle, à l'expérience, passablement
prosaïque. Cauchemardesque dans la version soviétique, imparfaite et vulgaire dans la version américaine,
la société industrielle demeure le type dominant de
notre civilisation. Ceux qui attendent ou espèrent le
royaume de Dieu sur la terre transfigurent les hommes
et les institutions, ils ne les voient plus tels que l'histoire nous les fait connaître. La petite bourgeoisie satis-
faite, la peine des travailleurs allégée par les machines,
une fiscalité qui abaisse les glorieux et donne le minimum nécessaire aux misérables, tout cela, en effet,
passe pour prosaïque. La réalité soviétique est-elle
moins prosaïque pour être monstrueuse ?

TROISIÈME PARTIE

UN PROFESSEUR
DANS LA TOURMENTE
(1955-1969)

XIII

RETOUR A LA VIEILLE SORBONNE

En juin 1955, je désirai être élu à la Sorbonne et je me dissimulai mal à moi-même la force de mon désir. Pourquoi ? L'ambition universitaire, endormie au lendemain de la guerre par la drogue politique, s'était-elle réveillée ? Je supposai, à tort peut-être, que tout ce que le journalisme pouvait me donner, je l'avais déjà reçu ou acquis. Des inquiétudes de jeunesse me revenaient à la conscience : n'étais-je pas, à mon tour, guetté par la facilité, entraîné dans une voie qui n'était pas ou qui, du moins, ne devait pas être exclusivement la mienne ? Mes livres d'avant-guerre n'annonçaient pas un chroniqueur du *Figaro*. Je me souvins de la prévision sarcastique de Célestin Bouglé, quand mes jugements sur le gouvernement Léon Blum exaspéraient l'homme de gauche.

J'attendis de la Sorbonne la discipline que j'avais perdue. La naissance d'une petite fille mongolienne, en juillet 1950, la mort d'Emmanuelle, quelques mois plus tard, emportée par une leucémie foudroyante, m'avaient meurtri plus que je ne saurais dire. Il n'existe pas d'apprentissage du malheur. Quand il nous frappe, nous avons encore tout à apprendre. Je fus un mauvais élève, lent et révolté. Je cherchai un refuge dans le travail. Plus je m'enfonçais dans ce refuge illusoire, plus je me perdais moi-même. Conscient de me perdre, je souffrais davantage, au-delà du malheur lui-même, des blessures que le temps ne cicatrisait pas. J'espérai de la Sorbonne un secours et je ne fus pas trompé dans mes espérances. Elle ne me rendit pas ce que l'année 1950 m'avait à tout jamais enlevé, elle m'aida à me réconcilier avec la vie, avec les autres et avec moi.

L'élection comportait deux étapes : la section élisait son candidat, l'assemblée de tous les professeurs titulaires de la faculté élisait à la majorité absolue (ou relative au troisième tour) un des candidats. La faculté ne suivait pas toujours le choix de la section. Dans la Sorbonne de ma jeunesse qui ne comptait qu'une cinquantaine de professeurs, donc de votants, le système se justifiait à la rigueur. La séparation entre les disciplines, moins marquée qu'aujourd'hui, n'empêchait pas la plupart des professeurs de se connaître, d'appartenir à un milieu étroit. En majorité venus de la rue d'Ulm, ils obéissaient la plupart du temps, en dernière analyse, à l'opinion dominante du Landerneau scientifique. (Peutêtre suis-je en train d'attribuer à la Sorbonne que je n'ai pas connue des mérites qu'elle ne possédait pas ou, du moins, pas à un tel degré.) Quoi qu'il en soit, au fur et à mesure que l'assemblée des professeurs se gonflait et se muait en foule, l'élection d'un spécialiste par des votants qui, en majorité, ne savaient rien ou presque des titres et des œuvres des divers candidats devenait de plus en plus aléatoire. Des incidents de séance, le départ de professeurs impatients de déjeuner, la qualité des plaidoyers déterminaient parfois le vote plus que les considérations scientifiques.

Les débats des grands jours — autrement dit les jours de grandes élections — attiraient le public. Le nombre des professeurs présents aux séances de la faculté augmentait avec celui des élections prévues ce jour-là, avec la signification attribuée aux candidats et à la chaire. A l'assemblée de la Faculté comme au Palais-Bourbon, certains orateurs se faisaient écouter et obtenaient immédiatement le silence. Les propos de certains autres se perdaient dans le bourdonnement des conversations privées. Le style des présentations et des éloges aurait stupéfié un auditeur non prévenu. Vanter les qualités d'enseignant d'un candidat à la Sorbonne, c'était le précipiter dans les oubliettes. Par convention, en vantant le professeur, on suggérait l'infirmité du savant. Les tournois d'éloquence, auxquels je participai plusieurs fois, m'irritèrent sourdement : les discours ressemblaient à des éloges nécrologiques et je ne cessais d'admirer que l'Université française comptât tant de génies.

Dennis Brogan, dans un article que je n'ai pas retrouvé, commenta la campagne électorale qui aboutit à mon élection, campagne inconcevable en Grande-Bretagne, écrivit-il. De toute évidence, les professeurs membres ou proches du parti communiste ne me voulaient pas du bien. Des non-communistes, attachés à la gauche, me tenaient rigueur de *l'Opium des Intellectuels*, paru quelques semaines plus tôt. Georges Gurvitch, qui, entre autres qualités, possédait celle de « l'activisme universitaire » (les coups de téléphone et le porte-à-porte électoral), suscita la candidature de G. Balandier et affirma à qui voulait l'entendre que mes livres et mes articles me destinaient à un portefeuille de ministre plutôt qu'à une chaire de sociologie.

Je dois mon succès final à des circonstances indépendantes de ma volonté et de mes mérites. Je ne fis pas campagne au sens que l'expression avait pris dans l'Université. Je rendis visite aux collègues de la section de philosophie et aux directeurs des autres sections. Mes camarades d'école ou de promotion peuplaient la Sorbonne ; ils me connaissaient mieux que Balandier, d'une quinzaine d'années plus jeune que moi, et nombre d'entre eux ne tinrent pas compte de mes opinions politiques et votèrent pour un camarade. « Peut-être, me dit plus tard Mlle Bonnefoy, admirable secrétaire de la faculté, l'avez-vous emporté à l'âge. » Le journaliste l'emporta aux points sur le « jeunot ». Pour ne pas noircir le tableau et ne pas oublier le rôle de mes amis, je citerai, outre mes partisans à la section de philosophie (H. Gouhier, M. de Gandillac, René Poirier, F. Alquié, D. Lagache), H.I. Marrou qui, me dit-on, rappela à l'assemblée l'élection récente d'un communiste dans un plaidoyer pour l'auteur non de *l'Opium des Intellectuels*, mais de l'*Introduction à la Philosophie de l'Histoire*.

Dans la vieille Sorbonne, on affectait d'ignorer — et

l'on oubliait en certaines circonstances — les opinions que les enseignants professaient en dehors de leur chaire. A vrai dire, l'hostilité à mon égard de quelques professeurs ne tenait pas tant à mes idées politiques. Tel, moraliste de son état, déclarait avec passion qu'il voterait pour le diable plutôt que pour moi. Ma faute ? Je n'avais pas joué le jeu, j'avais refusé « l'exil » de quelques années dans une université de province, je m'étais détaché du travail académique et lancé dans une carrière journalistique. Réactions compréhensibles ; après tout, G. Balandier n'avait contre lui que sa jeunesse — défaut qui disparaîtrait plus vite que les miens. G. Balandier est resté fidèle à Gurvitch — ce qui ne nous interdit pas des relations cordiales. L'élection, précédée par les visites, constitue l'équivalent d'un rite d'initiation. Une fois l'épreuve subie et surmontée, l'élu est accepté par tous, ceux qui l'ont combattu comme ceux qui l'ont appuyé. D'autres querelles, d'autres liaisons souterraines se substituent aux alliances qui s'étaient nouées avant et pour l'élection.

Je me suis demandé, dans un autre chapitre, si et comment les « confrères » de la presse m'accueillirent ; je dois me poser la même question à propos des collègues de l'Université. Enfant prodigue qui retourne dans sa famille ? Transfuge qui prétend cumuler les deux activités ? Journaliste qui cherche à la Sorbonne un surcroît de prestige et compromet l'illustre maison dans des polémiques peu compatibles avec la dignité de l'*alma mater ?* J'éprouvai, de temps à autre, chez tel ou tel de mes collègues, des sentiments comparables à ceux de certains de mes confrères du journalisme ; j'échappais à la norme et toutes les corporations se méfient du marginal. Soupçons ou ressentiments dont ma susceptibilité exagérait peut-être la force et que le temps finit par apaiser.

Je n'eus aucune peine à m'adapter à ce métier, en apparence nouveau, puisque je n'avais occupé une chaire de sociologie que six mois, à Bordeaux, en 1938, quand je remplaçai Max Bonnafous, directeur de cabinet en quelque ministère. Mes cours à l'ENA et à l'Institut d'Études politiques, mes nombreuses conférences en français, en anglais, en allemand m'avaient pour ainsi dire maintenu en forme. La facilité d'élocution qui avait impressionné mes maîtres aux concours ne m'avait pas encore déserté. Ma connaissance du marxisme me permettait de tenir tête aisément aux étudiants communistes. Le bibliothécaire de la section de philosophie, M. Romeu, connu par tant de générations, m'assura que même les étudiants communistes respectaient mon enseignement.

La Sorbonne que je retrouvai après vingt-sept années d'absence ne me surprit pas ; elle n'avait pas encore changé du tout au tout, elle le fit au cours des années 1955-1968 pendant que j'y professais. La section de philosophie comptait une douzaine de professeurs (qui s'étaient divisés en deux blocs égaux aux deux premiers tours de mon élection ; au troisième l'un des douze avait changé de camp et m'avait donné une courte majorité). Le nombre des étudiants avait augmenté, mais pas encore au point de faire éclater les cadres. Chaque professeur disposait d'un assistant qui corrigeait les dissertations, dirigeait les travaux d'étudiants et faisait, lui aussi, des cours.

Ce qui me frappa le plus, ce fut la vétusté du bâtiment et de l'institution. Les fauteuils, dans les bureaux exigus attenants aux amphithéâtres, relevaient du marché aux Puces. Les pièces, les salles étaient grises, sales, tristes. Je ne pouvais m'empêcher d'évoquer les universités américaines et anglaises dont j'avais une certaine expérience. La pauvreté du bâtiment illustrait, à mes yeux, la décrépitude du système.

Rien ou presque n'avait changé depuis les années 30. Les meilleurs étudiants continuaient à passer les examens des certificats d'études supérieures sans mettre les pieds à la Sorbonne. Les autres étaient abandonnés à eux-mêmes, l'aide de l'assistant mise à part. Le professeur, pour l'essentiel, faisait les cours dits magistraux. Mon service hebdomadaire s'élevait à trois heures — charge lourde ou légère selon la manière dont chacun entend son enseignement. Au Collège de France, les cours doivent être chaque année originaux. A la Sorbonne, le professeur n'obéissait qu'à lui-même, au désir de renouveler son enseignement ou, tout au contraire, de réserver son temps en vue de ses propres recherches.

Auprès des grandes universités des États-Unis et de Grande-Bretagne, la Sorbonne me semblait une survivance du XIXe siècle ; le titulaire, maître après Dieu de sa chaire, connaît personnellement les candidats qui rédigent sous sa direction, après la licence, le mémoire pour le diplôme d'études supérieures ou préparent une thèse d'État ; il ne reçoit guère, et n'en a pas le temps, les étudiants de licence.

Déjà en 1955, la plupart des étudiants devaient se débrouiller tout seuls dans un univers différent de celui des lycées. A mesure que, chaque année, augmentait le nombre des garçons et des filles qui entreprenaient des études supérieures, sans but précis, sans vocation particulière, la pratique ancienne devenait de plus en plus anachronique. Nombre de cours des professeurs méritaient d'être conservés dans des publications. Soustrait à toute obligation et sanction, le professeur ployait sous le faix du travail ou bien, tout au contraire, respectait la règle des trois heures sans consacrer à la préparation des cours ou des soutenances de thèses ses forces et ses veilles.

La Faculté des Lettres de l'université de Paris ou, comme on l'appelait encore, la Sorbonne, conservait une position dominante. La plupart des thèses d'État étaient soutenues à Paris ; le professeur qui, à tort ou à raison, passait pour le doyen ou le maître d'une discipline exerçait sur le choix des sujets, voire sur l'orientation des recherches, une influence toujours excessive et plus d'une fois stérilisante. Les mandarins, dénoncés en mai 1968, ne relevaient pas tous de la légende. Ernest Labrousse, en histoire économique, Mme Durry, en littérature française, détenaient un pouvoir sur les jeunes et leur carrière dont ils usaient résolument. Parfois un grand maître de la Sorbonne dirigeait, sur le papier, plusieurs dizaines de thèses d'État, sans compter les thèses d'université, puis de IIIe cycle. La concentration du pouvoir plutôt que des talents me scandalisa bien avant que les étudiants descendissent dans la rue.

J'ai critiqué, à plusieurs reprises, le régime français de l'enseignement supérieur, dans *le Figaro* et dans des revues sociologiques (en particulier dans *Minerva* et dans les *Archives européennes de sociologie*). La critique portait d'abord et avant tout sur l'agrégation (critique si vive que je devins, comme me l'assura un ministre responsable de la fonction publique, la bête noire de la Société des Agrégés). L'agrégation, disais-je, garde en théorie la fonction qui lui avait été attribuée : le recrutement des enseignants du deuxième degré, des professeurs de lycée. A la différence de ce qui se passe en Allemagne et en Angleterre, le même mot, *professeur*, s'applique aux mandarins de la Sorbonne et aux agrégés (ou capésiens) qui, parfois dans le premier cycle de l'enseignement secondaire, enseignent aux bambins et aux adolescents la grammaire, l'arithmétique ou l'histoire. Cette particularité de vocabulaire s'expliquait aisément : nombre des « professeurs » de lycée n'avaient rien à envier à leurs collègues des facultés. En philosophie, H. Bergson, L. Brunschvicg enseignèrent durant des années dans des lycées ; J. Hyppolite aussi, Alain ne songea pas à quitter la khâgne de Henri IV. Avant la dernière guerre, seule une faible minorité des jeunes fréquentait les lycées. En 1938, l'Université recevait une quinzaine de milliers de bacheliers par an, sur une classe d'âge de 600 à 700 000 personnes. Les élèves des lycées ne représentaient qu'une minorité privilégiée et celle-ci bénéficiait d'un corps professoral d'une qualité intellectuelle sans équivalent à l'étranger. Il semblait que le système tout entier fût axé sur le deuxième degré, aux dépens du troisième, à savoir l'enseignement dit supérieur, celui des facultés. L'agrégation symbolisait la subordination des facultés aux lycées ; les agrégés devaient leur formation à celles-là ; ils serviraient pour la plupart dans ceux-ci.

Je connaissais de première main certaines agrégations (philosophie, langues) et, de manière moins directe, certaines autres (lettres classiques, histoire). En tout cas, j'en savais assez pour apprécier les concours, leurs avantages et leurs inconvénients. Toutes les agrégations, à un degré ou à un autre, exigent les mêmes qualités de rhétorique qui, depuis le baccalauréat, assurent le succès. Les dissertations — de philosophie, de littérature, en français ou dans la langue étrangère — demeurent encore l'épreuve reine. Bien entendu, selon les agrégations, le savoir à utiliser varie, la culture philosophique dans l'une, le goût ou le sens littéraire dans d'autres. Toutes ces épreuves traditionnelles portent plutôt sur les qualités formelles que sur les capacités scientifiques ou pédagogiques des candidats. Thèmes et versions, il est vrai, exigeaient et mesuraient la connaissance des langues, aussi bien anciennes que modernes.

Les futurs historiens tireraient de l'étude de l'économie et des statistiques plus de profit que de l'entraînement aux dissertations. De même, les germanistes ou les anglicistes « décrochaient » (ou décrochent encore ?) l'agrégation sans études de linguistique, sans une familiarité vraie avec la culture dont ils apprenaient la langue. S'il existe, dans nos universités, tant de professeurs d'allemand, d'anglais ou d'espagnol et si peu d'authentiques germanistes, anglicistes ou hispanisants, la faute en est, pour une large part, à l'agrégation, au contenu des programmes, aux sujets de thèses (l'homme, l'œuvre).

Je déplorais que, dans toutes les disciplines qui comportent une agrégation, la préparation de ce concours absorbât tant des forces des étudiants et des enseignants, sans que pour autant le succès au concours garantît les qualités pédagogiques. A cette mise en question du système s'ajouta une analyse de la conjoncture. Les réformes déjà en cours à la fin des années 50 tendaient à éliminer la dualité du primaire et du secondaire ; il subsistait, de toute évidence, la distinction des degrés mais l'enseignement de chaque degré était ramené à l'unité : tous les enfants, de toutes les classes sociales, entreraient dans les mêmes écoles maternelles, puis primaires, ils passeraient ensuite dans les mêmes établissements du second degré. De même que les classes primaires des lycées avaient disparu, les classes du premier cycle du second degré disparaîtraient des lycées (elles disparaissent peu à peu à l'heure présente).

L'école unique — si l'on peut reprendre aujourd'hui la formule chère à Edouard Herriot, il y a un demi-siècle — allait bouleverser le système que j'avais connu et que les ministres de Vichy avaient condamné à mort pour des motifs tout différents de ceux des réformateurs d'après-guerre. Au temps de Vichy, les ministres voulaient mettre fin à l'isolement, à la fermeture de l'enseignement primaire (soupçonné de mal penser); d'où l'exigence du baccalauréat pour les élèves de l'École Normale; d'où la fusion des deux personnels primaire et secondaire. A partir de là, le gonflement des effectifs dans les collèges et les lycées devenait prévisible et, du même coup, le changement de caractère de ces établissements.

L'enseignant du second degré perdrait peu à peu le prestige du professeur agrégé de lycée (qui, au Havre, en 1933, appartenait encore au nombre des notables). L'agrégé se sentirait perdu en un univers étranger, frustré, victime de la disparité entre les diplômes acquis et l'emploi occupé. Dans les années 50 et 60, l'expansion de tous les enseignements, de tous les degrés, facilita à nombre d'agrégés l'accession immédiate aux facultés. Mais l'expansion ne pouvait pas se poursuivre indéfiniment à la même allure. Les effectifs de chaque classe d'âge tombèrent de quelque cent mille et plus par an; le coefficient de scolarisation après le baccalauréat cessa de monter. Le corps enseignant du second degré est exceptionnellement jeune. Pour un poste d'assistant à l'Université, cinquante agrégés se portent candidats. De même, les candidats à la plupart des agrégations se comptent par centaines, alors que les listes fixées par le ministère se limitent souvent à quelques dizaines.

Ma critique de l'agrégation, au début des années 60, portait avant tout sur la déviation de l'enseignement supérieur qui en résultait. Les facultés des lettres se donnaient pour tâche principale de former les enseignants du second degré et non pas des chercheurs. Subsidiairement, la distinction des diplômes, agrégation, CAPES, licence, créait à l'intérieur des établissements un corps professoral hétérogène, obligations et rétributions étant déterminées non par les mérites actuels, mais par les examens ou concours passés avant d'entrer dans la carrière.

Qu'en est-il aujourd'hui? Les agrégations subsistent, peu modifiées autant que j'en puisse juger. Peut-être n'exercent-elles plus la même influence tyrannique en raison de la multiplicité des UER, groupes relativement étroits, tentés par les initiatives, moins prisonniers que jadis des programmes et des concours, mais elles appellent les mêmes réserves : ce sont des concours ne portant ni sur la capacité scientifique, ni sur la capacité pédagogique. En raison de la disproportion entre le nombre des candidats et celui des élus, l'agrégation se ramène à un mode de sélection, ni meilleur ni pire qu'un autre. En revanche, le refus de la sélection à l'entrée des facultés développe ses conséquences logiques et prévisibles.

Avec beaucoup d'autres, je dénonçai l'équivoque du baccalauréat, à la fois certificat de fin d'études secondaires et premier grade de l'Université. Progressivement, au cours de mes années à la Sorbonne, le baccalauréat, plusieurs fois révisé, se rapprocha du simple certificat de fin d'études secondaires sans perdre pour autant la valeur d'un premier grade de l'Université ; en d'autres termes, tout bachelier garde le droit d'accéder à l'enseignement supérieur. Mais, curieuse conséquence du système, tous les établissements d'enseignement supérieur, à l'exception des facultés, imposèrent une sélection à l'entrée. Qu'il s'agisse d'une école commerciale ou de l'Institut d'Études politiques, le bachelier quelconque n'y entre pas sans un autre titre ou sans examen. Même les IUT, enseignement supérieur court, en deux années, font un choix entre les candidats et ouvrent la voie des carrières. Seules les facultés des lettres ou de droit font exception : à défaut de mieux, elles abritent des milliers de jeunes sans emploi.

Cet aboutissement du refus de la sélection, chacun pouvait l'annoncer et, personnellement, je plaidai en faveur de la « sélection », ce mot tabou qui désignait seulement le refus de l'accès libre des bacheliers aux facultés, en fait essentiellement aux facultés de lettres et, à un moindre degré, aux facultés de droit et de science économique (divisées depuis 1969 en une pluralité d'UER). Parmi les centaines de milliers d'étudiants inscrits selon les statistiques, combien tentent leur chance ou bénéficient des avantages accordés aux étudiants, sans projet défini, sans même toujours la volonté d'aller jusqu'au bout de leurs études ?

A l'origine, quand ce procès commença, j'étais indigné par l'irrationalité du régime, le gaspillage de ressources rares consacrées à des pseudo-étudiants, qui ne décrochent aucun diplôme et ne tirent guère de profit de cet essai hésitant. Je n'ai pas changé d'opinion, mais je me sens porté à plus d'indulgence. Bien sûr, maintenir un encadrement proportionné au nombre de ces demi-étudiants, n'est-ce pas réduire indirectement les fonds d'État à la disposition du véritable enseignement supérieur ou de l'authentique recherche ? Déjà, au début de ma présence à la Sorbonne, tous les professeurs observaient une baisse du nombre des auditeurs, de 20 à 25 % dans les cas les plus favorables, entre le début et la fin de l'année. Les étudiants ne disparaissaient pas seulement de la vue des professeurs, ils ne se manifestaient plus au cours ou aux travaux dirigés, ils ne s'inscrivaient pas aux examens de fin d'année. Les enquêtes sociologiques ne retrouvent pas toujours la trace de ces « déserteurs ».

Entre 1955 et 1968, j'assistai, dans un poste abrité, à la transformation de la vieille Sorbonne. Les thèses d'Université furent supprimées, les thèses de IIIe cycle introduites. Un seul assistant m'aidait en 1955 ; une dizaine s'occupaient des étudiants dix ans plus tard. Le gonflement des effectifs, aussi bien d'enseignés que d'enseignants, s'observait d'année en année. L'amphithéâtre Descartes était plein quand je donnais mon cours ; je m'adressais à des centaines d'auditeurs que je ne connaissais pas. Si je pris la décision, à la fin de l'année 1967, de quitter la Sorbonne et de devenir directeur d'études non cumulant à la VIe section de l'École pratique des Hautes Études, c'est que j'avais le sentiment que le bâtiment craquait, que nous étions paralysés, stérilisés par un régime à bout de souffle.

Pour la sociologie, les années 1955-1968 furent à beaucoup d'égards fastes. A ma connaissance, il n'existait guère plus de chaires de sociologie dans les universités en 1955 qu'en 1939 (l'année où je fus nommé à Toulouse). Une chaire de psychologie sociale fut créée à la Sorbonne la même année 1955, ce qui facilita mon élection. Faute de cette chaire de psychologie sociale, Stoetzel se serait porté candidat à la succession de Georges Davy et son succès était assuré à l'avance. Comme G. Davy exerçait le décanat de la faculté des lettres, Georges Gurvitch occupait la position clé, celle du mandarin potentiel ; c'est par lui que passaient la plupart des thèses. Son vocabulaire s'imposait aux étudiants, sinon aux chercheurs. Il terrorisait, de temps à autre, les candidats par des accès soudains, mal contrôlés, de colère. En dépit de son activité, du nombre de ses publications, de son goût de l'autorité intellectuelle, Georges Gurvitch n'atteignit jamais (aucun de ses successeurs non plus) à une autorité qui lui aurait mérité le titre de mandarin. La sociologie demeurait une discipline de deuxième ordre, comparée aux disciplines traditionnelles dont le statut était garanti par une agrégation. La sociologie, depuis la guerre, sous l'influence de quelques pionniers (Georges Friedmann par exemple) s'était développée en dehors de l'Université, dans le cadre du CNRS et plus spécialement dans le laboratoire propre du CNRS, le Centre d'Études sociologiques. L'enseignement de la sociologie, à Paris, Toulouse, Bordeaux, Strasbourg n'avait guère changé par rapport à celui que j'ai connu et reçu (si je puis dire : je n'avais pas fréquenté les cours) un quart de siècle plus tôt. Les cours portaient sur les grands auteurs, sur les théories des professeurs eux-mêmes ou enfin sur quelques grands thèmes : les classes ou la lutte de classes, le suicide, la division du travail, etc. Les sociologues faisaient ailleurs l'apprentissage de la recherche empirique et ne se sentaient pas engagés par les spéculations ou la rivalité des professeurs de la Sorbonne.

C'est au cours de la période où j'enseignai à la Sorbonne que s'amorça le rapprochement des chercheurs et de l'Université. Simple coïncidence et non pas rapport de cause à effet. Le nombre des étudiants en sociologie, la popularité des sciences sociales, le déclin des humanités, toutes les circonstances favorisèrent l'ascension de la sociologie dans les facultés — ascension qui apparut après coup comme une des causes des événements de mai 1968. Personnellement je revendique la responsabilité — mérite ou démérite selon les jugements des uns ou des autres — d'avoir créé en deux ans (exceptionnelle rapidité pour une réforme institutionnelle) la licence de sociologie.

La sociologie figurait dans les programmes des facultés des lettres : moitié d'un certificat de la licence de philosophie (morale et sociologie), certificat d'une licence libre. La licence de sociologie ne fut pas une licence d'enseignement (la sociologie ne figurait pas dans les programmes des lycées), mais elle représentait un progrès par rapport à l'état antérieur. J'obtins que cette licence comportât trois certificats obligatoires (sociologie générale, psychologie sociale, économie politique). Le quatrième certificat était choisi par les étudiants dans une liste assez longue (histoire économique, ethnologie, etc.). J'insistai sur les trois certificats obligatoires dont chacun se définissait par une conceptualisation propre. Il ne manqua pas d'objections, à l'assemblée des professeurs, contre le certificat d'économie politique. Gurvitch, évidemment, lui était hostile. Certains se souvenaient de Durkheim et de sa critique de l'économie. Je parvins à convaincre, sans trop de peine, une majorité. Fut-ce par la valeur de mes arguments ou par la supériorité (trop naturelle) de mon français sur celui de Gurvitch ? Je ne sais.

Mon penchant à garder le dernier mot m'entraîna à un échange avec Étiemble que j'aime bien et que j'estime. Nous discutions du programme du certificat de sociologie générale, nous avions repris l'expression qui figurait dans le programme du certificat de morale et sociologie : les « précurseurs », les « fondateurs » et quelques noms : J.-J. Rousseau, Montesquieu... Etiemble s'écria : « Et la sociologie arabe, et la sociologie chinoise ? Toujours cette étroitesse hexagonale comme si la France contenait la culture entière... » Légèrement irrité par cette tirade, je répondis dans un style peu conforme aux habitudes universitaires : « Je suis complètement d'accord avec mon ami Etiemble, mais je propose de différer l'enseignement de la sociologie arabe ou de la sociologie chinoise jusqu'au moment où les élèves de mon collègue seront capables de les enseigner. » Un éclat de rire termina le débat. Etiemble, qui ne déteste pas se moquer des autres mais supporte mal qu'on se moque de lui, m'envoya deux de ses livres avec des dédicaces douces-amères... Je ne doute pas qu'il m'ait pardonné depuis longtemps cet épisode de notre collaboration universitaire.

La licence de sociologie ne subsista pas longtemps

puisqu'elle disparut avec la réforme Fouchet, appliquée pour la première fois en 1968. Cette dernière fut emportée elle aussi immédiatement par la tempête des événements. En tout état de cause, la sociologie, en tant que discipline universitaire, est désormais reconnue, elle continue d'attirer des étudiants nombreux, bien que la vague des années 60 ait cessé heureusement de monter.

En 1955, quand je pris pour sujet de mon premier cours public la société industrielle, je rompis avec les coutumes : les plans quinquennaux, la collectivisation agraire, les procès de Moscou trouvaient place dans mon étude. Comment pouvait-il en être autrement puisque l'Union soviétique incarnait le type-idéal d'un régime de notre temps — un régime qui se donnait pour but de rattraper les États-Unis, de développer les forces de production dans un système socialiste ? L'évocation, dans un amphithéâtre de la Sorbonne, des camps de concentration ou des aveux des compagnons de Lénine rapprochait la sociologie dite académique des rumeurs de la place publique. Les cours de G. Gurvitch, reflets de ses livres, riches de classifications et de définitions, présentaient les mérites contraires ; ils arrachaient les étudiants à leur mode quotidien et les introduisaient dans un univers étranger, quelque peu mystérieux, peuplé de « petits groupes », animé de multiples formes de sociabilité, divisé en multiples « paliers de profondeur ».

Qui de nous deux avait raison ? La question n'a probablement pas de sens. Il est bon que la sociologie détache l'étudiant de ses préjugés, de sa conscience spontanée, vécue de la réalité. Il n'est pas inutile non plus que le professeur traite aussi objectivement que possible des problèmes réservés d'ordinaire au journalisme et aux discours de propagande. Les premiers cours, les *18 Leçons sur la société industrielle, la Lutte des classes, Démocratie et totalitarisme,* en 1955-1956, 1956-1957, 1957-1958, n'attirèrent pas la foule, quelques dizaines d'étudiants la première année ; le nombre augmenta d'année en année, signe moins de succès que de l'augmentation du nombre des inscrits. Au reste, ces cours, à défaut d'auditeurs, eurent immédiatement des milliers de lecteurs (dans la publication des cours de la Sorbonne).

Ce choix des sujets n'allait pas sans péril. Désireux de m'écarter du journalisme, je risquais d'y retomber. Mais, d'autre part, je voulus préparer par mes cours le *magnum opus*, Marx-Pareto, sur lequel je réfléchissais et même écrivais depuis des années. Je souhaitais démontrer en acte la possibilité d'une synthèse de la théorie de la croissance (Colin Clark, Jean Fourastié), de la théorie des régimes (capitalisme-socialisme), de la théorie des classes sociales et enfin de la théorie des élites sur les trois plans de l'économique, du social, du politique. Je ne suis pas sûr d'avoir conçu clairement à l'avance ces trois petits volumes. La première année, je me laissai porter d'une leçon à l'autre, sans disposer d'un plan d'ensemble. Le miracle, c'est que le résultat ne fût pas pire.

Je reviendrai, dans un autre chapitre, sur le contenu de ces livres. Mon état d'esprit à l'époque, mon souci de l'auditoire appellent quelques remarques. Nombre d'étudiants, marxistes ou marxisants, m'attendaient au tournant de la rue. J'arrivais, précédé ou entouré d'une réputation d'homme de droite et journaliste ; il me fallait apprivoiser les marxistes, les convaincre de mon savoir, me faire reconnaître par tous comme un enseignant de plein exercice. Dans les *18 Leçons*, je restai plus d'une fois en deçà de mes jugements sur l'Union soviétique. Pour témoigner de mon objectivité, je dus laisser au régime que je combattais le privilège du doute, témoigner à son égard d'indulgence. Je crois sincèrement avoir atteint mon but. N'oublions pas non plus que le rapport de N. S. Khrouchtchev au XX⁰ Congrès date de 1956, l'année même de mon premier cours. Les faits que je rappelais dans mes cours, le premier secrétaire du parti communiste de l'Union soviétique les authentifiait.

Il m'est difficile de parler de mes rapports avec les étudiants, tout au moins les étudiants de premier cycle (les deux premières années). Ils venaient rarement me voir ; ils demandaient conseil aux assistants. Au début, leur nombre me permettait encore de leur confier des exposés, donc de leur imposer l'épreuve de parler en public devant leurs camarades et le professeur. J'y renonçai rapidement. Les étudiants n'écoutaient guère leur camarade et comptaient sur la critique du professeur. Je m'efforçais de ne pas humilier l'étudiant, même si celui-ci s'était mal tiré d'affaire. Je jugeais indigne de faire rire les étudiants aux dépens d'un des leurs. Je ne suis pas sûr de n'avoir jamais commis cette faute dont j'ai horreur ; au moins puis-je dire que je ne le fis jamais délibérément.

Dans je ne sais quelles circonstances, Pierre Hassner, qui fréquentait parfois mes cours, fit un exposé brillant, étourdissant sur Thucydide. Je le comblai d'éloges qui ne dépassaient pas ses mérites. Je lui dis que jamais, étudiant ou enseignant, je n'avais entendu un discours de qualité comparable (Pierre, à cette date, était déjà agrégé[1]). Un étudiant vint me parler à la fin de la séance et me dit : « Je vous aurais détesté si vous n'aviez pas reconnu que ce que nous avons entendu aujourd'hui était exceptionnel. » La semaine suivante, je dissertai, moi aussi, de Thucydide, avec la prétention de ne pas rester trop au-dessous de Pierre.

Avec les étudiants qui préparaient leur diplôme d'études supérieures ou leur thèse d'État, mes relations ne posaient pas de problème. De préférence, je les laissais choisir leur sujet, en particulier quand il s'agissait d'une thèse d'État : « Si vous n'avez pas dans l'esprit un sujet ou, du moins, une certaine idée de vos intérêts intellectuels, pourquoi voulez-vous faire une thèse d'État ? Celle-ci n'est pas, ne doit pas être un exercice scolaire ; vous lui donnerez des années de votre vie, ne les donnez pas au mandarin, aux considérations de carrière. » Attitude qui me paraît aujourd'hui encore convenable ; peut-être les étudiants, face à certains maîtres et dans certaines circonstances, s'inclinent-ils devant des ukases ou les nécessités de la carrière. En ce cas, les responsabilités sont partagées.

Autrement difficiles furent mes relations avec les assistants dans les séminaires ou avec les anciens qui soutenaient leur thèse. Ma fille Dominique me repro-

---

1. Jean-Claude Casanova me rappelle que je dis : « Je n'ai pas entendu d'exposé aussi brillant depuis celui de J.-P. Sartre devant Léon Brunschvicg. » Je crois le souvenir de Casanova exact. En fait, l'exposé de Sartre était porteur d'avenir, il n'était pas éblouissant ; je voulais souligner l'éloge, manifester mon enthousiasme.

cha plusieurs fois de mettre les assistants dans une position fausse devant les étudiants. Aussi bien Pierre Bourdieu, qui était mon assistant au début des années 60, ne parlait-il pour ainsi dire jamais quand il assistait à mes séminaires. Plusieurs fois, je blessai Pierre Hassner (ou le peinai) quand nous étions censés diriger ensemble un séminaire de relations internationales. En fait, une direction de séminaire à deux, qui se déroula harmonieusement avec J.-B. Duroselle, ne convenait pas au couple Aron-Hassner. Dans les années 60, j'avais suffisamment surmonté mon intempérance de parole et ma volonté d'avoir toujours raison pour coopérer avec un codirecteur, mais Pierre Hassner est à son meilleur quand il s'exprime en toute liberté, quand son monologue embrasse, à lui seul, ses arguments et les objections possibles de ses interlocuteurs. Sa subtilité, son sens des nuances l'emportent à tel point sur ceux des autres — moi inclus bien entendu — que le dialogue avec lui devient malaisé. Il faut le laisser conduire seul l'entretien à sa manière ; chacun des auditeurs saisira au passage la nourriture qui lui convient (ou les perles jetées au hasard par une inépuisable richesse d'invention et d'analyse).

Cela dit, je garde de mes séminaires, en particulier de ceux de la VIᵉ section où je fus élu directeur d'études cumulant en 1960, un souvenir de libres discussions, de recherches en commun, sans joutes verbales. Bien entendu, les séances étaient inégales, en fonction de l'intérêt des exposés introductifs et du dialogue qui s'ensuivait. Des personnes qui aujourd'hui sont classées par leurs pairs dans l'élite de la communauté scientifique y prenaient plaisir et en tiraient quelque chose (je songe, par exemple, à Jon Elster qui soutint une thèse d'État à la Sorbonne, le premier Norvégien à solliciter et à obtenir le grade cinquante ans après un de ses compatriotes). Je reçus d'une des habituées du séminaire d'opinion proche du gauchisme une lettre touchante de reconnaissance pour le style de ces entretiens.

Des soutenances de thèse, je garde un souvenir plus mélangé. Je dirai d'abord qu'à la différence de certains de mes collègues je lisais attentivement, entièrement les

thèses. Précisément parce que mes collègues me soupçonnèrent d'abord de ne pas me soumettre à toutes les
obligations du métier, je me fis un point d'honneur de
rivaliser avec les plus consciencieux. Mais cette
conscience professionnelle se traduisit aussi par une
franchise d'expression qui passait à juste titre pour
sévérité — sans compter que d'autres juges m'accusaient de saisir l'occasion de briller aux dépens de celui
qui demeurait encore, pour une demi-journée, du mauvais côté de la barricade. Le membre du jury use et
abuse des avantages que lui assure sa position.

Chacun, à la Sorbonne, choisit son style. Tel se plaît
à relever les fautes d'orthographe, les erreurs de détail
ou les anglicismes, tel autre, quand la thèse s'y prête, se
lance dans des discours plus d'une fois brillants, mais
qui ne permettent ni à l'auditeur de connaître les
mérites de la thèse, ni à celui qui défend le fruit de longues années de travail de plaider sa cause. J'adoptai,
une fois pour toutes, un style direct : je m'efforçai de
discuter les idées centrales de l'ouvrage et, de ce fait,
j'acquis une réputation de rigueur ou même de cruauté.
Cette réputation, je l'ai en quelque mesure méritée. Le
tournoi d'éloquence se déroule entre les membres du
jury tout autant qu'entre le jury et « l'impétrant ».
Celui-ci risque d'être la victime de rivalités entre
« chers collègues ».

Alain Touraine a déjà raconté dans un de ses livres
l'épreuve que lui infligèrent Georges Friedmann, Jean
Stoetzel et moi. J'éprouvais et j'éprouve toujours pour
lui une véritable sympathie. Dans la communauté des
sociologues parisiens, il tranche par son élégance, sa
noblesse naturelle et son authenticité. Je ne nourrissais
à son égard nul grief, nul ressentiment. Il me demanda
d'être le directeur de sa thèse alors qu'elle était déjà terminée. Il souhaita être jugé par moi, soit qu'il me mît
au-dessus des autres, soit que ma présence ajoutât à
l'éclat de la cérémonie. Après la discussion de la thèse
secondaire (étude empirique de la conscience de classe)
par E. Labrousse et G. Gurvitch — discussion prolongée par le goût de l'éloquence dont témoigna, comme
d'habitude, le premier des deux —, A. Touraine présenta sa thèse avec un élan de conquistador qu'il

conclut par un poème en espagnol. Le président me donna la parole et je commençai : « Revenons sur la terre. »

Pendant la suspension entre les deux thèses, il avait tenu des propos — qui me furent rapportés plus tard — d'un fleurettiste sur le point de croiser le fer : « Je ne crains qu'Aron. » Je fis sentir à l'auditoire (la salle Louis Liard était pleine à craquer) mes sentiments amicaux pour lui ; mes jugements sur la thèse le blessèrent d'autant plus. Je ne réglai pas de vieux comptes, je reprochai à Touraine de se lancer dans des analyses plus philosophiques que sociologiques sans la maîtrise des concepts, sans la formation du philosophe. Avais-je tort ou raison ? Il n'y a pas, en pareille matière, de preuve. Tout ce que je puis dire, pour ma défense, c'est que j'avais lu et relu l'ouvrage, demandé l'opinion d'un spécialiste indiscuté. Peut-être mon intervention n'aurait-elle pas été aussi dévastatrice, si elle n'avait encouragé Friedmann et Stoetzel à une surenchère de sévérité. Décontenancé, Touraine renonça presque à se défendre. L'atmosphère se fit irrespirable ; Labrousse me murmurait : « C'est trop, ce n'est pas possible. » J. Le Goff s'agitait sur son banc, tenté de prendre la parole pour interpeller les juges : G. Friedmann, le maître et le protecteur tout d'un coup si dur, et J. Stoetzel, venu d'un univers étranger à la VI⁰ section. Alain Touraine revécut pendant des semaines, en rêve ou plutôt en cauchemar, cet après-midi. Le soir, il recevait le Tout-Paris intellectuel ou mondain qu'il avait invité à l'avance. Une dame me confia que cette cérémonie d'initiation avait été horrible. P. Lazarsfeld apprécia la discussion publique de la thèse. On pourrait publier presque telle quelle votre improvisation, me dit-il (ce n'était pas vrai).

Bien que je me sois exprimé avec la même franchise en d'autres circonstances, aucune soutenance de thèse n'atteignit à la même intensité presque dramatique. Je discutai avec Michel Crozier ; mes objections n'étaient pas toujours pertinentes et les applaudissements saluèrent plus d'une fois ses reparties. Mes dialogues avec François Bourricaud et Henri Mendras demeurèrent pacifiques et amicaux.

Je me souviens en particulier de deux thèses dont je mis en question les idées directrices sans troubler outre mesure les auteurs. P. Naville, directeur de recherches au CNRS, souhaita obtenir le grade de docteur d'État avec un ouvrage sur la pensée de Marx, intitulé *De l'aliénation à la jouissance*. G. Gurvitch discuta plus de deux heures avec Naville sur la jeunesse de Marx, sur les étapes de sa pensée et les influences subies entre 1837 et 1848. Gurvitch tenait à Saint-Simon et Fichte, Naville à Hegel et aux matérialistes. Je pris la parole alors que l'horloge indiquait plus de sept heures et demie. Je n'avais qu'une remarque à faire, mais elle portait sur l'essentiel. Selon Naville, K. Marx avait introduit la quantité dans l'analyse économique. Là était sa contribution décisive dans l'histoire de la science économique. Or, comme le concept de plus-value tient une place essentielle dans l'analyse marxiste, je lui posai la question : « A-t-on, depuis un siècle, calculé la plus-value ? » De toute évidence, on ne l'a pas calculée bien que, par ses exemples numériques, K. Marx ait suggéré, sans l'affirmer, que le capitaliste accumule une plus-value considérable. (D'ordinaire, il suppose un taux d'exploitation de 100 % ; autrement dit le surtravail — la durée du travail au-delà du travail nécessaire pour produire une valeur égale à celle du salaire — représente la moitié de la journée.) Naville, si mes souvenirs sont exacts, ne sut trop quoi répondre sinon que, par ailleurs, Marx cherchait à déterminer les quantités. E. Labrousse vint à son secours, mais par un argument pauvre ou, pour mieux dire, dénué de sens. « On n'a pas encore calculé la plus-value, me dit-il, cela ne prouve pas que l'on n'y parviendra pas au cours du siècle à venir. » Il me fut facile de préciser les raisons pour lesquelles le concept de plus-value échappe à la quantification. La seule réplique valable eût été celle de mon ami Jon Elster : il existe d'autres concepts, dans d'autres théories, qui ne sont pas quantifiables, sans être dénués de signification pour autant (le coût d'opportunité, par exemple). J'aurais souscrit à cette réplique, mais la thèse de Naville s'en trouvait de toute façon ébranlée. K. Marx, à coup sûr, étudiait les statistiques disponibles à l'époque ; il se serait précipité sur les comptabilités nationales, si celles-ci avaient déjà existé. En ce qui concerne sa contribution majeure, le premier tome du *Capital* par exemple, le calcul n'y intervient que sous la forme d'illustrations chiffrées des raisonnements ; et, par là même, il contribua à créer des illusions presque délirantes. Si le taux d'exploitation s'élève à 100 %, quelle réserve de revenus pour les salariés le jour où l'exploitation de l'homme par l'homme aura été définitivement supprimée !

Une autre soutenance de thèse me reste à l'esprit : celle d'un Grec, K. Axelos, marxiste et heideggerien tout à la fois. Le travail portait sur « Marx, penseur de la technique ». Il lui avait été suggéré probablement par un essai de Heidegger qui met en relation la pensée de Marx avec la diffusion planétaire de la technique. Mon camarade, Patronier de Gandillac, ami de Kostas Axelos, n'ignorait pas les réserves que je formulais sur le travail et souhaitait retarder le moment où je prendrais la parole. Je lui posai pour ainsi dire une seule question : qu'est-ce que Marx a écrit sur la technique ? Quelle fut sa philosophie de la technique ? « Finalement, me répondit-il, il se peut qu'un auteur manque l'objet majeur de sa pensée. » Le dialogue n'alla pas plus loin.

Décidé à remplir pleinement mes obligations de sociologue, je créai, dans le cadre de la VIᵉ section, un centre de recherches, intitulé *Centre européen de sociologie historique*. Pierre Bourdieu en fut le secrétaire général et l'animateur, en vérité le directeur effectif jusqu'à la rupture provoquée par les événements de 1968. J'appartiens à une génération intermédiaire entre celle des disciples directs de Durkheim et la génération pour laquelle la conversion de la philosophie à la sociologie implique les recherches empiriques. Professeur à Bordeaux en 1945, aurais-je entrepris des enquêtes, fait mon apprentissage sur le tas avec les étudiants ? Il se peut, mais je n'en suis pas sûr. G. Friedmann n'est pas allé jusqu'au bout de la conversion. Pour moi, le retour à la Sorbonne intervint trop tard ; j'avais cinquante ans, je ne voulus pas renoncer au journalisme et à l'action dans la politique française ; les relations internationales (qui ne suscitent guère d'enquêtes empiriques) rete-

naient la moitié de mon attention et de mon temps.
Pierre Bourdieu, au retour de son service militaire,
avait déjà travaillé sur le terrain. A l'époque, il promettait tout ce qu'il a tenu, un des « grands » de sa génération ; il n'annonçait pas ce qu'il est devenu, un chef de
secte, sûr de soi et dominateur, expert aux intrigues universitaires, impitoyable à ceux qui pourraient lui faire
ombrage. Humainement, j'espérais autre chose de lui.

Mon poste à la Sorbonne m'amena aux commissions
du CNRS. J'y fis l'expérience à la fois de la bureaucratie et des luttes entre groupes de pression. La commission devait examiner les candidatures et aussi les travaux des chercheurs dont le renouvellement ou la promotion étaient en question. Les sociologues, qui pour la
plupart avaient fait carrière au CNRS, ne tenaient pas
grand compte des diplômes (l'agrégation par exemple)
qu'ils ne possédaient pas eux-mêmes. En dehors des
diplômes, les projets rédigés par les candidats déterminaient, en principe au moins, la sélection. Les membres
de la commission ne se seraient pas accordés même si
tous, de bonne foi, avaient cherché les meilleurs. Les
opinions politiques, les solidarités d'équipes, l'intérêt
porté à tel domaine plutôt qu'à tel autre se mêlaient ou
s'opposaient. L'arbitraire d'une gestion démocratique
éclatait aux yeux.

Président de la Commission de sociologie pendant
quatre années, je réussis dans quelque mesure à influer
sur notre travail et à l'améliorer. Quand les membres de
la commission, même communistes, se convainquirent
de ma volonté sincère d'honnêteté, ils suivirent souvent
mes suggestions. Ce qui me frappa le plus, c'est que les
membres de la commission, presque tous, manifestaient
quelque satisfaction quand ils avaient pris ensemble la
décision équitable. Confirmation mineure de mon optimisme indéracinable sur la nature humaine : ces sociologues préféraient la justice à leurs passions et à leurs
affiliations, quand l'occasion s'offrait à eux.

Les années 1955-1968, les plus universitaires de mon
existence, furent aussi marquées par trois prises de

position retentissantes sur l'Algérie, sur la conférence de presse du Général en 1967, sur les événements de mai 1968. Pendant ces treize années, je publiai cinq de mes cours d'après les notes [1] ; j'avais professé une partie de *Paix et Guerre* en cours mais je récrivis ceux-ci entièrement ; je donnai à l'Institut d'Études politiques le premier cours jamais professé en France sur la stratégie nucléaire et je rédigeai en trois semaines, après coup, *le Grand Débat*. En 1957, sous le titre *Espoir et peur du siècle*, je réunis trois essais sur *la Droite, la Décadence, la Guerre* ; en 1965, pour l'Encyclopædia Britannica, j'écrivis un *roof article*, un *article plafond*, en fait un livre qui ne parut en France qu'en 1968, *les Désillusions du Progrès*. En revanche, je n'ai pas utilisé un cours d'une année sur la pensée politique de Montesquieu, un autre sur celle de Spinoza, un cours d'une année (deux heures par semaine) sur Marx, un autre encore (deux heures par semaine) sur l'égalité. Cet enseignement sortait pour une part de l'actualité, des problèmes que l'époque nous posait.

Pour moi, cet enseignement, je le répète, fut une bénédiction. Il m'aida à retrouver un équilibre intérieur, non dans l'oubli, mais dans l'acceptation. Fut-il aussi une bonne chance pour les étudiants, pour la Sorbonne, pour le développement de la pensée sociologique en France ? Il n'est pas facile pour moi de répondre. Voici, malgré tout, quelques remarques que la plupart de mes collègues accepteront.

Par mes cours et mes écrits, j'ai contribué à donner à la communauté des sociologues une autre ascendance. Durkheim, dans sa thèse secondaire, présentait Montesquieu et Rousseau en précurseurs de la sociologie. J'ai interprété *l'Esprit des Lois* comme un ouvrage déjà inspiré par l'authentique problématique de la sociologie. Thèse au reste presque triviale, si l'on y réfléchit, mais qui était tombée dans l'oubli. De même et plus encore, j'ai rappelé à mes étudiants et à mes collègues que Tocqueville leur appartenait, que l'auteur de la *Démocratie*

---

1. *18 Leçons sur la société industrielle, la Lutte des classes, Démocratie et totalitarisme, les Étapes de la pensée sociologique* (le titre du cours était : *les Grandes Doctrines de sociologie historique*).

en Amérique n'était pas un précurseur mais un pionnier de la pensée sociologique. Tocqueville, négligé par les philosophes et par les historiens de la littérature qui ne s'étaient pas avisés qu'il était un grand écrivain, appartient désormais aux sociologues, aux américanistes et enfin aux historiens. François Furet rend hommage à *l'Ancien Régime et la Révolution* et insère ce livre magistral dans l'historiographie de la Révolution française. Bien sûr, cet enrichissement de la conscience historique des sociologues français, je n'en revendique pas la responsabilité, ce qui serait ridicule et, par-dessus le marché, peu compatible avec la pensée sociologique. J'ai contribué à cet enrichissement, comme j'avais contribué, avant la guerre, à la compréhension de la grandeur de Max Weber.

Certes, en faisant figurer Montesquieu et Tocqueville parmi les sept Grands dont j'esquissais les portraits, je rompis avec l'orthodoxie durkheimienne, et Georges Davy, fidèle épigone, me le fit savoir dans un compte rendu critique. Un sociologue anglais, plus indulgent, ne manqua pas de me rappeler, au milieu de ses compliments, que Durkheim est le sociologue *par excellence*. Soit, mais il est aussi le *sociologiste* par excellence ; j'entends par là que son œuvre contient potentiellement toutes les erreurs du sociologisme : l'autorité suprême reconnue à l'interprétation sociologique par rapport à d'autres interprétations, l'usage du concept *société* comme si celui-ci désignait une réalité englobante, concrète, nettement délimitée, la confusion, dans ce concept, de la valeur et du réel au point qu'il en vient à dire qu'entre la société et Dieu, objet de la foi religieuse, il ne voit guère de différence. Le génie de Durkheim ne prête pas au doute, une certaine sorte d'étroitesse, de fanatisme non plus.

G. Davy me reprocha de glisser de la sociologie à la science politique. La distinction entre ces deux disciplines a-t-elle une signification en dehors du cloisonnement des disciplines académiques ? Ce qui reste valable, dans l'objection de Davy, c'est que Montesquieu et Tocqueville ne rompent pas avec la tradition de la philosophie classique, même si l'un et l'autre accentuent le lien entre l'état social et le régime politique, donc mettent en lumière les conditions et les conséquences sociales du régime politique. A la différence de Comte et de Durkheim, ils ne postulent pas la suprématie du social sur le politique, à la limite l'insignifiance du politique par rapport au social. Ce n'est pas un accident si ni Auguste Comte, ni Émile Durkheim[1] n'ont rien écrit d'important sur la politique, en particulier sur le régime qu'ils auraient jugé conforme à l'esprit ou aux exigences de la société moderne. Tocqueville, parce qu'il visait en dernière analyse le politique, a encore quelque chose à nous dire.

Faut-il opposer Montesquieu-Tocqueville qui cherchent les conditions et conséquences sociales du politique à Comte-Durkheim qui partent de la totalité sociale et n'accordent qu'une place modeste au politique ? Il se peut, mais pourquoi la sociologie devrait-elle se fonder sur des propositions érigées en postulats, faute desquels elle ne serait pas possible comme science ? Mon mérite, à mes yeux, était de soutenir que la sociologie n'implique pas une philosophie sociologiste. Mon erreur a été de ne pas pousser plus loin l'analyse et de ne pas prendre parti dans le débat sur les types d'explication ou les modèles de société. Ce que j'écrivis sur l'explication et la compréhension historiques, sur les relations internationales, sur la société française ou sur les modes de développement excluait les formes extrêmes du déterminisme ou du fonctionnalisme. J'aurais dû, à la Sorbonne et au Collège, m'exprimer sur ces controverses de principe.

Je m'accorde, avec un peu plus d'hésitation, le mérite d'avoir fait écho, sous les hautes voûtes de la Sorbonne, aux rumeurs de la ville ; je rappelai, en citant le rapport de Khrouchtchev, la collectivisation agraire, les procès de Moscou. Les trois cours sur *la Société industrielle,* qui, malheureusement, éveillent en moi la nostalgie du livre qui aurait pu être écrit, fournirent à « l'idéologie dominante » un instrument. Ils ne dépaysaient pas ceux qui venaient du marxisme-léninisme. Ils dessinaient le

---

1. Le jugement sur E. Durkheim est probablement trop sévère. Dans les *Leçons de Sociologie,* il développe sur des corps intermédiaires des idées très tocquevilliennes.

cadre à l'intérieur duquel se déroulait la compétition idéologique. Ils posaient plus de questions qu'ils ne donnaient de réponses. Malgré tout, ils offraient aux étudiants et aux hommes cultivés une vision moins grossière, moins caricaturale que le marxisme-léninisme, des sociétés développées, des régimes dits socialistes et des démocraties libérales.

En dehors de ces deux mérites, l'essentiel m'échappe. Ai-je éveillé des esprits ? Ai-je aidé des étudiants à vivre leur jeunesse et à surmonter leurs angoisses ? Combien d'entre eux ont gardé le souvenir de mes cours et ont encore le sentiment d'en avoir tiré davantage que le moyen d'obtenir un diplôme, passablement dévalué ? Je n'en sais rien et je n'en saurai jamais rien. Bien sûr, les familiers, Pierre Manent, Raymonde Moulin, Jean Baechler, pour ne citer que quelques-uns parmi les plus intimes, tous différents les uns des autres et de moi, ne nieraient certes pas qu'ils gardent quelque chose de la fréquentation de mes séminaires et de nos conversations. En dehors du petit groupe, comment savoir ? Le professeur français parle à un auditoire muet, sur ses gardes. Il se demande parfois si les auditeurs ne suivent pas les exercices de l'orateur comme, au cirque, ceux du funambule sur la corde raide. Le public français, en particulier celui des étudiants, m'a toujours paru le plus difficile, le plus ingrat que j'aie rencontré dans le monde.

J'ai fait des dizaines de cours ou de conférences en anglais, en allemand. Quelques cas exceptionnels mis à part, je n'ai jamais eu de peine à conquérir mon auditoire, à le sentir physiquement, pour ainsi dire. Quand on s'adresse aux auditeurs — ce que je fis toujours — au lieu de lire ou de réciter un texte préparé, on devine leur réaction, le moment où un sujet les fatigue, où leur curiosité s'éveille, où ils perdent le fil. Les étudiants anglais, américains, allemands, je les ai presque toujours trouvés sympathiques et, par-dessus tout, reconnaissants. Ils manifestent leur gratitude avec une gentillesse, une spontanéité qui m'ont toujours comblé, moi qui venais de la Sorbonne.

A Harvard, je fis une allocution, plus ou moins improvisée, à un groupe d'étudiants d'élite. Quelques minutes après la sortie, l'un d'eux vint me voir et me dit : « Je viens de téléphoner à mon amie pour lui faire part de ma joie de cette soirée passée avec vous. » De l'autre côté, je n'ai à mettre en parallèle qu'une lettre d'un étudiant qui, à la suite d'un cours où j'avais laissé percer ma solitude face à ces centaines d'étudiants murés dans leurs certitudes ou leur silence, m'écrivit une lettre émouvante, en quelque sorte pour me consoler ou me rassurer.

Pourquoi les étudiants français n'expriment-ils jamais ou presque la gaieté ou l'amitié des étudiants anglais, américains ou allemands ? Le système des examens ou concours y est probablement pour quelque chose. Peut-être les étudiants de la Sorbonne formaient-ils déjà une foule solitaire. Ils connaissaient les assistants, à peine les professeurs. Ils ne manifestaient pas leurs sentiments, peut-être éprouvaient-ils les mêmes que leurs camarades des autres pays. Quelques années plus tard, un étudiant, aujourd'hui recteur, me parla de mon cours sur Montesquieu comme s'il avait été un événement pour sa vie intellectuelle. Cela dit, la résistance de l'auditoire français lance un défi au professeur, conscient de sa mission et désireux de l'accomplir. Jusqu'au bout, à la Sorbonne, j'attaquais mes cours avec le ferme propos de conquérir ces centaines de visages, ces centaines de jeunes esprits, les uns certes gagnés d'avance, mais les autres rebelles, que je rêvais d'unir, par la parole, en une communauté accueillante.

Au cours de la période 1955-1968, ma situation dans l'intelligentsia parisienne et dans le monde académique, en France et à l'étranger, changea peu à peu. La période 1945-1955 aboutit à *l'Opium des Intellectuels,* qui me valut la peine capitale pour trahison de clerc, mais ne m'empêcha pas d'être élu à la Sorbonne. La période 1955-1968 aboutit au scandale de *la Révolution introuvable,* elle m'apporta aussi de multiples témoignages de reconnaissance, à l'étranger peut-être plus qu'en France. La gauche non ou ex-marxiste lut les *18 Leçons sur la société industrielle* ; les *Annales* organisèrent une sorte de table ronde par écrit autour de *Paix et Guerre*. Les doctorats d'honneur, à Harvard, Bâle, Bruxelles, Oxford... me confirmèrent l'accueil des universités étrangères. En Grande-Bretagne, je fus invité à donner des conférences, dites prestigieuses, *Gifford Lectures* en Écosse (Aberdeen), *Basil Zaharoff Lecture* à Oxford, *Alfred Marshall Lectures* à Cambridge, *Chichele Lectures* à Oxford, de même aux États-Unis, à Princeton, à Harvard, à Chicago, à Berkeley. Les *Thomas Jefferson Lectures* en 1963 devinrent l'*Essai sur les libertés* en 1965, etc.

Journaliste et enseignant, je n'avais pas lieu d'accuser l'injustice du public et des institutions. Le jour de mon élection au Collège de France et plus encore au soir de la Leçon inaugurale, j'évoquai mon père, ma mère qui terminèrent leur vie dans le malheur. Ils auraient été consolés par le succès — ce qu'ils auraient appelé ainsi — de leur fils. Personnellement, je n'étais pas sûr de m'être accompli. En 1970, je me sentais encore jeune ou, pour mieux dire, je ne sentais pas encore le poids de l'âge ; je ne calculai pas le meilleur usage du temps qui, selon la probabilité, me restait encore. Peut-être, ainsi que l'écrivent si souvent mes critiques, suis-je un écrivain raisonnable ; je doute que j'aie conduit ma carrière et mes travaux raisonnablement.

XIV

LA TRAGÉDIE ALGÉRIENNE

En 1956, trois événements ébranlèrent l'Europe et troublèrent le monde intellectuel en France : le discours de Khrouchtchev au XXᵉ Congrès du parti communiste d'URSS, la nationalisation du canal de Suez par Nasser et, presque simultanées, la révolution hongroise et l'expédition franco-anglaise.

Le discours de Khrouchtchev frappa de stupeur l'opinion publique en Occident, les intellectuels, les communistes et les progressistes. Le choc fut d'autant plus brutal dans notre pays que les Français refusèrent le plus longtemps, le plus obstinément d'admettre la réalité du Goulag et la nature du régime soviétique.

En un sens, on aurait pu dire que ce fameux discours ne révélait aucun secret. Ni la grande purge, ni le Goulag, ni les déportations de populations entières, ni les procès de Moscou n'étaient ignorés par ceux qui souhaitaient s'informer. Après tout, même J.-P. Sartre et Maurice Merleau-Ponty dans *les Temps modernes* (mai 1949) reconnaissaient qu' « il n'y a pas de socialisme quand un citoyen sur vingt est dans un camp ». Mais ils l'écrivirent une seule fois, non sans atténuer cette concession à la réalité par des commentaires soi-disant philosophiques, que je reproduis tels quels : « Si nos communistes acceptent les camps et l'oppression, c'est parce qu'ils en attendent la société sans classes par le miracle des infrastructures. Ils se trompent. Mais c'est ce qu'ils pensent. » Le Goulag ne suffisait pas à convaincre les existentialistes que l'URSS se trouve du

mauvais côté de la barricade. « Quelle que soit la
nature de la présente société soviétique, l'URSS se
trouve *grosso modo* située, dans l'équilibre des forces,
du côté de celles qui luttent contre les formes d'exploitation de nous connues... » Et la conclusion (si l'on
peut dire) : « Les colonies sont les camps de travail des
démocraties... »

Les livres ne manquaient pas dans lesquels les Français auraient découvert la plus grande partie des « révélations » apportées par le discours, livres d'ex-communistes (Boris Souvarine, Anton Ciliga, Victor Serge,
Kravchenko) ou de sociologues (David Rousset, Michel
Collinet). D'un coup, le secrétaire général du parti communiste authentifia la « propagande » des « anticommunistes » primaires ou systématiques.

A dire vrai, N. S. Khrouchtchev ne disait pas « la
vérité, toute la vérité, rien que la vérité ». Sur les procès
et la grande purge, il présenta une version, pour l'essentiel véridique. Sur Staline lui-même, il ne se démarqua
pas du stalinisme, il ne se refusa pas les facilités du
mensonge. Il ne se contenta pas d'abattre le maréchal
de son socle, il le ridiculisa, il le présenta comme un
pauvre diable, incapable de diriger le pays en guerre et
les armées.

Les communistes et paracommunistes, voire des non-
communistes durent choisir entre deux attitudes ; ou
bien proclamer tout haut : nous ne savions rien ; ou
bien, tout au contraire, revendiquer avec retard une
clairvoyance que démentaient leurs écrits antérieurs.
Les communistes français adoptèrent, contraints et forcés, la première attitude ; les hommes de gauche plus
ou moins proches du parti choisirent plutôt la seconde.
La plupart des uns et des autres prirent des libertés
avec la vérité. En Union soviétique, je demandai à un
intellectuel communiste, d'origine turque d'après son
nom, Orab-Oglou, avec lequel j'avais noué des relations
presque personnelles : « Le discours de Khrouchtchev
vous a-t-il appris quelque chose ? » Après quelques
secondes d'hésitation, il me répondit : « Rien ou presque. » Il appartenait à la deuxième génération des
apparatchiks du parti : son père dirigeait un kolkhoze.

Les circonstances m'incitèrent à quelques polémiques. Sous le titre « Ils l'avaient toujours dit », je pris à partie Isaac Deutscher et Maurice Duverger. Dans *France-Observateur,* le premier avait écrit : « Pour l'historien rien n'est surprenant dans les révélations de Khrouchtchev sur le rôle de Staline au cours de la dernière guerre, sur ses mauvais calculs et sur ses erreurs. » J'opposai à cette affirmation un extrait de sa biographie de Staline : « Il fut en fait son propre commandant en chef, son propre ministre de la Défense, son propre quartier-maître, son propre chef du ravitaillement, son propre ministre des Affaires étrangères et même son propre chef du protocole... Il fit ensuite cette opération étonnante qui consista dans l'évacuation de treize cent soixante usines de la Russie occidentale et de l'Ukraine vers la Volga, l'Oural et la Sibérie. Il continua jour après jour, pendant quatre années de guerre, un prodige de patience, de ténacité et de vigilance, omniprésent ou presque. » Je commentai : « Ainsi s'exprimait I. Deutscher à l'époque du culte de la personnalité. Aujourd'hui, rien ne le surprend dans les révélations de N. S Khrouchtchev selon lesquelles Staline suivait les opérations militaires sur une mappemonde. Je ne crois pas que N. S. Khrouchtchev donne une idée exacte du rôle de Staline pendant la guerre ; il exagère, I. Deutscher aussi. » Il s'ensuivit une longue polémique entre ce dernier et moi ; mon interlocuteur en vint à suggérer que ses jugements sur le rôle de Staline pendant la guerre ne devaient pas être pris au sens strict : c'étaient des jugements ironiques qui signifiaient le contraire de ce qu'ils voulaient dire. La polémique s'étendit aux perspectives d'avenir. I. Deutscher envisageait divers scénarios, y compris un Bonaparte, à l'exception du scénario le plus probable, celui qui se déroula : le maintien du régime dans ses traits constitutifs, dépouillé des excès pathologiques liés à Staline lui-même.

A Maurice Duverger, je reprochai une formule de son article sur le discours de Khrouchtchev : « Staline, ni meilleur ni pire que la majorité des tyrans qui l'ont précédé. » Je lui rappelai la comparaison qu'il avait esquissée entre le parti unique fasciste et le parti unique communiste : « Dans le parti communiste russe, le caractère de caste disparaît : la circulation régulière des élites devient possible ; le contact avec la masse est établi. » Et un peu plus loin, à propos des purges : « Le parti unique russe apparaît comme un organisme vivant, dont les cellules se renouvellent perpétuellement. La crainte des purges maintient les militants en haleine, réveille constamment leur zèle. » Je commentai de la manière suivante : « N. S. Khrouchtchev, comme un vulgaire "anticommuniste systématique", est scandalisé par les purges qui décapitèrent l'armée, l'administration, le parti communiste. M. Duverger est au-dessus de ces indignations vulgaires. La liquidation des militants est aussi favorable à la vitalité du parti que le "renouvellement des cellules" à la santé de l'organisme vivant. »

Je signerais encore, dans les mêmes termes, la conclusion de l'article du 10 juillet 1956 : « Le discours de N. S. Khrouchtchev ne constitue pas plus un bilan définitif de la période stalinienne que ne le faisait l'exaltation du grand homme. Mais on n'était pas équitable non plus en prenant position à égale distance des communistes et des anticommunistes ; quand il s'agissait des purges, des déportations de populations entières ou des aveux inventés de toutes pièces, les anticommunistes avaient entièrement raison. La vérité ne se situe pas toujours dans la juste mesure, les horreurs des tyrannies du XXe siècle sont démesurées. »

Je ne relis malheureusement pas avec la même satisfaction les articles que j'écrivis dans *le Figaro* à propos de la nationalisation du canal de Suez et de l'expédition franco-anglaise. Je fus, pour une part, intoxiqué par le climat belliciste, par l'obsession du recours à la force qui se répandit à Paris, dans les rédactions des journaux. Je ne fus jamais favorable à une action militaire ; au moment de la révolution hongroise, l'opération combinée d'Israël, de la France et de la Grande-Bretagne me parut insensée et m'indigna. Mais je me laissai aller à prendre des positions ambiguës, la menace d'une réoccupation du canal de Suez devant à mes yeux inciter le colonel Nasser à négocier un accord avec les usagers.

Après coup, je me reproche de n'être pas allé immédiatement jusqu'au bout de ma pensée. Oui, le colonel

Nasser procéda à la nationalisation dans un style pro-
voquant ; mais la nationalisation ne risquait pas sérieusement d'interdire aux pétroliers anglais ou français le
libre passage à travers le Canal. Les commentaires sur
le rôle « indispensable » des pilotes, j'aurais dû les
dénoncer immédiatement, bien que j'ignorasse tout de
la navigation dans le Canal [1]. André Siegfried fut, pour
une grande part, responsable du mythe.

Heureusement, mon intoxication ne me fit pas déli-
rer ; je n'acceptai jamais la comparaison entre mars
1936 et juillet 1956 ou la thèse de l'effet décisif qu'exer-
ceraient les événements du Proche-Orient sur la guerre
d'Algérie : « La comparaison avec mars 1936... est heureusement erronée à beaucoup d'égards ; une fois les
troupes allemandes installées en Rhénanie, rien sinon
la guerre ne les en pouvait chasser et le rapport des
forces européennes était définitivement modifié. Le
colonel Nasser ne possède pas encore définitivement le
Canal et, même s'il remportait un succès au cours des
prochaines négociations, ce qui est improbable, il ne
serait pas encore devenu le chef d'une grande puissance militaire » (4-5 août 1956).

Le 2 novembre 1956, alors que l'expédition franco-
anglaise était déclenchée, je mis en garde contre les illusions : « La force n'est qu'un moyen. En Algérie, depuis
des mois, on connaît mal au service de quel objectif la
force est employée. Il faut que, demain, les objectifs ne
prêtent à aucun doute, qu'ils soient clairs dans l'esprit
de nos dirigeants ; clairs aux yeux de l'opinion mondiale. Il serait fou de combattre le nationalisme que
l'on appelle arabe ou musulman, fou de remettre en
question l'indépendance de la Tunisie ou du Maroc qui
ont été proclamées et qui sont définitivement acquises.
En Afrique du Nord, la France ne peut avoir d'autre
but que de renforcer les modérés qui, aspirant à l'indépendance nationale, n'en sont pas moins désireux de
maintenir des liens de coopération et d'amitié avec la
France... Nous ne trouverons pas à Suez la solution des
problèmes de Tunisie, du Maroc ou d'Algérie. Notre

---

1. Je me souviens d'une lettre d'un capitaine au long cours qui dénonçait
ce mythe : la navigation dans le Canal ne comportait aucune difficulté.

seul espoir, notre seule chance, c'est que le coup porté à l'homme qui incarnait le fanatisme panislamique donne à nos interlocuteurs le suprême courage de la mesure... »

Aujourd'hui, nous avons tous peine à comprendre les raisons pour lesquelles Anglais et Français, au milieu d'un procès historique de décolonisation, se jetèrent dans une pareille aventure. Le Royaume-Uni avait gracieusement abandonné ses possessions d'Asie. Quelle importance conservait la voie de l'Inde, une fois celle-ci devenue indépendante ? Pourquoi l'Égypte, responsable du Canal, ne s'ingénierait-elle pas à satisfaire les usagers, afin d'accroître ses recettes ? En fait, comme je l'écrivis plusieurs fois à l'époque, l'affaire de Suez comportait un double enjeu : la liberté de passage d'un côté, les conséquences à travers le monde islamique tout entier d'un succès de prestige remporté par le colonel Nasser défiant les Occidentaux. La réaction émotionnelle au défi nassérien influa davantage sur les délibérations du cabinet britannique et sur celles du gouvernement Guy Mollet que le calcul politique. Anglais et Français ne voulaient pas, ne devaient pas souffrir un tel camouflet. Du coup, à Paris comme à Londres, les mots volèrent et les préparatifs militaires commencèrent. Personnellement, surtout à l'automne, plusieurs mois après la nationalisation, j'avais cessé de croire que les Franco-Anglais passeraient à l'action ; la menace servirait à la négociation. Dans cet esprit, je m'abstins de condamner à l'avance une occupation du canal de Suez. J'avais tort, sans aucun doute ; la passion qui régnait au Rond-Point des Champs-Élysées sur ce sujet, la passion de P. Brisson en particulier, ne m'excuse pas, elle explique les ambiguïtés de mes articles.

Il en alla autrement le jour où les troupes israéliennes attaquèrent dans le Sinaï, cependant que les gouvernements de Londres et de Paris envoyaient un ultimatum au Caire sous prétexte de séparer les belligérants. La collusion entre la France et Israël ne prêtait pas au doute ; la réplique à la nationalisation du canal de Suez, accomplie depuis plusieurs mois, n'apparaissait plus guère que comme un prétexte pour abattre le colonel Nasser. Le scénario, moralement injustifiable, ne valait pas mieux sur le plan militaire. Tout le monde savait que l'opération, pour avoir quelque chance de succès, devait aboutir en un bref délai ; plusieurs jours s'écoulèrent entre l'ultimatum et le débarquement franco-anglais. Les diplomaties européennes ne s'étaient pas assuré de la tolérance du gouvernement américain. Le général Eisenhower, au milieu de sa campagne pour la réélection, éclata de fureur. A Londres, l'opinion se révolta contre le cynisme de cette diplomatie des canonnières. La livre ne résista pas aux attaques, spontanées ou inspirées de Washington. Le Premier britannique céda plutôt aux pressions américaines qu'à la lettre menaçante de Boulganine qui évoqua les missiles soviétiques.

Au cours de ces semaines, mes articles manquèrent eux aussi d'indulgence à l'égard de la diplomatie américaine. Celle-ci avait provoqué le colonel Nasser, non pas tant par le refus de financer le barrage d'Assouan que par le style du refus. J. F. Dulles avait manœuvré, de conférence en conférence, afin de dissuader les Anglo-Français d'intervenir. Finalement, aux Nations unies, il se trouva dans le même camp que l'Union soviétique pour condamner ses alliés, tout en rameutant une majorité à l'Assemblée pour condamner l'intervention soviétique en Hongrie.

La crise simultanée du Proche-Orient et de l'Europe orientale m'impressionna et m'instruisit. La connivence des Grands m'apparut pour ainsi dire évidente. Chacun des deux avait rappelé à l'ordre ses satellites ou alliés ; bien entendu, l'aspiration de la Hongrie à la liberté différait en essence de la volonté vaine de la Grande-Bretagne de conserver ses positions impériales ou de la France d'abattre les rebelles algériens en humiliant Nasser. Une similitude formelle subsistait : les « démocraties populaires » de l'Est européen ne pouvaient compter sur aucune aide extérieure ; les démocraties européennes, ex-grandes puissances, ne gardaient plus les moyens de recourir à la force sans l'agrément des États-Unis.

Durant ces mois, entre juillet et novembre, je manquais d'informations sur les négociations, les querelles entre Londres et Washington, les préparatifs militaires.

Je n'imaginais pas que les Américains, connaissant les concentrations de troupes franco-anglaises, n'avaient pas fait savoir quelle serait leur réplique à une opération militaire. J'imaginais encore moins que le plan franco-anglais fût à ce point politiquement absurde : le débarquement, pour être tant soit peu sensé, devait suivre immédiatement l'ultimatum et créer un fait accompli. En tout état de cause, l'issue eût été la même. Anglais et Français, pour des raisons différentes, voulaient provoquer la chute de Nasser. Soutenu par les Soviétiques, celui-ci tint tête à l'attaque. Finalement, les Français et les Anglais auraient dû se retirer sans rien obtenir. Du moins, s'ils avaient occupé la zone du Canal, auraient-ils évité le ridicule ou l'humiliation d'un scénario machiavélique, monté par des enfants de chœur, aboutissant à une capitulation.

Après cette consternante défaite, j'éprouvai le besoin de m'exprimer sans aucune retenue ; je donnai un article, que *le Figaro* n'aurait pas publié, à l'hebdomadaire *Demain*. Les Franco-Anglais avaient détourné l'opinion mondiale de la tragédie hongroise et encouragé peut-être les oligarques de Moscou à la répression. « Puisque les Alliés avaient voulu manifester leur indépendance, les États-Unis allaient mettre leurs principes au-dessus de leurs amitiés. Ils transformaient en victoire pour eux-mêmes la défaite de leurs plus proches alliés. » Un peu plus loin, je rappelai que les hommes d'État qui tirent l'épée se soumettent au tribunal du succès : « Ils auraient bénéficié de circonstances atténuantes s'ils avaient réussi. Ils ont échoué. »

Le gouvernement Guy Mollet s'était jeté dans l'aventure de Suez, parce que les Égyptiens soutenaient les rebelles algériens et menaient une propagande passionnée contre la France. La politique française en Algérie se révélait d'autant plus dangereuse ; nous devenions la cible n° 1 du nationalisme arabe. Je demandai une audience au président de la République — je ne l'ai pas fait plus de deux ou trois fois dans toute mon existence — dans l'espoir de l'éclairer sur l'inévitable échec de la « pacification ». René Coty me reçut amicalement, il prit la parole et ne me laissa guère plus de cinq à dix minutes sur les soixante-cinq ou soixante-dix de notre entretien. Quand je le quittai et qu'il se tut, il sembla très satisfait de moi.

La Tragédie algérienne parut au début du mois de juin 1957, deux années après mon retour à l'Université ; d'un coup, je fus emporté par un tourbillon politique. A ce moment-là, même les adversaires de la politique de Guy Mollet ou de Bourgès-Maunoury (le plus oublié des présidents du Conseil de la IVᵉ République), les « libéraux », n'employaient pas le mot *indépendance,* ils condamnaient la répression, la torture, ils recommandaient des négociations. Ni *le Monde* ni *l'Express,* les bêtes noires du pouvoir, ne précisaient la solution qu'ils jugeaient à la fois souhaitable et possible. Je violai donc les règles du clair-obscur ou du cache-cache diplomatique. Ou, pour passer d'une image à une autre, je mis les pieds dans le plat. Négociations bien sûr, mais ayons le courage de notre pensée et de notre action : il n'y aura pas de négociations sans la reconnaissance du droit des Algériens à l'indépendance ; et celle-ci impliquera le départ d'au moins une fraction des Français d'Algérie.

Durant quelques semaines, le texte, dans sa brièveté et sa brutalité, fit scandale, d'autant plus que j'en étais l'auteur : le commentateur du *Figaro* changeait de camp. Pourquoi ? Il ne manqua pas de confrères qui s'employèrent à me disqualifier, ou bien en me refusant tout mérite (on savait déjà tout cela), ou bien en me prêtant des motifs tout autres que ceux de la « gauche », donc peu honorables.

Ma prise de position surprit à bon droit ceux qui ne me connaissaient pas, et même ceux qui croyaient me connaître. Elle ne marquait pas une rupture dans ma pensée, mais elle en donna l'impression peut-être par ma faute. En fait, dans les conversations avec des amis à Londres, en 1943-1944, alors que la victoire ne faisait plus de doute, je soutenais la thèse que la France, après la guerre, ne posséderait pas les moyens nécessaires pour garder son empire[1] ; la guerre, menée au nom de la liberté, devait insuffler aux peuples colonisés l'esprit

1. Si j'avais utilisé des arguments idéologiques, je n'aurais convaincu personne.

de révolte, enlever aux esclaves le respect de leurs maîtres, aux maîtres le prestige de la force. L'abandon immédiat de l'Indochine ou, plus précisément, l'offre immédiate aux trois États de l'Indochine de l'indépendance dans le cadre de la communauté française me semblait la décision première, indispensable. Du coup, nous pourrions consacrer l'essentiel de nos ressources à l'Afrique du Nord et à l'Afrique noire pour mener à bien, en une génération, l'émancipation progressive de nos colonies et protectorats. Ces idées me valaient auprès des gaullistes de stricte observance une réputation douteuse, pour ne pas dire l'accusation de trahison à laquelle se plaisent ceux qui prétendent au monopole du patriotisme.

Un épisode de l'année 1945, dont j'ai gardé un souvenir précis, illustre à la fois l'état d'esprit dans les milieux de la Résistance et mes propres opinions. J'avais publié, dans la revue *International Affairs* (numéro d'octobre 1945), un article intitulé « Reflections on the Foreign Policy of France ». J'y rappelai que le maintien de l'intégrité de l'empire français constituait un des objectifs majeurs de la politique extérieure de la France. Et je continuai[1] : « Les colonies de la France ne sont pas toutes situées dans la zone ouverte à l'action de notre force limitée. Les colonies les plus éloignées ne représentent pas un avantage matériel. La région où nous occupons une place importante, qui nous laisse la possibilité d'un rôle de puissance, est la Méditerranée et, en particulier, la Méditerranée occidentale. La seule part de l'empire français qui ajoute effectivement à nos ressources est l'Afrique du Nord et, à un moindre degré, l'Afrique noire. L'Afrique a été, depuis la fin de 1942, le berceau de la renaissance française et tient une position d'importance décisive pour notre avenir. Des concessions ailleurs peuvent être envisagées afin de tenir les positions principales. Il faut ajouter que la préservation de l'empire ne signifie en aucun cas le maintien pur et simple du régime colonial en vigueur aujourd'hui. Tout au

_____

1. Le texte est retraduit de l'anglais. Je n'ai pas conservé l'original français.

contraire, des réformes de caractère libéral sont probablement une condition indispensable de la survie de
l'empire. » Avec quelle prudence l'idée était-elle exprimée ! Léo Hamon, directeur à l'époque d'une revue, tri-
mestrielle je crois, qui publiait les travaux du *Comité de
recherches de la Résistance,* refusa cet article, que je lui
avais offert sur sa demande, à cause de la phrase sur
« les concessions ailleurs ». Le lecteur a lu, dans un
chapitre précédent, les quelques lignes consacrées à la
guerre d'Indochine dans *les Guerres en chaîne.* Dans la
préface de *l'Opium des Intellectuels,* j'écrivis : « Personnellement, keynésien avec quelque regret du libéralisme, favorable à un accord avec les nationalismes
tunisien et marocain, convaincu que la solidité de
l'Alliance atlantique est la meilleure garantie de la paix,
je serai, selon qu'on se réfère à la politique économique, à l'Afrique du Nord ou aux rapports Est-Ouest,
classé à gauche ou à droite. »

Il reste que je n'avais pas pris part au débat sur le
Vietnam entre 1947 et 1954. J. L. Missika et Dominique
Wolton, dans nos entretiens, me reprochèrent mon
demi-silence. Je leur donne raison ; après coup, je
regrette de n'avoir pas consigné, noir sur blanc, les propos que je tenais, en privé. J'aurais dû parler et surtout
écrire davantage. Mais, quand je me reporte à cette
période, je ne me sens pas aussi coupable que le vou-
draient mes jeunes inquisiteurs. Au cours des premières
années du conflit, de 1947 à 1950, la guerre froide, avec
ses multiples péripéties, blocus de Berlin, grèves et
émeutes en France, reconstruction économique de
l'Europe, occupait le devant de la scène. En 1947-1948,
le nationalisme français s'en prenait aux Américains
hostiles aux empires européens. Les socialistes sié-
geaient au gouvernement et ne défendaient pas l'Union
française avec moins de résolution que les autres partis.
Le général de Gaulle et les gaullistes tiraient à boulets
rouges contre toute velléité d'un accord avec Hô Chi
Minh. Mon autorité politique et morale, faible lorsque
je commençai ma collaboration au *Figaro,* ne grandit
que peu à peu. En 1949, la France avait réussi à entraîner les États-Unis dans la défense des États associés.
Après l'installation d'un pouvoir communiste à Pékin,

en 1949, les défaites aux frontières de 1950, les ministres de la IVᵉ République n'avaient plus besoin d'être éclairés : ils souhaitaient mettre fin à une guerre sans issue ; ils ne savaient pas comment sortir du piège dans lequel ils étaient tombés. Les Américains craignaient que la France n'abandonnât la partie : je leur répondais, avec une ironie triste : *the French government is to weak even to retreat,* j'aurais dû dire non pas « même » *(even)* mais « surtout ». La retraite est l'opération militaire la plus difficile ; elle exige beaucoup de force.

Au retour du Japon, en 1953, j'avais passé une semaine au Vietnam. Le général Navarre m'avait esquissé son plan ; en offrant aux Viets une bataille dans des circonstances apparemment défavorables pour notre corps expéditionnaire, il comptait éprouver, user quelques-unes des divisions que le Vietminh avait mises sur pied avec le concours des Chinois. Les troupes françaises, même « jaunies », conservaient une certaine supériorité sur celles des Viets, en rase campagne ou en une bataille classique. Une fois l'armée du Vietminh affaiblie, peut-être hors de combat, il resterait la guérilla. Mais celle-ci, l'armée ne pourrait en aucun cas l'éliminer ; à la politique d'en triompher ou de s'en accommoder.

Le général Navarre parlait avec clarté, avec une intelligence convaincante. Je n'étais pas en mesure de vérifier ses arguments, que démentirent les événements : la prétendue supériorité de l'artillerie française, le coût pour les divisions régulières du Vietminh de l'assaut contre le camp fortifié défendu par nos meilleurs bataillons, le fer de lance du corps expéditionnaire. Giap, fidèle disciple de Mao et de Lénine, avait fixé la date de l'assaut quelques semaines avant la conférence de Genève afin que la victoire fût remportée à la veille des négociations ou pendant celles-ci. La position de Dien Bien Phu, choisie pour défendre le Laos, représentait, au printemps de 1953, un risque politiquement déraisonnable. Quand la conférence de Genève fut connue, il était trop tard pour évacuer la position.

Quoi qu'il en soit, à partir de 1954, je me suis bien juré de ne pas renouveler ma discrétion des années précédentes. En 1954, P. Mendès France, en une démarche spectaculaire, accorda à la Tunisie l'autonomie interne qui, de toute évidence, conduirait à l'indépendance. P. Brisson lui-même approuva une décision historique d'où résulta l'évolution de l'ensemble de l'Afrique du Nord. Je n'écrivis rien ou presque sur le Maroc, mais j'aidai de mon mieux Edgar Faure qui s'employait à ramener le sultan de Madagascar à Rabat, retour qui entraînerait presque à coup sûr l'indépendance de l'empire marocain. J'assistai au déjeuner durant lequel Edgar Faure, alors président du Conseil, « essaya », si je puis dire, sur Pierre Brisson l'idée du retour du sultan Mohammed. Edgar Faure présidait un ministère hétérogène dans lequel les gaullistes, le général Kœnig en tête, s'opposaient à une politique imitée de celle que Mendès France avait inaugurée en Tunisie. Pierre Brisson était soumis à des influences de sens contraire. Je plaidai auprès de lui le caractère inévitable de la décolonisation, d'ailleurs conforme aux idées démocratiques. De l'autre côté, les vieux « Africains » lui répétaient — et ils avaient raison — que le retour de Mohammed impliquait l'indépendance du Maroc et mettrait un point final à l'entreprise française en Afrique, y compris peut-être en Algérie. P. Brisson écrivit un éditorial contre le retour de Mohammed sous le titre « Jamais ». Je lui fis valoir le péril de ces professions de foi, que la postérité citerait en exemple de l'aveuglement des acteurs et des commentateurs. Je n'ai jamais oublié le « jamais » d'Albert Sarraut, en mars 1936 : la France n'acceptera jamais que la cathédrale de Strasbourg soit sous le feu des canons allemands. Combien de gouvernants de la France ont refusé par des mots des événements qu'au fond d'eux-mêmes ils prévoyaient !

La révolte algérienne commença en novembre 1954, quelques mois après la défaite française en Indochine, quelques mois aussi après la visite de Mendès France au Bardo. Ces deux épisodes ne créèrent pas les forces qui emportèrent l'empire français, ils les libérèrent, ils ouvrirent les écluses par lesquelles s'engouffrèrent les révoltes nationales, soutenues par les Arabes, les musulmans, les Soviétiques et, à l'intérieur même des pays occidentaux, les innombrables adversaires du colonialisme.

Après la victoire — limitée d'ailleurs — du Front républicain, le gouvernement, présidé par Guy Mollet et non par Mendès France, ne remit pas en question les indépendances de la Tunisie et du Maroc, mais succomba aux pressions des Français d'Algérie et des partisans de « l'Algérie française » en métropole. Bien loin de choisir une autre ligne, il suivit celle de ses prédécesseurs et, comme il représentait en théorie la gauche, il osa envoyer les hommes du contingent servir en Algérie et, du même coup, ranima le vieux patriotisme en vue de sauvegarder le dernier fragment de l'empire. Ou, pour mieux dire, pour conserver français trois départements, partie intégrante — légalement — du territoire national.

Je n'avais pas une connaissance directe de l'Algérie où je n'étais pas allé. Les quelques semaines passées en Tunisie chez mon ami Couitéas ne m'avaient pas réconcilié avec « la colonisation », bien que l'atmosphère y fût encore, en 1949, relativement détendue. J'avais détesté Saigon, surpeuplée, dont les soldats du corps expéditionnaire remplissaient les rues, les bars ou les hôtels ; des gouvernants « nationaux », faibles, ne dissimulaient pas la permanence du pouvoir français. L'occupation militaire en Allemagne, en 1946, me répugna.

Ce que j'avais lu, ce que je savais de l'Algérie française ne m'inspirait aucune sympathie, mais mon jugement, mes convictions me furent dictés avant tout par la réflexion. Pourquoi les Algériens accepteraient-ils un statut inférieur, à leurs yeux, à celui de la Tunisie et du Maroc ? Pourquoi les « évolués », les « francisés », ne désireraient-ils pas l'indépendance, que les élites de tous les pays colonisés avaient déjà obtenue ou étaient en voie d'obtenir ?

Certes, le « problème algérien », comme on disait, différait de celui des deux protectorats, à l'ouest ou à l'est, à cause du statut départemental de l'Algérie d'abord, à cause de la présence d'un million de citoyens français ensuite. Il n'existait pas, en Algérie, l'ébauche ou le résidu d'un État, qui avait survécu sous les deux protectorats voisins. Quant à la société française établie au milieu et surtout en marge de la société algérienne, elle se maintiendrait malaisément telle quelle, le jour où un gouvernement algérien remplacerait le gouverneur général et son administration. Le départ, partiel ou total, de la minorité française semblait la conséquence inévitable d'une Algérie algérienne.

Mon seul mérite (ou mon tort) fut d'aller jusqu'au bout de l'analyse et de mettre noir sur blanc ce que beaucoup de libéraux hésitaient à s'avouer à eux-mêmes et, *a fortiori,* à écrire. *Le Figaro* avait toléré, en 1955, plusieurs de mes articles qui décrivaient la situation et insistaient sur les périls. J'avais rédigé, au début de 1956, une note pour le gouvernement du Front républicain. Au printemps de 1957, j'écrivis en hâte une brochure, hanté par la crainte que la France ne se jetât une deuxième fois dans une aventure sans issue, comparable à celle de l'Indochine et plus grave encore. Le régime ne résisterait pas à la prolongation de la guerre, des années durant, et une guerre civile absurde pointait à l'horizon. Je délibérai longuement, je ne craignais pas les attaques prévisibles mais je me demandais quel était mon devoir ; Éric de Dampierre, Charles Orengo m'arrachèrent cette brochure faite de pièces et de morceaux où se trouvait malgré tout l'essentiel.

Que contenait *la Tragédie algérienne* ? Deux textes, l'un écrit en avril 1956 que je destinais au président du Conseil du Front républicain, le second écrit une année plus tard, daté du 6 mai 1957. En laissant de côté les précautions de langage, les répliques aux arguments de droite et de gauche, voici, me semble-t-il, les idées maîtresses.

La France d'aujourd'hui n'est plus, ne peut pas demeurer impériale au sens du siècle passé : « Les révolutionnaires français avaient bonne conscience quand ils multipliaient les exactions dans l'Europe conquise au nom de la liberté. Les communistes russes ont bonne conscience quand ils imposent leur régime par la force en Europe orientale au nom de la libération des peuples. Nous n'avons plus bonne conscience quand nous usons de la force en Afrique, alors que, pourtant, nous y investissons, chaque année, des dizaines, parfois des centaines de milliards. »

Tandis que la France ou, tout au moins, une partie

importante de l'opinion refuse les rigueurs et les servitudes de la domination impériale, l'Algérie, ou, tout au
moins, une fraction importante du peuple algérien
aspire à l'indépendance : « L'Algérie, bien qu'elle n'ait
pas la même tradition nationale que les deux ex-protec-
torats, ne peut pas ne pas prendre conscience d'elle-
même... Elle ne peut plus être partie intégrante de la
France. La constitution d'une unité politique algérienne
est inévitable... L'intégration, quelque sens que l'on
donne à ce mot, n'est plus praticable. Une représentation algérienne à l'Assemblée nationale, proportion-
nelle à la population, est le moyen le plus sûr d'achever
la ruine du régime. Le taux de croissance démographique est trop différent des deux côtés de la Méditerranée
pour que ces peuples, de race et de religion différentes,
puissent être fractions d'une même communauté. Dire
que l'Algérie n'est pas la France, reconnaître la personnalité politique algérienne, c'est, au fond, avouer qu'il y
aura demain un État algérien. Et, s'il doit y avoir
demain un État algérien, celui-ci, après-demain sinon
demain, sera en théorie indépendant... En renonçant à
l'intégration, on met en train le processus qui finira par
l'indépendance... »

Intégration ou indépendance : Jacques Soustelle, lui
aussi, partait de cette alternative pour conclure à l'intégration puisqu'il sacrifiait à la formule, conventionnelle
à l'époque, des « liens indissolubles » entre l'Algérie et
la France. Pour moi, je conclus en faveur de l'autre
branche de l'alternative, mais je ne suggérais pas au
gouvernement Guy Mollet d'abandonner, du jour au
lendemain, l'Algérie — ce qui du reste était, pour de
multiples motifs, exclu. Je conseillai à ce ministère de
gauche de penser clairement sa propre politique : « Les
seuls buts de guerre que la France puisse raisonnablement se proposer sont ainsi définis : laisser l'Algérie
accéder à l'indépendance, sans qu'une politique, jugée
par les Français eux-mêmes déshonorante, leur laisse
une insupportable humiliation... » En bref, j'invitai
Guy Mollet à reconnaître aux Algériens le droit de
constituer un État qui deviendrait indépendant. La première note se terminait par une phrase, paradoxale et
scandaleuse : « Si les Français ne consentent à se battre

que pour maintenir leur domination... alors mieux vau-
drait encore la solution héroïque de l'abandon et du
rapatriement qu'une guerre menée à contrecœur, sans
résolution et sans chance de succès. » L'héroïsme de
l'abandon, combien de gaullistes firent gorge chaude de
l'expression qu'ils reprirent volontiers, quelques années
plus tard, pour chanter la grandeur du général de
Gaulle !

La deuxième note critiquait la politique Guy Mollet
et prévoyait l'échec. Le FLN n'accepterait jamais la
triade *cessez-le-feu, élections, négociations.* La pacification ne créerait pas les conditions nécessaires à des
élections libres et le FLN ne tiendrait pas pour libres
des élections menées sous la protection de l'armée française. Enfin, je réfutais les arguments économiques
invoqués par certains partisans de l'Algérie française ;
l'Algérie constituait désormais pour la métropole une
charge plutôt qu'une richesse. La charge deviendrait
d'autant plus lourde que, sous prétexte d'intégration,
nous nous efforcerions de réduire la disparité entre les
niveaux de vie français et algérien.

Une citation de Montesquieu éclairait la préface :
« Être vrai partout, même sur sa patrie. Tout citoyen est
obligé de mourir pour sa patrie ; personne n'est obligé
de mentir pour elle. » Une citation de Renan, empruntée à *la Réforme intellectuelle et morale de la France,* rappelait la cause de la défaite de 1870 : « Ce qui nous a
manqué, ce n'est pas le cœur, c'est la tête. »

De tous les commentaires de ma brochure, le plus
frappant, peut-être, me vint d'un anonyme, une carte
non signée, quelques lignes d'une écriture caractéristique plutôt d'un homme simple que d'un intellectuel :
« Analyses objectives, lucides et pénétrantes, belles et
respectables partout mais parfaitement inefficaces en
toutes affaires qui sont de cœur, d'instinct et de
réflexes. »

Parmi les lettres les plus intéressantes figure celle
d'Yves Bouthillier, ministre des Finances de Paul Reynaud, puis du maréchal Pétain, en 1940, que je ne
connaissais pas et qui répondit non à ma brochure sur
l'Algérie, mais au livre *Espoir et peur du siècle,* paru
quelques semaines plus tôt ; dans le deuxième essai du

recueil, consacré à la décadence, j'exposais mes thèses sur la décolonisation. Je tire de cette lettre quelques fragments :

« Le nationalisme de l'Occidental européen — et le nationalisme français en est l'archétype — est une grave affection, mélange subtil d'orgueil dans l'esprit de la guerre et d'une vanité monstrueuse, mère de méchanceté et de violence. C'est, hélas, ce nationalisme que nous avons inoculé aux Algériens et aux autres populations musulmanes d'Afrique du Nord. Est-il possible de faire comprendre aux Américains que le nationalisme révolutionnaire qui se développe ainsi dans les pays arabes est l'ennemi des "droits de l'homme", chers au moralisme puritain... L'Amérique parviendra-t-elle à partager pacifiquement le monde arabe avec les Russes ? Si elle s'imagine naïvement conserver une zone d'influence indiscutée, par exemple de l'Arabie à Casablanca, elle renouvelle la faute de Roosevelt prenant, sous l'influence de Benes, Staline pour un démocrate... Une fédération de la France, des territoires sahariens et de l'Algérie, laquelle s'unirait, en même temps, au Maroc et à la Tunisie, et à l'Europe des Six économiquement et au Nato militairement, fixerait sans retour le Maghreb tout entier dans le camp occidental... Les Français doivent-ils abandonner tout espoir d'améliorer leur régime politique ? Dans l'affirmative, il est évidemment inutile de faire couler le sang en Algérie... Vous l'écrivez très bien, il est absurde de se maintenir par la force au nom d'idées libérales et stupide de se réclamer de principes donnant raison à l'adversaire... Une défaite définitive en Afrique du Nord aboutirait, on doit le croire, à une Ve République, sinon de front populaire, du moins fortement progressiste, laquelle se jetterait, tôt ou tard, dans une dictature collectiviste... Ainsi les buts de guerre se trouvent clairement définis. Ils sont conjoints, indissociables. Aucun n'a le pas sur l'autre, mais l'un ne va pas sans l'autre. Maintien du Maghreb dans le camp occidental et rénovation du régime politique intérieur, telle est la tâche immense mais que les circonstances rendent possible. Elle répond au vœu de la jeunesse et au rôle joué par l'armée. »

La lettre se termine sur des réflexions philosophiques : « Les révolutionnaires français, écrivez-vous, avaient bonne conscience quand ils multipliaient les exactions au nom de la liberté. Si rien n'est plus juste, rien n'est plus caché et rien n'est moins reconnu. Nous devons même aller plus loin et avouer que le propre des grands principes, qui introduisent l'universel et l'absolu dans la politique sans se soucier des données historiques, concrètes, particulières, est de fournir la paix de la conscience dans le mal... Ces vues sont-elles fascistes ? Il serait trop facile de condamner les philosophes politiques au silence en nommant ainsi leur pensée. Heureusement, les ouvrages de Simone Weil existent et les vôtres, et ceux de Jouvenel, de Jeanne Hersch, et le traité de philosophie politique d'Eric Weil. Cette pensée qui prend corps montre que le temps de la plus grande entreprise du siècle est venu : le passage de la démocratie formelle à la démocratie réelle, j'entends à la démocratie pratiquée de telle sorte que ceux qui trahissent les intérêts et les aspirations du peuple ne pourront le faire en son nom... Doctrinaire de l'Europe, vous préconisez une solution qui l'abandonne aux entreprises de l'URSS. Philosophe politique, vous choisissez, pour venir au secours des adversaires de votre pensée, l'affaire qui, précisément, vous les livre. »

D'autres correspondants évoquèrent « la solution européenne » et l'hostilité probable du monde islamique aux Occidentaux. Je reviendrai plus loin sur les possibles qui ne sont pas devenus réels. Pour l'instant, je m'en tiens à quelques remarques : aucun de nos partenaires européens ne voulait se mêler de l'Algérie ; les partisans de l'Algérie française, aveuglément nationalistes, voulaient déterminer seuls l'avenir de nos départements d'Afrique du Nord. La pensée concrète, la politique réaliste prévoyait la contradiction probable entre la liberté de l'Algérie et celle des Algériens dans leur pays indépendant, mais elle ne pouvait pas ne pas reconnaître la priorité de l'indépendance de l'Algérie pour la simple raison que, dans une Algérie en guerre, il n'y aurait de liberté ni pour le pays, ni pour les personnes.

Parmi les lettres hostiles et absurdes — il serait injuste d'y inclure celle d'Yves Bouthillier — je n'eus que l'embarras du choix. Celle d'un médecin, professeur à la faculté de médecine d'Alger : « Les Algériens ont beaucoup apprécié le conseil — le savant conseil que vous voulez bien leur donner — d'abandonner ce pays. Ils espèrent que dans un prochain ouvrage vous étendrez vos suggestions jusqu'à l'État d'Israël dont les terres ne sont pas plus généreuses que celles de l'Algérie. Si vous croyez pouvoir vous dispenser d'envisager cette question si importante, vous nous ferez croire que vous êtes aujourd'hui guidé beaucoup moins par l'intérêt de la France et des Français que par celui de vos coreligionnaires : nous savons en effet qu'il était dans l'intention de Mendès d'offrir l'Afrique du Nord tout entière à l'Orient pour y accueillir tous les réfugiés arabes de Palestine et débarrasser ainsi l'État d'Israël d'un souci permanent. » Écrite par un professeur de médecine s'adressant à un « cher collègue », cette lettre permet d'imaginer les autres, venant de correspondants moins cultivés.

Robert Lacoste, ministre résidant en Algérie, qui n'avait lu que les extraits de la brochure publiés dans *le Monde,* me suggéra certaines de « ses pensées secrètes » : « Qui vous dit que la politique de pacification telle qu'elle est menée à l'heure actuelle est mon unique pensée ? Ai-je le droit, en pleine action, alors que chaque mot exerce une influence directe sur nos antagonistes, de livrer toute ma pensée ? Vous savez bien que mon devoir est de préparer ici les meilleures conditions possibles pour un règlement politique équitable du problème algérien. Vous savez bien que la force et la terreur font partie du système politique de la rébellion et de ceux qui la soutiennent à travers le monde. Il ne m'est pas ni ne sera possible à personne de s'abstraire de ces réalités, à moins de penser à des négociations honteuses où notre pays se trouverait dans la situation dérisoire d'une descente de lit foulée aux pieds par nos adversaires. »

Les lettres hostiles furent peu nombreuses ; les lettres d'approbation ou de félicitations affluèrent, de collègues et d'amis de l'Université bien entendu, mais aussi de fonctionnaires ou de personnalités de l'économie ou de la politique. A la suite de cette brochure, pour la première et peut-être aussi la seule fois de ma vie, je fus plongé dans le milieu politique. Même entre 1946 et 1955, alors que je n'avais pas repris mon métier d'universitaire, je continuais de vivre en universitaire plutôt qu'en journaliste. Je ne figurais pas sur les listes d'invitation des ministères, encore moins de l'Élysée (il en fut de même sous la Ve République). Au cours des derniers mois de 1957, un groupe de hauts fonctionnaires qui avaient rédigé un rapport sur l'Algérie se mit en relation avec moi. Le porte-parole du président Giscard d'Estaing, Pierre Hunt, me rappela, en 1979, que nous nous étions rencontrés à cette occasion. Ce qui me frappa, en cette période, c'était le décalage entre les convictions des hommes qui gouvernaient la France et les propos publics qu'ils tenaient par souci de « l'opinion » dont ils se croyaient prisonniers. Georges Bidault, Jacques Soustelle et Michel Debré mis à part, dont la sincérité ne prêtait pas au doute, je me demande si un seul des ténors de la IVe République croyait à l'Algérie française.

Peut-être dois-je ajouter Jacques Chaban-Delmas, avec lequel j'eus une discussion quelque peu vive au cours d'un déjeuner chez Marcel Bleustein. Edgar Faure, qui avait « fait » l'indépendance du Maroc, laissait à d'autres la mission ingrate d'accomplir le même exploit pour l'Algérie. A la même époque, je répétais à Pierre Brisson que « tout le monde » pensait comme moi, bien que, parmi les responsables, je cherchasse vainement des volontaires pour la mission de salubrité mentale et nationale. Pour l'ébranler, faute de le convaincre, je le mis au défi : « Demandez donc à Louis Gabriel-Robinet ce qu'il prévoit lui-même. » Robinet vint nous rejoindre et P. Brisson entama le dialogue : « Comment voyez-vous la fin de l'affaire algérienne ? » Robinet répondit, en toute simplicité : « Tout cela finira par l'indépendance. » Après tant d'expériences, il devenait difficile de s'accrocher à des illusions. Soyons juste : André François-Poncet recommandait aux gouvernants de « s'accrocher » à la dernière position, de tenir la dernière tranchée. Son fils, plus tard ministre des Affaires étrangères, partageait mon scepticisme plutôt que la volonté de son père.

La presse — *le Monde* de Beuve-Méry mis à part — ne m'épargna pas. Je ne reviens pas sur l'article de Pascal Pia qui m'imputait le projet de ramener les Français d'Algérie dans la métropole et de les installer dans des camps. Les journaux de gauche ne me reconnurent aucun mérite.

Dans le numéro du 5 avril 1957, *l'Express* consacra une page entière à des extraits du livre *Espoir et Peur du siècle,* qui venait de paraître. Un des trois essais, le deuxième, *De la décadence,* traitait brièvement de « l'impasse algérienne ». Le chapeau reproduisait les interrogations classiques : « Homme de gauche pour ceux qui ont conservé le souvenir de ses brillants éditoriaux de *Combat,* homme de droite pour les lecteurs de ses actuelles chroniques du *Figaro,* universitaire échappant à toute classification politique pour les auditeurs des cours de sociologie qu'il donne en Sorbonne, qui est réellement Raymond Aron ? Un homme de droite lu avec prédilection par la gauche ? Ou, au contraire, un homme de gauche qui a choisi de s'adresser à la droite ? » Le rédacteur ajoutait immédiatement que je jugerais un tel débat puéril — en quoi il ne se trompait pas.

Les sous-titres par lesquels la rédaction de *l'Express* avait découpé les extraits empruntés à l'essai *De la décadence* étaient les suivants : I. *La perte de l'empire est inéluctable dans un avenir proche. Elle était déjà en germe dans la fausse victoire de 1945.* II. *L'expansion française ne peut plus être liée à la souveraineté et particulièrement en Algérie.* III. *L'empire est une mauvaise affaire.* IV. *La France peut vivre sans l'Union française.* V. *Pourquoi ne pas traiter avec le FLN ?* Aujourd'hui, ces propositions seraient acceptées par l'immense majorité des Français. Les commentaires, rédigés par Jean Daniel probablement, contestaient en quelque manière les reproches que j'adressais aux « libéraux », aux critiques de la politique gouvernementale qui refusaient d'aller jusqu'au bout de leur pensée.

Tout d'abord, *l'Express* me taxait de « défaitisme économique » et de « résignation historique ». La formule

« empire, mauvaise affaire », n'était ni acceptée, ni réfutée ; fausse au temps du pacte colonial (je ne parlais pas du XVIIIe siècle), mais « sans aucun doute vraie dans la mesure où la disparition de ce pacte ne débouche pas sur une conversion ». (Je suis incapable de trouver un sens quelconque à cette phrase.) En tout cas, le calcul économique ne doit pas dicter la décision politique. Venait la conclusion : « Quant à l'inéluctabilité de la perte de l'Algérie, avec tout ce qu'elle comporterait aujourd'hui de dramatiques conséquences, elle semble être davantage le résultat de la politique algérienne pratiquée par la France depuis dix ans qu'un événement inscrit depuis toujours dans les faits. »

Cette phrase illustre avec éclat la naïveté de l'esprit partisan face à un drame historique. Bien sûr, la « perte » de l'Algérie n'était pas inscrite « depuis toujours » dans les faits, mais, en 1957, la politique suivie par la France depuis dix ans (il aurait mieux valu écrire depuis plus d'un siècle) créait une situation que les gouvernants devaient prendre en charge. Dans cette situation, il n'y avait de choix qu'entre deux décisions : ou bien négocier avec le FLN, ou bien refuser ce dialogue. La première décision exigeait la reconnaissance au moins du droit à l'indépendance, la deuxième impliquait la poursuite de la pacification ; le reste était bavardage. Jean Daniel, deux mois plus tard, dans *l'Express* du 21 juin, fidèle à lui-même, me prit à partie dans un article signé. Une fois de plus, entre les deux décisions possibles, il n'en adoptait aucune et cherchait refuge dans la polémique. Il commençait, selon un procédé courant, par me prêter un projet que je n'avais jamais envisagé, à savoir le rapatriement immédiat des Français d'Algérie. Qu'avais-je écrit dans *Espoir et peur du siècle* ? « Selon toute probabilité, la victoire du Front national entraînerait le départ d'une fraction des Français établis de l'autre côté de la Méditerranée. » Vrai ou faux ? Jean Daniel ne répondait pas. Il préféra l'attaque personnelle : « Le passage du conservatisme au défaitisme est décidément toujours le même. Car, enfin, si en 1955 *le Figaro* avait fait campagne en faveur du plan proposé par M. Ferhat Abbas avec l'accord du FLN et qui prévoyait l'autonomie interne de l'Algérie, M. Aron ne serait sans doute pas contraint de préconiser le rapatriement massif des Français d'Algérie. » Je n'étais pas directeur du *Figaro* ; l'autonomie interne de l'Algérie, à supposer que le FLN l'eût acceptée, aurait conduit à l'indépendance, en d'autres termes à ce que Jean Daniel appelait lui-même la « perte » de l'Algérie.

Quelle solution proposait ce « libéral », pour ne pas s'abandonner comme moi au « défaitisme » ? Prendre l'initiative d'une « confédération franco-nord-africaine dynamique ». Profonde idée, en vérité, mais une confédération suppose des États souverains. Pour que l'Algérie entre dans une telle confédération, il faut qu'elle bénéficie d'un statut semblable à celui des autres partenaires, Tunisie, Maroc, France, en d'autres termes de la souveraineté ou de l'indépendance. Cette évidence échappait à mon contradicteur, qui envisageait une négociation avec les chefs du FLN en vue d'une « vraie loi-cadre ». Quant au défaitisme économique, il est « aussi grave dans le cas de l'Algérie que le pire colonialisme ». Au milieu de cet article, la phrase-résumé : « Le drame de l'Algérie, ce n'est plus qu'on ne sache pas la vérité, c'est qu'on ne veuille pas la dire. » Je me demandais à l'époque et je me demande encore aujourd'hui : Jean Daniel ne savait-il pas la vérité ou ne voulait-il pas la dire ?

Dans le même numéro de *l'Express*, François Mauriac m'attaquait par un autre biais : « ... Je vous[1] vois déjà acculés au ridicule d'inculper M. Raymond Aron qui met de l'ordre dans les pensées des autres (je veux dire que d'autres ont exprimées avant lui) et qui déduit logiquement, dans une clarté glacée, ce que des esprits plus légers avaient vu du premier coup d'œil. » L'inévitable « clarté glacée », l' « ordre dans les pensées des autres » : ni lui ni ses confrères de *l'Express* n'avaient présenté la même analyse que moi ; aussi bien, par la plume d'un des leurs, originaire d'Afrique du Nord, ils la rejetaient[2].

L'attaque de mon camarade Étienne Borne, si souvent proche de moi au long des années, me surprit et

1. Il s'adresse aux gouvernants.
2. Plusieurs fois François Mauriac me traita tout autrement.

me déçut. A la différence de Jean Daniel, il commença par résumer honnêtement ma pensée telle qu'elle s'exprimait dans *Espoir et peur du siècle* (non dans *la Tragédie algérienne*). Il me reconnaît « une certaine sorte de courage qui n'hésite pas à dire tout haut et à écrire tout clair certaines conclusions que quelques-uns n'osaient tirer de leurs propres prémisses et que quelques autres considéraient comme une tentation à écarter par volonté mais vers laquelle ils se sentaient invinciblement pencher. » L'attaque vient ensuite : « Positivisme, sécheresse intellectuelle abstraite qui l'empêchent de considérer tous les aspects du réel, ceux qui touchent à la mission, au témoignage qui, pour être de l'esprit, ne sont cependant pas sans efficacité. » Le morceau de bravoure, c'est la conclusion qui vise ma personne. Je suis partisan d'accorder aux Algériens le droit à l'indépendance, donc je suis un homme de droite, comparable à ceux qui acceptèrent Munich, l'armistice, la défaite.

« Raymond Aron, qui est l'ennemi de toutes les idéologies, professe que les notions de droite et de gauche sont des manières puériles de penser les réalités politiques. Pourtant cette sorte de réalisme qui se hâte de donner de nouveaux avantages à ceux qui sont prospères et d'ôter précipitamment leurs chances à ceux qui paraissent céder, ce positivisme qui ne veut connaître que le verdict des balances et des machines à calculer, cette sorte de fatalisme stoïcien si préoccupé à donner raison au fait accompli et jusqu'à cette intelligence analytique habile à décomposer pour comprendre, je ne puis m'empêcher d'y déchiffrer les traits caractéristiques d'une mentalité de droite et qui est probablement constante dans l'histoire des idées. Cette droite qui parfois mène au défaitisme, par les voies raisonnables de la résignation. » Contre « cette apologie du destin », Étienne Borne préfère, selon la formule de P. H. Simon, « corriger le destin ». Il oubliait — simple détail — qu'en 1938, 1939, 1940, la France se battait pour sa liberté et qu'en 1957 elle se battait contre la liberté des Algériens. Étrange oubli de la part d'un chrétien.

Jacques Soustelle me répondit par une brochure, de

même caractère que la mienne. *Le Drame algérien et la décadence française, Réponse à Raymond Aron.* Donnons un exemple, un des meilleurs, de sa polémique *ad hominem* : « Si *l'Express* est *l'Humanité* de la rive gauche, M. Aron est le Servan-Schreiber du riche, le Mauriac de la sidérurgie et le Claude Bourdet de la finance. » Un reproche sur lequel Soustelle revenait plusieurs fois visait, en effet, un point sensible : dans une guerre psychologique gagnée finalement par celui qui tient le dernier quart d'heure, celui qui annonce, inévitable, la lassitude de son propre camp apporte un concours à l'ennemi. A n'en pas douter, le FLN tira profit de mon texte.

Pour le fond, l'ancien gouverneur de l'Algérie soutenait la thèse que l'Algérie ne posait pas un problème de colonisation : « Les Français d'Algérie ont le droit d'être là-bas autant que tout autre. » Venaient les arguments économiques : « ... l'intérêt du Sahara est de nous offrir une chance ; la seule qui soit en vue pour aujourd'hui et pour un avenir prévisible de combler notre déficit énergétique sans dépendre pour cela ni des Arabes ni des États-Unis... L'indépendance économique de la France est maintenant à notre portée... Ce qui, aujourd'hui, coûterait le plus cher, ce serait à coup sûr d'abandonner l'Algérie qui signifierait la perte du Sahara. » Il reprenait aussi du livre de Germaine Tillion la conclusion : « La France représente pour l'Algérie simplement la différence entre la vie et la mort. »

Quant au « transfert de populations » — le retour des Français d'Algérie —, il le décrète impraticable, du moins sous un régime démocratique : « *On ne renonce pas à l'Algérie.* Cela n'est ni honorable, ni possible. » En dehors des controverses, les arguments de Soustelle sur les points essentiels (quel régime politique en Algérie ?) demeuraient étrangement vagues. J. Soustelle affirmait que le renoncement à l'empire équivalait à l'acceptation de la décadence. La France hexagonale cesserait d'être la France. Les événements n'ont pas encore, au bout de vingt-cinq années, tranché entre lui et moi. Mais comment la France aurait-elle pu maintenir sa souveraineté sur vingt millions de musulmans ?

Je laisse de côté les agressions normales et prévisibles

venant d'*Aspects de la France,* avatar de *l'Action française.* Je citerai E. Beau de Loménie, qui, prisonnier de
ses obsessions, titre son article « L'Algérie trahie par
l'argent » : « On voit, dans l'attitude de Raymond Aron
et de ses amis, grands capitalistes, l'amorce d'une
manœuvre d'abandon et de transfert de certains intérêts
des rives algériennes vers des pays plus heureux... » Je
retiendrai le numéro de *Carrefour* (26 juin), dans lequel
deux articles, l'un d'André Stibio et l'autre de Louis
Terrenoire, me sont consacrés. Du premier, j'extrais la
conclusion : « C'est l'opération d'un homme qui préfère une France " petite-européenne ", américaine à
une France puissance mondiale, riche de ses communautés d'outre-mer. Et qui sacrifie l'Algérie au continent, nos fidélités musulmanes aux liens interalliés.
Toute thèse se discute. Venant d'un écrivain qui,
lorsqu'il considère sa propre personne, n'a que le mot
de courage à la plume et, lorsqu'il fait allusion aux
autres, que le mot de conformisme ou de lâcheté, cette
thèse-ci aurait gagné à montrer audacieusement sa vraie
couleur pro-européenne et pro-américaine. Parce
qu'alors tout s'expliquerait, tout s'alignerait sur la *pax
americana* dont de Gaulle à coup sûr ne veut pas plus
aujourd'hui qu'il n'en voulait hier. » A. Stibio se trompait : le général de Gaulle jugea, lui aussi, que la
France, pour reprendre une politique mondiale, devait
se libérer de la guerre algérienne ; ma prise de position
se fondait sur la réalité algérienne dans le contexte
mondial, nullement sur la politique de la petite Europe
ou les intérêts de la *pax americana.*

L'article de Louis Terrenoire mérite une mention particulière parce que le même Terrenoire devint le président de l'association des amitiés franco-musulmanes.
Parmi les gentillesses qu'il me prodigue, une me paraît
aujourd'hui encore croustillante : « On regrette, vu son
passé, que M. Raymond Aron rappelle irrésistiblement
l'homme " Pierre Laval " qui pensait que les jeux
étaient faits en 1940. » A l'exemple de la Hollande, il
réplique : « S'imagine-t-on que les Français dont le
moindre gabelou a du sang proconsulaire dans les
veines réagiraient comme les hommes des polders ?
L'Indonésie n'était qu'une colonie : l'Algérie, avec le

Sahara et l'Afrique noire derrière, c'est bien autre chose. » Louis Terrenoire, gaulliste, tombait d'accord avec moi que « le régime, tel qu'il est, est incapable de relever le défi ; mais la société française le peut encore si elle le veut ». Quand le Général revint au pouvoir, appelé par ceux qui pensaient comme Louis Terrenoire, il ne voulut ou ne put pas négocier immédiatement avec le FLN ni promettre l'indépendance. Il le fit trois ans plus tard ; peut-être par la faute de l'OAS, les Français d'Algérie refluèrent en masse, en catastrophe vers la métropole. Cette issue que j'avais annoncée dans la brochure de juin 1957, au cas où le gouvernement français poursuivrait la même politique, se produisit cinq années après, vérifiant une prévision dont je ne tire aucune fierté. De la Tunisie ou du Maroc, la plupart des Français sont partis mais peu à peu ; peut-être un exode comparable était-il possible en Algérie ? Je n'en suis pas sûr. Les « pieds-noirs » et les officiers perdus ont joint au drame inévitable une guerre civile qui ne l'était pas.

Je n'ai jamais jugé que la publication de *la Tragédie algérienne* exigeât un courage exceptionnel. Risque physique ? Très faible, en dépit d'une ou deux lettres anonymes qui m'annonçaient ma condamnation par des tribunaux clandestins « de salut public ». Risque moral ou politique ? Il n'existait pas puisque, dans les milieux intellectuels ou politiques, la plupart souscrivaient aux arguments et aux conclusions que j'explicitais noir sur blanc.

Le danger auquel je m'exposai, j'en eus l'expérience rue Madame, dans la salle réservée aux débats des intellectuels catholiques. Maurice Schumann, Edmond Michelet devaient parler après moi. Pendant quelques minutes, je pus m'exprimer dans un relatif silence. Puis, peu à peu, les interruptions fusèrent de tous côtés. Parlez-moi de Mélouza (un village algérien dont les habitants furent massacrés par le FLN), répétait d'un ton doucereux un des interrupteurs. J'eus le tort, excédé, de lui répondre : « Il y a aussi, de notre côté, des actes dont nous ne sommes pas fiers. » Ce mot mit le feu aux poudres. Debout, M. Schumann hurla : « Je ne laisserai pas insulter les officiers français. » Il remporta un triomphe, soutenu par les acclamations d'une majorité de l'auditoire. E. Michelet ne passa guère mieux que moi l'épreuve. A la fin de la réunion, les gardiens de la paix me conseillèrent d'attendre dix minutes avant de sortir ; une bande d'enragés s'était massée, probablement non pour me maltraiter mais pour m'infliger une humiliation supplémentaire, pour donner libre cours à leur colère. Jean-Luc Parodi resta avec Suzanne et moi pour nous protéger. Jacques et Laurence de Bourbon-Busset exprimèrent avec discrétion leur regret du ton adopté par M. Schumann. Amrouche, présent dans la salle, m'envoya le lendemain une carte qui jugeait sévèrement ce dernier et qui m'approuvait sans réserve : « Comment ne pas approuver votre argumentation ? Et vous pensez que je ne parle pas en tant qu'Algérien mais comme un intellectuel soucieux de rigueur et de vérité : les seules vertus que l'on doive exiger d'un intellectuel. Dans votre cas, s'y ajoute aussi le courage. Ce qui me donne l'occasion de vous faire part à nouveau d'une sympathie et d'une admiration très anciennes. L'équité est la charité de l'intelligence. »

Bien des années plus tard, *Gaullo regnante,* l'Algérie indépendante, je rappelai à Maurice Schumann la soirée de la rue Madame. J'avais été, au fond de moi-même, moins sévère pour lui qu'Amrouche. Je le savais incapable de résister à la tentation de l'orateur, enivré par un auditoire qui l'asservit alors même qu'il éprouve l'ivresse illusoire de le maîtriser. Il me répondit : « Pourquoi aurais-je parlé de l'indépendance algérienne puisque la IVe République était incapable de l'accomplir ? » Décidément, je n'étais pas doué pour la politique. Il voulut bien admettre que, pour rendre possible l'Algérie algérienne, il fallait que quelques-uns prissent l'initiative de briser le silence. Ceux qui écrivent et bénéficient d'une certaine notoriété assument une responsabilité. Leurs propos exercent une influence sur les événements, si faible soit-elle. C'est pour cette raison même que je m'étais demandé si je devais parler ou me taire. Annoncer que les Français se lasseraient les premiers d'une guerre sans issue, c'était renforcer le moral de l'adversaire et affaiblir le nôtre. Si j'avais cru que l'Algérie française répondît à l'intérêt national, qu'elle pût satisfaire les Algériens patriotes, et, enfin, qu'elle fût réalisable, je n'aurais pas publié *la Tragédie algérienne*. Les conclusions de mon analyse me paraissaient aussi proches de la certitude qu'aucun jugement politique, en ce bas monde, peut l'être. Un Algérien, lieutenant de l'armée française, trouva les mots les mieux choisis pour m'aller au cœur : « D'aucuns prétendent que vos arguments, inspirés de votre lucidité et de votre intégrité morale, renforcent notre cause algérienne. Qu'en conséquence vous n'avez pas le droit de le faire. Quelle erreur ! Qu'il est regrettable que les Français comme vous soient en minorité... J'aimerais que vous ne me fassiez pas l'affront de croire que je puisse vous imaginer complice de notre nationalisme. »

La brochure fit un certain bruit ; la thèse de « l'abandon » ne fut plus bannie des salons et de la salle des colonnes. Dans son amical enthousiasme, notre chère amie Jeanne Alexandre se trompa : « Je me suis dit tout de suite : c'est comparable au *J'accuse* de Zola. Ceux à qui j'ai eu l'occasion de proposer ce rapprochement ont toujours convenu qu'il s'imposait. » Non, la comparaison ne vaut pas. Zola se dressait contre des passions, déchaînées et aveugles. La passion pour l'Algérie française était traversée de doutes. Les officiers dans les popotes discutèrent de *la Tragédie algérienne*. Les colonels ne suivaient pas tous les doctrinaires de la guerre subversive, tous ne croyaient pas qu'une technique psychologique pût convertir les Algériens au patriotisme français. Jeanne Alexandre elle-même constata que, quelques mois plus tard, le bruit s'était éteint. Sur le moment, ma brochure ne passa pas inaperçue au-dehors. J.F. Kennedy me cita au Sénat ; un éditorial de *The Economist* vit dans ma prise de position un symptôme d'un changement de l'opinion. Avec le recul, je m'interroge. La brochure m'a disculpé de l'accusation, absurde mais courante, de conformisme. En revanche, elle ne m'a pas lavé d'une autre tache ; j'étais toujours le calculateur sans entrailles et le penseur glacé. Je n'ai jamais jugé convenable de répondre à de tels propos. Au lendemain de la soirée rue Madame, Henri Birault m'écrivit une lettre admirable dont quelques phrases, je l'espère, ne sont pas tout à fait fausses : « Sobre fraternité qui cherche par-dessus tout à éviter de trop grands malheurs à ceux que l'on aime... écrire *la Tragédie algérienne* afin qu'il n'y eût point trop de Français et de musulmans qui meurent pour rien dans cette guerre sans victoire possible... » Ainsi je me justifiais à moi-même cette action : avec le recul, je me demande si j'ai réussi. Frustration de celui qui voudrait agir par la plume.

A l'été de 1958, au lendemain du retour du généra! de Gaulle au pouvoir, je reçus un doctorat *honoris causa* de l'université de Harvard et je fus invité à prononcer un des deux discours du *Commencement Day* (l'autre revint au secrétaire américain à la Défense, Neil H. Mac Elroy). La chute de la IVe République avait été, apparemment au moins, provoquée par la crainte d'un Dien Bien Phu diplomatique. Les foules qui avaient pris d'assaut le bâtiment de la Résidence, les locaux du gouvernement français à Alger, hurlaient à tous les échos « Algérie française » ; des manifestations de fraternité franco-musulmane, certaines authentiques, créèrent, quelques jours ou quelques semaines durant, l'illusion que les croyants l'emportaient sur les calculateurs. Personnellement, je n'ai, à aucun instant, vacillé. Mais, à Harvard, je ne jugeai pas convenable de reproduire l'argumentation de ma brochure et de dénoncer devant un public étranger, peu favorable à la France, l'aveuglement de mes compatriotes, leur penchant à mettre exclusivement au compte de la IVe République l'insurrection algérienne, inséparable d'un mouvement historique, qui n'épargnait aucune des colonies d'aucune métropole européenne. Les extraits de mon discours transmis par l'AFP firent croire que je changeais d'opinion et que je me ralliais — ou me soumettais — au sursaut, populaire et national, de 1958. Pour mettre les choses au point, et pour éviter que se répande la légende d'une conversion, inspirée par l'opportunisme, je fis paraître dans une « Tribune libre » du *Monde* de longs passages de mon discours et surtout je publiai une autre brochure, plus élaborée, *l'Algérie et la Répu-blique.*

En 1957, invité par l'Institut canadien (français) des affaires publiques, je rencontrai toute la génération des hommes politiques qui, pour la plupart, tiennent encore les premiers rôles : J. Lesage (l'homme de la révolution tranquille), R. Levesque, P. E. Trudeau, alors dans tout l'éclat du play-boy, au volant de sa Jaguar, si mes sou-venirs sont exacts. Après le Canada, je répondis à une invitation de l'université de Harvard et prononçai trois conférences qui, développées, devinrent *Immuable et changeante,* livre paru en 1958, après la fin de la IVᵉ République. Au cours même de l'année 1957-1958, mon cours public portait sur les régimes politiques des socié-tés industrielles. Publié près de dix ans plus tard, le cours garda la marque — je ne voulus pas l'effa-cer — des événements de 1958. Le titre d'un chapitre, « Fil de soie et fil de l'épée », renvoyait à des expres-sions respectivement de Guglielmo Ferrero et du géné-ral de Gaulle.

La légalité avait été formellement respectée, mais la IVᵉ République avait cédé à une rébellion de l'armée et des Français d'Algérie, rébellion à laquelle le général de Gaulle n'était pas entièrement étranger (pour dire le moins). Lui-même, avant le 15 mai, n'avait rien dit, mais il n'avait pas non plus désavoué la propagande délirante du plus fidèle de ses compagnons.

Dans *le Courrier de la Colère,* Michel Debré allait jusqu'à proclamer le droit, que dis-je, le devoir de révolte contre le gouvernement qui laisserait mettre en cause la souveraineté de la France en Algérie. Des gaul-listes furent soupçonnés de prendre part à l'un ou l'autre des treize complots, qui aboutirent au 13 mai et dont l'un visait le général Salan. Tout cela me séparait des gaullistes de 1958. Je ne confondis pas pour autant le Général avec les siens ; lui-même s'était le moins pos-sible sali les mains, bien qu'il n'ignorât ni les intentions ni les actes de certains des comploteurs. Selon les préfé-rences des commentateurs, c'est lui qui sauva les dépu-tés de la défenestration ou c'est lui qui alluma une des bombes du 13 mai. En vérité, il joua les deux rôles.

Par ailleurs, des rumeurs rapportaient des propos du

général de Gaulle et le présentaient comme plus proche des libéraux que des ultras. Quelqu'un m'assura que le Général lui-même, dans une conversation, m'avait donné raison contre J. Soustelle, en particulier sur le problème démographique. En tout état de cause, il était loisible de plaider que le Général, grâce à son autorité et à son prestige, avait une meilleure chance que tout autre de trouver une issue ou de faire supporter aux Français la prolongation du conflit. En 1957-1958, je m'efforçais de convaincre ; à partir de juin 1958, je fus renvoyé au rôle du spectateur ou du commentateur. Comment aurais-je pu rejoindre le parti gaulliste UDR, improvisé pour les élections, défenseur de l'Algérie française, animé par Michel Debré et Jacques Soustelle ? Mais, en sens contraire, pourquoi prendre une attitude d'opposant alors que le sens de l'événement demeurait ambigu ? André Malraux n'hésita pas à s'engager au service du Général, quelle que fût, à chaque moment, la doctrine officielle. Il me parut inconvenant, pour un intellectuel qui se pique d'être un écrivain politique, de participer aux équivoques, aux détours et aux ruses, peut-être nécessaires, du chef du gouvernement. Puisque j'avais affirmé ma propre doctrine, en toute clarté, je devais ne pas sortir de ma solitude, interpréter l'itinéraire du Général sans le transfigurer par le verbe.

La deuxième brochure, *l'Algérie et la République,* ne fit guère de bruit, bien qu'elle fût argumentée avec une tout autre rigueur que *la Tragédie algérienne.* Dans le premier chapitre, je démontrai, chiffres à l'appui, pourquoi l'intégration — l'Algérie devenant, comme l'Ile-de-France ou la Lorraine, une province de la France — était impossible. Les deux populations, algérienne et française, n'appartiennent ni à la même culture ni au même régime démographique ou économique. Comment appliquer à l'une et à l'autre les mêmes lois sociales ? La richesse pétrolière ne suffirait pas à combler le fossé entre les conditions de vie au sud et au nord de la Méditerranée. (Vingt années plus tard, en dépit de la multiplication par vingt du prix du pétrole, la proposition demeure vraie.) De ce fait, je pris position dans l'étrange débat ouvert à la suite du livre publié par Germaine Tillion, *l'Algérie en 1957,* quelques semaines avant *la Tragédie algérienne.* Thierry Maulnier, partisan inconditionnel de l'Algérie française, invoqua Germaine Tillion pour conclure : « La France ou la famine. » Il tira du livre de l'ethnologue bien plus que celle-ci n'y affirmait. Elle n'en avait pas moins écrit cette formule : « L'anticolonialisme est-il en train de devenir l'alibi de la clochardisation ? »

Je reconnus que « l'apparent libéralisme peut être le camouflage de l'égoïsme. Dans le cas de l'Algérie, les deux interprétations sont possibles : celui qui propose un dialogue avec les nationalistes algériens peut être un idéaliste, qui invoque le droit des peuples à disposer d'eux-mêmes ou qui rêve de l'amitié avec les musulmans. Il peut être aussi un capitaliste, soucieux de réduire les frais et indifférent à la misère de l'Algérie indépendante. (Il va sans dire que tout homme de gauche appartient à la première et noble catégorie, tout homme de droite à la deuxième et sordide catégorie...) C'est par amour pour Ali et Mohammed, par amour pour le plus déshérité des Kabyles et des Arabes que l'ancien gouverneur de l'Algérie dont le cœur est inépuisable se trouve miraculeusement d'accord avec ces esprits supérieurs et ces âmes d'élite que sont M. Roger Duchet, M. de Sérigny et d'autres rédacteurs de *l'Echo d'Alger.* Si M. Le Brun Keris et M. Étienne Borne condamnent mon cynisme, c'est que les sentiments chrétiens leur imposent de soustraire les Algériens à la misère et à la tyrannie du FLN ».

Dans le deuxième chapitre intitulé « La crise de la conscience française », je tentai de persuader mes compatriotes que la perte de l'empire ne condamnait pas notre patrie à la décadence. « Le défaitisme, c'est de désespérer de la réconciliation avec les nationalistes. L'abandon, c'est de rejeter la coopération avec les pays promus à l'indépendance... Qui bouche l'avenir, sinon celui qui affirme que l'aspiration des peuples à l'autogouvernement est incompatible avec la vocation africaine de la France ? Les nations décadentes sont celles qui refusent de s'adapter à un monde changeant. Fossoyeurs de la patrie ceux qui, sous prétexte de prévenir la décadence, orientent le patriotisme dans une voie sans issue. »

Le troisième chapitre, intitulé « La révolution de mai », esquissait une analyse des événements de mai 1958, le retour au pouvoir du général de Gaulle et la chute de la IVᵉ République. Je discutai en passant les idées d'Albert Camus, exposées dans un article[1] : « En dépit de sa volonté de justice, de sa générosité, M. Albert Camus n'arrive pas à s'élever au-dessus de l'attitude du colonisateur de bonne volonté. » Il refusait la légitimité de la revendication arabe : « On doit cependant reconnaître que, en ce qui concerne l'Algérie, l'indépendance nationale est une formule purement passionnelle. Il n'y a jamais eu encore de nation algérienne. Les Juifs, les Turcs, les Grecs, les Italiens, les Berbères auraient autant de droit à réclamer la direction de cette nation virtuelle. » A quoi je répliquai : « Ces musulmans n'ont pas été une nation dans le passé, mais les plus jeunes parmi eux veulent en créer une. Revendication passionnelle ? Bien sûr, comme toutes les revendications révolutionnaires. » A. Camus recommandait les mesures mêmes que prônaient les défenseurs de l'Algérie française : relèvement du niveau de vie, « fédéralisme personnel » (autrement dit égalité civile et politique des musulmans et des Français). Il voulait que le gouvernement « ne cédât en rien sur les droits des Français d'Algérie », il présentait « la revendication nationale algérienne en partie comme une des manifestations de ce nouvel impérialisme arabe dont l'Égypte, présumant de ses forces, prétend prendre la tête et que, pour le moment, la Russie utilise à ses fins de stratégie anti-occidentale ».

Ces textes ont été oubliés ; en revanche, on se souvient de la déclaration faite à Stockholm ou plutôt de la réponse donnée à un journaliste : « Je crois à la justice mais je défendrai ma mère avant la justice[2] ». Formule au fond dénuée de sens. La révolte algérienne posait à tous les Français, plus spécialement aux Français d'Algérie, une question de conscience. Pourquoi Albert Camus trouvait-il dans son amour pour sa mère la

---

1. Reproduit dans *Actuelles III,* Gallimard, 1958.
2. Dans *les Illusions retrouvées,* 1982, Claudie et Jacques Broyelle remettent cette phrase dans le contexte et éclairent les prises de position de Camus.

réponse à cette question de conscience ? Nous comprenions qu'il fût déchiré entre son attachement à l'Algérie, son amour filial et le souci de la justice, qu'il refu-
sât de prendre parti entre les deux camps aux prises.
Mais la confrontation entre la « mère » et la « justice »
me semblait un mot d'auteur, non un jugement sur un
conflit tragique. Loin de moi toute intention de porter
atteinte à la juste gloire de Camus ; je ne mets en doute
ni sa noblesse d'âme, ni sa bonne volonté. Ce qui reste
instructif, pour ceux qui n'ont pas vécu ces années, c'est
le refus, même chez un Albert Camus, du « nationalisme » algérien, de la volonté d'indépendance qui animait une minorité active et que soutenait probablement
une majorité de la population.
    Sur les projets constitutionnels du général de Gaulle,
je ne me trompai guère : « Le général de Gaulle, sans
aucun doute, veut sincèrement restaurer la République
et même une République parlementaire... La Constitution de la Vᵉ République risque d'être moins un compromis entre le gouvernement présidentiel et le gouvernement parlementaire qu'un retour à une monarchie
semi-parlementaire. Le ministère sera responsable
devant l'Assemblée, mais le Premier ministre sera
choisi par le président de la République et celui-ci, tel
un monarque, détiendra certaines prérogatives que les
rois eux-mêmes ont perdues dans les régimes parlementaires de notre siècle. Le retour en arrière peut n'être
pas sans utilité. La Constitution, inspirée du discours
de Bayeux, n'apporte pas une réponse durable aux problèmes français, mais elle offre un cadre institutionnel
dans lequel le général de Gaulle pourra exercer un pouvoir, absolu et limité... » (« absolu et limité » : l'expression vient de Maurras).
    Bien que j'aie été heurté par les conditions dans les-
quelles le général de Gaulle était revenu au pouvoir (le
15 mai il avait donné sa caution morale aux « insurgés » d'Alger), je lui accordai, en juillet 1958, quelques
semaines après la révolution de mai, des chances
qu'aucun autre n'aurait possédées : « Plus qu'aucun
autre, le général de Gaulle a les moyens de rétablir la
paix parce qu'il est capable de faire la guerre et qu'il a
une réputation de générosité. » Je décrivis le Général

non pas comme le représentant ou le chef des colonels ou des conspirateurs de mai, mais, tout au contraire, comme l'homme d'État qui ramènerait l'armée à l'obéissance et qui peut-être entamerait le dialogue avec les nationalistes algériens : « Ce que veulent les ultras et les conspirateurs va en sens contraire des nécessités historiques et des espérances durables du plus grand nombre des Français. La révolution de mai peut être le début de la rénovation politique de la France à condition qu'elle se hâte de dévorer ses enfants. »

Après cette brochure, j'écrivis régulièrement dans *Preuves* des articles sur la Ve République et en particulier sur la politique algérienne du Général. Dans le premier article que je publiai, en novembre 1958, je me référai à l'article de 1943 de *la France libre,* dans lequel j'avais analysé la conjoncture bonapartiste : « Un climat de crise nationale, le discrédit du Parlement et des parlementaires, la popularité d'un homme. » Je ne méconnaissais ni les différences entre les causes de la crise nationale (conflits sociaux en 1848, défaite militaire en 1940, perte de l'empire en 1958) ni les différences entre les hommes autour desquels cristallisaient les émotions populaires : « Le bénéficiaire de la conjoncture bonapartiste, qu'il s'appelle Louis-Napoléon, Boulanger, Pétain ou de Gaulle, qu'il soit un aventurier, un velléitaire, un vieillard ou un authentique grand homme, doit présenter une vertu propre : transcender les querelles françaises, être à la fois de droite et de gauche, unir la France d'avant à celle d'après 1789. »

Je relis sans trop d'embarras l'analyse de la Constitution de 1958 — peut-être pas très éloignée de celle que le maréchal Pétain avait préparée. Georges Vedel me félicita, dans une lettre amicale, pour l'analyse de la conjoncture et de la Constitution, et il me donna des précisions qui ne manquent pas de saveur : « La Constitution de Pétain que vous imaginez, m'écrivait-il, a existé au moins virtuellement. Vous trouverez le texte et les indications d'origine dans la 7e édition (par Berlia) du recueil des Constitutions de Duguit et Monnier (p. 386). Vous y lirez page 10 : " Le chef de l'État tient ses pouvoirs d'un Congrès groupant les élus de la nation et les délégués des collectivités territoriales qui la composent. Il personnifie la nation et a la charge de ses destinées. Arbitre des intérêts supérieurs du pays, il assure le fonctionnement des institutions en maintenant, s'il est nécessaire, par l'exercice du droit de dissolution, le circuit de confiance entre le gouvernement et la nation. " » G. Vedel ajoutait que cette rencontre involontaire entre les projets avortés du Maréchal et la conception du Général ne prouve rien ni pour ni contre la Constitution de 1958.

Mon diagnostic sur la IVe République et la situation de 1958 reste le même aujourd'hui, bien souvent repris par les historiens actuels : « L'hostilité à la IVe République ressemblait à celle que l'on observait en 1940 contre la IIIe. Cette sévérité, qui ne va pas sans injustice, traduit au moins un sentiment sain : les Français en avaient assez de devenir, par le fait de l'instabilité ministérielle, la risée du monde. Quelles qu'aient été les conséquences de cette instabilité, même si celles-ci étaient moindres qu'on ne le pense d'ordinaire, la fréquence des crises ministérielles discréditait le régime aux yeux des Français et des étrangers. A la longue, un pays ne peut obéir à ceux qu'il méprise. »

En sens contraire, je jugeai favorablement le bilan diplomatique (Alliance atlantique, réconciliation avec l'Allemagne, organisation européenne) et le bilan économique qui dépassaient les espoirs nourris par les optimistes à la Libération. Les Français reprochaient-ils à la IVe de perdre l'empire ou d'avoir voulu le sauver ? D'assimiler la perte de l'empire à un désastre national ou bien d'en méconnaître la signification ? « La IVe République a buté sur l'obstacle de la guerre d'Algérie, incapable de poursuivre la guerre, de la gagner ou de la terminer par négociations ; elle a passé la main. »

A cette date, je présentai la Constitution comme celle d'un empire parlementaire — diagnostic que les événements postérieurs n'ont pas démenti — et je ne trouve guère, dans cet article, de l'antigaullisme systématique que l'on m'a, depuis lors, avec de meilleurs arguments, attribué : « Faute d'intégrer au régime démocratique l'élément plébiscitaire comme le font les régimes anglais et américain, la France oscille entre l'anonymat

de parlementaires de deuxième ordre et l'éclat du chef
charismatique. Le général de Gaulle est par excellence
un chef charismatique, mais avec des ambitions historiques comparables à celles d'un Washington. » A
l'automne de 1958, Boris Souvarine, ami de Jacques
Chevalier, me mit au courant des négociations tentées
par le général de Gaulle, par l'intermédiaire de Farès et
d'Amrouche, avec le FLN. Les négociations échouè-
rent.

J'écrivis aussi, en mai 1959, un article sur la politique
économique du gouvernement. J. M. Jeanneney, ministre à l'époque, m'adressa une carte : « Je viens de lire
votre article de *Preuves* sur notre politique économique.
C'est le meilleur — le seul bon — exposé qui en ait été
fait. Merci et merci d'avoir marqué que je ne suis pas
un " libéral ". »

A l'occasion du premier anniversaire du nouveau
régime, je publiai un autre article dans *Preuves* intitulé :
« Un an après. Charles de Gaulle entre les Ultras et les
Libéraux. » Là encore, fidèle à moi-même, j'analysai
avec indulgence la politique algérienne du Général :
« ... ceux qui jugeaient juste la reconnaissance du droit
de l'Algérie à l'autodétermination, ceux qui jugeaient
contraire à la vocation de la France au XXᵉ siècle la
volonté de maintenir par la force la domination coloniale n'ont aucune raison de se renier. Que, dans la
conjoncture présente, le président de la République ne
puisse faire autre chose que ce qu'il fait n'implique pas
encore que l'on doive approuver ce que l'on critiquait
la veille. Ou alors, il faut faire amende honorable et
regretter les attaques dont Guy Mollet a été l'objet. »
Quant à mon attitude à l'égard du Général lui-même,
elle s'exprime dans des formules inévitablement nuancées, voire équivoques. Je déplorai la tentation de l'émi-
gration intérieure (celle de Mendès France par exemple) : « La Vᵉ République existe et, dans la France telle
qu'elle est, le général de Gaulle est le meilleur des
monarques possibles dans le moins mauvais des
régimes possibles... Il détient un pouvoir personnel
mais il a restauré la République en 1945. Il a canalisé la
révolution de 1958 pour en faire sortir une République
autoritaire, non un fascisme ou un despotisme militaire.

Il veut sauver les restes de l'empire français, mais il a concédé aux territoires d'Afrique noire le droit à l'indépendance. Il fait la guerre en Algérie, mais il n'exclut pas une évolution. » Conclusion : nous voudrions l'aider mais nous continuons de croire irrésistible le mouvement vers l'indépendance de l'Algérie. En attendant, laissons-le agir.

La suite des articles publiés dans *Preuves* jusqu'au dernier, terminé le 20 avril 1962, reflète les hésitations de mon jugement ou peut-être, plus encore, les oscillations de mon humeur. A l'automne de 1959, après le discours du 16 septembre sur l'autodétermination, je prévis, sans risque de me tromper, que le FLN ou le GPRA refuseraient l'invitation à cesser le combat et à prendre part à la bataille électorale. Le Général proposait une voie intermédiaire entre « l'Algérie française » et « l'abandon », au bout de laquelle l'Algérie serait étroitement associée à la France, autonome dans un cadre français. Mais cette voie intermédiaire existait-elle ?

En mars 1960, après la crise des barricades, j'admirai l'action du Général, dans un article intitulé : « Un seul homme, un homme seul », non sans rappeler que la proclamation du principe de l'autodétermination ne suffirait pas à mettre fin aux hostilités. Les combattants du FLN ne rangeraient pas leurs armes au vestiaire tant que le gouvernement n'aurait pas précisé les conditions dans lesquelles le principe serait mis en application. En l'absence d'une négociation avec le FLN ou le GPRA, on ne sortirait guère du cadre fixé par le fameux triptyque de Guy Mollet (cessez-le-feu, élections, négociations). En même temps, le titre de l'article écrit à la gloire « d'un seul homme, un homme seul » illustrait mon doute, mon inquiétude : convient-il de substituer à la légitimité démocratique la légitimité d'un homme élu par l'Histoire ? « Plus le Général insiste sur le caractère personnel de la légitimité qu'il détient, plus il affaiblit l'édifice constitutionnel qu'il a lui-même établi... Le général de Gaulle a été amené presque constamment à faire le contraire de ce qu'il aimerait faire. Il a horreur de la rébellion et il a commencé sa carrière politique comme un rebelle. Il a horreur des coups d'État militaires et il est revenu au pouvoir, en mai 1958, à la faveur d'un coup d'État militaire dont le pouvoir légal était menacé. Il a le désir passionné d'unir les Français et il n'y parvient jamais parce que cette unité est contraire à la nature des tâches à accomplir depuis vingt ans. » D'où son dessein d'une légitimité nationale, incarnée en un homme, à travers les plus étranges péripéties.

A l'automne 1960, je penchai vers plus de sévérité et j'intitulai un article « Présomption », comparant les prétentions du Général quand il revint au pouvoir et la situation deux ans plus tard : « Le général de Gaulle est un libéral si l'on entend par là un homme qui tient l'évolution de l'Algérie vers un statut d'État pour inévitable, conforme aux idées du siècle, compatible avec la sauvegarde des intérêts français. Mais c'est un ultra, si l'on entend par là un homme qui refuse de traiter avec ceux qui se battent. Seuls ont droit à l'indépendance ceux qui la demandent poliment. » Article injuste, rédigé aux États-Unis, pendant mon séjour à l'université Harvard. Georges Friedmann m'en reprocha — à juste titre — le ton : « Je ne vois dans la conjoncture actuelle personne d'autre que de Gaulle pour préserver l'essentiel des libertés que tu as passé ta vie à défendre. Il a encore une chance d'y parvenir. Je m'étonne que tu paraisses (car c'est ainsi que beaucoup l'ont compris, en se réjouissant) donner la caution de ton nom, de ton autorité à ceux qui vivent pour lui casser les reins... Te connaissant, je suis persuadé que, si tu étais en France, tu aurais rectifié ton tir depuis que tu as écrit *Présomption.* » Dans l'article suivant, après avoir cité la lettre de Georges Friedmann, je m'expliquai : « Je n'ai jamais mis en doute que le général de Gaulle fût, de tous les Français, le plus capable d'opérer l'abcès algérien. Un seul homme et un homme seul préserve nos libertés et s'interpose entre le désordre des esprits et le chaos. » Le discours de novembre 1960 du Général franchissait un pas de plus : « La " République algérienne " est venue après " l'Algérie algérienne " et cette République aura une diplomatie indépendante. » Le Général offrait donc à l'Algérie un statut semblable à celui des États de la communauté, mais il laissait dans l'ombre le point

crucial : qui prendra en charge la République algérienne ?

Mon inquiétude portait toujours sur le même point :
« Tout se ramène finalement à la question que les
observateurs se posent infatigablement depuis deux
ans : étant admis que le général de Gaulle, philosophe
de l'histoire, tient l'Algérie française pour morte et
l'Algérie indépendante pour inévitable, combien de
temps le général de Gaulle, chef de l'État, refusera-t-il
le dialogue faute duquel se prolongera la contradiction
tragique entre sa stratégie et sa tactique, entre l'aboutissement qu'il prévoit et le refus qu'il maintient ? » Et, à
la fin de l'article écrit à Cambridge, en réponse à G.
Friedmann, je conclus : « Probablement pouvons-nous
fort peu de chose. Nous risquons de le compromettre
en l'approuvant et de l'affaiblir en le critiquant... Il
n'est pas entièrement inutile de proclamer très haut que
le général de Gaulle porte nos espoirs, nos derniers
espoirs d'une paix honorable — c'est-à-dire d'une paix
qui réconcilierait la France avec les nationalistes algériens sans dresser les Français en armes les uns contre
les autres. »

Après le complot d'un « quarteron » de généraux et
la conférence de presse du 11 avril 1961, je ne doutai
plus que le chef de l'État appartînt au parti de l'« abandon », résolu à négocier avec le FLN sur la base de la
reconnaissance préalable de l'indépendance algérienne : « Au bout de trois ans d'hésitations ou d'illusions, au terme de travaux d'approche lents et tortueux,
le général de Gaulle se résignait ou se décidait à négocier avec le FLN de l'avenir de l'Algérie, contre ses promesses multipliées, sans tenir compte des sentiments de
l'armée... N'est-ce pas "gouverner à la florentine",
comme on disait jadis, que de prendre pour Premier
ministre, chargé de recevoir M. Bourguiba, le directeur
du *Courrier de la Colère* ? N'est-ce pas "gouverner à la
florentine" que de mettre au compte de la IVe République, le 15 mai 1958, "le trouble de l'armée au combat"
alors que l'on a soi-même l'intention de faire ce que le
trouble de l'armée (vulgairement appelé sédition) a
pour objet d'empêcher ? » Et, un peu plus loin, je me
mettais à la place des « dupes » : « Les vainqueurs du

13 mai, quand l'autodétermination a été proclamée en janvier 1960, et en avril 1961 l'indépendance accordée, ont eu le sentiment d'avoir été joués. Ils ont été privés de la révolution que les gaullistes leur ont subtilisée. Si le droit à l'insurrection était sacré contre le parti de l'abandon de la IVe République, si, comme le disait jadis le Premier ministre, le devoir d'obéissance cesse du jour où un gouvernement envisage d'aliéner une partie du territoire national, pourquoi les quatre généraux seraient-ils des criminels et non des héros malheureux ? Personnellement, je ne doute pas qu'ils aient été des criminels... »

Nouveau renversement de l'humeur que je m'explique mal, avec un titre déplacé, « Adieu au gaullisme ». Pourquoi cette violence verbale ? L'épisode de Bizerte m'avait indigné ; peut-être avais-je tort d'en rejeter la responsabilité exclusive sur le gouvernement français, mais cette sanglante leçon donnée à un chef d'État musulman, sincèrement ami de la France, me parut injuste, cruelle, contraire à notre intérêt national. Simultanément, la stratégie du Général, consistant à octroyer peu à peu, par des concessions unilatérales, l'enjeu même du conflit, me parut finalement déraisonnable. D'où les traits, percutants peut-être, mais à coup sûr désobligeants : « On ne décolonise pas dans le style de Louis XIV... Bidault aurait fait jusqu'au bout la guerre pour sauver l'empire français. Le général de Gaulle fait la guerre pour sauver le style de l'abandon. » Je critiquai, à ce moment-là, l'ensemble de la stratégie gaulliste : « Le Général n'a consenti à s'asseoir à la table des négociations qu'après s'être minutieusement dépouillé de toutes ses cartes, rien dans les mains, rien dans les poches... Alors que faire si le GPRA exige le Sahara ? »

Le FLN négocie en vainqueur : « Les nationalistes algériens ont peut-être perdu toutes les batailles sur le terrain, ils ont gagné la guerre, puisque le gouvernement français a reconnu que leur revendication était juste, s'est déclaré prêt à la satisfaire et souhaite " le dégagement "... » Aboutissement prévisible que j'avais annoncé dès 1957. « Si l'ALN parvenait à retenir 400 000 soldats français en Algérie, elle donnait au

GPRA la " victoire militaire " dont ce dernier avait
besoin. Car il était prévisible qu'à la longue le peuple
français se lasserait d'une guerre dont la durée même
démontrait l'injustice ou la vanité. »

Quant aux dernières lignes de l'article, dont je ne
relis pas sans gêne la virulence polémique, elles
contiennent malgré tout un passage valable : « Le
Général a parlé de dégagement et non plus seulement
de décolonisation, suggérant que l'abandon total —
regroupement, puis rapatriement des Français d'Algérie
et des musulmans qui veulent demeurer français —
serait, en dehors d'un accord avec le GPRA, la solution
inévitable. Que cet accord intervienne ou non, il est
clair que rien ou presque ne sera sauvé de ce qui aurait
pu être sauvé, il y a deux ou trois ans. » Aujourd'hui, le
lecteur est tenté de répliquer : aurait-il pu sauver quelque chose ?

L'article suivant qui conclut la série, je le signerais
encore puisqu'il constitue pour ainsi dire l'autocritique
des précédents. « Ceux qui ont suivi dans cette revue
des chroniques consacrées à la Ve République n'ignorent pas les hésitations de mes jugements. C'est la
nécessité de mettre fin à la guerre d'Algérie qui me
paraissait seule justifier la monarchie paternaliste intro-
duite sous le couvert de la Constitution de 1958. Seule
une négociation avec le GPRA offrait, à mes yeux, une
chance d'y parvenir, la formule d'autodétermination
n'ayant d'autre fonction que de camoufler la prédéter-
mination du sort de l'Algérie, fixé en fait par l'accord
entre le gouvernement français et le GPRA. Quand la
présomption gaulliste semblait fermer la voie des négociations, l'exaspération l'emportait sur l'espoir. L'espoir renaissait avec le référendum de janvier 1961. Il
cédait de nouveau la place à l'exaspération l'été dernier, après le drame absurde de Bizerte. » Je ne lésinai
pas sur l'hommage dû à l'homme qui, « convaincu que
le dégagement répondait à l'intérêt et à la vocation de
la France, a risqué et sa vie et sa gloire pour aller
jusqu'au bout de la décolonisation (naguère baptisée
abandon par les siens) ». Mais « " gouverner à la florentine " au XXe siècle comporte aussi un passif. Accuser l'homme d'action d'avoir payé trop cher le succès

obtenu est facile. Dissimuler le coût de la ruse et de la duplicité serait plus facile encore ».

Position intermédiaire qui se voulait équitable. Je reproduisis les réquisitoires et des ultras et des libéraux, sans accepter ou rejeter aucun d'eux. D'un côté, « était-il nécessaire de prolonger de trois ans et demi " la pacification " pour en venir à la négociation politique, inévitable et indispensable ? Etait-il nécessaire de rompre les premières négociations d'Évian sur la question du Sahara pour proclamer soudain, au cours d'une conférence de presse, qu'aucun gouvernement algérien ne renoncerait à la souveraineté sur les sables et le pétrole ? ». D'un autre côté, « pourquoi la tournée des popotes ? Pourquoi avoir laissé les officiers s'engager solennellement vis-à-vis des populations si l'on était décidé à ne pas leur permettre de tenir leur serment ? Du " je vous ai compris " au référendum d'avril 1962, un Terrénoire n'aperçoit qu'une ligne droite sans courbe ni détour — *sancta simplicitas*. Les Français d'Algérie, les officiers y voient une suite de reniements odieux ou de ruses cyniques ».

A ce réquisitoire que je n'écartais pas purement et simplement, j'objectai un argument primaire mais décisif : la réussite, la réalité : « Tant que le Prince s'embarrasse dans ses propres filets, les critiques ont beau jeu. Du jour où il s'en est dégagé, il dispose d'un argument irréfutable : la route peut-être longue, mais, du moins, elle m'a mené au but. Si j'avais pris une route plus courte, aurais-je réussi ? Le machiavélien qui a réussi *invoque* le *réel* contre des adversaires qui *évoquent* des *possibles*. La guerre civile, la révolte des OAS, a-t-on le droit de les reprocher au gouvernement si elles constituaient le prix à payer pour la fin de la guerre entre les Français et les nationalistes algériens ? »

Une fois de plus, je me définis moi-même face aux ultras d'un camp et de l'autre : « Les inconditionnels acclament les événements, même quand ceux-ci tournent en dérision leurs serments d'hier. Les adversaires dénoncent le général de Gaulle, même quand les événements accomplissent leurs espoirs d'hier. Est-ce être gaulliste ou antigaulliste de ne ressembler ni aux uns ni aux autres ? Dans la brochure intitulée *la Tragédie algé-*

rienne qui souleva la colère de MM. L. Terrenoire,
J. Soustelle et M. Schumann, j'avais employé l'expression " l'héroïsme de l'abandon "... Et pourtant... le
général de Gaulle a poussé jusqu'à l'héroïsme la
volonté d'abandon. La facilité était de poursuivre " la
pacification ", l'intérêt supérieur de la France était de
ne pas s'accrocher vainement aux derniers lambeaux de
l'empire... Le général de Gaulle garde, et il gardera, à
juste titre, le mérite historique d'avoir convaincu le
pays que la décolonisation signifiait mutation et non
défaite. Il n'a pas eu l'initiative de cette œuvre que les
siens avaient longtemps paralysée. Il l'a menée à son
terme en Algérie où elle risquait d'être tragique. »

Près de vingt ans se sont écoulés depuis les accords
d'Évian et le départ en catastrophe des Français d'Algérie. La population d'Algérie compte vingt millions
d'âmes, ce qui confirme, s'il en était besoin, l'argument
qu'avançaient les adversaires de l'intégration. L'augmentation massive du prix des hydrocarbures modifie
substantiellement les données du calcul que j'utilisai
dans *l'Algérie et la République*. Si la France avait
conservé la souveraineté sur le Sahara, elle paierait en
francs une partie de son pétrole ou compenserait les
achats de pétrole en devises étrangères par les ventes de
ses excédents d'autres sortes d'hydrocarbures. Quoi
qu'en aient écrit quelques historiens ou polémistes,
l'anticolonialisme ou la prise de position en faveur de
l'indépendance algérienne m'étaient dictés non par des
considérations d'économie, mais par des convictions
que l'on appellera indifféremment morales, politiques,
historiques ou même, si l'on veut, d'intérêt national.

Je ne sais si nous devons condamner moralement, au
bout de deux mille années, la conquête de la Gaule cel-
tique par les Romains. Pour le moins, les conquérants
devraient se référer chaque jour à la maxime de Montesquieu : « C'est à un conquérant de réparer une partie
des maux qu'il fait. Je définis ainsi le droit de
conquête : un droit nécessaire, légitime et malheureux
qui laisse toujours à payer une dette immense, pour

s'acquitter envers la nature humaine. » La conquête de l'Algérie, au siècle dernier, exigea au moins vingt années et quelques-uns des esprits éclairés de l'époque la jugèrent anachronique, vouée à l'échec. Ce que la conquête apporte éventuellement de bien disparaît nécessairement à partir du moment où les conquérants, plus d'un siècle après leur apparente victoire, doivent reprendre les armes pour perpétuer leur précaire domination. Les Algériens, en dépit de leur hétérogénéité (Arabes et Berbères), en dépit de l'absence d'une tradition étatique comparable à celle du Maroc, revendiquaient légitimement le droit de se bâtir un État et d'affirmer leur identité. Leur revendication s'accordait avec le mouvement historique des idées et l'intérêt bien compris de la France : la politique d'intégration, seule alternative à l'indépendance, la démographie et l'économie la rendaient impossible.

Quelques-uns des « libéraux », qui me reprochèrent *la Tragédie algérienne*, me disent aujourd'hui amicalement : les événements vous ont donné raison, mais étaient-ils déjà, en 1957, aussi déterminés à l'avance que vous l'affirmiez ? Étienne Borne auquel je rappelai son article sur *Espoir et Peur du siècle* m'écrivit : « En ce qui concerne l'affaire algérienne, sur laquelle j'ai en effet beaucoup écrit en son temps, il convient de se souvenir que j'ai appartenu à cette aile du MRP qui a souhaité et espéré une évolution de l'Algérie dans un sens libéral. Et je ne parle pas de tout ce que j'ai écrit dans *Terre humaine* touchant l'évolution de la Tunisie et du Maroc vers une autonomie d'abord interne... et contre la colonisation. C'était peut-être l'une de ces illusions de " troisième force " pour lesquelles tu as ton jugement si sévère, non sans quelques fortes raisons. Et il ne s'agissait pas seulement de vœux pieux. J'appartenais à la Commission exécutive du MRP qui, en 1958, à une courte majorité, a refusé la confiance à Bidault et l'a empêché de constituer un ministère Algérie française. Et c'est parce qu'il avait parlé d' " armistice " dans un article d'un journal alsacien qu'une fois président du Conseil, Pflimlin a déclenché l'insurrection de l'armée qui a eu raison de la IVe République. Il me semblait donc à cette époque qu'en concluant à l'indépendance pure et simple alors que tout n'était pas encore joué, tu n'étais pas à ta vraie place, disons pour faire court et sommaire, c'est-à-dire centriste. Tu avais sans doute raison selon un certain réalisme qui pesait les forces et les masses, et c'est ce que je voulais dire par le méchant raccourci polémique " pensée typiquement de droite ". Le rêve d'une fédération franco-algérienne permettant coexistence et coopération entre les communautés était sans doute utopique. Tu as été un des premiers à l'apercevoir et je te rends volontiers les armes à ce sujet... »

Jean Daniel, lui aussi, dans une conversation récente, soutint que l'affaire algérienne ne devait pas inévitablement suivre le cours qu'elle prit. Les dirigeants de la rébellion ne souhaitaient pas la fuite massive de tous les Français. Ils se querellèrent avec passion et violence ; certains d'entre eux envisagèrent de traiter sans obtenir immédiatement l'indépendance à laquelle ils aspiraient. Pour ma part, je ne rejette pas ces légitimes regrets, je n'affirme pas que le cours des événements ne pouvait pas être dans le détail autre qu'il a été. Moi aussi, dans ma discussion avec Chaban-Delmas, j'évoquai la confédération France-Maghreb proclamée au palais de Versailles. Je n'ai pas recommandé, en 1957, l'indépendance immédiate et le rapatriement des Français : je plaidai pour le droit à l'indépendance des Algériens. Or ce droit, les pieds-noirs n'étaient pas disposés à le reconnaître.

Je ne pense pas que l'importante littérature sur la guerre d'Algérie publiée depuis vingt ans m'amène à réviser les jugements prononcés il y a une génération. Nous en savons davantage sur les discordes à l'intérieur du FLN et du GPRA, sur la visite secrète à l'Élysée des dirigeants d'une wilaya, sur l'épuisement de la guérilla à l'intérieur. L'OAS et les attentats contre les pieds-noirs, dès que l'armée française cessa de sauvegarder la vie des personnes, ont précipité l'exode en catastrophe des Français d'Algérie — aboutissement que préparaient les décisions de 1955-1956. En 1957, j'annonçai qu'un jour, après des années de guerre, le pays abandonnerait la partie sans rien sauver. Il en fut ainsi ; peut-être devait-il en être ainsi. Les tragédies se déroulent, inexorables, jusqu'au bout. Les harkis, pour la plupart, furent livrés à la vengeance des vainqueurs sur l'ordre peut-être du Général lui-même qui, par le verbe, transfigura la défaite et camoufla les horreurs.

En ce qui me concerne, je ne regrette ni les deux brochures, ni les prises de position entre 1958 et 1962. Une fois de plus, comme entre 1940 et 1944, les Français s'accusèrent les uns les autres de trahison. Dans leur majorité, ils acceptèrent la politique du gouvernement et obéirent aux ordres de mobilisation. J.J. Servan-Schreiber, hostile à la guerre d'Algérie, répondit à l'appel et servit en « lieutenant en Algérie ». D'autres Français, comme Francis Jeanson, servirent dans les rangs du FLN ou, plus précisément, créèrent des réseaux clandestins de soutien au FLN. De nombreux intellectuels, les 121, parmi lesquels J.-P. Sartre, signèrent une motion qui invitait ou encourageait les jeunes Français à déserter.

Je me trouvais à Harvard quand la motion des 121 fut connue ; immédiatement, quelques professeurs américains s'employèrent à faire signer une motion approuvant les 121 et dénonçant les poursuites judiciaires ouvertes contre eux. Pendant quelques jours, je discutai avec des dizaines de professeurs américains et je dissuadai beaucoup d'entre eux de signer un texte pareil : « Inviter les jeunes à déserter, leur disais-je, ce n'est pas dangereux pour les intellectuels et J.-P. Sartre, c'est dangereux pour ceux qui suivront leur conseil. Je comprends le jeune qui refuse de combattre les Algériens, mais je déteste l'intellectuel en chaise longue qui se substitue à la conscience des appelés. A eux de choisir et à nous de leur laisser le choix. Si vous, vous intervenez dans ce débat, vous prenez une responsabilité supplémentaire : vous poussez les Français un peu plus loin dans la direction de la guerre civile, car le refus de la mobilisation équivaut à la rupture du pacte national. Que penseriez-vous, vous Américains, si demain, nous, Français, nous invitions vos jeunes gens à déserter le jour où nous jugerions injuste une guerre que votre gouvernement mènerait ? » L'argument impressionna

mes interlocuteurs. La motion d'appui aux 121 fut reti-
rée ou ne récolta pas toutes les signatures escomptées
(mon souvenir est vague sur ce point).

En octobre 1960, alors que la « guerre des motions »
faisait rage, je rédigeai un article sur *la Trahison* où je
repris et mis au point la préface écrite pour un livre
d'André Thérive. Article qui, une fois de plus, constituait une plaidoirie passionnée contre la guerre civile.
Le débat portait avant tout sur les réseaux créés par
Francis Jeanson. Qu'écrivait Jeanson ? « Je sais bien
qu'on nous accuse de trahison. Mais je me demande :
qui et quoi trahissons-nous ? *Juridiquement*, nous
sommes plongés dans la guerre civile, puisque les Algériens sont officiellement considérés comme des citoyens
français à part entière, donc nous ne trahissons pas la
France. *En fait*, la communauté nationale n'existe plus :
où sont ses grands axes, où sont ses lignes de force, où
sont les points fixes de sa structure ?... Aucun civisme
de pure forme ne me fera admettre qu'il existe encore
des " conduites légales " et des devoirs communs
quand le président de la République lui-même — le
sauveur de la France — se fait le champion de l'illéga-
lité en prenant le pouvoir grâce à un coup de force et en
n'appliquant pas une Constitution qu'il a lui-même fait
voter dans ces conditions-là. »

Laissons le premier argument : la guerre d'Algérie est
juridiquement une guerre civile puisque les Algériens
bénéficient, sur le papier, de la citoyenneté française. F.
Jeanson se conduirait donc en rebelle, non en agent
d'une puissance étrangère. (En fait les Algériens
n'interprétaient pas leur combat comme une guerre
civile.) Reste l'argument essentiel : la désertion ; les
réseaux de soutien au FLN ne font qu'entériner et sym-
boliser la rupture de la communauté. Fallait-il, en 1960,
se résigner à prendre acte de cette rupture et en tirer ces
conséquences ? Je répondis *non* : « Je suis de ceux qui
n'approuvent pas la politique des derniers gouvernements de la IVᵉ République et celui de la Vᵉ. Pourtant,
je ne me sens ni tenu ni même tenté de combattre avec
et pour le FLN, si l'on préfère avec et pour ceux des
Algériens qui réclament l'indépendance. »

Une comparaison entre les régimes totalitaires et les

régimes démocratiques éclairait le cas de conscience. « L'État totalitaire, en rejetant ses adversaires hors de la communauté, en assimilant les opposants à des traîtres, innocente pour ainsi dire ceux des opposants qui se jugent libérés de toute obligation. » Il n'en va pas de même dans les démocraties : le citoyen a juré d'obéir à la loi de la majorité : serment politique et non pas national. Pour violer son serment, il doit avoir des raisons irrésistibles.

Je poussai l'hérésie jusqu'à plaider que la rupture de juin 1940 n'avait pas ce caractère radical. Dans la mesure où le gouvernement de Vichy, encore à demi autonome, jugeait conforme à l'intérêt de la France une neutralité temporaire, les gaullistes, qui se dressaient contre lui, opposaient non une France à une autre, mais une politique à une autre. Tel était pour moi — jusqu'à novembre 1942 — le sens que je donnais au conflit que symbolisèrent les deux noms du maréchal Pétain et du général de Gaulle : « J'étais à l'époque, et je le suis resté, convaincu qu'un peuple aussi porté aux factions que le peuple français n'a une chance de sauver sa propre unité et de survivre que par un effort incessant contre ses démons, contre la tentation de chacun des partis de revendiquer le monopole du patriotisme, de prétendre seul incarner la nation. »

J'énumérais toutes les raisons pour lesquelles, en 1961, le citoyen n'avait pas de motif irrésistible de rompre le pacte national : pour l'essentiel les libertés personnelles et politiques subsistaient ; le gouvernement n'ignorait pas la volonté du peuple ; certes, la guerre me paraissait plutôt injuste que juste, mais la minorité française en Algérie ne devait pas être oubliée. Le respect des minorités appartient aussi à l'héritage démocratique. On ne peut pas appliquer mécaniquement, abstraction faite des circonstances, le principe d'autodétermination : « L'homme de droite qui se déclare en faveur des négociations avec le FLN et d'une évolution vers l'indépendance contribue à susciter, d'un côté et de l'autre, l'esprit de compromis faute duquel la catastrophe d'une guerre interminable ou d'une sécession tragique est fatale. Le Français qui s'engage dans les troupes du FLN exerce-t-il une influence de même sorte ? »

Je ne me dissimulai pas les équivoques de ce débat :
« On ne combat pas avec des nationalistes étrangers,
même si l'on juge leur cause plus juste que celle de son
propre pays. En sens contraire, on dirait : est-ce assez
de désapprouver passivement une politique que l'on
estime injuste ? » L'article me valut une lettre d'approbation de M. Merleau-Ponty, qui rédigea une autre
motion que je signai, en opposition à celle des 121. A la
Sorbonne, au paroxysme des attentats OAS, en une réunion organisée par l'ensemble des professeurs, en présence du doyen, je plaidai pour l'unité nationale par-
delà une crise qui ne menaçait pas la démocratie (je ne
prenais pas au tragique l'OAS, désavouée par la masse
des Français).

Dans les jours qui suivirent le 13 mai 1958, les orateurs, en Algérie, ne manquaient pas de mentionner
mon nom pour soulever des hurlements d'indignation,
voire de haine. Mon homonyme, Robert Aron, en 1960,
me désigna parmi ceux qui, faute de croire à la France,
voulaient sacrifier l'Algérie. Dans une série d'articles
sur la révolution de mai 1958, un énarque, avec lequel
j'ai repris depuis lors des relations cordiales, faisait
figurer ma brochure parmi les « hontes » qui avaient
suscité la révolte.

La plupart des injures qui, de tous les côtés, conver-
gèrent vers moi, par leur caractère public, me semblaient presque anonymes ; elles me touchèrent rarement. Vers la fin des années 60, je rencontrai plusieurs
fois une dame réfugiée d'Algérie. Finalement, mise en
confiance, elle me dit franchement : « Comme nous
vous avons détesté quand vous avez publié votre *Tragédie algérienne* ; aujourd'hui, nous nous demandons
comment nous avons pu être aussi aveugles. Au fond,
vous seul vous êtes soucié de nous. Vous nous l'avez
dit : " Quand la France abandonnera l'Algérie, elle ne
trouvera pas pour vous l'argent qu'elle dépense vainement pour mener la guerre. " »

La *Bibliographie* et l'*Index* se trouvent à la fin du
tome II.

TABLE

IMPRIMÉ EN FRANCE PAR BRODARD ET TAUPIN
58, rue Jean Bleuzen - Vanves.
Usine de La Flèche, le 11-02-1985.
1805-5 - N° d'Éditeur 2167, février 1985.

PRESSES POCKET - 8, rue Garancière - 75006 Paris
Tél. 634.12.80